S0-ASD-398

Les grandes découvertes

EDITIONS CHRISTOPHE COLOMB

Principaux collaborateurs:

Traduction: Nicole Willendyck
Révision linguistique: Robert Doniol, licencié ès lettres, Paris
Révision technique: François Dupont
Auteurs: Anthony Feldman et Peter Ford
Production française: André Winandy
Lydie Dergent

Imprimé et relié en Espagne
par Altamira S.A., Industria Gráfica, Madrid
I.S.B.N. 84-499-3069-3
Depósito legal: M. 28.718/1979-3 F

Préface

Depuis l'invention de la roue jusqu'à la découverte de la pénicilline, le lent cheminement des sciences et des techniques a été marqué, par l'empreinte de personnages plus ou moins célèbres, mais qui ont, tous, apporté leur étonnante contribution au progrès mondial. Ce livre témoigne des découvertes et des inventions réalisées au prix de maintes recherches dans l'intérêt de l'humanité. Il relate la vie passionnante de plus de 150 chercheurs et savants depuis Empédocle jusqu'à Christian Barnard, en passant par Galilée, Einstein, Gutenberg, Pasteur, les frères Wright et le couple des Curie. Tous contribuèrent à donner au monde un visage différent. Certains, comme Thomas Alva Edison, firent un nombre considérable d'inventions et travaillèrent dans des laboratoires très bien équipés. D'autres, par contre, comme James Watt, se consacrèrent à un seul sujet d'expérimentation, faute de pouvoir disposer de moyens plus importants. La vie et l'oeuvre de chacun de ces chercheurs sont présentées sur des doubles pages, illustrées de dessins et de photos de façon à mettre en évidence leur contribution au développement de l'humanité et leur extraordinaire apport à l'évolution des sciences et des techniques.

Empédocle

vers 490-430 av. J.-C.

Empédocle, philosophe et médecin, était également très réputé à son époque comme orateur et poète. Nous le retrouvons encore prophète de Dieu et thaumaturge. Sa conception de la nature marqua les sciences naturelles jusqu'au XVIIe siècle. Sa philosophie apparaît comme une tentative de synthèse éclectique. Aux Ioniens, il emprunte la théorie matérialiste des quatre éléments, aux Eléates l'idée que ces éléments sont confondus dans l'unité du tout et à Héraclite le devenir où alternent les cycles de l'Amour et de la Haine.

Empédocle naquit vers 490 av. J.-C. à Acragas, l'actuelle Agrigente en Sicile. Durant son adolescence, il s'intéressa énormément à la politique et, bien qu'étant d'origine noble, il se sentit beaucoup d'affinités pour le parti populaire. Sa vive opposition à la tyrannie et à la corruption était notoire. En vieillissant, il s'intéressa davantage à la philosophie.

De ses oeuvres, ne subsistent que des fragments de deux poèmes didactiques écrits dans une langue très imagée; 400 vers du *Physica* (De la nature) et moins de 100 vers du *Katharma* (De la purification).

Dans la première oeuvre citée, il expose sa conception de l'univers. Il y reprend, sous une autre forme, l'idée d'Héraclite des quatre éléments qui composent toute matière: le feu, l'eau, l'air et la terre. Contrairement à la plupart des autres philosophes, il considérait que ces éléments n'étaient pas quatre formes différentes de la même matière, mais quatre éléments bien distincts. Il affirmait que toute matière est composée de différentes combinaisons et relations entre ces quatre éléments. D'autre part, Empédocle croyait en l'existence de deux forces mythologiques, mystiques et immortelles. Ces forces agiraient sur les quatre éléments pour les regrouper, les dissocier et former de nouvelles combinaisons. Il appela Amour la force qui unissait les éléments, et Haine celle qui les divisait. Il considérait ces deux forces comme responsables de tous les événements survenus sur la terre, la création du monde et tous les changements qui en découlèrent. Au commencement, tout n'était qu'Amour, qui maintenait les éléments dans un ensemble harmonieux. La création originelle ne commença qu'avec l'apparition de la Haine, qui dissocia tous les éléments. Après des siècles de chaos, vint une ère d'équilibre, au cours de laquelle aucune force ne dominait l'autre. Les quatre éléments créèrent toutes les choses par de nouvelles combinaisons partielles ou totales. D'après Empédocle, les sources de chaleur étaient un exemple de fusion partielle entre le feu et l'eau. Les volcans étaient le résultat d'un mélange d'eau, de feu et de terre.

Empédocle appliqua rigoureusement sa théorie sur les forces de l'Amour et de la Haine et en fit une des théories les plus anciennes sur l'évolution de la vie sur terre. Il pensait que le premier stade de la vie était le résultat d'un mélange 'total' entre les espèces et les sexes, sans distinction particulière. La Haine constituait les différences entre les espèces de plantes et d'animaux. Par l'action constante des deux forces, toutes les formes de vie évoluaient progressivement et de façon perma-

Ci-dessous, à gauche: Un portrait d'Empédocle. Détail d'une fresque (peinture murale) de la cathédrale d'Orvieto, peinte par Luca Signorelli.

Ci-dessous, à droite: Le Temple grec de la Paix à Acragas, actuellement Agrigente en Sicile, ville natale d'Empédocle. A l'époque, la ville était une colonie grecque, célèbre comme centre des beaux-arts.

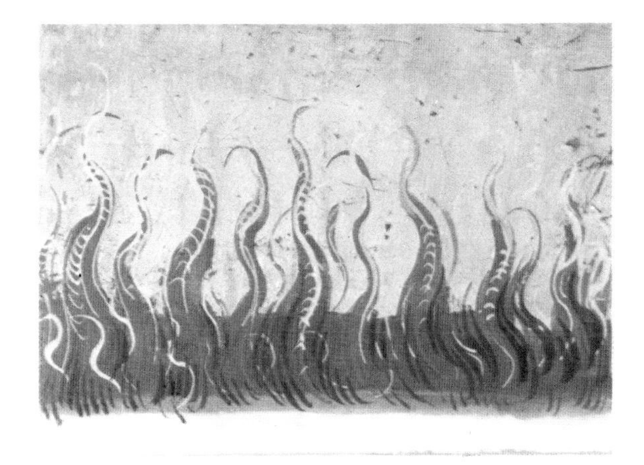

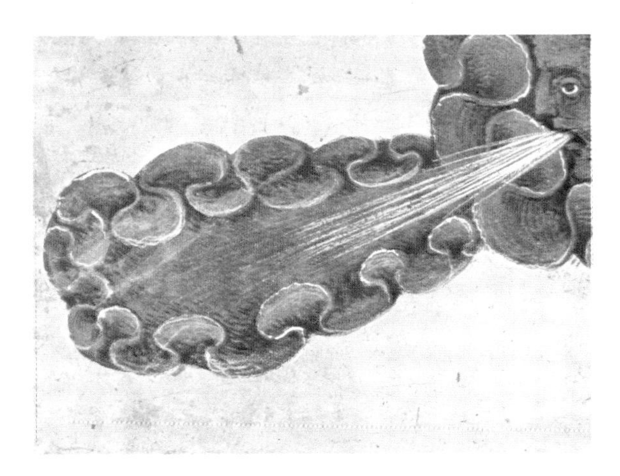

Ci-dessus: La conception de l'univers d'Empédocle. Les quatre éléments étaient reliés l'un à l'autre par quatre caractéristiques, dont chaque élément en possédait deux. Le feu était chaud et sec, mais surtout chaud. L'air était chaud et humide, mais surtout humide. L'eau était humide et froide, mais surtout froide. La terre était froide et sèche, mais surtout sèche.

Ci-dessus: L'oeuvre d'Empédocle revêtait également un aspect utile. Cette pièce de monnaie de Selinus fut frappée lorsqu'il tenta d'exterminer une épidémie de malaria, en asséchant les marais autour de la région.

nente. Empédocle imagina également une théorie sur le corps humain. D'après lui, le sang était la fusion la plus parfaite entre les quatre éléments de la nature, le coeur étant le centre de l'appareil circulatoire. C'est pourquoi il était convaincu que le coeur était le centre de la vie.

Les idées d'Empédocle sur les quatre éléments ont eu une influence prépondérante sur la philosophie des siècles suivants, mais de façon plutôt indirecte. Un siècle plus tard, Aristote reprit ses conceptions pour les approfondir: il croyait que les quatre éléments - feu, eau, air et terre - ne formaient que des matières purement terrestres et que les cieux étaient formés par un cinquième élément, qu'il appela l'éther. Il démontra que les quatre éléments de la Terre avaient chacun leur place propre et que chaque mouvement était dû à la recherche de cette place. La terre occupait la place inférieure, puis venait l'eau, ensuite l'air et, au niveau supérieur, le feu. C'est ce qui permettait à Aristote de déclarer qu'un objet, principalement composé de terre, tombe vers le bas lorsqu'il est lâché dans l'air. A l'inverse, des bulles d'air apparaissent à la surface de l'eau et les flammes du feu montent.

Empédocle mourut vers 430 av. J.-C. La légende veut qu'il se soit donné la mort en se jetant dans l'Etna, ce qui serait bien dans la ligne de ce personnage aux allures excentriques et orgueilleuses. Ses principes philosophiques survécurent encore deux mille ans, sous la forme modifiée et élargie que leur donna Aristote.

Démocrite

env. 460-370 av. J.-C.

Démocrite est le 'père de l'atomisme', doctrine selon laquelle la matière est constituée de particules minuscules et indivisibles: les atomes.

Démocrite naquit à Abdera, à l'est de la Grèce, vers 460 av. J.-C. Il voyagea beaucoup durant sa jeunesse et visita les centres scientifiques les plus importants de l'époque, en Egypte et au Proche-Orient. Il était manifestement désireux de développer ses connaissances.
En tout cas, Démocrite avait un esprit de libre penseur: il ne se laissa aucunement influencer par toutes les superstitions de son époque. Sa conception de l'univers s'écartait totalement des conceptions à la mode en ce temps-là. Il se fondait sur le fait qu'il existait deux principes dominateurs: le Plein et le Vide. Le Plein est constitué par les plus petites particules qui formaient la matière. On y retrouve sa théorie fondamentale: la matière ne peut être divisée à l'infini en infimes particules; il existe, au contraire, des particules qui ne peuvent être scindées. Il les appela *atomos* (indivisible). Le Vide peut être considéré comme étant l'espace dans lequel se déplacent les atomes. Il supposa que ces atomes, bien que de qualité égale, se différenciaient par leur forme et leur taille, et par leur position respective, dans le Vide. De plus, de par leur nature, ils étaient constamment en mouvement. Il suggéra, par exemple, que les atomes, qui constituaient la pierre et la terre, étaient rudes et pointus, ce qui les maintenait ensemble en formant une matière dure. Au contraire, les atomes d'eau étaient à ce point glissants et ronds que l'eau s'écoulait en permanence et épousait la forme de l'objet dans laquelle elle se trouvait, au lieu de prendre une forme propre.
Selon Démocrite, les atomes ne pouvaient être détruits, ni créés. Ils pouvaient seulement s'assembler, se dissocier et être réunis à nouveau dans d'autres combinaisons. C'est ce qui explique la genèse, la destruction et le changement de toutes choses. La matière, elle non plus, ne pouvait être totalement détruite ou créée, elle changeait seulement de forme et de qualité. Nous retrouvons ici la loi de la préservation de la masse et de l'énergie.
Démocrite avait un raisonnement matérialiste et

Ci-dessous, à droite: Démocrite croyait que la structure de la matière était déterminée par la forme des atomes. C'est exact, dans un certain sens. Ce cristal, très agrandi, semble pointu, parce qu'il est composé de particules anguleuses.

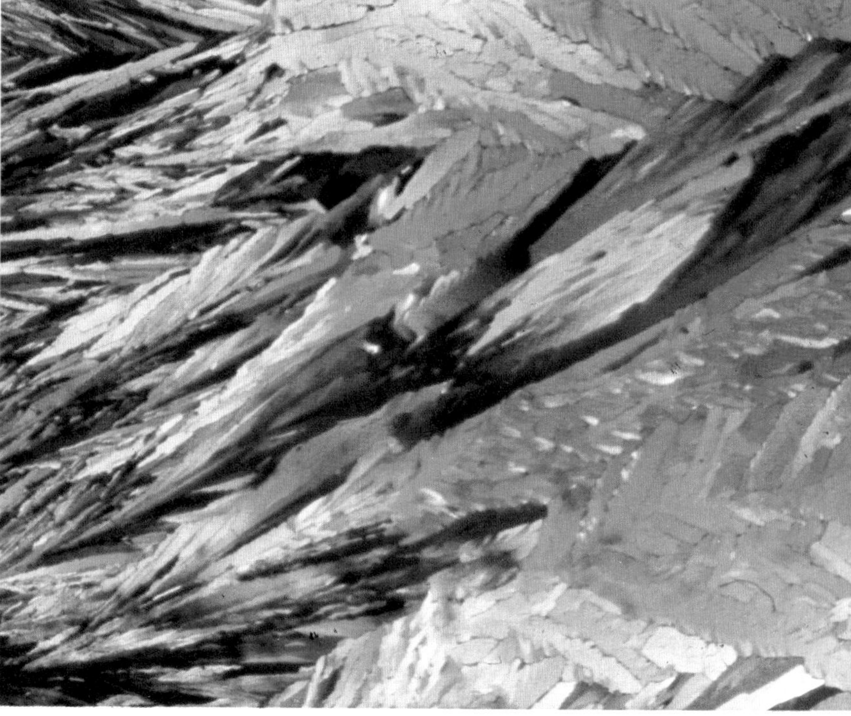

A droite: La théorie de Démocrite en images. La matière est un mélange d'atomes. La main blanche (en haut, à gauche) a quelque chose de noir, comme le montre un agrandissement (en haut, à droite). En bas, à gauche: les petits points blancs et noirs sont entièrement mélangés et, en bas, à droite, ces petits points noirs et blancs sont tellement groupés qu'ils représentent une main.

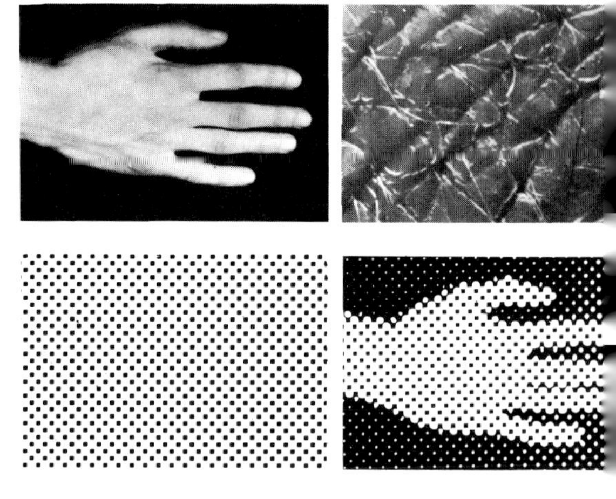

A gauche: Selon Démocrite, il n'existait qu'une seule particule de base, qui engendrait toute matière: l'atome indivisible. Les différentes formes et les types de classification des atomes seraient à l'origine de la variété de l'univers. Cette figure montre comment un seul et même élément pouvait former différentes sortes de matière.

Ci-dessous: Démocrite était un de ces rationalistes de premier plan, philosophes qui réfèrent la vérité à l'expérimentation et n'acceptent que les raisonnements exclusivement dictés par les sentiments. Démocrite était également connu pour ses épigrammes subtiles et ses idées scientifiques. On l'appelait 'le philosophe rieur'.

rationnel. Il partait du principe que toutes les choses étaient constituées par la matière et que tout devait s'expliquer par la logique. Il rejeta les idées de la majeure partie de ses contemporains, qui estimaient que tous les phénomènes de la nature étaient dominés et dirigés par les dieux, les démons et les esprits. Il supposait au contraire, qu'il devait exister des lois naturelles, qui dirigeaient tous les phénomènes de l'univers et qui, dès qu'elles seraient connues, permettraient de les expliquer. D'après lui, il n'y avait pas de raison d'accepter la présence d'une 'force créatrice' dans la nature. Il considérait même que la création était un simple fait dû au hasard, à une combinaison improvisée des effets des lois de la nature sur les atomes et que ces lois les formaient pour constituer tout ce qui existe dans l'univers. Démocrite mourut vers 370 av. J.-C. Malheureusement, ses idées furent dédaigneusement rejetées par son contemporain Socrate, de deux ans son aîné, dont la réputation et l'influence étaient tellement vastes que Démocrite fut traité toute sa vie avec outrage et mépris.

Hippocrate

env. 460-377 av. J.-C.

Le médecin grec Hippocrate fut appelé le père de la médecine. Il se distingua surtout par son approche objective des syndromes des maladies et par sa conception élevée du rôle de médecin.

Hippocrate naquit vers 460 av. J.-C., probablement sur l'île de Cos; il était fils de médecin. Il faisait partie de la confrérie des Asclépiades, une confrérie qui pratiquait l'art de la médecine, sous l'égide d'Asclépios, dieu de la médecine. Hippocrate donna certainement des cours à l'école de Cos, bien qu'il voyageât beaucoup et professât en Grèce et en Asie Mineure.

Ses écrits furent rassemblés vers la fin du IIIe siècle av. J.-C. à Alexandrie, sous le titre de *Corpus Hippocratum* (Oeuvres d'Hippocrate). C'est une collection de 72 ouvrages de nature différente, qui ne furent pas tous écrits par lui. Ils constituaient probablement la bibliothèque de l'école de Cos. Ces livres contiennent des descriptions pratiques des syndromes et de l'évolution des maladies, des essais sur la science de la diététique et de la médecine générale, ainsi que les célèbres aphorismes. Il ne fait pas de doute qu'Hippocrate a séparé la médecine des rapports traditionnels avec la magie, la croyance et la superstition. Il définit ainsi les bases sur lesquelles la médecine d'aujourd'hui repose encore. D'après le premier de ses célèbres aphorismes: 'La vie est courte, l'art est long, l'occasion est prompte à s'échapper, l'empirisme est dangereux, et émettre un jugement est difficile'.

Ainsi, son conseil aux médecins était-il de traiter la maladie avec soin et patience.

Hippocrate mit surtout l'accent sur le rôle important que joue le corps dans le processus de la guérison: 'Notre corps est le guérisseur de tous nos maux', disait-il. Contrairement à la croyance de son époque - les maladies étant occasionnées par l'influence funeste des mauvais esprits ou des dieux - il croyait que chaque maladie devait être la conséquence de troubles dans le fonctionnement du corps. Il fut le premier à dénoncer l'absurdité de la croyance que les attaques d'épilepsie, appelée 'la maladie sainte', étaient un transport de l'esprit imposé par les dieux. Hippocrate atteignit un haut degré d'objectivité, grâce à une observation systématique et surtout à la description préci-

Ci-dessous, à gauche: Portrait d'Hippocrate, d'après un manuscrit grec du XIVe siècle. On connaît très peu sa vie.

Ci-dessous, à droite: Le traitement d'un coude déboîté, par manipulation, comme le préconise Hippocrate. Son ouvrage sur les luxations était encore consulté par les médecins au XIXe siècle.

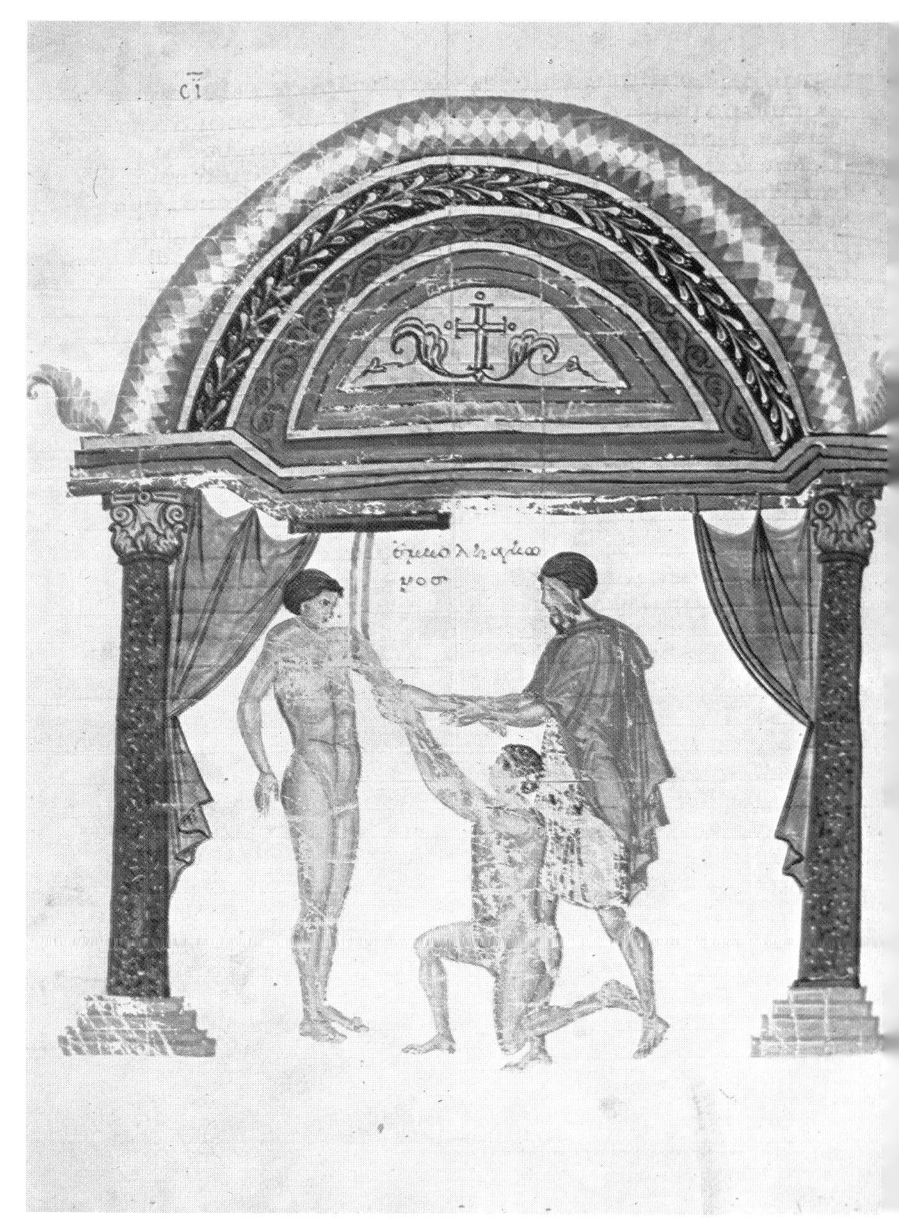

se des succès et des échecs dans l'application des traitements.
Il fit preuve d'une étonnante innovation en affirmant que le patient seul ne doit pas être examiné, mais qu'il doit être considéré dans le cadre de son environnement.
Même à l'apogée de l'empire romain, le développement de la science médicale subit essentiellement l'influence grecque. Galien, le célèbre médecin grec de Rome, au IIe siècle après J.-C., qui élabora les fondements de la physiologie expérimentale (doctrine des fonctions de la vie), suivit Hippocrate dans ses méthodes de pratique médicale, et Empédocle dans sa théorie sur les quatre éléments constituant le corps. L'influence de Galien se poursuivit à travers le moyen âge jusqu'aux XVe et XVIe siècles.

Ci-dessus: Le serment d'Hippocrate.

Ci-dessous: Une famille grecque offre un taureau à Asclepios et à Hygie, déesse de la santé. Selon la mythologie grecque, Asclepios apprit la médecine de son père Apollon. Son culte conduisit à la fondation de la confrérie des Asclépiades, qui pratiquait la médecine et dont Hippocrate faisait également partie.

Hippocrate mourut vers 377 av. J.-C. à Larissa, en Thessalie. Un de ses héritages, le célèbre serment d'Hippocrate, constitua le fondement de l'éthique médicale durant plus de deux mille ans. Il est très probable qu'il s'agisse du serment de la confrérie des Asclépiades et ce n'est donc pas Hippocrate qui l'aurait formulé. Cependant, on y retrouve intégralement tous les príncipes de l'exercice de l'art de guérir. Après avoir établi les obligations du médecin à l'égard de son maître, le serment détermine les règles de conduite à l'égard des patients par ordre d'importance: 'Quelle que soit la maison dans laquelle je pénétrerai, je n'y agirai que dans le seul intérêt des malades. Je m'abstiendrai de tout mal et de toute corruption, et, surtout, de tout acte de séduction de l'homme ou de la femme, unis par les liens du mariage ou célibataires. Je tairai et considérerai comme sacré tout ce que je vois ou entends sur la vie des autres, durant le traitement des malades ou en dehors, et qui ne peut être ébruité.'
Ce serment constitue actuellement encore la base de l'éthique médicale, surtout parce que ce texte n'est pas inflexible et ne doit pas être suivi à la lettre.
Actuellement, avant qu'ils ne puissent exercer leur profession, les médecins prêtent un serment, qui, dans l'esprit, se réclame entièrement de ce serment séculaire.

Aristote

384-322 av. J.-C.

Le penseur grec Aristote, philosophe, logicien et physicien a - peut-être plus que tout autre penseur - déterminé, puis résumé logiquement et systématiquement tout ce qui fut appelé la civilisation occidentale. Sa théorie du syllogisme et son analyse des différentes parties et formes du discours, font de lui le père de la logique.

Aristote naquit en 384 av. J.-C., à Stagira, au nord-est de la Grèce. Son père était un médecin célèbre à la cour du roi de Macédoine. Il y acquit ses premières connaissances en médecine et en biologie. Son père étant décédé lorsqu'il eut dix-sept ans, Aristote se rendit à la célèbre Académie de Platon à Athènes. Pendant près de 20 ans, il s'y occupa de dialogues, sous le contrôle de Platon, qui continuait l'oeuvre de Socrate. Le dialogue permet de déterminer la nature d'une réalité, en posant des questions et en y répondant.

A la mort de Platon, en 347 av. J.-C., Aristote quitta Athènes et voyagea durant douze années. Il fonda aussi une académie à Mytilène et une autre à Assus, dans le dessein d'étendre l'influence de la pensée grecque en Asie Mineure. Au cours de cette période, il séjourna également deux ans à l'île de Lesbos pour y étudier les animaux marins. De là, il partit pour Pella, sur l'invitation du roi Philippe II de Macédoine, et devint le précepteur de son fils Alexandre, âgé de treize ans, le futur Alexandre le Grand. Ensuite, Aristote - qui avait déjà près de cinquante ans - retourna à Athènes, où il fonda son lycée, analogue à l'académie. Cette époque, à partir de 335 av. J.-C., fut pour lui la plus fertile.

Dans son lycée, toutefois, Aristote mettait moins l'accent sur la philosophie et les mathématiques, mais davantage sur la véritable étude de la nature ou d'autres sujets scientifiques, et plus spécialement sur la biologie et l'histoire de la culture. Alexandre le Grand mourut douze ans plus tard, en 323 av. J.-C. Sa mort suscita un mouvement anti-macédonien, qui força Aristote à quitter Athènes. Il se retira dans sa propriété de Chaleis dans l'île d'Eubée, où il mourut un an plus tard, en 322 av. J.-C.

Quarante-deux ouvrages d'Aristote sont parvenus jusqu'à nous, mais il est fort probable que beaucoup d'entre eux furent rédigés par les éditeurs - après sa mort - à partir de notes destinées à ses conférences. A l'exception de quelques tomes importants sur la logique, la plupart traitent de sujets très variés, tels que la physique (science de la nature), la métaphysique (une partie de la phi-

*Ci-dessous: Philippe II de Macedoine respectait beaucoup la civilisation athénienne. C'est pourquoi il choisit Aristote - qui était le plus grand philosophe de l'académie athénienne - comme précepteur pour son fils Alexandre (le futur Alexandre le Grand). Aristote préférait enseigner à ses élèves en se promenant et en échangeant des idées. Cette habitude donna naissance au mot péripatétisme (*peri *= en rond;* patein *= se promener) et qualifia son enseignement.*

A gauche: Page d'une édition arabe du moyen-âge de l'ouvrage de biologie d'Aristote: De historia animalium. *La philosophie d'Aristote fut redécouverte en Occident grâce à des savants arabes.*

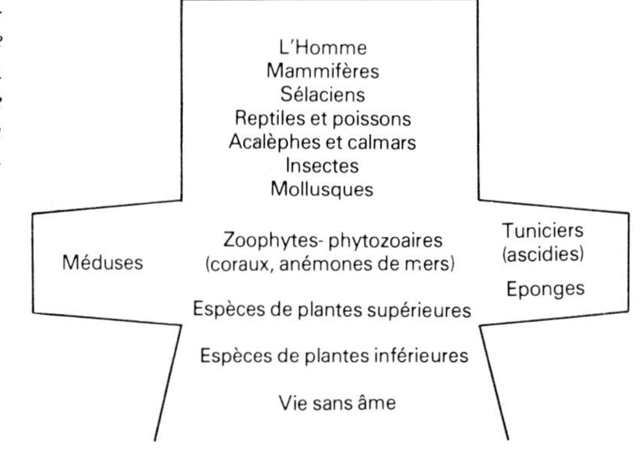

Ci-dessus, à droite: Echelle de la Nature *d'Aristote. Il classait la nature suivant les mêmes critères que les pensées et les jugements. Il représentait ainsi une succession par les plantes inférieures et supérieures, les méduses, les éponges, les coraux, les insectes, les calmars, les reptiles et les poissons, les baleines, les mammifères, de la matière morte vers l'homme au niveau supérieur, mais il ne pensait pas qu'il y eût une évolution, ou des liens de parenté entre les classes.*

losophie), la rhétorique (art de l'orateur), la politique et la poésie. En matière de politique, son analyse des différentes formes d'Etat est d'une grande importance.

D'après Aristote, il existait une relation indissoluble entre la philosophie et la politique, la logique et les méthodes d'expérimentation scientifique. C'est pourquoi l'influence pratique de sa conception sur la recherche scientifique était de nature très complexe. En fait, il institua la logique, la physique, la biologie et les sciences de l'esprit comme branches formelles de la science. Son approche systématique des phénomènes fit de lui le premier encyclopédiste.

Aristote pensait, tout comme Empédocle, dont il développa la théorie, que chaque chose avait sa place propre dans la nature, que le monde ne changeait pas et qu'il était soumis à des cycles de création et de déclin. La physique, science de la nature, permettait à Aristote d'étudier l'évolution de ces phénomènes. A des questions telles que: pourquoi une pierre tombe-t-elle sur le sol, pourquoi les poissons nagent-ils dans l'eau et pourquoi certaines personnes naissent-elles esclaves, il répondait invariablement: 'Parce que leur nature est ainsi faite.'

Sa méthode de travail en biologie était la plus intéressante, notamment par la répartition des espèces animales et l'étude de la structure de leur corps. Aristote croyait que toute chose dans la nature cherche à atteindre le degré de perfection le plus élevé. Chaque espèce a sa place fixe dans la variété des choses existantes et, puisque rien, dans son essence, ne change et ne changera jamais, la matière vivante est au-dessus de l'inanimé, l'homme est au-dessus des animaux, et Dieu - 'le moteur immobile' de l'univers - se trouve à son tour audessus de l'homme.

Aristote utilisa même son échelle fixe *(scala)* en politique. Il croyait en un gouvernement d'oligarchie éclairée (une forme d'Etat où le pouvoir politique est réservé à un petit groupe). Le commun des mortels devait agir avec modération s'il désirait rester heureux. Aussi longtemps que l'on éviterait de tomber dans l'excès, tout irait bien dans l'Etat, même en politique.

Après la chute de l'empire romain, aux IVe et Ve siècles après J.-C., les oeuvres d'Aristote disparurent. Ce n'est qu'au XIIe siècle qu'on les connut en Europe.

Mais leur influence avait été prépondérante durant plusieurs centaines d'années.

Ci-dessus: Une sculpture d'Aristote du XIIIe siècle, audessus de l'entrée royale de la cathédrale de Chartres. Les oeuvres d'Aristote ne furent connues qu'au XIIe siècle en Occident. Elles furent considérées comme le fondement de la philosophie chrétienne et de la théologie, grâce surtout à l'oeuvre du philosophe italien Thomas d'Aquin.

Archimède

env. 287-212 av. J.-C.

Le physicien et mathématicien grec Archimède a contribué au développement de la géométrie et de la mécanique. En physique, on connaît surtout sa loi sur les corps immergés dans un liquide. En mathématiques, il perfectionna le système de numération des Grecs, permettant d'exprimer un nombre d'une grandeur quelconque, si importante soit-elle. Archimède était également l'inventeur de nombreux appareils pratiques.

Archimède naquit vers 287 av. J.-C. à Syracuse, ville-Etat grecque en Sicile. Il était le fils d'un astronome, et avait probablement un lien de parenté avec le roi de Syracuse, Hieron II. Il étudia à Alexandrie, centre scientifique de l'époque, et passa le reste de sa vie dans sa ville natale, où il se consacra surtout à la recherche théorique en mathématique.

Il semble très probable que c'est à la suite d'une requête du roi Hieron, qui demandait souvent conseil à Archimède, que ce savant découvrit la loi sur les corps immergés. Hieron ayant chargé un orfèvre de faire une couronne en or, il voulut s'assurer qu'il s'agissait bien d'or véritable et non d'un alliage. Il demanda donc à Archimède de s'en assurer. Après avoir réfléchi en vain pendant des jours entiers à cette question, Archimède se rendit un matin aux bains. Lorsqu'il entra dans une baignoire pleine, il remarqua que son mouvement faisait déborder une partie de l'eau du bain. Soudain, il comprit que la quantité d'eau qui débordait devait être égale au volume de la partie immergée de son corps. Il avait ainsi trouvé la réponse à sa question: lorsqu'il plongerait la couronne d'Hieron dans l'eau et calculerait la quantité d'eau déplacée, il connaîtrait le volume de la couronne. Puis, lorsqu'il comparerait le poids d'or de ce volume au véritable poids de la couronne, il connaîtrait sa teneur en or pur. Dans ce cas, les poids d'or et d'eau seraient égaux. La légende raconte qu'Archimède était si enthousiaste de cette découverte soudaine qu'il se précipita tout nu à la maison en criant *Eureka!* (j'ai trouvé). Actuellement, on se sert encore de cette expression pour annoncer une découverte ou une idée subite. La découverte d'Archimède fut, hélas! funeste pour l'orfèvre, qui prétendait que la couronne était en or pur, alors qu'elle contenait une proportion considérable d'un autre métal. Pour cette tromperie, l'orfèvre fut condamné à mort par le roi Hieron.

Plus tard, Archimède se servit de sa découverte pour démontrer qu'un corps, plongé dans un liquide, subit une poussée verticale de bas en haut égale au poids de la quantité de liquide déplacé. Cette loi permet d'expliquer le pouvoir de flotter que possèdent des objets même lourds. Ainsi, un bateau moderne, construit entièrement en acier, peut flotter, parce qu'il déplace une importante quantité d'eau, mais une même quantité massive d'acier coulerait immédiatement.

Cependant, le travail le plus important d'Archi-

Ci-dessous: Cette fresque provenant d'une ville de Pompéi représente un esclave qui puise de l'eau en actionnant une vis d'Archimède, de forme hélicoïdale, enfermée dans un cylindre incliné. Un mouvement de rotation de la vis fait monter l'eau.

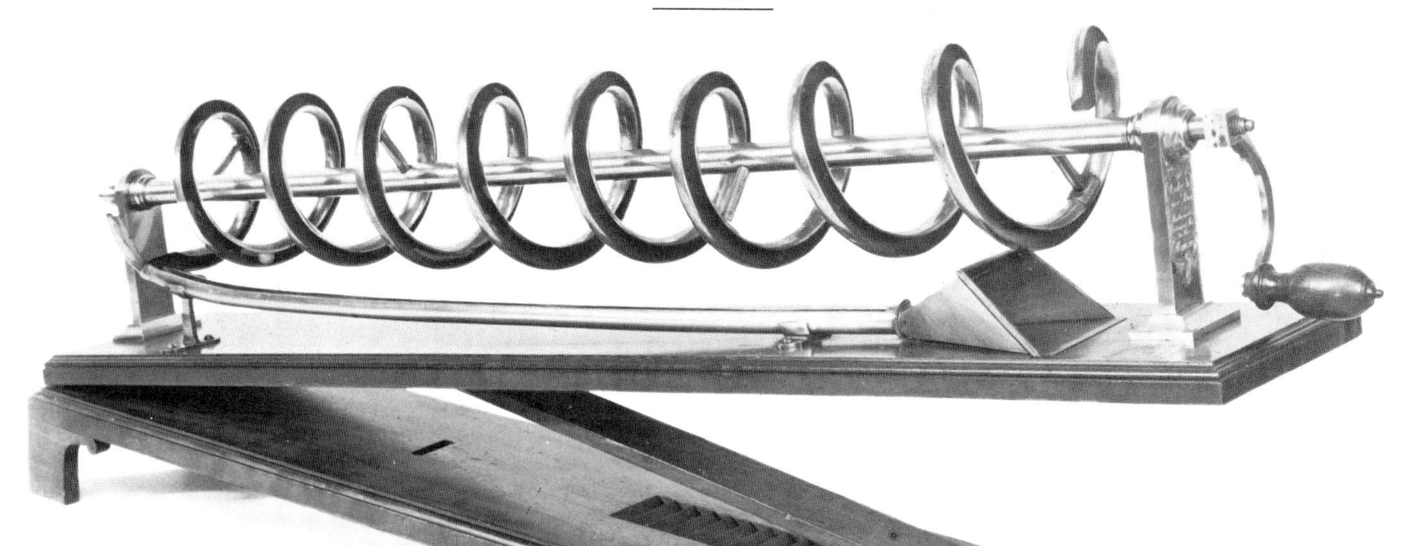

mède fut de nature plus abstraite et concernait surtout la géométrie. Il se complut dans les défis intellectuels offerts par la mathématique pure. A Alexandrie, il avait étudié chez un disciple du célèbre Euclide. Tous les ouvrages d'Archimède qui ont subsisté sont des traités de mathématique. Dans son ouvrage *Sur la sphère et le cylindre,* il calcula avec une précision remarquable le rapport entre la circonférence d'un cercle et son rayon, rapport que l'on désigne toujours par la lettre grecque π (pi). La technique mathématique dont il se servit a des liens très étroits avec le calcul intégral et différentiel, qui fut conçu par Leibniz deux mille ans plus tard.

En dehors de ses ouvrages abstraits, Archimède s'intéressa énormément aux principes de la mécanique. Il étudia le fonctionnement des leviers et des systèmes de poulies.

Il prouva qu'un levier, ayant un point d'appui, pouvait soulever de lourdes charges sous l'action d'une force relativement modérée à l'extrémité du levier.

Dans le domaine de la mécanique pratique, il imagina entre autres la vis sans fin qui porte son nom, un planetarium pour la représentation du mouvement des astres, des machines de guerre.

Dans les dernières années de sa vie, Archimède construisit à la demande du roi toutes sortes d'engins de guerre étranges et effrayants, pour défendre la ville de Syracuse, assiégée durant trois ans par les Romains. Les engins fonctionnaient tellement bien que ce n'est qu'en 212 av. J.-C., après trois ans de siège, que la ville fut maîtrisée ... par trahison.

Ci-dessus: Un modèle de la vis d'Archimède. Une petite boule en ivoire roule le long du tuyau inférieur et est recueillie à l'extrémité de la spirale creuse. Lorsque celle-ci tourne, la boule est entraînée vers le haut par la spirale et retombe à son extrémité dans l'entonnoir du tuyau inférieur.

Ci-dessus: Archimède, trop absorbé dans ses cogitations, est tué par un soldat qu'il avait refusé d'écouter.

A gauche: Archimède appliquait ses découvertes en matière de mécanique à la construction d'engins. Durant le siège de Syracuse, il élabora de nombreux moyens de défense de la ville.

Lorsque la ville de Syracuse fut mise à sac par les Romains, le général romain Marcellus ordonna d'épargner le grand savant. Mais le sort en décida autrement. Le soldat romain qui devait inviter Archimède à se rendre chez Marcellus, le trouva en pleine réflexion. Archimède était à ce point préoccupé par un problème de mathématique qu'il renvoya le soldat par ces mots: 'Ne me dérange pas! Va-t-en!' Le soldat, furieux, prit son épée, et tua un des plus grands savants de l'antiquité.

Johannes Gutenberg

env. 1400-1468

Il n'est pas absolument certain que l'orfèvre allemand Gutenberg ait été le premier à découvrir l'imprimerie en Europe. Vers la même époque, d'autres personnes ont découvert un procédé identique. Mais la méthode de Gutenberg était à ce point pratique que, jusqu'au XXe siècle, aucune amélioration essentielle ne lui fut apportée. C'est pourtant son nom que la postérité a retenu pour célébrer un des plus beaux efforts du génie humain.

Nous connaissons peu la vie de Johannes Gutenberg, Johannes Gensfleisch de son vrai nom. Il naquit probablement à Mayence en 1400 ou un peu plus tôt. C'est à Strasbourg qu'il aurait commencé les expériences qui le menèrent à sa décou-

verte. Il fabriqua, pour chaque lettre de l'alphabet, une matrice dans laquelle les lettres étaient coulées à partir d'un alliage fondant à basse température, qui se déformait très peu en se refroidissant et en se solidifiant. D'autre part, il fabriqua une presse à imprimer, en s'inspirant d'autres types de presses existantes, comme le pressoir à raisins pour le vin, la presse à papier et la presse à relier les livres. De plus, il modifia quelque peu la composition d'une peinture à l'huile, utilisée par les premiers peintres flamands. Ainsi, il obtint une bonne encre d'imprimerie.
Son invention permettait à l'imprimeur de former, à partir de lettres métalliques séparées, des mots composant des lignes qu'on pouvait assembler et serrer dans un bloc. Le bloc ayant été enduit d'encre, on le pressait sur le papier, ce qui permettait d'imprimer des milliers de copies d'une même page. Le bloc pouvait être décomposé pour la réutilisation des lettres. Cette méthode n'emprunta rien aux techniques d'imprimerie qui existaient déjà en Chine et en Corée, et elle s'en écartait même fortement. Gutenberg n'avait d'ailleurs aucune connaissance de ces techniques. Son système était plus pratique que celui qu'avait découvert le marchand néerlandais Laurens Janszoon Coster de Haarlem, qui, prétend-on, avait déjà utilisé les lettres d'imprimerie mobiles vingt ans plus tôt.
En réalité, c'est un procès, terminé en 1444, qui nous fit connaître l'invention du Gutenberg. Il avait pris dans son affaire deux associés, qui savaient qu'il étudiait une invention secrète. En garantie des prêts qu'ils lui avaient accordés, ils souhaitaient y être intéressés. Ils signèrent un contrat de cinq ans, stipulant que leurs héritiers seraient remboursés par Gutenberg des prêts consentis, mais que l'affaire restait uniquement sa propriété, les héritiers étant écartés de l'association. A la mort d'un des associés, ses héritiers tentèrent de maintenir l'association en portant le litige devant les tribunaux, mais Gutenberg obtint gain de cause.
Un autre événement bien connu de la vie de Gutenberg eut lieu à Mayence, quatre ans plus tard. Le riche financier Johann Fust lui ayant accordé une aide financière, se déclara satisfait au début en acceptant en gage tout le matériel d'imprimerie de Gutenberg. Plus tard, il devint son associé. Les conflits surgirent lorsque Fust insista pour retirer de plus grands bénéfices de ses investissements. Gutenberg, au contraire - comme de nombreux inventeurs de génie - désirait perfectionner encore son invention. Finalement, en 1455, Fust intenta à Gutenberg un procès qu'il

Ci-dessous: Avant 1455, lorsque Johannes Gutenberg imprima le premier livre européen à l'aide de lettres mobiles serrées dans un bloc, les livres étaient rares et tellement chers, que seuls les plus riches pouvaient les acquérir. Les copistes travaillaient de nombreux mois pour produire un seul tome. D'après les critères actuels, les premières méthodes d'impression étaient longues et fastidieuses, comme le montre cette représentation du XVIe siècle, sur 'l'impression des livres'. Cependant, les imprimeurs de l'époque parvenaient à composer par jour autant d'exemplaires d'un livre imprimé qu'un copiste en une année. Par conséquent, les livres devinrent nettement moins cher et un public beaucoup plus nombreux put s'intéresser aux idées et aux connaissances du monde.

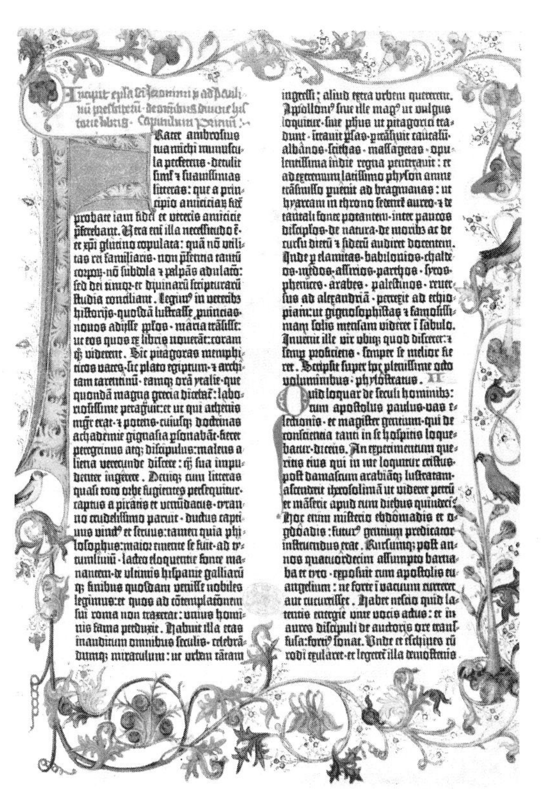

A gauche: Une page de la célèbre Bible de Gutenberg, dite de 42 lignes, imprimée en 1455. La copie, qui est une partie de l'adaptation latine de Saint Jérôme, tirée des Saintes Ecritures, fut imprimée à la hâte, pour procurer le plus rapidement possible des bénéfices. Les décorations furent ultérieurement effectuées à la main.

gagna. Il fit même confisquer tout le matériel du malheureux inventeur, qui fut ainsi complètement ruiné. Entre-temps, la 'Bible de Gutenberg' (comme on l'appelle aujourd'hui), dite aussi *Bible à 42 lignes* (par page), avait été publiée à Mayence; mais il n'est pas du tout certain qu'elle ait vraiment été imprimée par Gutenberg. Cependant, il est certain que Gutenberg préparait un livre de psaumes, durant le procès.

Fust continua à exploiter l'imprimerie avec son beau-fils Peter Schöffer, qui avait travaillé au service de Gutenberg et qui fut son meilleur élève. Le 14 août 1457, ils publièrent le livre de psaumes, sous leurs noms. C'était le premier livre en Europe qui mentionnait le nom de l'imprimeur. La qualité exceptionnelle des décorations de ce livre prouve, selon les experts, que c'était bien l'oeuvre de Gutenberg.

A la fin de sa vie, en 1465, Gutenberg fut accueilli à la cour du Prince Electeur de Mayence, qui lui assura une certaine sécurité d'existence, en lui allouant un traitement annuel sous la forme d'une quantité de grains, de vêtements et de vin. Johannes Gutenberg mourut le 3 février 1468. Il eut encore le temps de se rendre compte de la rapidité de diffusion de son invention en Europe. Lorsqu'il mourut, huit grandes villes au moins possédaient leur propre imprimerie. Au cours des années qui suivirent, sa nouvelle technique fut adoptée à Stockholm, dans le nord, à Cracovie à l'est et à Lisbonne à l'ouest. Le typographe anglais William Caxton (vers 1422-1491) étudia cet art à Bruges et, lorsqu'il retourna à Londres, l'imprimerie des livres connut un rapide essor en Angleterre où il imprima le premier livre paru en 1477.

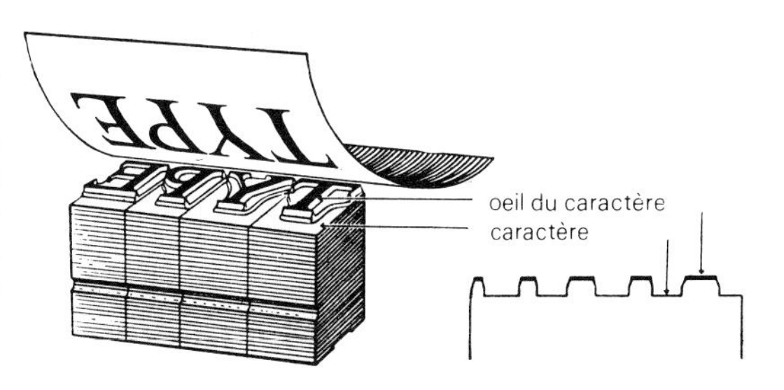

A droite: Le système de Gutenberg est celui de la presse à copier. L'encre est déposée sur les parties en relief de la lettre coulée, qui apparaît inversée. En pressant fortement le papier, sur les lettres, on obtient une reproduction redressée.

Ci-dessous: William Caxton, qui publia le premier livre anglais en 1477, The Game and the Playe of the Chesse *(le jeu d'échecs), montre ici une épreuve au roi Edouard IV.*

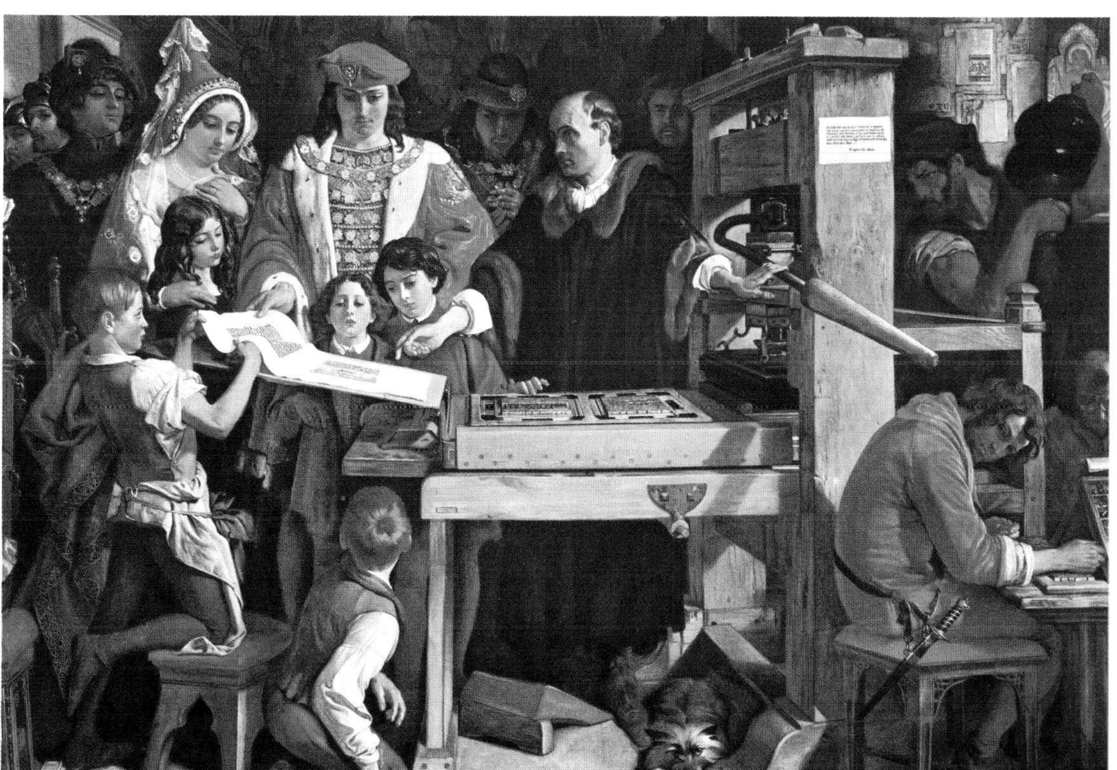

Léonard de Vinci

1452-1519

Léonard de Vinci est surtout réputé pour la diversité de son immense talent. Il excellait comme peintre, sculpteur, architecte et mécanicien. Ses livres de notes, pleins d'idées, d'études et de croquis sur les sujets les plus divers, sont également célèbres. Se considérant comme 'homme universel', Léonard de Vinci mit son savoir aux services de différents princes et même de Francois Ier, roi de France. Ils se l'attachèrent en tant qu'ingénieur militaire et organisateur de fête, car ils appréciaient son sens développé de l'observation.

Léonard naquit en 1452 au lieu-dit Vinci (ce qui explique son nom, Leonardo da Vinci) près de Florence, en Italie. Il était l'enfant illégitime d'un notaire florentin et d'une paysanne. Son père le logea et le nourrit comme un enfant légitime. Léonard travailla jusqu'en 1477 comme élève chez le peintre et sculpteur florentin Andreo del Verrochio, quoique, depuis 1472, il fît déjà partie de la

confrérie des peintres. L'histoire raconte que Verrocchio cessa de peindre lorsqu'il vit l'ange que son jeune assistant Léonard avait peint dans le coin de sa toile: 'Le baptême du Christ'. A cette époque, Verrocchio lui enseignait également la mécanique et l'anatomie humaine.

Léonard travailla quelques années comme indépendant à Florence et séjourna ensuite à Milan - de 1482 à 1499 - en qualité d'artiste et d'architecte des fortifications auprès du duc de Milan. De cette période, date sa fresque 'La dernière Cène', mondialement connue. Il l'exécuta sur commande dans l'église de Santa Maria delle Grazie à Milan. Cette oeuvre illustre son désir d'expérimenter des techniques..., qui eurent des conséquences désastreuses pour lui. Il avait tenté de peindre avec une peinture qu'il avait fabriquée lui-même, en mélangeant de l'eau et de la colle et en l'appliquant sur un plâtrage. Mais, durant toute sa vie - et plus tard aussi - il fallut sans cesse restaurer l'oeuvre, car la peinture se détachait du support en plâtre.

Après 1499, Léonard séjourna longtemps à Florence et retourna ensuite à Milan, en faisant des séjours intermédiaires à Mantoue, Venise et Rome. Toutes ces périodes reflètent une même image de lui. Il était tout aussi compétent en science qu'en art. Mais, alors que sa réputation de grand artiste est bien établie, il est plus difficile de définir clairement le rôle qu'il joua dans le domaine de la science. Si l'on examine les notes de Léonard, on ressent un choc en reconnaissant, sur ses dessins, des inventions qui ne seront découvertes que bien plus tard. Mais Léonard de Vinci n'estimait pas nécessaire de révéler ses expériences et ses inventions.

A sa mort, il laissa tous ses papiers à un de ses élèves, Francesco Melzi. On les retrouvera plus tard,

Ci-dessous, à gauche: Léonard représenté comme Platon sur la toile de Raphaël, 'l'Ecole d'Athènes'.

Au centre: Projet d'un véhicule automoteur avec deux essieux; en fait, une automobile.

Ci-dessous, à droite: Léonard réalisait très rarement ses projets. Ce modèle de voiture, actionnée à l'aide de ressorts, fut construit longtemps après sa mort d'après ses plans et fonctionna comme une véritable automobile.

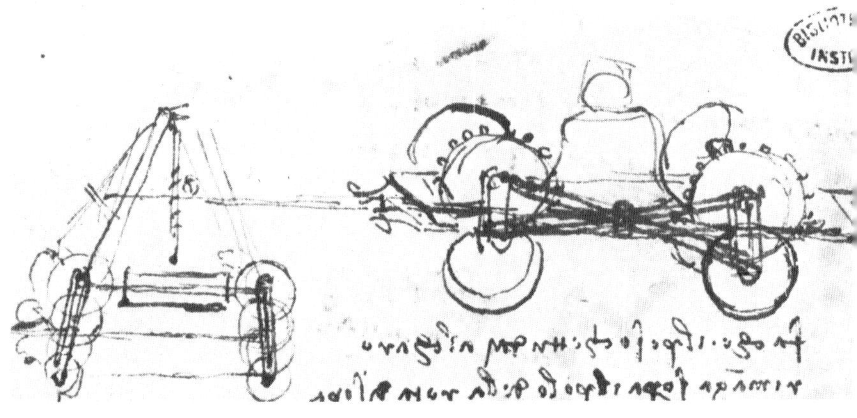

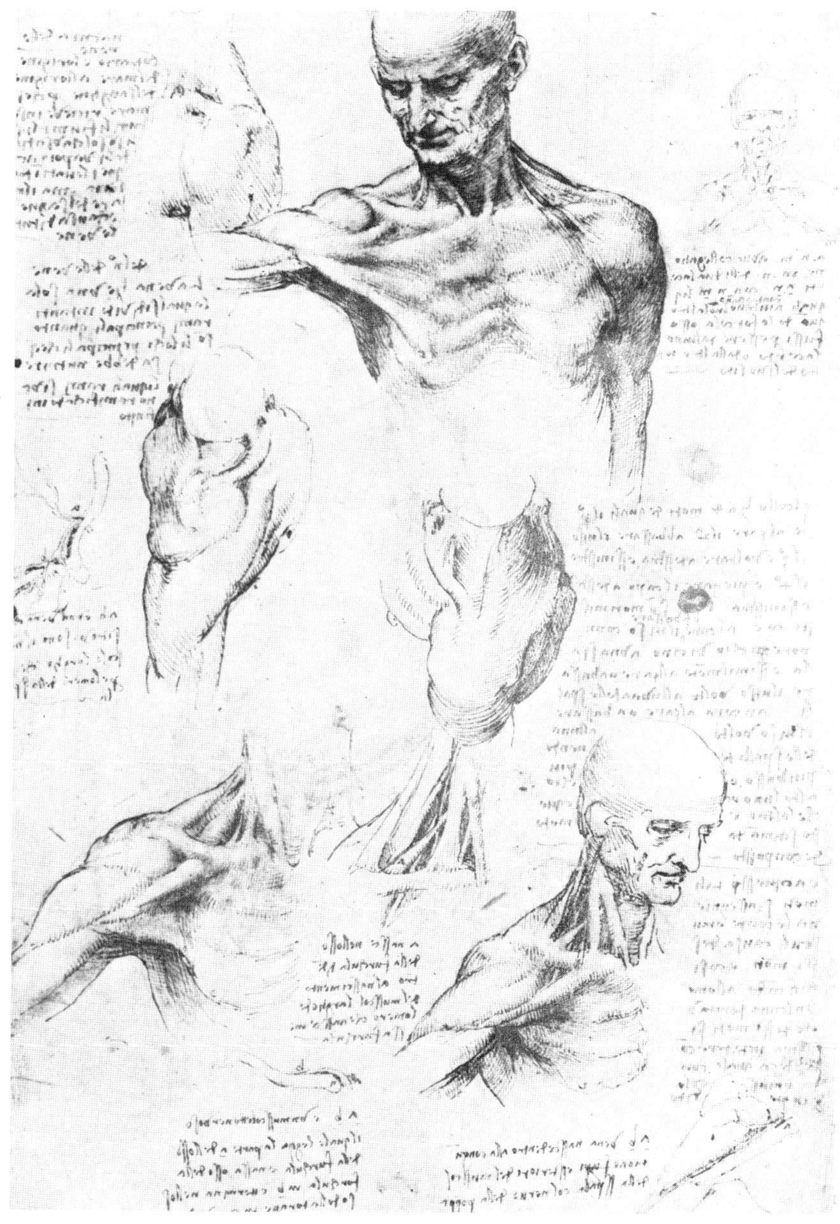

dispersés dans des bibliothèques collectives et particulières. Et c'est ainsi que, pendant des siècles, ils restèrent inconnus. A présent, il semble que le génie de Léonard tenait presque de la prophétie, tant ses connaissances techniques dépassaient le niveau de l'époque. Un exemple l'illustre parfaitement: Le *Codex Madrid I,* à la bibliothèque nationale de Madrid, contient une page de Léonard remplie de dessins de chaînes de transmissions avec engrenages. Un tel système aurait facilement pu être fabriqué et utilisé à son époque.

Les nombreux dessins de Léonard sur l'anatomie de l'homme et de l'animal ont non seulement une grande valeur artistique, mais ils sont aussi très précis. De plus, ils sont le reflet, tout comme ses inventions, de son désir de connaissances pour le plaisir de la connaissance. Les particularités subtiles des muscles et des vaisseaux sanguins, par exemple, témoignent d'un remarquable pouvoir d'observation. On a même prétendu que le sourire énigmatique de 'Mona Lisa' (la célèbre Joconde) répondait au désir de Léonard de laisser deviner la disposition sous-cutanée des muscles du visage.

Il ne faut pourtant pas s'étonner si ses dessins d'anatomie contiennent quelques inexactitudes, dues aux connaissances encore très limitées à l'époque.

Il paraîtrait que de nombreuses constructions mécaniques conçues par Léonard de Vinci n'auraient pas fonctionné, en pratique. D'autres n'auraient pu être utilisées que si l'on avait disposé d'une force motrice, par exemple celle de la vapeur. Mais le plus étonnant est la grande universalité de ses connaissances. Choisissons-en quelques-unes au hasard: un appareil à ailes mobiles, qui pourrait voler; un véhicule blindé pour les conflits armés; un bateau pouvant naviguer sous l'eau.

A partir de 1517, Léonard passa les dernières années de sa vie en France avec son élève Melzi, en qualité de premier peintre, premier architecte et premier mécanicien du jeune roi de France, François 1er, qui avait une grande admiration pour lui. Malgré les titres qu'il décerna à Léonard de Vinci, il lui laissa énormément de liberté pour agir à sa guise. Il séjourna au château de Cloux, près d'Amboise, résidence d'été du roi de France, où il mourut le 2 mai 1519.

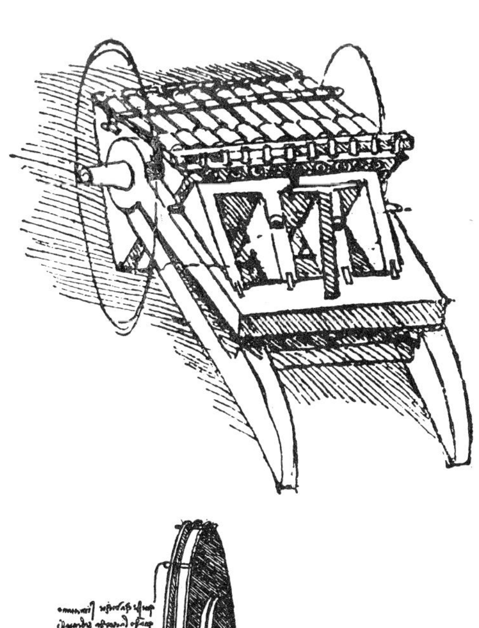

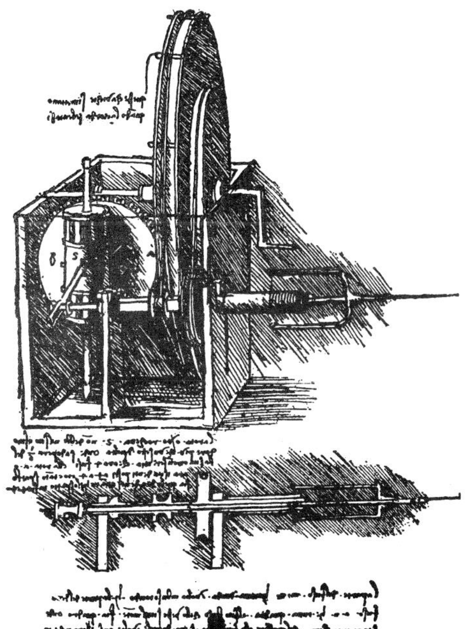

Ci-dessus, à gauche: Etude anatomique de l'épaule, qui montre nettement le remarquable don d'observation de Léonard. De nombreuses peintures sont des chefs-d'oeuvre, qui permettaient également de révéler ses connaissances anatomiques.

Ci-dessus, à droite: Projet de Léonard d'une pièce d'artillerie avec recul.

A droite: Croquis d'un rouet par Léonard de Vinci. Le mécanisme comportait un volant permettant de mouliner le fil, qui se décalait automatiquement le long de la bobine pendant qu'il s'enroulait. Il ne fut jamais réalisé et c'est seulement au XVIIIe siècle qu'on l'inventa à nouveau indépendamment du projet de Léonard.

Nicolas Copernic

1473-1543

Copernic émit l'idée, démontrée mathématiquement, que la Terre n'était pas le centre du monde, mais qu'elle tournait avec les autres planètes autour du soleil, en décrivant une orbite circulaire. Bien que cette conception fondamentale ait existé longtemps auparavant, il ne publia son oeuvre que peu avant sa mort, craignant une réaction hostile des théologiens. Sa théorie, exposée dans De revolutionibus orbium caelestium libri sex, *fut à l'origine de la révolution scientifique du XVIIe siècle. En 1616, le pape Paul V, dans un dernier mouvement d'opposition de l'Eglise, condamna les idées coperniciennes comme contraires aux Ecritures.*

Les conceptions de Copernic étaient non seulement en contradiction avec la pensée scientifique de l'époque, mais elles s'opposaient également aux conceptions religieuses. Plus tard, Galilée eut de sérieuses difficultés avec l'Eglise, lorsqu'il reprit la doctrine de Copernic.

Nicolaus Copernicus est le nom latinisé de Nicolaj Koppernigk. Il naquit le 19 février 1473 dans la petite ville de Torun, le long de la Weichsel en Pologne. Ayant perdu son père peu après sa naissance Nicolaus fut élevé par un riche oncle aristocrate, qui lui permit d'étudier sans contrainte tout ce qu'il voulait. Ainsi, Copernic put suivre les meilleurs cours en Europe. Il étudia la médecine et l'astronomie à Cracovie en Pologne, le droit canon à Bologne en Italie, ensuite à Padoue et Ferrare. Il fut probablement médecin à Heilsberg de 1506 à 1512, mais il devint ensuite chanoine du chapitre canonial à Frauenburg, où il resta jusqu'à sa mort. Il eut donc tout le temps nécessaire de se consacrer entièrement à l'astronomie.

Au cours de ses études, Copernic se mit à douter très rapidement de la vieille théorie cosmographique de Ptolémée, établie quatorze siècles plus tôt. Cette théorie affirmait que la Terre était au centre de l'univers. Dans ses tentatives pour faire connaître sa conception, Ptolémée avait dû développer des théories très complexes et bizarres sur les trajectoires des planètes. Une des plus grandes difficultés qu'il eut à surmonter tenait au fait que la plupart des planètes semblaient s'arrêter dans le ciel pendant plusieurs jours, puis inversaient leur trajectoire initale pendant un certain temps. Seules, les planètes Mercure et Vénus, se comportaient différemment, mais elles avaient une autre particularité: elles restaient toujours près du Soleil, contrairement aux autres planètes. Ptolémée avait inversé la méthode scientifique moderne pour expliquer sa conception. Plutôt que de se fonder sur les phénomènes observés pour étayer sa théorie, il les déforma pour les adapter à sa conception, selon laquelle la Terre était le centre de l'univers.

Copernic pouvait difficilement croire à une telle complication de la nature. Il se servit des tables

Ci-dessous, à droite: La chambre de Copernic à Frauenburg, où il était chanoine de la cathédrale. Bien que Copernic eût été formé par l'Eglise, il rejeta une de ses thèses fondamentales. Il remplaça la conception de l'astronome grec Ptolémée - la Terre est au centre de l'univers - par sa propre théorie, qui plaçait le Soleil au centre. Craignant la réaction de l'Eglise orthodoxe, il retarda la publication de ses études.

astronomiques existantes, les plus précises sur les mouvements des planètes, et tenta d'élaborer une théorie aussi simple que possible pour les expliquer. Il en vint à la conclusion qu'il devait complètement abandonner la théorie de Ptolémée. Lorsque Copernic admit que le Soleil était au centre du système planétaire et que les planètes effectuaient des mouvements circulaires autour du Soleil, il lui sembla facile de pouvoir élaborer une nouvelle théorie extrêmement précise.
Après l'élaboration mathématique de sa théorie, Copernic remarqua qu'il pouvait prévoir les positions des planètes dans le ciel de façon beaucoup plus précise qu'en se fondant sur l'ancienne théorie. Il résolut de cette façon la question des déplacements apparemment anormaux de Mercure et de Vénus d'une part, et des autres planètes, d'autre part. Etant donné que Mercure et Vénus ont un mouvement identique à celui de la Terre autour du Soleil, mais situé à l'intérieur de l'orbite terrestre, elle ne s'écarte jamais par rapport à la Terre - au-delà d'une certaine distance du Soleil. Et puisque les autres planètes se déplacent suivant une orbite plus éloignée que celle de la Terre, elles sont périodiquement rattrapées par la Terre. Ensuite, elles semblent - toujours par rapport à la terre - s'éloigner de nous.
En 1530, Copernic expliqua sa théorie dans un livre intitulé *De revolutionibus orbium caelestium libri sex* (Des révolutions des corps célestes). Mais il n'osa pas le publier, par crainte de difficultés avec l'Eglise. Cependant, les milieux scientifiques d'Europe étaient tellement bien informés que beaucoup de savants s'intéressèrent à ses travaux. Aussi, en 1543, Copernic, convaincu, publia son livre. Il était déjà fort vieux et malade, mais il prit malgré tout la précaution d'adresser une dédicace flatteuse au pape Paul III. Malheureusement, l'éditeur Osiander, quand même inquiet des conséquences de la publication, y ajouta une préface, à l'insu de Copernic, pour expliquer que cette théorie n'était pas une représentation effective des faits, mais servait uniquement de méthode pratique pour calculer les mouvements des planètes. Bien que l'ouvrage de Copernic, d'abord accueilli favorablement par l'Eglise catholique, fût mis à l'index en 1616, il a cependant contribué à réfuter la conception de l'univers de Ptolémée. Copernic mourut le 24 mai 1543, quelques heures après avoir reçu un exemplaire de son livre.

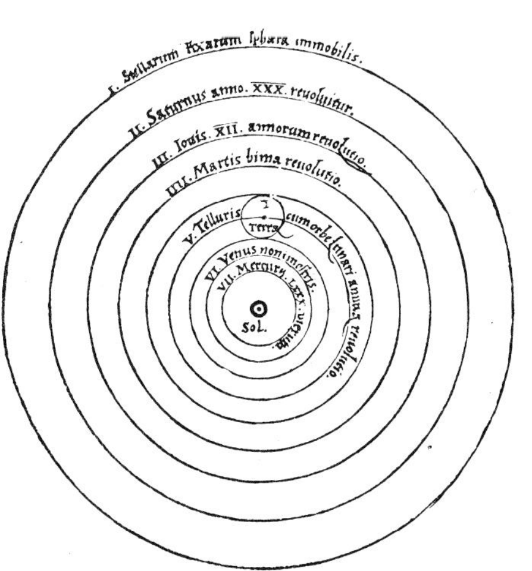

A droite: L'image du monde selon Copernic, avec le Soleil au centre (en haut), contrairement à la conception de l'Eglise (en bas) selon laquelle les planètes, y compris le Soleil, tournent autour de la Terre.

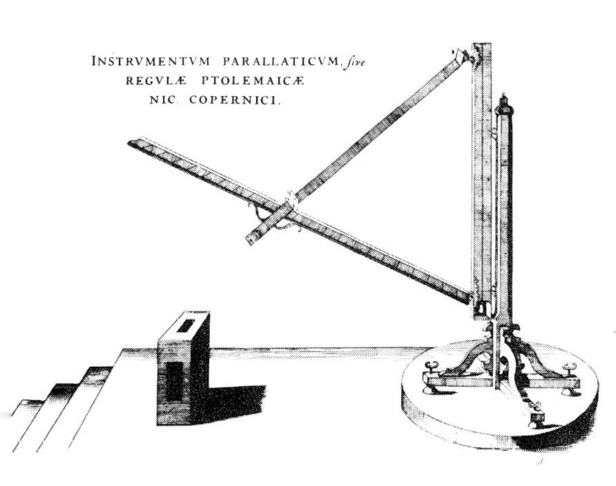

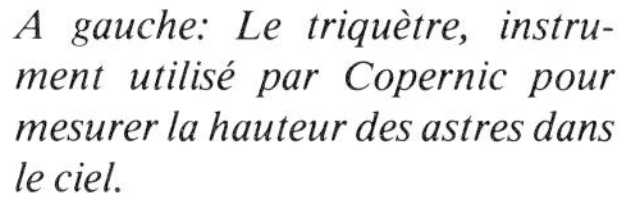

A gauche: Le triquètre, instrument utilisé par Copernic pour mesurer la hauteur des astres dans le ciel.

Ci-dessous: Une gravure coloriée de l'univers héliocentrique de Copernic extraite de l'Atlas d'Andreas Cellarius, publié au XVIIe siècle. Partant du Soleil - au milieu - les trajectoires de Mercure, Vénus, la Terre, Mars, Jupiter et Saturne étaient décrites avec leurs symboles astrologiques. Les planètes Uranus, Neptune et Pluton n'étaient pas encore connues à l'époque. Il fallut environ un siècle avant que la découverte de Copernic ne fût connue partout. Mais elle provoqua un changement révolutionnaire dans l'astronomie.

Paracelse

1493-1541

Paracelse peut être considéré comme le premier médecin qui appliqua des matières obtenues chimiquement au traitement des maladies. Sa façon de penser influença beaucoup la médecine future. Sa théorie médicale avait pour base l'idée alchimiste des correspondances ou analogies entre les différentes parties du corps humain (microcosme) et celles de l'univers dans sa totalité (macro-

cosme). Il contribua ainsi au développement de la chimie et peut-être de l'homéopathie.

Paracelse naquit sous le nom de Philippus Aureolus Theophrastus Bombastus von Hohenheim dans le village de Einsiedeln près de Zurich en Suisse. Son père était médecin et chimiste. Il commença ses études à l'école d'Augsburg en Autriche. En 1507, âgé de quatorze ans, il fréquenta les universités d'Europe: Bâle, Tübingen, Vienne, Wittenberg, Heidelberg et Cologne, dans l'espoir de rencontrer des professeurs dont il pourrait respecter les idées. Il avait une forte personnalité et émettait ses opinions sans détours. Ses professeurs et les autorités s'offusquaient vite de son attitude, de ses interventions et de ses remarques pertinentes. Cependant, il fut gradué en sciences médicales, d'abord à Vienne, puis à Ferrare en Italie, en 1716. Vers la même époque, il se fit appeler Paracelse qui signifie (élevé) 'au-dessus de Celsus'; il voulait exprimer ainsi sa haine pour le vieux médecin romain Celsus, que l'on admirait beaucoup au XVIe siècle. Ensuite, Paracelse continua à voyager, de l'Irlande à l'ouest à Constantinople - l'Istanbul d'aujourd'hui - à l'est. En Russie, il fut prisonnier des Tartares pendant un certain temps. Vers 1521, il devint le chirurgien d'une armée en Italie, ce qui le mêla à plusieurs guerres locales. Il désirait enrichir sa connaissance des méthodes médicales de traitement, afin de 'découvrir', d'après ses propres paroles, 'les forces latentes de la nature qui régissent l'univers'.

Le style pompeux et étonnant de Paracelse a enrichi la langue de l'expression 'emphatique' (traduction de l'allemand *bombastisch)* d'après la première partie de son nom de famille. Ses attaques étaient parfois virulentes; il répliqua, par exemple, à un groupe de professeurs, avec lesquels il était en désaccord: 'Vous n'êtes même pas dignes qu'un chien lève la patte arrière sur vous!' En 1527 et 1528, il fut professeur à la Faculté de médecine de Bâle, où il provoqua la hargne des autorités pour avoir brûlé publiquement les oeuvres du célèbre médecin grec Galien. Mais il n'en resta pas là. Il rendit ses cours accessibles à tous et les donna en allemand et non en latin. Des étudiants venant de toute l'Europe affluèrent pour suivre son enseignement.

Ci-dessous: Illustration du livre de Paracelse Prognotiscatio, *où il insiste sur la nécessité pour l'homme de rester humble devant Dieu. Il considérait la théologie comme une partie indispensable de la médecine, car le médecin doit également soigner l'âme.*

A droite: Illustration pour un ouvrage médical de Paracelse, montrant un médecin en train de soigner un patient. Paracelse dit que l'homme a en lui tous les éléments nécessaires pour guérir. C'est pourquoi un bon médecin doit connaître toutes les sciences naturelles et l'alchimie. Parmi les apports de Paracelse dans le domaine médical, on compte ses recherches sur la thérapeutique homéopathique - soigner avec des éléments semblables - et l'utilisation de substances chimiques pour combattre les maladies. Paracelse fut violemment critiqué par de nombreux médecins et pharmaciens pour ses interventions brutales et ses méthodes révolutionnaires de traitement, mais il était extrêmement vigilant à l'égard de ses patients qui l'aimaient beaucoup.

Der ander Theil
Der grossen Wundartz-
ney deß weitberhümpten / bewerten / vnnd
erfahrnen / Theophrasti Paracelsi von Hohenheim /
der Leib vnd Wundartzney Doctorn / Von der offnen
Schäden vrsprung vnd heylung. Auß rechtem grundt vnd
bewerten stücken treüwlich an
Tag geben.

Mit Röm. Keis. Maiestet Freyheit nicht
nachzudrucken.

Comme Hippocrate, Paracelse croyait au traitement médical de la personne entière du patient et au pouvoir de guérison de la nature. Il franchit une étape importante en direction de la guérison par homéopathie, lorsqu'il déclara que, 'administré en petites doses, ce qui rend un homme malade le guérit également'. D'après certaines rumeurs, il aurait trouvé un moyen efficace de lutter contre la peste: une pilule faite de pâte et d'une infime partie des excréments du patient. Bien que sa conception de la médecine fut purement scientifique en principe, il considérait la magie - ou du moins 'la force mentale' - comme un élément important de la guérison.

Le psychologue suisse du XXe siècle, Carl Jung, voyait en Paracelse le pionnier de 'la thérapeutique psychologique reposant sur l'expérience et les examens'.

Paracelse était extrêmement rapide dans son diagnostic ou dans le dépistage d'une maladie déterminée. Il déclara que 'la résolution et l'imagination permettent de tout mener à terme'. Il trouvait l'astrologie ridicule, mais recherchait des vérités fondamentales dans l'alchimie. 'La magie est imprégnée d'une grande sagesse..., la raison n'est que sottise.' Il surmonta le fossé entre la vieille alchimie et les nouvelles sciences de la chimie. Ensuite, il se consacra, comme d'autres après lui, à l'étude de la chimiothérapie, thérapeutique par les substances chimiques. Paracelse fut le premier à prétendre que les maladies pulmonaires chez les mineurs étaient provoquées par la respiration de vapeurs de métaux, et non par les mauvais esprits. Il fut également le premier à établir une relation entre l'apparition fréquente d'un goitre (affection de la glande thyroïde) dans certaines régions et le manque de matières minérales dans l'eau potable de ces régions.

Un de ses plus grands ouvrages fut le *Die grosse Wundartzney* (Le grand livre de la chirurgie), publié en 1536. Grâce à ce livre, il bénéficia de la protection des autorités. Il mourut le 24 septembre 1541 dans une auberge de Salzbourg, où il s'était rendu pour entrer au service du prince-archevêque, le duc Ernst von Beieren. Certains prétendent qu'il fut empoisonné, d'autres qu'il succomba en état d'ivresse, à des blessures, provoquées par une chute.

*Ci-dessus: Peinture représentant Paracelse au cours d'une conférence sur l'*Elixir Vitae, *l'eau de la vie. Ce produit magique ne devait pas seulement prolonger la vie mais permettre aussi de changer des métaux non précieux en or, pour donner naissance à la pierre philosophale. Les conférences de Paracelse étaient très appréciées par ses étudiants, mais elles rendaient ses collègues et ses critiques furieux, parce qu'il enseignait, par principe, en allemand et non en latin, comme il sied à un savant. Lorsque Paracelse ne trouvait pas un terme, il en inventait souvent un nouveau, mais sans le définir. C'est ce qui rend une partie de son oeuvre incompréhensible. Quelques-uns de ses termes, comme 'zinc' ou 'alcool' sont devenus courants.*

Georgius Agricola
1494-1555

Agricola était un savant allemand, auteur de livres sur l'exploitation minière et ce que nous appelons aujourd'hui la minéralogie. Il fonda ses connaissances uniquement sur la recherche et l'observation, en réfutant, si besoin était, les vieilles idées théoriques.

Georg Bauer naquit le 24 mars 1494 à Glauchau, dans l'Allemagne de l'Est d'aujourd'hui. Plus tard, il latinisa son nom, selon l'habitude des écrivains et savants de l'époque: *agricola* est le terme latin qui correspond à paysan, *Bauer* étant le terme allemand. Nous ne connaissons rien de sa famille et très peu de sa vie personnelle. Ce n'est heureusement pas le cas de ses nombreuses études et de son travail scientifique. De 1514 à 1518, il étudia les langues classiques, la philosophie, la linguistique et la littérature générale à Leipzig. Il fut ensuite professeur de latin et de grec jusqu'en 1522.
Pour perfectionner ses connaissances, il se rendit en Italie, où il termina ses études de médecine, de physique et de philosophie.
En 1525, il publia l'oeuvre de Galien, le célèbre chirurgien grec. Cette publication acquit une réputation universelle, tout comme l'édition d'Aldine. En Italie, il rencontra Erasme, le grand humaniste hollandais, avec qui il entretint des relations amicales.
A son retour en Saxe, en 1526, Agricola devint chirurgien à Joachimsthal, petite ville située dans ce qui deviendra un des plus grands centres miniers d'Europe.
Il y visita régulièrement les mines et les fonderies de minerai, parce qu'il espérait y trouver des minéraux pouvant l'intéresser en médecine. Il se passionna donc de plus en plus pour l'exploitation minière, la transformation des métaux extraits et l'étude des pierres et des minerais.
Plus que tout autre savant avant lui, Agricola rejeta toute forme de magie et toutes les théories fondées sur des idées plus ou moins philosophiques. Des ouvrages de l'antiquité classique n'échappèrent pas davantage à ses critiques. Seules, la recherche sur place, puis l'observation avaient de l'importance à ses yeux. Encouragé par Erasme, il écrivit une série de traités sur les différents aspects de l'exploitation minière et sur les minerais. Son ouvrage le plus important fut le *De natura fossilium* (De la nature des fossiles) qui fut considéré comme le premier traité de minéralogie. Le terme 'fossile' désignait à cette époque tout ce qui provenait du sol. Dans ce livre, il donne une classification complète des minéraux, en fonction de la forme de leurs cristaux.
Il y décrit aussi le rôle des rivières dans l'érosion des montagnes. Et il conclut - avec raison - que de nombreux minerais furent d'abord 'lavés' sous un jet d'eau.
Bien que catholique, Agricola fut nommé, en 1546, bourgmestre de la ville de Chemnitz par le duc de Saxe, qui était protestant. Il fut aussi chargé par lui d'une mission délicate auprès de l'Empereur du Saint Empire Romain Germanique. Par la suite, Agricola renonça à toute activité politique et ne s'intéressa pas davantage aux nombreuses querelles religieuses qui envenimèrent cette époque et déclenchèrent des guerres, avec, pour conséquence, l'émigration de la plupart des ingénieurs des mines et des mineurs allemands vers l'étranger où leurs connaissances furent mises à profit.

A droite: Une illustration de la fusion des minerais dans De re metallica, *ouvrage le plus important d'Agricola. (A) et (B) sont des fours dans lesquels les minerais sont fondus. Le métal en fusion sort par les trous d'évacuation (C) dans les foyers avant (D), dont il est extrait par les trous d'évacuation (E). Un fondeur (G) porte un panier de charbon de bois au four. L'autre fondeur, à l'aide d'un bâton muni d'un crochet (H), casse en morceaux les scories qui se sont durcies dans le trou d'évacuation du four. Ensuite, le métal en fusion est coulé dans des moules. (I) tas de charbon de bois dont on mesure certaines quantités dans un couffin en roseau placé sur la charrette à bras (K). Ce type de four était très efficace, parce qu'il permettait de fondre de grandes quantités de métal en quelques jours. Le cuivre, le plomb, l'argent et l'or pouvaient être extraits de minerais très pauvres, sans nécessiter des moyens de fusion coûteux. Le pourcentage d'extraction était très élevé.*

Ci-dessus, à gauche: Une mine d'argent en Allemagne vers 1500.

Ci-dessus, à droite: Illustration extraite de l'ouvrage De re metallica. *Elle représente trois types de soufflets utilisés pour ventiler les puits de mines. A-F: soufflet utilisé par des ouvriers; G-M: cheval avançant sur les marches d'une roue en bois; le soufflet était actionné par des butées placées à l'axe de la roue; N-R: système à deux roues; un cheval faisait tourner une roue verticale, qui, à son tour, mettait une roue horizontale en mouvement, fixée au soufflet.*

A droite: Avant l'utilisation des soufflets, on ventilait les puits de mines en agitant constamment des morceaux de lin. Cette méthode date de l'époque romaine.

Dans l'intervalle, Agricola reprit dans son chef-d'oeuvre *De re metallica* (Des métaux) toutes ses expériences en matière d'exploitation minière, ainsi que les recherches scientifiques qu'il y avait consacrées.

Cet ouvrage ne parut qu'après sa mort, d'abord en latin, en 1556, puis dans une célèbre traduction allemande, avec les merveilleuses gravures sur bois de Hans Manuel.

La haute valeur scientifique de cet ouvrage fut immédiatement reconnue.

Pendant plus de deux cents ans, ce livre resta un ouvrage de référence en la matière et fit l'objet de très nombreuses réimpressions.

De re metallica est un imposant traité sur la métallurgie (science des métaux et leur transformation) et l'extraction des métaux. Il comporte un résumé de toutes les connaissances de l'époque, depuis l'antiquité.

Agricola y fait une description de tout ce qui intéresse l'exploitation minière, la localisation des minerais, le creusement des mines et la transformation des minerais. Le livre aborde également les lois sur les droits de propriété, dans leurs rapports avec le domaine minier, ainsi que tous les sujets concernant l'exploitation minière et économique, la gestion de l'entreprise et celle du personnel. Avec ce livre, Agricola réalisa la prédiction d'Erasme, qui avait dit de lui 'qu'il occuperait la place la plus importante parmi les savants les plus éminents'.

Gerardus Mercator

1512-1594

Mercator, incontestablement le plus grand cartographe du XVIe siècle, était déjà réputé de son vivant, surtout pour son atlas et la projection cartographique, qui reçut son nom et est toujours utilisée.

Gerardus Mercator, de son vrai nom Gérard Kremer ou de Cremer, naquit le 5 mars 1512 à Rupelmonde dans les Flandres. Ses parents avaient émigré d'Allemagne. Toute sa vie durant, il se fit appeler Mercator, forme latinisée de l'allemand Kremer, qui signifie marchand.

Il commença sa formation scolaire chez les Petits Frères à Braine-le-Comte. En 1530, il se rendit à l'Université de Louvain, pour y étudier les sciences morales et la philosophie. Ayant obtenu son diplôme en 1532, il étudia ensuite les mathématiques appliquées, la géographie et l'astronomie à Anvers chez le célèbre savant Gennia Frisius. Durant sa période de collaboration avec Frisius et le graveur et orfèvre Gaspar a Myrica - dont il apprit l'art de la gravure - Mercator acquit rapidement une grande réputation de cartographe et de géographe. A cette époque, il établit un globe et un planisphère. En 1537, il s'installa comme cartographe indépendant et publia sa célèbre carte de Palestine, ensuite sa première carte du monde dans une double projection en forme de coeur (1538). Il travailla ensuite à la construction d'un globe terrestre et d'un globe céleste, qu'il présenta à Charles Quint en 1541.

En 1544, Mercator fut inculpé et emprisonné pour hérésie. Dans l'intervalle, il était devenu luthérien. Bénéficiant de l'appui des autorités universitaires, il fut libéré après sept mois et put reprendre ses recherches scientifiques sans aucune difficulté. Néanmoins, Mercator déménagea avec tout son matériel pour Duisburg, en Allemagne, où il constata une grande tolérance à l'égard des convictions religieuses.

La première carte du monde, établie à l'aide de sa projection, devenue si célèbre depuis, fut publiée en 1569, sous la forme de dix-huit parchemins. Le point de départ en fut la demande par des explo-

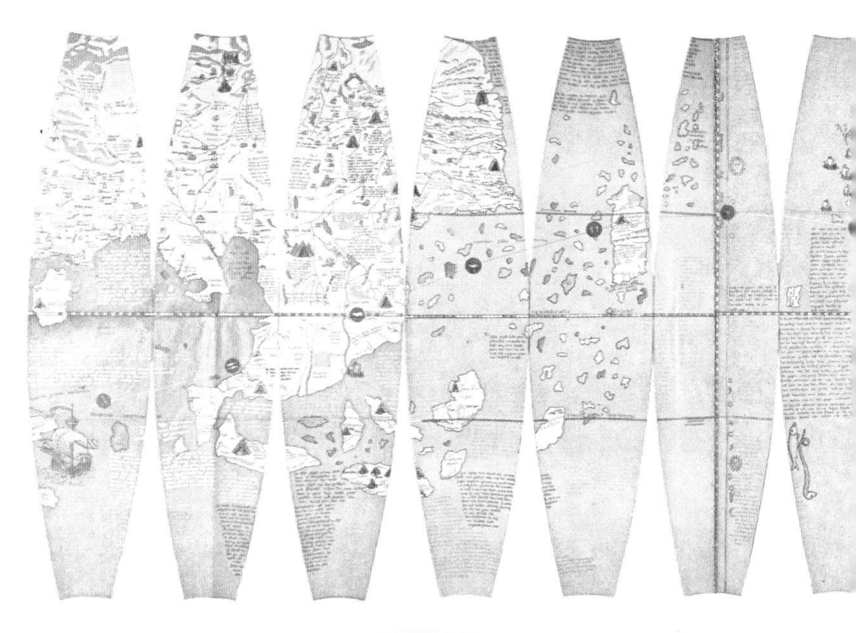

Ci-dessus: Ancienne cartographie. Les parties planes, en forme de lentilles peuvent être fixées sur une sphère pour former un globe. Elles furent utilisées en 1507 par Martin Waldseemüller et actuellement encore pour la production en série de globes.

*A droite: La carte d'Afrique de Mercator, extraite de l'*Atlas sive cosmographicae meditationes de fabrica mundi et fabricati figura *(1583).*

rateurs des XVe et XVIe siècle, de cartes meilleures et plus sûres. Toute projection cartographique comporte un défaut, car il n'est pas possible de représenter la surface sphérique de la terre sur une surface plane, sans introduire quelques déformations. Dans la projection de Mercator, la surface de la terre est transformée en une surface cylindrique, où tous les méridiens et les parallèles sont des lignes droites et parallèles. Cette projection permet aux navigateurs d'aller directement d'un point à un autre sans changer de route (cap), le cap se déterminant sur la carte par une simple mesure d'angle. Cette navigation est dite loxodromique (du grec *loxos,* courbe, et *dromos,* route). La carte marine de Mercator reste universelle, mais sa construction purement mathématique, mais non géométrique, est devenue plus scientifique.

Ci-dessous: Le plus ancien globe existant, constitué par une adjonction de chanteaux sur la sphère. Il fut fabriqué vers 1492 à Nuremberg par Martin Behain. L'Amérique en est évidemment absente, et le Japon est situé de l'autre côté de l'océan Atlantique.

Au cours de la même année, Mercator entama un travail auquel il donna le nom d'*Atlas,* par allusion au personnage de la mythologie grecque qui supportait le globe terrestre sur ses épaules. Par la suite, tout ouvrage comportant des cartes s'est intitulé ainsi. Mercator voulait y donner une description de la terre, depuis la création, illustrée par des cartes. Mais il ne parvint jamais à mener son travail à terme. En 1569, parut une première partie comportant une chronologie, qui fut suivie en 1578, par une édition, commentée et corrigée, des cartes de Ptolémée.

Mercator, qui souffrait de crises cardiaques depuis 1590, mourut d'une nouvelle crise le 2 décembre 1594 à Duisburg. Son héritage - ses ouvrages - fut d'une grande utilité. Ses cartes comportent quelques imprécisions ou quelques traces de fantaisie, quand les connaissances géographiques faisaient défaut. Mais il importe avant tout de constater que toutes les connaissances scientifiques de l'époque y étaient entièrement reprises avec une grande précision mathématique et une grande maîtresse technique. Les géographes et les explorateurs ont attaché, durant des siècles, une valeur inestimable à l'oeuvre de Mercator.

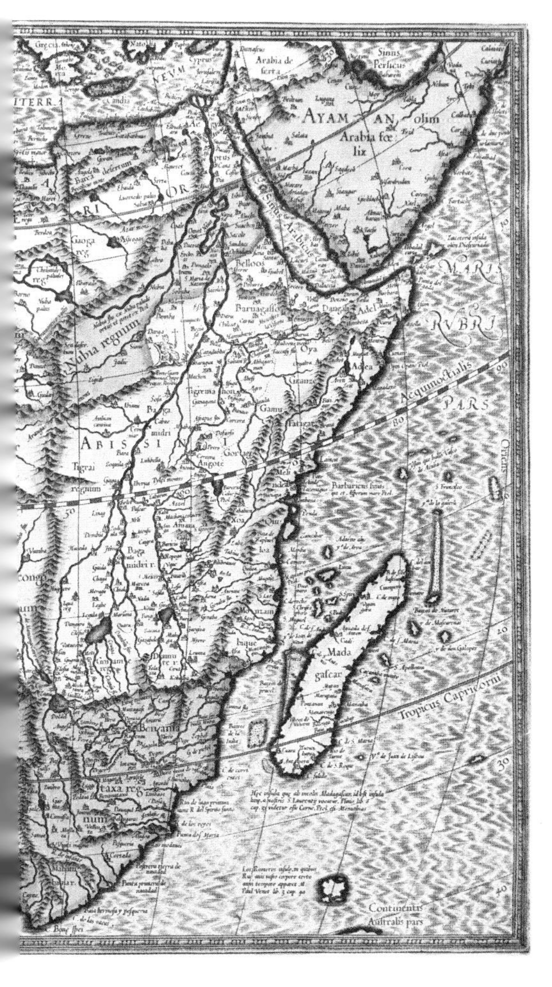

*A droite: La première page de l'*Atlas sive cosmographicae meditationes de fabrica mundi et fabricati figura *de Mercator publié par ses héritiers en 1595, un an après sa mort. Pour la première fois, le nom d'Atlas, personnage de la mythologie grecque qui soutient le monde sur ses épaules, fut utilisé à cette occasion pour une collection de cartes.*

Hans Lippershey

env. 1570-1619

Selon la tradition, Lippershey est considéré comme l'inventeur de la longue-vue. Bien que de nombreuses autres personnes semblent pouvoir revendiquer ce privilège, il ne fait pas de doute que la description d'un des instruments de Lippershey fut l'occasion pour Galilée de construire une lunette pour étudier le ciel.

Hans (ou Jan) Lippershey ou Lippersheim est né vers 1570 à Wesel en Allemagne. Il vécut et travailla comme opticien à Middelburg. Il avait inventé une longue-vue que l'on considère encore actuellement comme la lunette hollandaise. C'était un instrument formé d'une lentille convexe fixe servant d'objectif et d'une lentille concave servant d'oculaire. La lentille oculaire peut coulisser et permet de régler l'instrument le mieux possible.
D'après une anecdote, qui n'a probablement aucune valeur historique, un enfant qui jouait dans l'atelier de Lippershey lui aurait donné l'idée de placer deux lentilles l'une derrière l'autre, car il avait remarqué que l'objet placé derrière était agrandi.
Quoi qu'il en soit, Lippershey présenta sa lunette aux Etats de Hollande en 1608; cet instrument pouvait être d'une grande utilité en cas de guerre. Il en reçut 900 florins, après avoir modifié, à la demande des Etats, la longue-vue en un instrument binoculaire, c'est-à-dire possédant une lunette avec deux lentilles pour chaque oeil.
En réalité, il s'agissait de l'invention de la première lunette utilisant des lentilles. Mais nous ne savons pas avec précision si Lippershey en fut le seul et véritable inventeur. Toutefois, la demande de brevet introduite par Lippershey pour sa lunette fut refusée, parce que 'beaucoup d'autres avaient déjà connaissance de cet objet'.
Dans l'antiquité, on connaissait déjà le principe des lentilles servant à 'agrandir' les objets.
De plus, Sir Richard Burton, savant britannique et explorateur des pays islamiques au XIXe siècle, déclara que le télescope était déjà utilisé par les Arabes au moyen âge.
Au XIIIe siècle, le savant moine britannique Roger Bacon, laissait des écrits sur une combinaison de lentilles qui 'permettaient de lire, même les plus petites lettres, à une distance incroyablement grande'.
Il est probable que la perfection du télescope a duré plusieurs siècles et que de nombreuses personnes ont contribué progressivement à l'améliorer.
Ce n'est que lorsqu'on disposa de verre pur en quantité suffisante et de meilleures formes de lentilles que les derniers perfectionnements purent être apportés.
Lippershey mourut vers 1619 à Middelburg. Il laissa un héritage important, en ce sens que son instrument fut remarqué par le savant français Jacques Bovedere, qui envisagea son application pratique en astronomie et le décrivit à cet effet à Galilée, qui construisit lui-même un instrument identique, d'après ses propres calculs. C'est ce qui lui permit de faire oeuvre de pionnier et d'être le premier à étudier scientifiquement le monde des étoiles avec une lunette.

Ci-dessous, à gauche: Portrait de Hans Lippershey, qui inventa une bonne lunette pratique.

A droite: Une lunette terrestre de l'opticien londonien Christopher Cocks. Lippershey se fonda sur son principe, pour en faire un instrument utilisable. Il incita ainsi d'autres spécialistes à construire et à perfectionner un instrument semblable, surtout lorsqu'il parut évident qu'on pourrait l'utiliser avantageusement en astronomie. Cet instrument de 1673 comporte cinq tubes coulissants. L'objectif a une distance focale de 90 cm et une ouverture de lentille de 3 mm. L'oculaire, avec trois lentilles, agrandit quatorze fois et permet un champ de vision de 45 m.

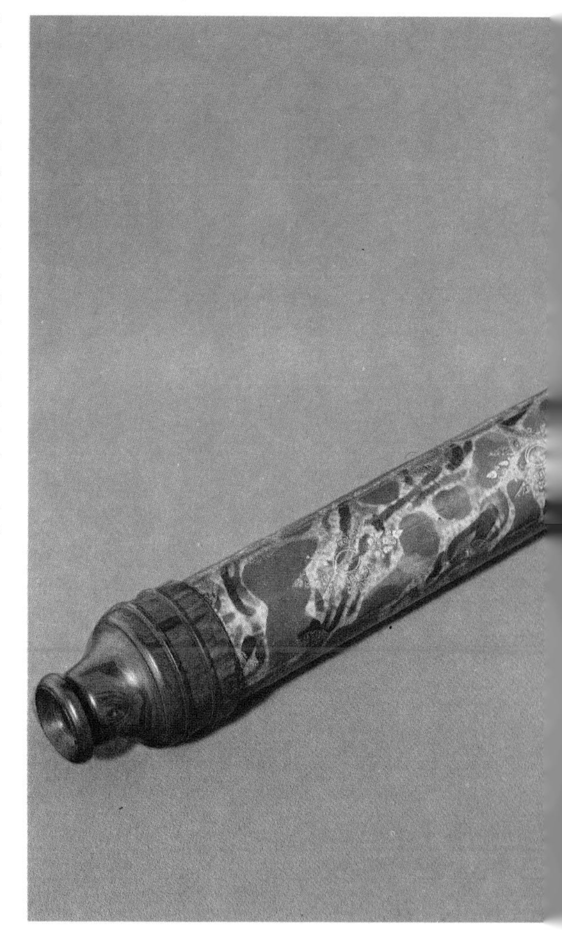

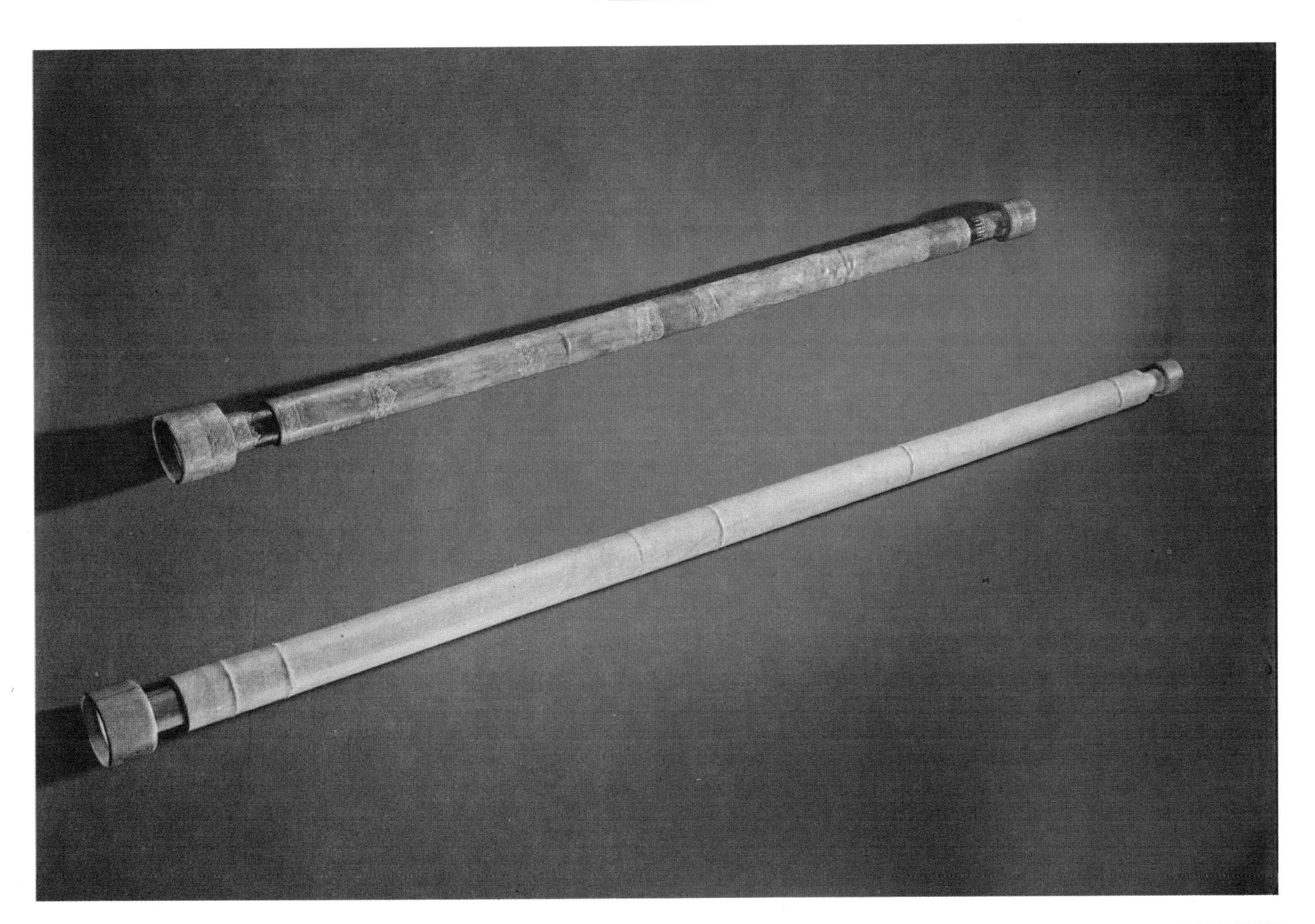

Ci-dessus: Les télescopes de Galilée furent construits d'après le modèle du tube optique de Lippershey. Galilée en construisit luimême un exemplaire et il fut un des premiers astronomes à étudier le ciel avec une lunette.

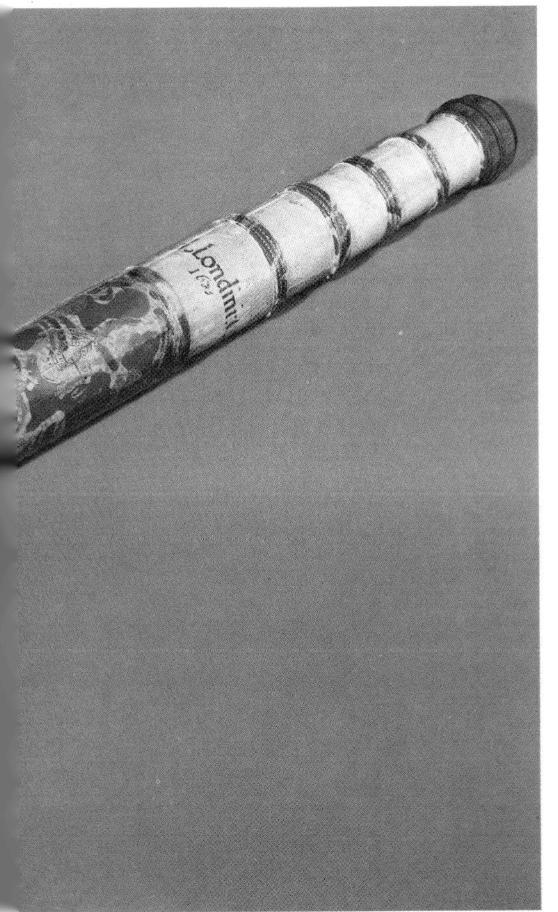

*A droite: Plaquette de l'*Histoire du ciel *(1872) de Flammarion, qui illustre la découverte de Lippershey. Selon une anecdote, un enfant, qui jouait avec des lentilles dans l'atelier de Lippershey, remarqua que les objets semblaient se rapprocher. C'est grâce à cette observation que Lippershey fit sa découverte.*

Galilée

1564-1642

Galilée se rendit célèbre par sa connaissance des mathématiques et de la physique, notamment par les améliorations qu'il apporta à la lunette et par les découvertes astronomiques que lui permit cette lunette. Il apporta une importante contribution à la science en établissant les fondements de l'expérimentation scientifique, dont les théories découlent de l'observation. Il est considéré comme le fondateur de la physique moderne.

Galileo Galilei naquit le 15 février 1564 à Pise. Fils d'un grand musicien, il fut élevé dans un couvent près de Florence. Ensuite, il étudia les sciences médicales à l'Université de Pise, mais il montra très rapidement un intérêt pour les autres sciences. Après avoir assisté, par hasard, à une conférence traitant d'un sujet mathématique, il se mit à suivre des cours particuliers de cette discipline. Son travail scientifique fut l'objet d'un tel intérêt que, en 1589, il fut nommé professeur de mathématiques à l'Université de Pise, à l'âge de vingt-cinq ans. Pendant les deux années qui suivirent, il étudia notamment la chute des corps et constata, que théoriquement, tous les corps tombent à la même vitesse, les objets plus légers étant retenus dans leur chute par la résistance de l'air.

Galilée, ayant eu des difficultés avec les autorités de l'Université de Pise, fut nommé professeur de mathématiques et d'astronomie à l'Université de Padoue en 1592. Durant les dix-huit ans qu'il y enseigna, il acquit un très grand renom dans toute l'Europe, grâce aux recherches qu'il effectua dans de très nombreux domaines. Il donnait ses cours, auxquels assistaient très souvent des savants réputés, dans une salle pouvant accueillir deux mille personnes. Lorsque Galilée entendit parler du tout nouveau télescope, il dessina et construisit lui-même un modèle nettement perfectionné, avec lequel il étudia les corps célestes. C'est ainsi qu'il découvrit des cratères sur la lune, qu'il remarqua que d'autres satellites tournaient autour de certaines planètes, que la voie lactée était formée d'un très grand nombre d'étoiles, et que le Soleil était parfois recouvert de taches se déplaçant à sa surface. A la suite d'une publication de ses découvertes, en 1610, il fut nommé philosophe et astronome exceptionnel à la cour du grand-duc de Toscane.

Galilée bénéficia d'un traitement princier et eut tout le temps désiré pour mener à bien ses expériences scientifiques. Dans quelques publications importantes, datant de cette époque, il expliqua que la science était fondée sur l'observation et les mesures et que les mathématiques permettaient de les transformer en lois qui régissent les phénomènes. Jusqu'à cette époque, les mathématiques

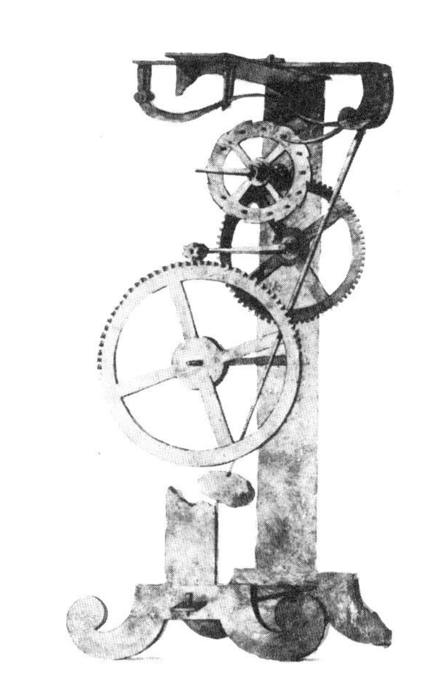

A droite: Copie d'un projet de Galilée pour une horloge à pendule.

Ci-dessous, à droite: Dialogo *de Galilée, publié en 1632, écrit sous la forme d'une discussion entre les élèves d'Aristote et de Ptolémée avec Copernic, qui sont représentés sur la page titre.*

Ci-dessus: Modèle d'horloge à pendule, construit d'après un projet de Galilée. Les travaux de Galilée sur le pendule établirent les fondements de la dynamique.

étaient considérées comme une discipline séparée des autres sciences. 'Le livre de la nature a été écrit avec des signes mathématiques', écrivait Galilée. Ses observations astronomiques lui firent comprendre que Copernic devait avoir raison, quand il affirmait, en 1530 déjà, que la Terre tourne avec les autres planètes autour du Soleil. Galilée entra en conflit avec l'Eglise, qui maintenait la conception traditionnelle, à savoir que la Terre était au centre de la création. Après avoir lutté contre la calomnie et les intrigues, il fut accusé d'hérésie en 1633 par le Conseil du Saint-Office. Il fut reconnu coupable et dut renier ses idées, sous peine de mort. Galilée devenu vieux et malade, finit par céder. La peine d'emprisonnement, prononcée au jugement, fut commuée par le pape Urbain VIII en une résidence dans le propre domaine de Galilée à Arcetri, près de Florence.

Galilée y travailla jusqu'à sa mort, assisté de ses élèves Torricelli et Viviani, au développement de ses anciennes recherches. Il proposa d'appliquer la régularité du mouvement oscillatoire à la construction d'une horloge précise. Huygens réalisera plus tard cette idée. Son ouvrage le plus important, *Discorsi fra due nuove scienze* (Dialogues entre deux nouvelles sciences), dans lequel il formula les principes de la cinématique et d'autres disciplines de la mécanique, fut publié à Leyde en 1638. Quelques mois avant qu'il ne devînt aveugle, en 1637, Galilée découvrit au télescope de nouvelles particularités du mouvement de la lune. Galilée n'était pas seulement un grand savant, il était également un excellent professeur et écrivain. Il continuera à marquer de son sceau l'évolution des sciences. Il décéda le 8 janvier 1642 d'un accès de fièvre dans sa ville d'Arcetri, convaincu que 'de toutes les haines, il n'en est pas de plus grande que celle de l'ignorance contre le savoir'.

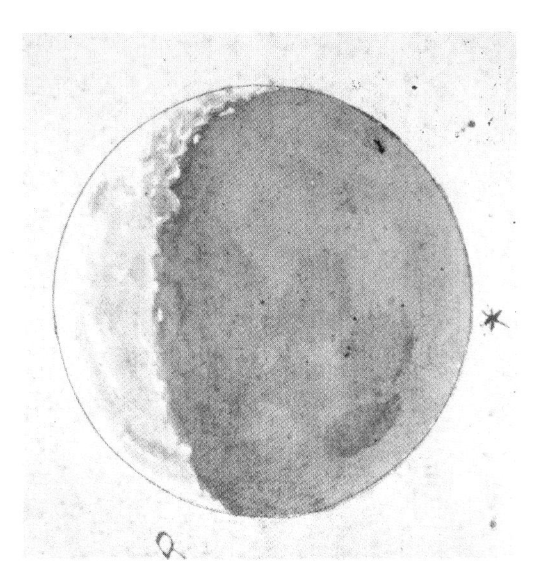

A droite: Une des observations de la lune par Galilée. Il obtenait l'image à l'aide d'un télescope primitif. Il est surprenant qu'il ait pu rendre les détails de la surface avec autant de précision.

Ci-dessous: Une peinture anonyme du jugement de Galilée. Il fit un affront à l'Eglise en affirmant que le Soleil, et non la Terre, était au centre de l'univers. Il exposa ses idées dans le Dialogo, *qu'il publia sans en référer au pape Paul V. Il fut donc cité à comparaître devant le tribunal de l'Inquisition et, en 1633, fut accusé d'hérésie. Il fut reconnu coupable et forcé de renier ses théories, sous peine de mort.*

Johannes Kepler

1571-1630

Kepler établit les trois lois fondamentales sur le mouvement des planètes, qui permettraient plus tard à Newton de formuler les lois sur la gravitation. Il fixa également les fondements des sciences optiques et oculaires modernes. Kepler fut aussi un observateur: il étudia, en relation avec Galilée, les comètes, reconnaissant leur nature céleste, puis les taches du Soleil. On lui doit aussi les Tabulae Rudolphinae *(1627), premières éphémérides des planètes calculées sur la base des trois lois qu'il avait découvertes. Il prédit également le passage de Mercure entre la Terre et le Soleil en 1631. L'observation qui en fut faite par Gassendi confirma en même temps les lois de Kepler et l'hypothèse copernicienne.*

Johannes Kepler est né le 27 décembre 1571 à Weil der Stadt dans le Wurtemberg en Allemagne. Dès sa prime jeunesse, il boitait et avait une mauvaise vue. Il fut retiré de l'école primaire lorsque son père, qui possédait une auberge, fit faillite. En 1584, il fut boursier dans un séminaire protestant et, deux ans plus tard, entra à l'école secondaire de Maulbronn. Son examen final, qui fut brillant, lui permit de s'inscrire à l'Université de Tübingen, en 1589, où il étudia, entre autres disciplines, l'astronomie. Son professeur Mästlin lui fit connaître aussi l'oeuvre de Copernic, qui avait déclaré en 1543: 'La Terre et les autres planètes se déplacent en mouvements circulaires autour du Soleil'. Peu après, parut la première publication de Kepler sur la compatibilité de la théorie de Copernic avec l'Ecriture Sainte. Kepler désirait toujours devenir ecclésiastique et ce n'est qu'après avoir longtemps hésité qu'il accepta en 1594 le poste de professeur d'astronomie à l'école luthérienne supérieure de la petite ville de Graz en Autriche. Il y travaillait encore en 1597, lorsque des conflits religieux le forcèrent à partir en Hongrie. Dans l'intervalle, le célèbre astronome Tycho Brahé, qui avait remarqué son travail, l'invita à venir chez lui à Prague. Les observations très précises de Brahé sur les trajectoires des planètes dans le ciel, suggérèrent à Kepler la possibilité de représenter mathématiquement, le système solaire. Il formula cette idée au moyen de trois lois, les deux premières dans son *Astronomia nuova* (La nouvelle astronomie), publiée en 1609, et la troisième en 1618.

La première loi de Kepler établit que les planètes décrivent des ellipses autour du Soleil et non des circonférences, comme le pensait Copernic. Contrairement à un cercle, qui n'a qu'un seul point particulier (son centre), l'ellipse possède deux points particuliers, que l'on appelle les foyers. La première loi de Kepler établit également que le Soleil est situé à l'un des foyers de toutes les orbites des planètes. La deuxième loi de Kepler établit une relation mathématique entre la vitesse à laquelle une planète se déplace à un moment donné dans son orbite et sa distance par rapport au Soleil à ce même moment.

La troisième loi de Kepler donne la relation entre le temps de révolution d'une planète - le temps que met une planète à parcourir complètement son orbite - et sa distance moyenne par rapport au

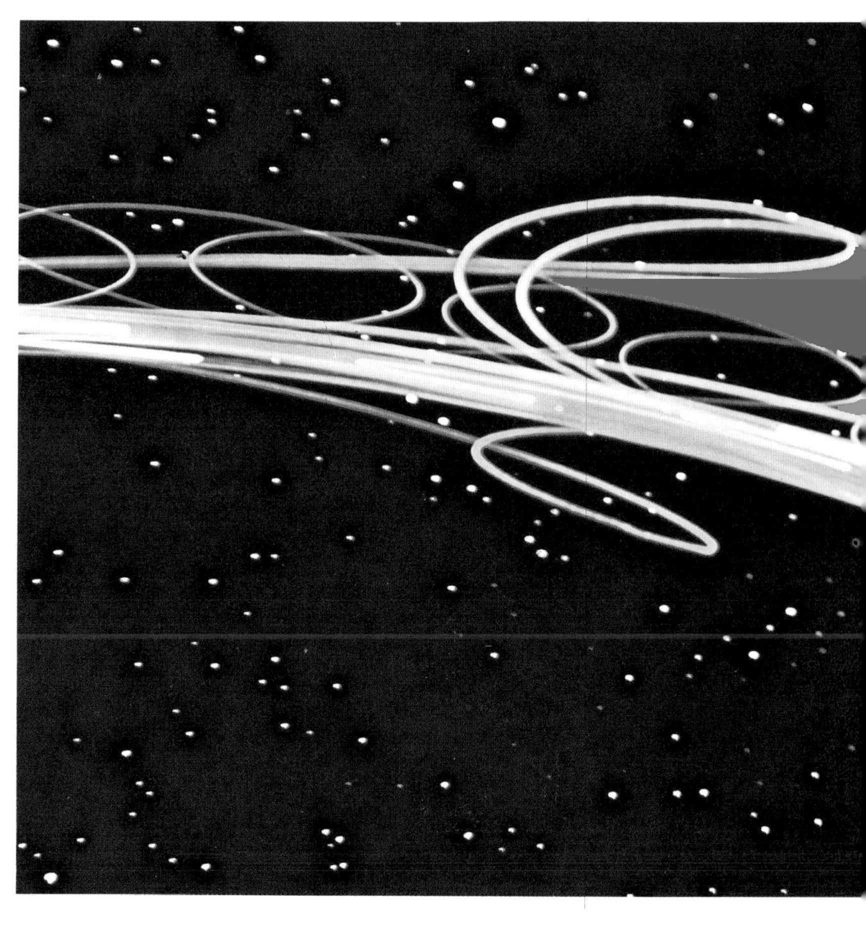

Ci-dessous, à droite: Mouvements apparents des planètes, avec le firmament en arrière-plan, pendant une longue période. Ces mouvements ne peuvent concorder avec la théorie selon laquelle les planètes tournent sur des orbites circulaires autour du Soleil, à une vitesse constante. Kepler, qui avait établi sa théorie grâce à des observations précises de Mars par Tycho Brahé, résolut la question, en démontrant que les orbites des planètes sont elliptiques. Le mouvement temporairement rétrograde d'une planète, d'est en ouest, est provoqué par la combinaison du mouvement de la planète elle-même et de celui de la Terre (v.p. suivante).

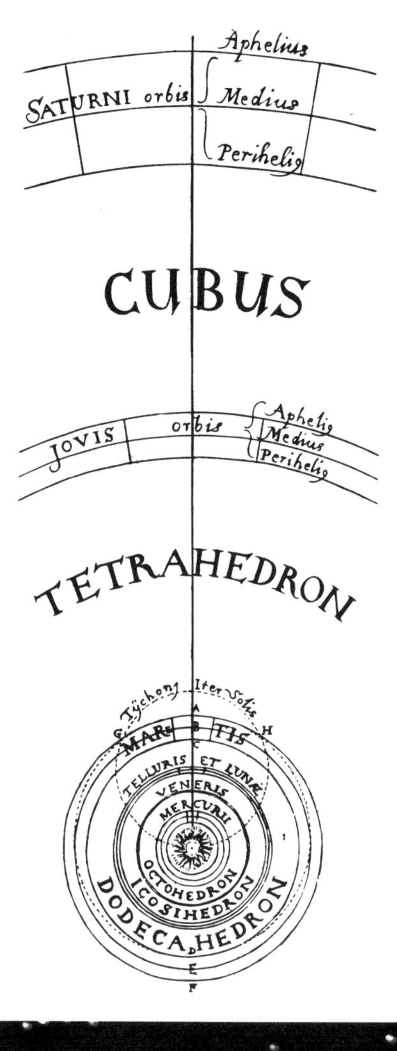

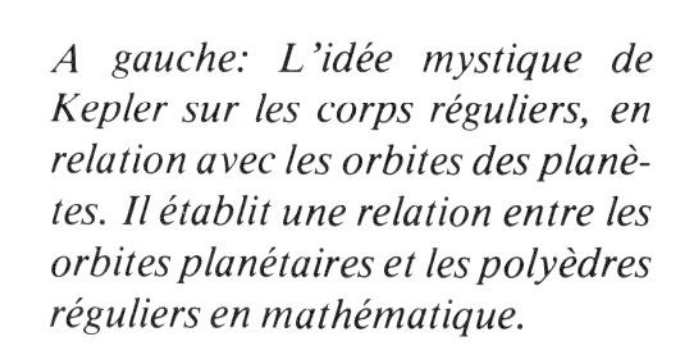

A gauche: L'idée mystique de Kepler sur les corps réguliers, en relation avec les orbites des planètes. Il établit une relation entre les orbites planétaires et les polyèdres réguliers en mathématique.

A droite: Observatoire astronomique de Kepler à Prague, où il effectua de nombreuses recherches.

Ci-dessous: Mouvements apparents des différentes planètes.

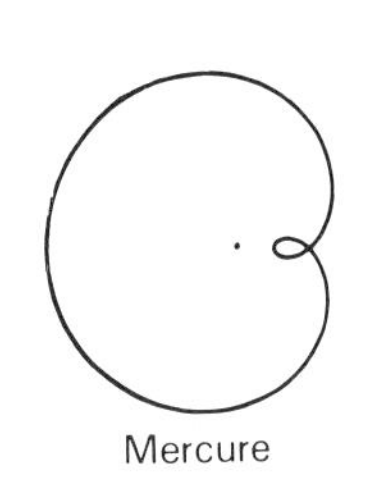

Mercure

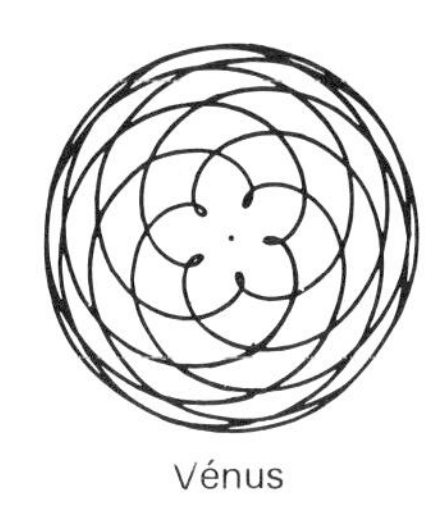

Vénus

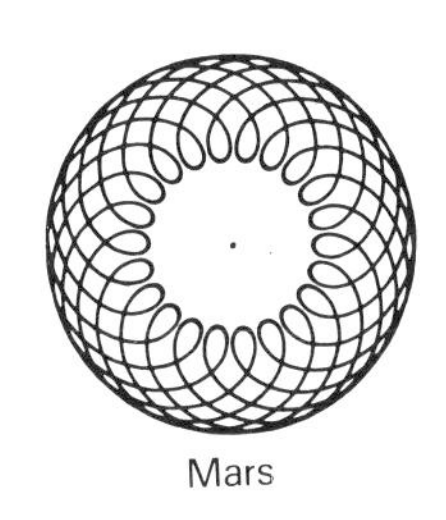

Mars

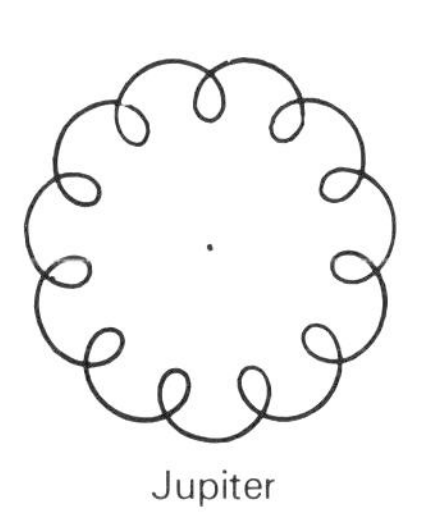

Jupiter

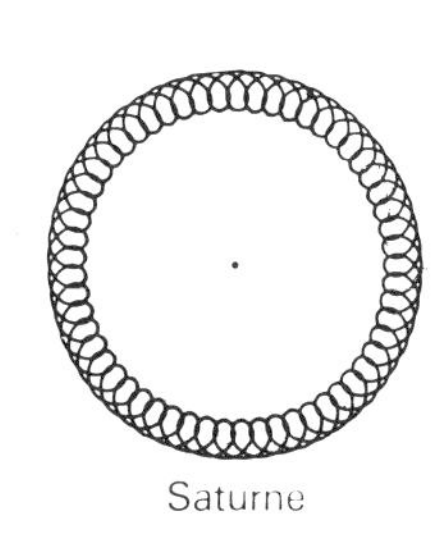

Saturne

Soleil. Kepler n'établit pas ses lois selon une théorie, mais il les déduisit à partir de l'observation des mouvements planétaires dans le ciel. Près de cinquante ans plus tard, Newton se servira des lois de Kepler pour prouver ses lois théoriques sur la gravitation. Il supposait qu'il s'agissait d'une sorte de force magnétique. Etant donné son intérêt pour l'astronomie, Kepler s'intéressa également au fonctionnement du télescope, à la façon dont la lumière se réfractait dans les lentilles et au fonctionnement de l'oeil humain, qui, en définitive, observe les images. Il pensa - avec raison - que la pupille de l'oeil fonctionne comme un diaphragme, qui, selon les circonstances, laisse passer plus ou moins de lumière. Ensuite, Kepler découvrit, dans les moindres détails, la façon dont les rayons de lumière sont perçus par l'oeil. Il pensa qu'un individu affligé d'une mauvaise vue devait souffrir de troubles oculaires, car, dans ce cas, les rayons de lumière ne sont pas dirigés avec précision sur la rétine, mais convergent devant ou derrière cette membrane. Mais il fut encore bien plus précis et exact dans ses conclusions. En effet, Kepler poursuivit son raisonnement en expliquant le fonctionnement d'une lunette. Cette analyse ingénieuse fut publiée en 1604. Kepler mourut le 15 décembre 1630, en se rendant à une séance de la Diète à Ratisbonne, pour tenter de percevoir des honoraires arriérés que l'Etat lui devait encore. Les privations et les fatigues du voyage lui avaient demandé un trop grand effort.

Jan Adriaensz Leeghwater

1575-1650

Leeghwater acquit une grande renommée à son époque pour la façon géniale dont il assécha des lacs et les transforma en polders. L'épuisement des eaux du Beemster en Hollande du Nord, fut une de ses plus grandes oeuvres.

Jan Adriaensz Leeghwater naquit en 1575 à De Rijp, village de la Hollande du Nord. Il devint menuisier de métier, mais acquit par ses études de vastes connaissances dans tous les domaines, surtout en architecture, en mécanique et en linguistique.

Il avait compris l'intérêt pour les Pays-Bas de rendre utilisables les sols d'altitude négative, marécageux et recouverts de lacs.

Depuis de nombreux siècles, les Pays-'Bas' avaient dû se battre pour acquérir de nouvelles terres et lutter contre l'eau qui risquait de les envahir à nouveau.

Leeghwater n'apporta aucune innovation dans ce domaine. Mais ses mérites inestimables sont dus à ses connaissances exceptionnelles. Il a rendu d'importants services en qualité d'ingénieur hydraulicien, selon l'appellation actuelle. Il assécha le Beemster par un barrage, qui fut le premier endiguement important des Pays-Bas.

Les plans gigantesques et très coûteux envisagés pour assécher le Beemster furent présentés lorsque quelques dirigeants de la Compagnie des Indes Orientales recherchèrent des moyens de rentabiliser les richesses qu'ils avaient rapportées d'Extrême-Orient.

Pour l'adjudication des travaux, de nombreux candidats se présentèrent avant que Leeghwater

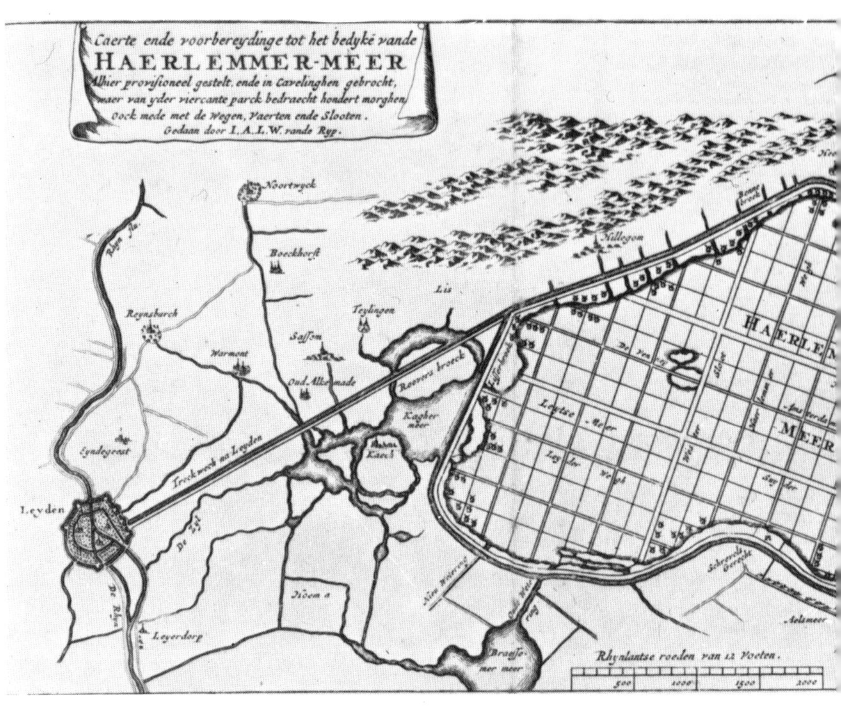

A droite: Les polders aux Pays-Bas. Les Pays-Bas ont pu acquérir environ 8 000 km² de leur territoire par des assèchements, et grâce à l'ingéniosité, dans le domaine de l'hydraulique, de Leeghwater, qui en fut le plus grand instigateur. Depuis, la technique pour la création de polders a très peu évolué dans son principe. On construit d'abord une digue, pour permettre aux stations de pompage d'aspirer l'eau. Ensuite, dans la boue stagnante, on plante des roseaux qui absorbent l'eau restante pour empêcher que la terre ne soit envahie par les mauvaises herbes. Des canaux de drainage sont creusés. Après avoir brûlé les roseaux et aménagé un système d'irrigation efficace, on peut semer ou planter de nouvelles cultures.

n'eût reçu l'autorisation. Le contrat stipulait que la digue de ceinture devait être terminée pour le 1er novembre 1609.

Vingt-six moulins à eau, disposés à intervalles réguliers, devaient permettre la construction d'une digue de ceinture, de 40 km de long. Ce travail fut terminé quelque temps seulement après l'expiration du délai fixé. Cependant, moins d'un mois plus tard, la majeure partie de la digue fut détruite par une terrible tempête. Les travaux

A gauche: Le plan de Leeghwater pour l'assèchement du lac de Haarlem. A l'époque, les moulins à eau n'étaient pas en mesure de surmonter les grandes différences des niveaux de l'eau. On dut attendre la découverte de la machine à vapeur, pour assécher la région, opération qui fut terminée en 1851.

permit à Frédéric-Henri de s'emparer de Bois-le-Duc, qui était, à l'époque, aux mains des Espagnols. On considérait que cette ville-forte était imprenable en raison des marécages qui l'entouraient. Leeghwater dévia deux rivières et fit fonctionner des moulins à eau. Quatre mois plus tard, la ville était conquise.

Mais Leeghwater n'a jamais pu réaliser son plus grand idéal: l'assèchement du lac de Haarlem, qui s'étendait continuellement.

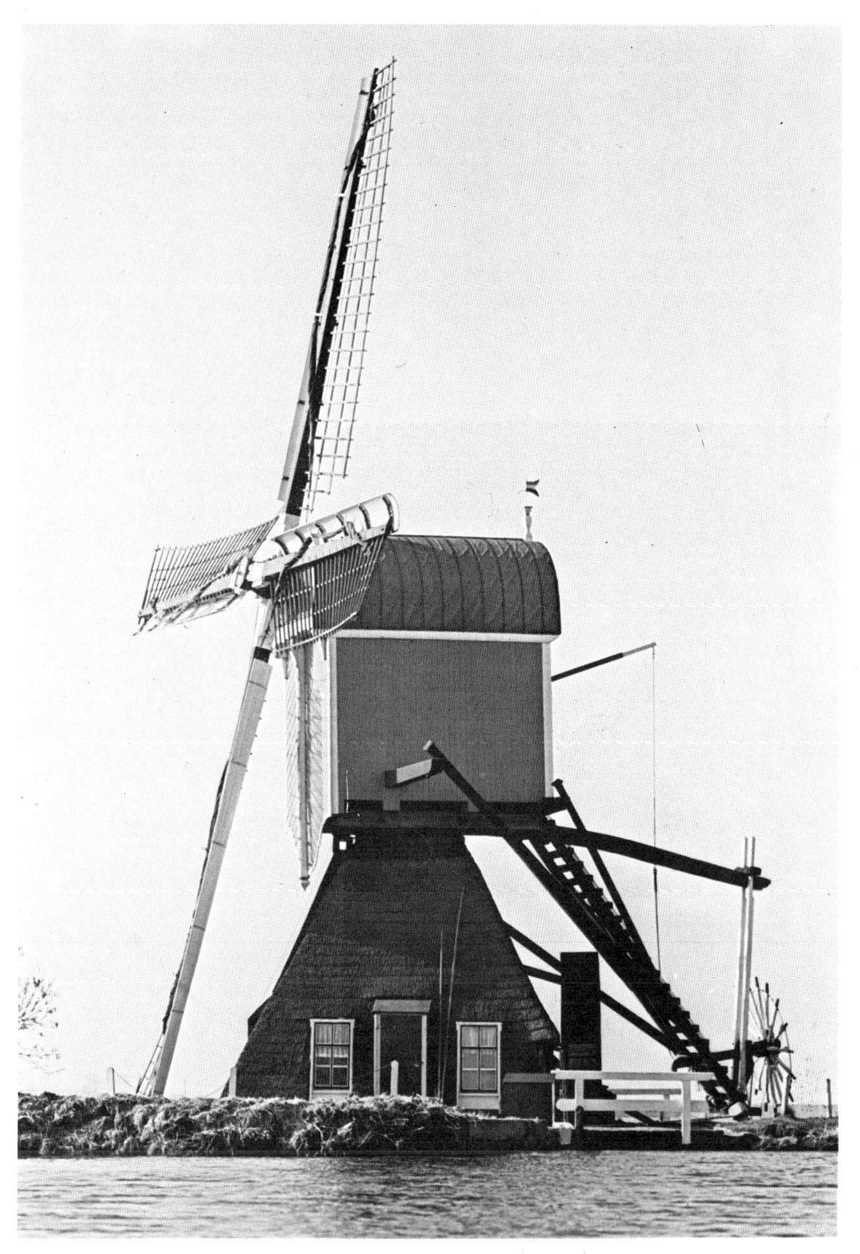

furent immédiatement repris et, trois ans plus tard, le polder du Beemster était prêt à être défriché.

Les marchands, qui avaient fourni l'argent nécessaire, revendiquèrent l'honneur de cette réussite dans le domaine de l'hydraulique.

D'après une anecdote, Leeghwater, qui était d'origine modeste, dut servir à table pour voir au moins le banquet destiné à fêter le succès de l'entreprise. En très peu de temps, les bénéfices rapportés par les nouvelles récoltes dans les polders couvrirent largement les frais engagés pour les travaux.

Leeghwater fit également preuve de son ingéniosité et de son esprit créateur exceptionnel dans un autre domaine. La démonstration qu'il fit en 1605, devant un très large public, dont certains membres de la maison royale des Pays-Bas, en est un exemple frappant. Il resta trois quarts d'heure sous l'eau dans une cloche de plongée, invention qu'il fit breveter.

Durant toute sa vie, Leeghwater s'occupa de travaux hydrauliques. On le demandait partout pour ses compétences.

Il dirigea l'assèchement de dizaines de lacs et de terrains marécageux dans différents pays. Il assécha ainsi les marais de la région de Bordeaux à la demande des Français.

En Allemagne, on le sollicita également pour de tels travaux. C'est ainsi que en 1629, Leeghwater

Ci-dessus: Un moulin à eau, ce modèle est un moulin à bascule ou moulin à boisseau. La caisse (le toit et les ailes) pivote sur un boisseau creux, traversé par un pivot central qui, entraîné au sommet par l'axe des ailes mues par le vent, dans sa partie inférieure, actionne l'axe de la roue à auges.

Il écrivit un livre, à ce propos, intitulé *Haarlemmermeerboeck*.

D'après ses estimations, il aurait fallu cent soixante moulins à eau au moins pour effectuer les travaux mais même ses successeurs immédiats en hydraulique trouvèrent cette entreprise trop difficile.

Ce n'est qu'au XIXe siècle que l'assèchement du lac de Haarlem fut possible, grâce aux nouveaux développements techniques et à la découverte des pompes d'épuisement à vapeur.

William Harvey

1578-1657

Le médecin et physiologue Harvey est considéré, avec raison, comme ayant découvert la circulation du sang en circuit fermé, dont le coeur sert de pompe. Cette découverte du mécanisme de la circulation sanguine est exposée dans son ouvrage Exercitato anatomica de motu cordis et sanguinis in animalibus *(1628). Il effectua également des recherches en embryologie, en observant notamment le développement de l'embryon du poulet et la procréation des mammifères* (Exercitationes de generatione animalium, *1651).*

L'Anglais William Harvey naquit le 1er avril 1578 à Folkestone, où son père était un riche propriétaire terrien et un homme d'affaires réputé. William était l'aîné de neuf enfants. Il fit ses premières études dans une école privée pour garçons à Cantorbéry, puis à l'Université de Cambridge, où il étudia la médecine.
Vers 1600, il résida pendant trois ans à Padoue (Italie), pour perfectionner sa formation médicale à la célèbre école de médecine. Son professeur

était un anatomiste italien, fort connu, Hieronymus Fabricius Acquapendente.
Lorsque Harvey retourna en Angleterre en 1602, on lui décerna immédiatement, à Cambridge, le titre de docteur et il ouvrit un cabinet médical à Londres, où il eut un très grand succès comme médecin à la mode et put se constituer une vaste clientèle.
En 1609, il commença une longue carrière de médecin et de chirurgien au *St. Bartholomew's Hospital.* En 1615, Harvey devient professeur d'anatomie au *Royal College* de Londres et, en 1618, médecin exceptionnel du roi Jacques 1er. En 1625, il devint également le médecin personnel du roi Charles 1er.
Mais les ambitions scientifiques comptaient beaucoup plus pour Harvey que tout ce qu'il put réussir dans le domaine social. Il était une des personnalités les plus intelligentes de son époque. Il suivait la méthode de recherches établie par Aristote et fondée sur l'observation.

A droite: La circulation sanguine d'après Galien, médecin grec du IIe siècle, dont les enseignements médicaux étaient encore incontestés quinze siècles après sa mort. D'après Galien, trois types de sangs passaient dans le corps dans deux systèmes vasculaires différents: les veines, qui transportaient du sang violet, et les artères, du sang rouge vif. Le sang était fabriqué par le foie, qui 'chargeait' le sang 'd'esprit naturel'. Une partie se dirigeait du ventricule droit vers les veines et une autre partie passait du ventricule gauche, où il était 'chargé' d'esprit vital, vers les artères, qui jaillissaient des poumons. Une partie de ce sang arrivait au cerveau, où il était 'chargé d'esprit animal', ensuite il passait dans les nerfs, représentés par un canal. Galien rejetait l'idée que les veines et les artères aboutissaient dans le coeur et en ressortaient. Il ne considérait pas le coeur comme une pompe, mais comme un organe qui réchauffait le sang. Le battement du coeur et du pouls serait provoqué par l'extension et la rétraction du corps humain, chaque fois que l'esprit de vie serait donné ou retiré. Bien qu'excellent médecin à son époque, Galien ne se donna jamais la peine d'étudier le corps humain. Il transposa les caractéristiques anatomiques de nombreux animaux sur l'homme. Et bien qu'il déclarât: 'le chemin de l'expérimentation est long et difficile, mais conduit à la vérité', il négligea souvent ses propres observations lorsqu'elles ne concordaient pas avec ses idées préconçues. Les théories de Galien dominèrent la médecine jusqu'au moyen âge, parce qu'il n'y eut pas suffisamment de médecins pour atteindre à sa renommée.

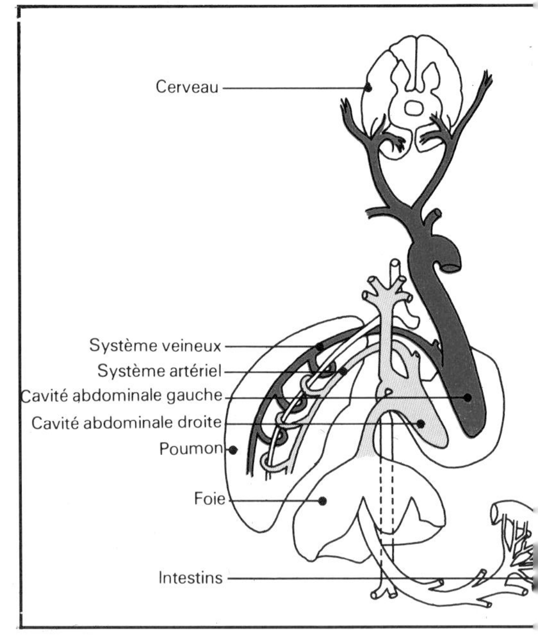

A cette époque, on croyait encore - comme l'avait affirmé le célèbre médecin Galien au IIe siècle après J.-C. - que le sang venait du foie et du coeur, passait par les veines et les artères, et circulait ensuite partout dans le corps, comme les mouvements de flux et de reflux de la mer. L'ancien professeur de Harvey, Fabricius, avait découvert les valvules dans les grandes veines, mais il n'en avait pas compris la fonction. Harvey approfondit le sujet sans aucune idée préconçue. Il fit plusieurs expériences, en ligaturant les vaisseaux sanguins d'animaux. Ces essais lui permirent de constater d'abord que le sang s'échappe du coeur par les artères et qu'il est renvoyé ensuite au coeur par les veines. Il découvrit que les valvules des veines déterminent la direction du sang vers le coeur. Il découvrit également que les valvules du coeur poussent le sang dans une direction déterminée: de la partie droite du coeur vers les poumons et de la partie gauche du coeur vers les membres et les organes. Harvey conclut que le coeur fonctionne comme une pompe, qui permet au sang de circuler en permanence.
Quoique Harvey enseignât ses expériences à ses étudiants depuis 1619, il fallut attendre l'année 1628 pour qu'il les rassemblât et les publiât dans un livre devenu célèbre, *Exercitato anatomica de motu cordis et sanguinis in animalibus* (Du mouvement du coeur et du sang chez les animaux). On assista d'abord à un concert de satires et de polé-

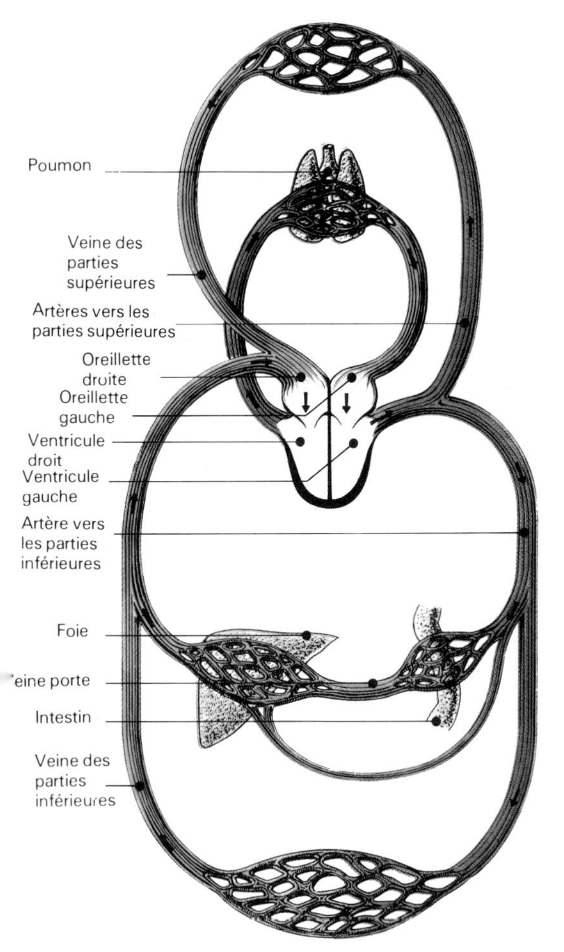

A gauche: Schéma simplifié de la découverte de Harvey: c'est toujours le même sang qui circule dans le corps et transporte de l'oxygène et des aliments. Le sang sort du coeur par les artères (rouge) et se dirige vers toutes les parties du corps, puis retourne au coeur par les veines (bleu). Ensuite, il passe du coeur aux poumons, puis de nouveau dans le coeur. Harvey pensait qu'il devait y avoir des vaisseaux sanguins capillaires (extrêmement fin) qui reliaient les artères les plus fines aux veines les plus fines.

En bas, à gauche: Cette série de dessins montre comment Harvey prouva que le sang circule toujours dans une même direction dans le corps. En ligaturant le bras au-dessus du coude, les veines gonflent nettement. On aperçoit la présence des valvules par la formation de petites enflures. En poussant avec le doigt sur la veine, le sang de cette partie disparaît et se dirige vers la valvule suivante. Il ne revient pas en sens inverse.

En bas, à droite: Leçon d'anatomie au XVIIe siècle. En 1615, Harvey fut nommé professeur d'anatomie au Royal College of Physicians *(Académie Royale des Médecins).*

miques, car Harvey allait à l'encontre des conceptions médicales établies depuis des siècles. Malgré le désir de Harvey d'éviter le conflit en refusant, dans la mesure du possible, un débat avec ses antagonistes, sa clientèle en subit les conséquences. Il ne manquait qu'un seul maillon à la théorie de Harvey: comment le sang, qui sortait du coeur par les artères, arrivait-il dans les veines pour retourner dans le coeur? Il n'avait pas répondu à cette question. Harvey supposa l'existence de vaisseaux sanguins fins et minuscules qui assuraient la liaison. Mais il ne put le prouver.

En 1661, quatre ans à peine après sa mort, le médecin et anatomiste italien Marcello Malpighi découvrit ces fins vaisseaux sanguins dans le tissu pulmonaire d'une grenouille. La dernière pièce du puzzle était ainsi en place. Harvey commença un autre travail, consistant à suivre le développement d'un embryon de poule dans l'oeuf, ce qui lui permit de publier, en 1651, un livre important sur la procréation chez les animaux, *Exercitationes de generatione animalium* (De la naissance des animaux).

Durant la même période, la guerre civile éclata en Angleterre, et le roi Charles 1er fut exécuté par des partisans de Cromwell en 1649. Malheureusement, au cours de ces troubles, la plupart des ouvrages de Harvey furent détruits. Par conséquent, nous ne savons pas grand chose de son oeuvre. Au cours des dernières années de sa vie, Harvey vécut assez retiré, car il souffrait d'arthrite et de calculs. Il mourut d'un crise cardiaque le 3 juin 1657.

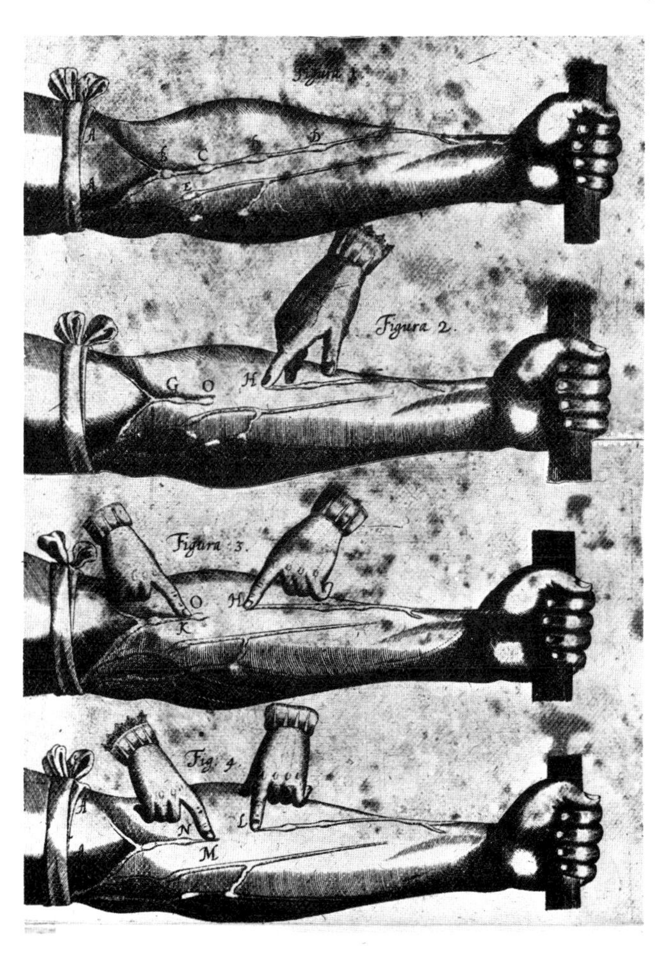

Evangelista Torricelli

1608-1647

Le mathémacien et physicien italien Torricelli est surtout devenu célèbre par son invention du baromètre à mercure, quoique cet instrument ne fût pas son premier objectif.

Evangelista Torricelli est né le 15 octobre 1608 à Faenza en Italie. Durant sa jeunesse, il étudia les mathématiques et la physique. Torricelli n'était pas très connu, jusqu'à la publication d'un livre sur les principes mécaniques: *De motu* (Du mouvement). Il fut fortement inspiré par l'oeuvre de Galilée, qui remarqua l'ouvrage de Torricelli et en fut fort impressionné. C'est pourquoi il l'invita, en 1641, à venir travailler avec lui. Torricelli accepta. A la mort de Galilée, il lui succéda en qualité de professeur de mathématiques à l'académie de Florence.

Deux ans plus tard, Torricelli suivit une suggestion de Galilée, en faisant une expérience qui devait montrer l'exactitude de l'affirmation d'Aristote: 'la nature rejette un espace vide d'air' (autrement dit, le vide naturel n'existe pas). Des rapports de mineurs, qui utilisaient des pompes aspirantes pour éviter que des puits de mine ne fussent submergés, avaient mis cette vérité en doute. Ces pompes fonctionnaient d'après le principe qu'un espace vide d'air devait aspirer l'eau vers le haut. Les mineurs découvrirent qu'il n'était pas possible d'extraire de l'eau à plus de dix mètres au-dessus de son niveau normal. Et cette limite restait identique..., quelle que fût la puissance et la capacité de la pompe utilisée. Galilée pensait qu'il y avait peut-être une limite à la façon dont la nature rejetait l'espace sans air.

Torricelli remplit, complètement de mercure, un tube en verre de 1,20 m de longueur, ferma le tube d'un côté et le disposa verticalement à l'envers dans une cuve également pleine de mercure. Une partie du mercure descendit dans la cuve, tandis que le tube laissait apparaître dans le haut un espace sans air, le vacuum. Cette expérience prouva qu'Aristote avait raison, dans la mesure où on pouvait provoquer artificiellement un vide qui n'existait pas dans la nature. En outre, cette expérience donna lieu à des découvertes bien plus importantes.

Lorsque Torricelli poursuivit son expérience pendant une durée plus longue, il remarqua que la hauteur de la colonne de mercure dans le tube en verre, était soumise à de légères fluctuations. Il imagina qu'elles pouvaient être provoquées par des fluctuations dans la pression exercée par l'air extérieur: ainsi, ce serait la pression de l'air extérieur, c'est-à-dire, la pression atmosphérique qui maintiendrait le mercure dans le haut du tube. A partir de cette constatation qui était parfaitement exacte - nous le savons aujourd'hui -, Torricelli commença à mesurer avec précision la pression atmosphérique, ou le poids de l'air, alors que les savants avaient toujours cru que l'air n'avait

Ci-dessous: Diorama (une reconstitution avec effets de lumières) au Science Museum *(Musée des sciences) de Londres, de la célèbre expérience de Torricelli pour vérifier si le vide peut être créé ou non. On y voit Torricelli redresser un tube de mercure, fermé d'un côté et renversé dans un bac de mercure.*

aucun poids. Simultanément, Torricelli avait construit le premier exemplaire de l'instrument que nous appelons aujourd'hui le baromètre à mercure, qui nous sert encore pour mesurer la pression atmosphérique avec la plus grande précision (1643). Torricelli n'a jamais publié le résultat de ces expériences. Son autre travail concernant l'écoulement des liquides et la trajectoire d'un projectile était à son avis plus important. Il en publia les conclusions, en 1644, dans *Opera geometrica* (Travaux de géométrie). Ses autres observations géométriques ont contribué plus tard au développement du calcul intégral. La loi qui porte son nom, la loi de Torricelli (1644), détermine la vitesse d'écoulement d'un liquide par un orifice placé dans un vase, si l'on en connaît la différence en hauteur avec la surface du liquide.

Depuis la simple découverte de Torricelli, le baromètre à mercure a subi de nombreuses améliorations. L'ingénieur et physicien allemand Otto von Guericke (1602-1686) fabriqua un baromètre à mercure avec un flotteur.

Il ouvrit ainsi la voie à l'utilisation du baromètre pour les prévisions météorologiques. A cette époque, Torricelli était déjà décédé à Florence, le 25 octobre 1647.

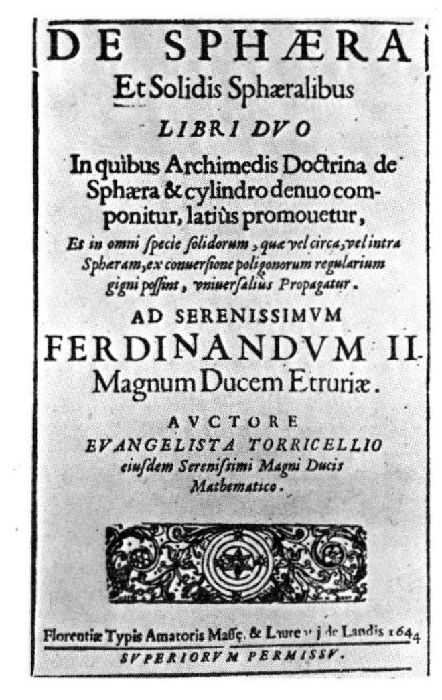

DE SPHÆRA
Et Solidis Sphæralibus
LIBRI DVO
In quibus Archimedis Doctrina de Sphæra & cylindro denuo componitur, latiùs promouetur,
Et in omni specie solidorum, quæ vel circa, vel intra Sphæram, ex conuersione poligonorum regularium gigni possint, vniuersalius Propagatur.
AD SERENISSIMVM
FERDINANDVM II.
Magnum Ducem Etruriæ.
AVCTORE
EVANGELISTA TORRICELLIO
eiusdem Serenissimi Magni Ducis Mathematico.
Florentiæ Typis Amatoris Massę. & Laurentij de Landis 1644.
SVPERIORVM PERMISSV.

Ci-dessus: Première page du livre de Torricelli De sphaera *(De la sphère) de 1644.*

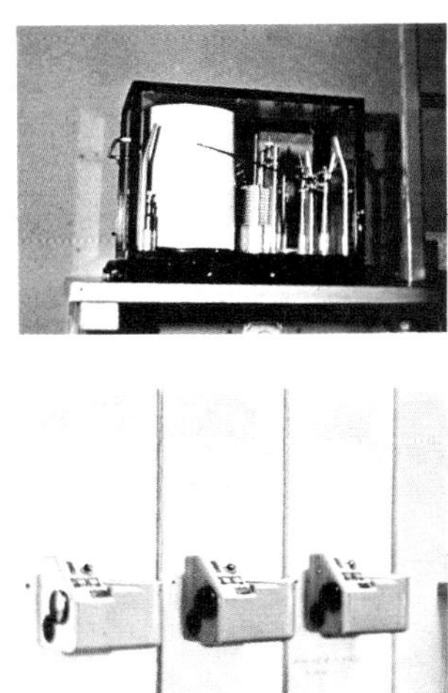

Ci-dessus: Les baromètres ont fortement évolué depuis Torricelli. Un exemple: le baromètre anéroïde, appareil qui dessine la pression de l'air au fur et à mesure qu'elle change. Le baromètre est composé essentiellement d'une boîte où l'on fait le vide. La pression de l'air s'exerce sur une membrane élastique tendue sur la partie supérieure de la boîte. Le baromètre anéroïde fonctionne donc sans mercure.

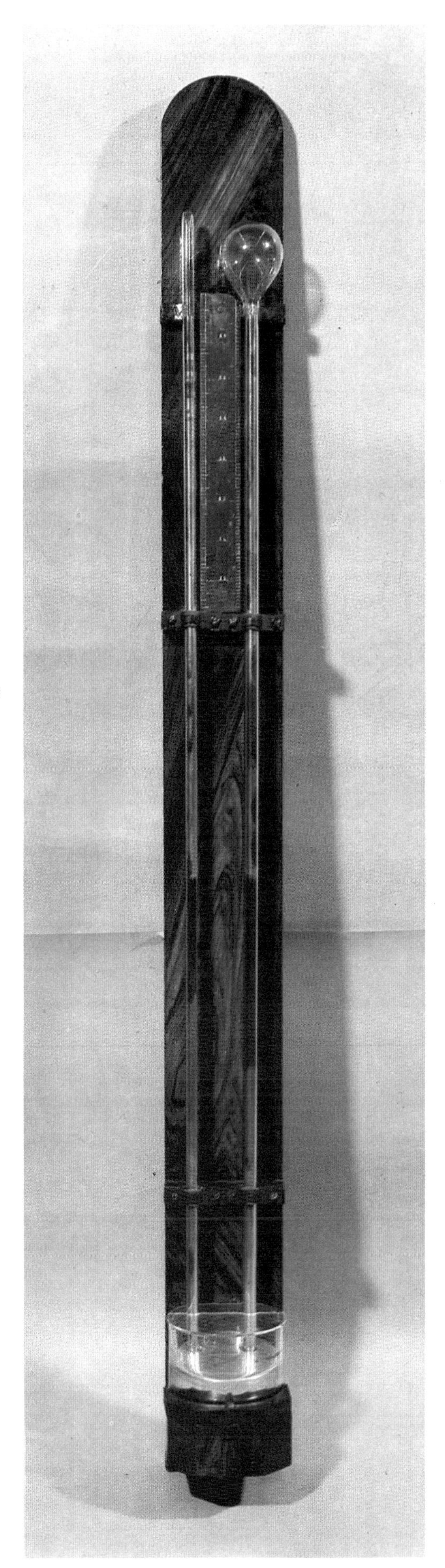

A droite: Une copie du baromètre à mercure d'après le modèle original de Torricelli.

Robert Boyle

1627-1691

Ce phycicien et chimiste fut le premier, depuis l'antiquité, à supposer que la matière est composée de ce qu'il appela des particules primaires. Cette découverte fit de lui le précurseur de la théorie des atomes. Par la suite, ses recherches sur le comportement des gaz le rendirent célèbre.

Robert Boyle naquit le 25 janvier 1627 à Lismore, en Irlande. Il était le quatorzième enfant d'un riche noble. Robert Boyle consacrera sa vie à deux passions: la propagation du christianisme et la science expérimentale.
En 1635, il se rendit au célèbre collège d'Eton, puis parcourut l'Europe de 1639 à 1644. En Italie, il apprit à connaître et à étudier l'oeuvre de Galilée et contribua ainsi à la méthode purement expérimentale, qui marqua toute son oeuvre scientifique.
Quelques années après son retour en Angleterre, Boyle s'établit à Oxford, où il rencontra Robert

Hooke, physicien devenu célèbre, qui l'aida à construire une 'machine pneumatique', un type de pompe à vide, dont Boyle avait besoin pour procéder à une série de recherches sur les propriétés des gaz (l'air en particulier).
Lors de ses expériences sur les gaz, Boyle découvrit la loi dite de Boyle-Mariotte, ces savants l'ayant découverte à peu près en même temps, indépendamment l'un de l'autre. La loi de la compressibilité des gaz énonce que la pression et le volume d'un gaz, maintenu à température constante, sont inversement proportionnels. Par exemple, lorsque la pression d'un gaz est doublée, son volume se réduit de moitié.

A droite: La Royal Society, *académie royale britannique des sciences, dont Boyle fut le cofondateur. Au début, la* Royal Society *s'appelait 'l'académie invisible' et réunissait un petit groupe d'hommes qui se consacraient à l'idéal de la libre discussion et de l'expérience. En dehors des savants, la* Royal Society *comptait également des membres de premier plan dans d'autres domaines, comme l'architecte Sir Christopher Wren et le journaliste Samuel Pepys. En 1662, cette académie reçut le titre de 'royale' et fut rebaptisée* Royal Society. *En 1680, on offrit la présidence à Boyle qui refusa. La* Royal Society *est actuellement encore une des académies scientifiques les plus importantes et les plus influentes du monde. Depuis sa fondation, la* Royal Society *a déménagé trois fois et est actuellement installée à Carlton House Terrace à Londres.*

A droite, en bas: Une reconstitution de la pompe à vide de Boyle et Hooke. Le projet utilisait les principes des appareils à vide en usage à cette époque sur le continent européen. La pompe de Boyle permettait d'obtenir un vide quasi absolu. Des matières diverses ou de petits animaux pouvaient être placés dans cette cloche en verre, ainsi que des bougies allumées. La cloche était munie d'un bouchon qui fermait hermétiquement, grâce à une colle. Lorsque le vide était établi dans la cloche, les flammes s'éteignaient et les animaux mouraient.

La loi de Boyle est toujours appliquée aujourd'hui, quoique cette loi ne puisse être utilisée pour des pressions extrêmement élevées. Ce n'est qu'en 1662 que Boyle publia ses expériences. Dans l'intervalle, il était déjà arrivé à la conclusion que l'air, étant compressible, devait être constitué de particules minuscules. Boyle rejeta, par conséquent, la théorie qui établit que toute matière est formée à partir de quatre éléments: la terre, l'air, l'eau et le feu. Il proposa plutôt de considérer que

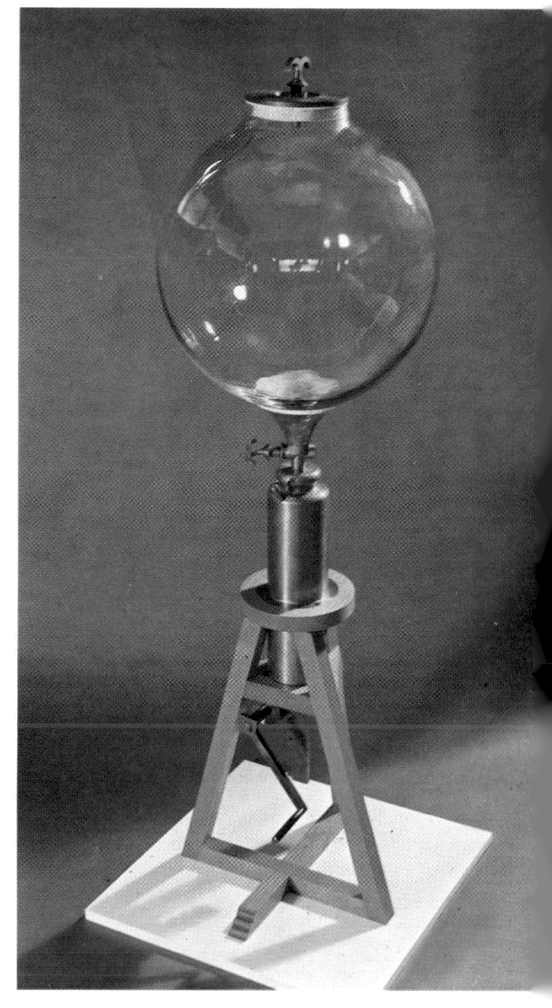

la matière était composée de 'particules primaires' que l'on pourrait regrouper en 'corpuscules' de composition plus ou moins complexe. Pour la première fois depuis l'antiquité, cette conception ouvrit la voie à la théorie des atomes sur des bases expérimentales. La supposition de Boyle sur les particules primaires qui forment entre elles des corpuscules fut le signe précurseur de la conception actuelle des atomes, qui se relient entre eux pour former des molécules. Boyle publia ces idées dans son célèbre ouvrage *The Sceptical Chimist* (Le chimiste sceptique) en 1661.

A cette époque, Boyle était le co-fondateur d'une académie de savants, dont le but était de promouvoir la science expérimentale. L'académie s'appelait *The Invisible College* (L'académie invisible) et devint plus tard la célèbre *Society,* qui fut honorée en 1663 par le titre de royale *(Royal Society).*

Après 1668, Boyle s'installa définitivement à Londres. Il y travailla à des expériences sur des métaux et fit des recherches en chimie sur la différence entre les acides et les bases.

Durant toute son existence, Boyle, protestant croyant, voua son travail scientifique à son plus grand idéal: la propagation de la foi chrétienne. Il écrivit que l'étude scientifique de la nature était un devoir religieux, car la science montre à quel point la création de Dieu est immense.

C'est surtout dans les dernières années de sa vie que Boyle consacra beaucoup de temps et d'argent à son idéal. En 1680, il refusa même la présidence de la *Royal Society.* Lors de son décès, le 30 décembre 1691, Boyle légua une importante somme d'argent destinée à organiser des conférences, pour 'l'accomplissement de la foi chrétienne contre les incroyances notoires'. Ces conférences sont toujours données et restent fidèles aux idées religieuses de Boyle, c'est-à-dire à la concordance de la foi chrétienne et de la recherche scientifique.

L'Histoire considère Boyle comme un des plus grands savants d'Angleterre.

A droite: L'expérience par laquelle Boyle démontrait que l'eau ne pouvait être aspirée au-delà d'une certaine hauteur. Il se servait d'un long tube recouvert de fer, car il était difficile de fabriquer un long tube en verre. Ainsi, en montant sur un toit, à 9 mètres au-dessus de l'eau placée dans un récipient au sol, et en aspirant l'eau froide à l'aide d'une pompe, Boyle prouva qu'en raison de la pression atmosphérique, l'eau ne pouvait s'élever au-delà d'une certaine hauteur.

Ci-dessous: Dessin de Boyle représentant sa pompe à vide et d'autres appareils utilisés pour la formulation de ses lois sur les gaz. Le double tube, au milieu à droite, est l'instrument avec lequel il démontra que le volume et la pression du gaz sont inversement proportionnels.

Christiaan Huygens

1629-1695

Christiaan Huygens fut très actif dans le domaine des mathématiques, de la physique et de l'astronomie. Il est l'auteur du premier exposé complet de calcul des probabilités (De raticiniis in ludo alea), *du premier grand traité de dynamique* (Horologium oscillatorium) *et étudia également les lois du choc des corps. Sa célébrité est principalement due à sa théorie ondulatoire de la lumière et à l'horloge à balancier qu'il construisit luimême.*

Christiaan Huygens naquit le 14 avril 1629 à La Haye. Son père était le célèbre diplomate et poète Constantin Huygens, également versé en mathématiques et en physique. Il initia lui-même Christiaan, qui était son deuxième fils, aux principes de ces sciences. Mais avant de se consacrer entièrement aux mathématiques et à la physique, Christiaan dut étudier le droit, ce qu'il fit à Leyde. Il perfectionna simultanément ses connaissances en mathématiques et une publication spécialisée le mit immédiatement en contact avec d'éminents savants en Europe. Il était alors âgé de dixsept ans!

Un de ces savants était le Français René Descartes, qui rendait régulièrement visite à Constantin Huygens. Mais il n'a probablement jamais rencontré Christiaan, quoiqu'ils entretinssent une correspondance suivie. Huygens entreprit tellement de travaux en mathématiques et en physique, qu'une bonne partie de ses notes ne fut jamais publiée, sinon quelques années après sa mort. Un des premiers travaux de Christiaan Huygens concernait le développement d'une théorie concernant les forces qui agissent sur un corps dans un mouvement circulaire. Plus tard, il appliqua cette théorie à un pendule avec un poids en arc de cercle. Il se servit de la régularité du mouvement du balancier pour fabriquer une horloge précise. Il lui fallut donc imaginer des moyens pour maintenir le balancier en mouvement, tout en imprimant ce mouvement à une horloge. Il montra son horloge aux Etats généraux en 1657 et, un an plus tard, il donna une description du système. Ce n'est qu'en 1673 que parut son ouvrage *Horologium oscillatorum* (L'horloge à balancier), dans lequel il expose tout ce qui concerne les horloges ainsi que d'autres découvertes. L'horloge lui était d'une grande utilité pour ses études précises du ciel. Son frère l'avait aidé à perfectionner la théorie et la technique du polissage des lentilles (1655). Ils avaient construit ensemble une lunette qui permettait de voir beaucoup plus de détails qu'auparavant, et de découvrir, notamment, la nébuleuse de la constellation d'Orion, un nouveau satellite de la planète Saturne, de nouvel-

Ci-dessous: Lunette céleste de Huygens. A son époque, les lunettes ne donnaient pas d'images précises, étant donné la mauvaise qualité des lentilles. On pouvait obtenir un agrandissement en fabriquant de plus longs tubes, mais ils étaient inutilisables à partir d'une certaine longueur. Huygens se servait de deux tubes courts, un à l'objectif et un autre à l'oculaire. Plus tard, il perfectionna une méthode de polissage des lentilles pour obtenir une image plus nette. L'instrument perfectionné lui permit de découvrir l'anneau de Saturne.

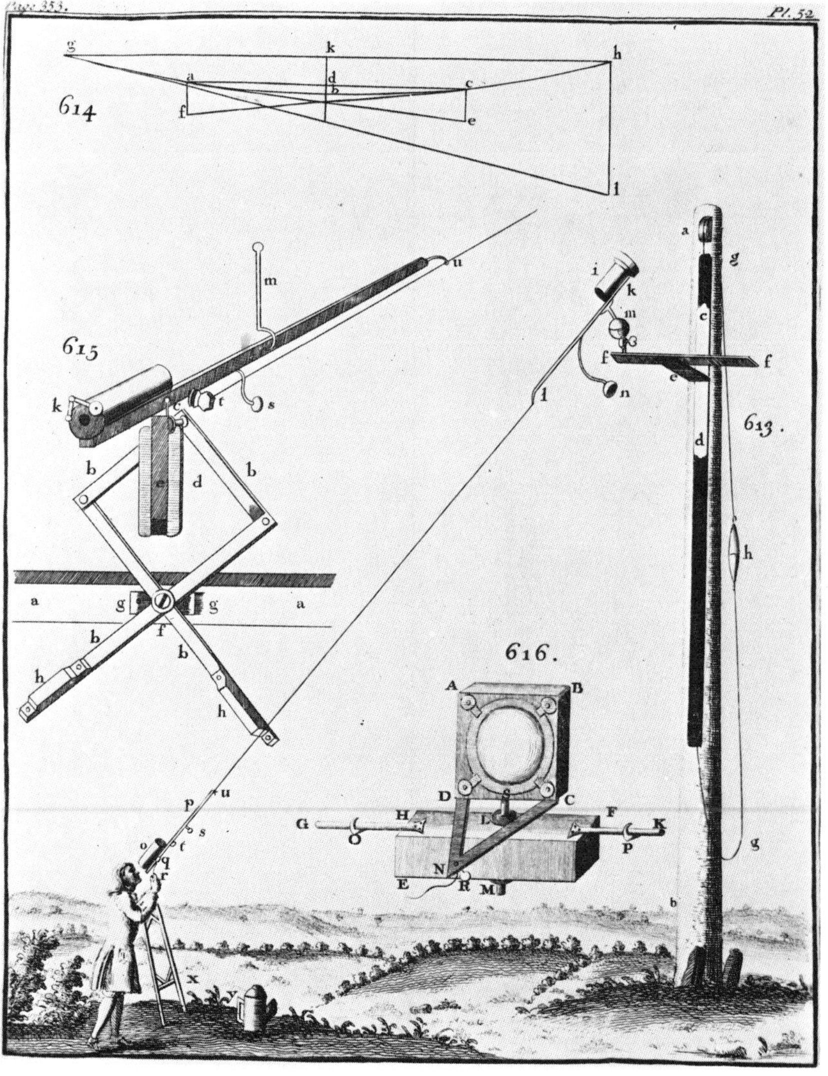

Ci-dessus: La maison où Huygens habita durant son jeune âge.
A droite: Une pendule hollandaise, conçue spécialement pour permettre de concrétiser les perfectionnements apportés par Huygens au balancier.
Ci-dessous: Saturne et ses anneaux.

les caractéristiques de son système annulaire et le relief de la surface de Mars. A la même époque, il s'était intéressé à d'autres sujets. C'est ainsi qu'on eut, pour la première fois, une idée précise du calcul de la circonférence et de la surface d'un cercle, en fonction du rayon. Il perfectionna la pompe à air et le baromètre. Il construisit également un micromètre de précision pour mesurer les angles. Sa renommée était devenue internationale. En 1655, il était déjà docteur *honoris causa* à Angers et, en 1663, il fut élu membre de la *Royal Society.* Huygens séjourna en France de 1665 à 1681 et fut le collaborateur actif de la récente Académie des Sciences (fondée par Colbert en 1666).

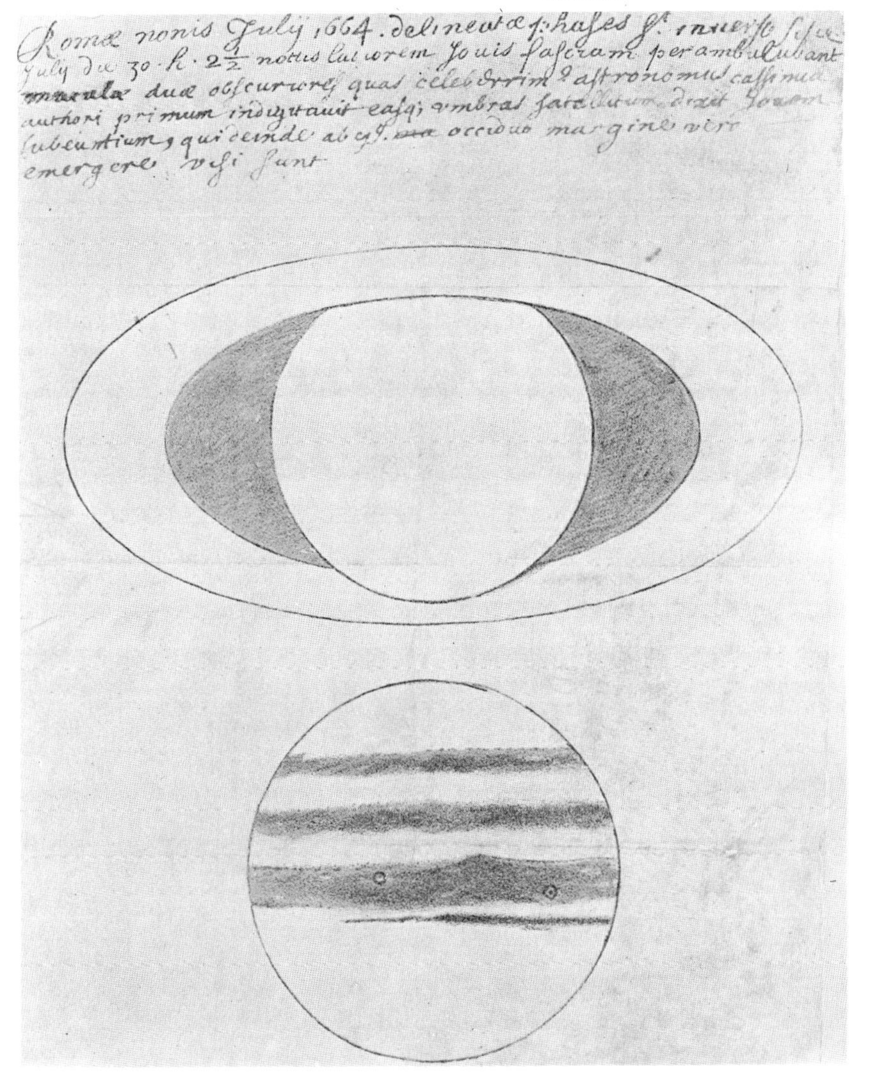

Il y travailla à la réaction des corps élastiques et à sa théorie sur la nature de la lumière. Son *Traité de la lumière* parut en 1690: il y attaquait Newton - que, pourtant, il estimait beaucoup - pour sa conception de la lumière, constituée par un courant de particules lumineuses. Il démontra que la lumière pouvait être considérée comme un phénomène ondulatoire, vibrant dans la direction du mouvement. Malgré la démonstration ultérieure que la lumière vibre perpendiculairement à la direction de son mouvement, Huygens établit le principe du mouvement ondulatoire de la lumière. Son ouvrage contenait aussi la base mathématique de sa théorie, qui est toujours valable actuellement, de même que les explications de nombreux autres phénomènes et caractéristiques de la lumière. Parmi ses nombreux ouvrages, on peut citer, ses traités sur le calcul des probabilités, le moteur à poudre et certains phénomènes météorologiques. Malheureusement, au cours de ses cinq dernières années, l'état de santé de Huygens empira, et il mourut le 8 juillet 1695 dans sa ville natale.

Antonie van Leeuwenhoek

1632-1723

Antonie van Leeuwenhoek acquit une très grande réputation pour ses recherches microscopiques, effectuées à l'aide de lentilles qu'il polissait lui-même, et que l'on considère comme parfaites pour son époque. Grâce à ses microscopes, il découvrit les protozoaires et les bactéries et observa des animaux microscopiques. Ses microscopes lui permirent également d'étudier les spermatozoïdes ('animalcules de la semence'). Ses observations furent réunies dans un ouvrage: Opera omnia sive Arcana naturae ope exactissimorum microscopiorum detecta, *1715-1722.*

Antonie van Leeuwenhoek naquit à Delft, le

24 octobre 1632. Nous ne savons rien de sa jeunesse, sauf qu'il n'a pas eu de formation scolaire et que, en 1648, il devint apprenti chez un drapier à Amsterdam. Quatre ans plus tard, en 1652, il retourna à Delft, où il ouvrit un commerce de draps. En 1660, il fut nommé huissier des échevins de la ville de Delft, poste qui lui fournit une indépendance financière, lui permettant de consacrer beaucoup de temps à sa passion, l'étude de nombreux objets à l'aide du microscope.

Le microscope qui existait en Europe à cette époque était formé de deux ou plusieurs lentilles placées l'une derrière l'autre pour fournir une image agrandie. Ce microscope fut probablement inventé vers 1590 par l'opticien néerlandais Zacharias Jansen. Comme il était extrêmement difficile de fabriquer un verre suffisamment pur, les lentilles du microscope faussaient l'image et faisaient apparaître des cercles de diverses couleurs autour des objets observés.

Van Leeuwenhoek parvint cependant à fabriquer des lentilles simples de qualité supérieure et à courte distance focale, en vue d'éviter des déformations. Ces lentilles, fixées entre deux fines plaques de cuivre, avaient un grand pouvoir d'agrandissement. Van Leeuwenhoek était à ce point habile qu'il fabriqua des lentilles de la dimension d'une tête d'épingle. On sait qu'il a poli plus de 400 lentilles au cours de sa vie, permettant différents agrandissements de 50 à 300 fois. Mais il n'a jamais été possible de déterminer la façon dont il éclairait les objets les plus minuscules sous son microscope. C'est le seul secret qu'il ne voulut pas dévoiler et qu'il emporta dans sa tombe.

On reprocha plus d'une fois à van Leeuwenhoek de ne pas respecter suffisamment, au cours de ses recherches et des applications, les méthodes scientifiques consacrées. Cependant, ses observations et ses conclusions faisaient l'objet d'une extrême précision. Il vivait à une époque ou la *generatio spontanea* (apparition 'spontanée' de la vie dans une matière morte) était un dogme scientifique, accepté en majorité. On pensait, par exemple, que des vers sortaient de la viande avariée et que les puces provenaient du sable et de la poussière. Van Leeuwenhoek prouva pour la première fois que tous ces petits animaux se reproduisaient et sortaient des oeufs pondus par des femelles, fécondées par des mâles, comme chez les autres animaux. Il découvrit également que les pucerons se reproduisaient par parthénogénèse, c'est-à-dire, sans fécondation des oeufs par un mâle.

Ses études sur les protozoaires (organismes unicellulaires) et les bactéries sont fondamentales. Lorsqu'il examina de l'eau de pluie, il y trouva

Ci-dessous: Les différentes parties du corps d'une puce adulte d'après des dessins de van Leeuwenhoek. Dans le coin supérieur gauche: la larve et la chrysalide. Van Leeuwenhoek était un dessinateur de grand talent, dont les croquis extrêmement détaillés illustraient ses observations au microscope.

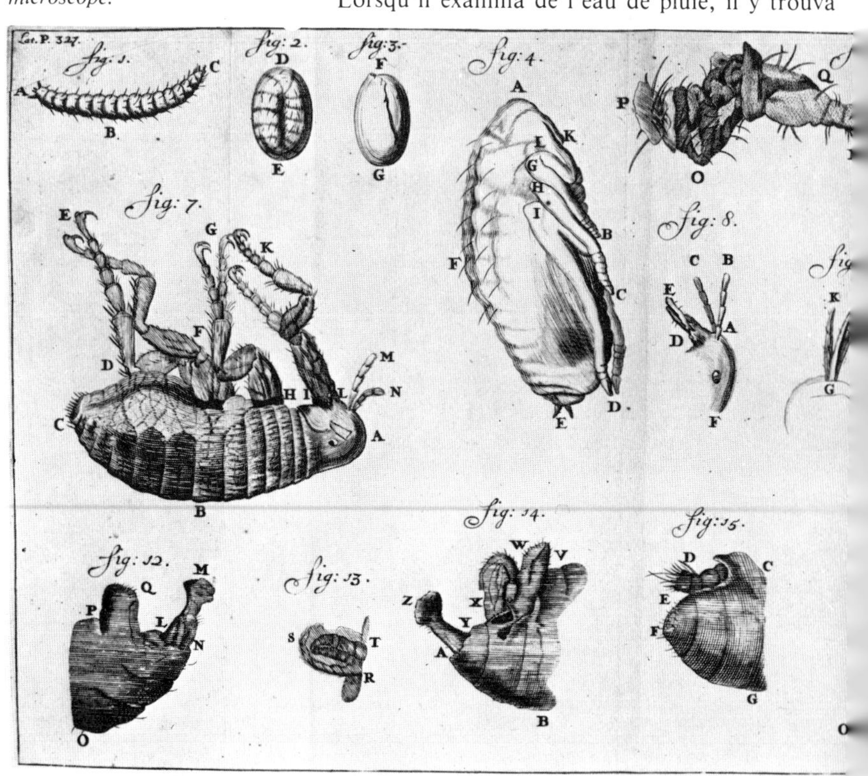

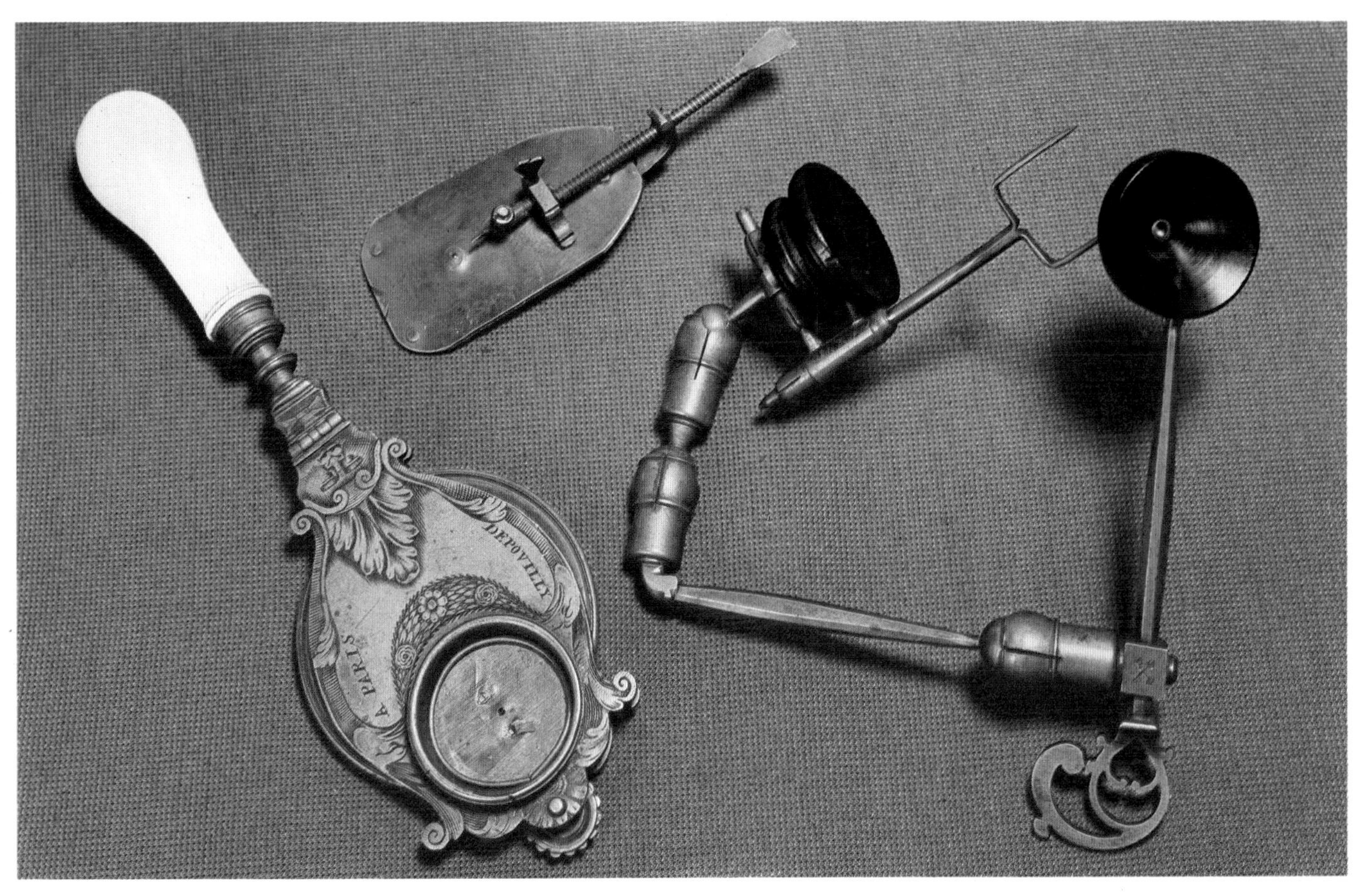

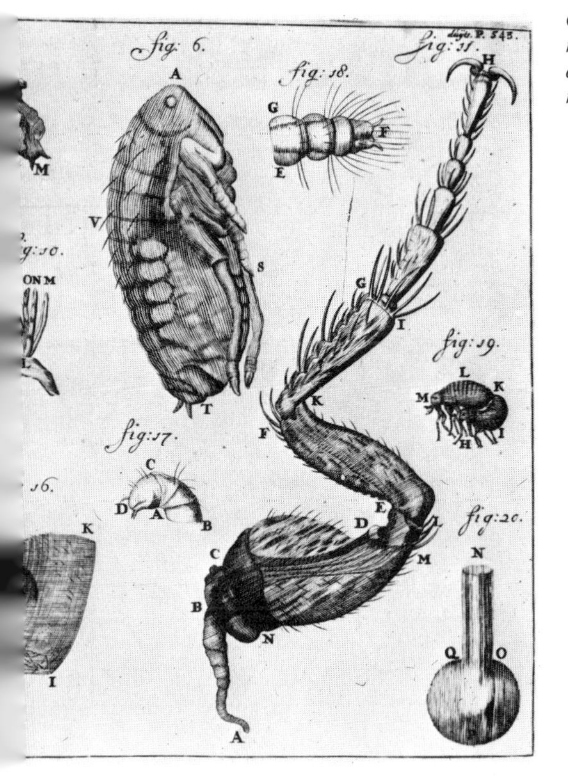

Ci-dessus: Quelques-uns des microscopes les plus anciens, dont une copie d'un modèle original de van Leeuwenhoek.

des organismes minuscules, qu'il appela 'animalcules' (petits animaux). Il en conclut que ces animalcules pouvaient être 'emportés' par le vent, avec les particules de poussière qui volent dans l'air'. Il prit ensuite des échantillons de la bouche et des intestins de l'homme et y découvrit les mêmes animalcules, parmi lesquels des bactéries, ce qu'il ignorait. Nous trouvons les premières représentations des bactéries dans les dessins de van Leeuwenhoek dans *Philosogical Transactions* (Traité de physiologie) paru en 1683 à la *Royal Society* de Londres.

Dans sa correspondance avec les membres de la *Royal Society* à partir de 1673, il donna les premières descriptions précises des globules rouges et des spermatozoïdes chez les hommes, les chiens et les insectes. Il écrivait ses lettres en néerlandais, et elles étaient traduites et publiées par les destinataires. La plupart de ses découvertes furent communiquées dans ses lettres, qui ne constituèrent pas moins de quatorze volumes importants. En 1680, van Leeuwenhoek fut élu membre de la *Royal Society* et, dans son testament, il légua une collection de lentilles à cette académie.

Van Leeuwenhoek mourut à Delft, le 27 août 1723, à l'âge de quatre-vingt-onze ans. Jusqu'aux derniers moments de sa vie, il s'occupa de lentilles et de recherche. Il semble qu'il se soit toujours consacré avec la même passion à ses travaux de recherche, qui lui permirent de dévoiler des parties encore obscures de la création et de contribuer à atteindre son objectif: prouver la complexité de toutes les créatures, même de la puce 'si insignifiante et si détestée'.

Sir Isaac Newton
1642-1727

Les oeuvres de Newton représentent un véritable travail de pionnier, tellement vaste dans toutes les disciplines scientifiques de l'époque qu'il est impossible de les citer et même de les résumer. Mais sa théorie sur la pesanteur est certainement la plus connue. La physique moderne a introduit le 'newton' comme unité de force, par reconnaissance pour l'oeuvre importante de ce grand savant.

Le savant anglais Isaac Newton est né le jour de Noël en 1642 (selon le calendrier julien, correspondant au 4 janvier 1643 du calendrier actuel) dans le village de Woolsthorpe, d'une famille de paysans. Après avoir suivi les cours dans quelques écoles de village, il alla étudier à Cambridge en 1660. En trois ans, il avait assimilé toutes les connaissances de l'époque en mathématiques et en sciences exactes. Quelques mois après la fin de ses études, à Cambridge, en 1665, on ferma l'Université à cause de la peste qui ravageait le pays. Heureusement, Newton ne fut pas contaminé par la maladie: il était retourné chez sa mère à Woolsthorpe, où il passa une des années les plus actives de sa vie, 'au sommet de ses forces créatrices' comme il le dit lui-même en 1714.
La première grande oeuvre de Newton fut l'élaboration des trois lois du mouvement, qui constituent la base de la mécanique.
La première loi est la loi de l'inertie, d'après laquelle tout corps non soumis à une force extérieure reste à l'état de repos ou de déplacement rectiligne à vitesse constante.
La deuxième loi, ou loi de l'impulsion première, définit la notion de 'force' comme un élément qui modifie la vitesse et la direction d'un objet.

A droite: Premier télescope à miroirs de Newton, construit en 1688. La lumière était reçue par un grand miroir concave, qui la réfléchissait sur un petit miroir plan, de 2,5 cm environ de diamètre, disposé à 45 ° sur l'axe du précédent. Ce petit miroir réfléchissait la lumière suivant un angle droit vers la paroi du tube, où l'image était agrandie par un oculaire. De nombreux télescopes à miroirs fonctionnent actuellement d'après le même principe.

La troisième loi, loi de l'action et de la réaction, précise que toute action d'un corps sur un autre entraîne une réaction inversement proportionnelle. On retrouve actuellement ce principe dans le moteur à réaction.
C'est au cours de cette même période qu'il eut une de ses plus grandes inspirations. En effet, Newton établit un rapport entre les raisons pour lesquelles les objets terrestres tombent à terre et les raisons pour lesquelles les corps célestes restent sur leur orbite. Il supposa qu'une seule et même loi permettrait d'expliquer ces phénomènes. Partant de cette idée et adoptant les lois du mouvement qu'il venait de découvrir, Newton élabora une théorie, d'après laquelle tous les corps de l'univers s'attirent mutuellement avec une force inversement proportionnelle au carré de la distance entre les corps et proportionnelle à leur masse. Il appela cette force la pesanteur; ensuite, il démontra que

les mouvements des planètes étaient la conséquence immédiate de la loi de la pesanteur.
Newton rejeta par la même occasion de nombreuses autres déclarations sur les mouvements des corps dans le ciel, dont on disait qu'ils étaient l'oeuvre des anges et des démons. Il constata que les lois qui déterminent les phénomènes terrestres sont également valables pour les phénomènes de l'espace.
Cependant, les découvertes que Newton fit en 1665 ne se limitèrent pas au domaine de la mécanique. Ses études sur l'optique révélèrent pour la première fois que la lumière 'blanche' (lumière normale du jour) pouvait être décomposée en plusieurs couleurs par un prisme en verre. Ensuite, il démontra que ces couleurs, recomposées par un deuxième prisme, donnaient de nouveau une lumière blanche. Ses recherches sur le spectre, nom donné à cette suite de couleurs, le poussèrent à remplacer la lunette courante de l'époque dans

laquelle la lumière traversait un certain nombre de lentilles. Les lentilles de verre produisaient une image qui était toujours partiellement voilée par un spectre, en raison des imperfections du verre. Newton décida d'utiliser des miroirs à la place des lentilles. Après de minutieuses expériences sur différentes surfaces incurvées de miroirs, il imagina et construisit le premier système de télescope à miroirs. Cet instrument est toujours employé par les astronomes d'aujourd'hui.

Ci-dessous: Woolsthorpe Manor, maison de Newton à Lincolnshire. Ce serait à cet endroit, au clair de lune, que Newton ayant vu tomber une pomme d'un arbre, se serait demandé pourquoi la pomme tombait et non la lune. A cette époque, il pensa qu'une force devait faire tomber les corps pesants.

Cette méthode de calcul était d'une valeur inestimable pour les scientifiques de l'époque, car, sans elle, il n'aurait pas été possible de concrétiser les énormes progrès accomplis au cours des trois derniers siècles.

S'intéressant à la science de la lumière, Newton publia en 1704 un deuxième livre important, *Optica,* qui exposait les résultats de ses expériences sur les prismes. Cet ouvrage traite aussi de la nature des couleurs et des théories susceptibles d'expli-

Entre-temps, Newton était retourné à Cambridge en 1667, pour succéder à son ancien maître Barrow dans sa chaire de mathématiques, mais il ne révéla guère les travaux qu'il avait accomplis dans son village natal. Aussi, n'est-ce qu'en 1687, qu'il publia ses lois sur le mouvement et la loi de la pesanteur. Elles parurent dans *Philosophiae naturalis principia mathematica* (Les fondements mathématiques de la physique), appelé *De principia* en abrégé.

Ce livre est actuellement considéré comme un des ouvrages scientifiques les plus importants qui aient jamais été écrits.

La réalisation mathématique des théories et des preuves de Newton montre qu'il estima utile d'envisager une nouvelle méthode de calcul mathématique pour formuler clairement ses idées sur la pesanteur, méthode actuellement connue sous le nom de calcul infinitésimal, différentiel ou intégral.

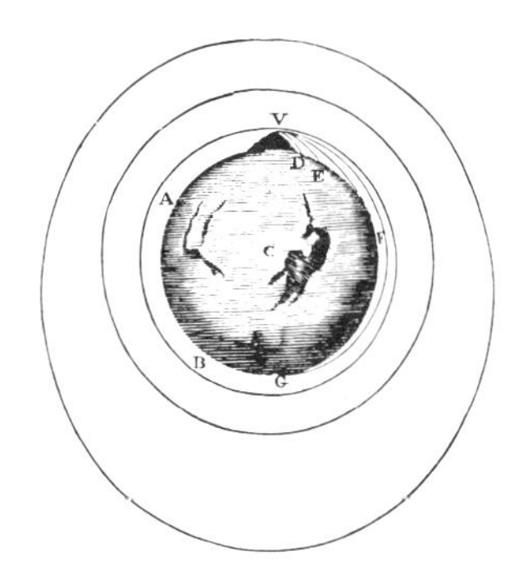

Ci-dessus: Croquis de Newton représentant le mouvement d'un projectile lancé d'un point élevé, à différentes vitesses. Ces lois, qui établissent la vitesse de chute des corps vers le sol, déterminent également le mouvement elliptique des planètes.

quer la déviation des rayons lumineux. Newton déclara également que la lumière pourrait être composée d'un courant de particules lumineuses; on retrouve encore cette idée dans les conceptions actuelles sur la lumière.

De nombreuses autres contributions à la science, qui ne furent pas citées dans ses ouvrages, ont fait de Newton un homme célèbre de son vivant. En 1703, il fut élu président de la *Royal Society,* où il sera réélu chaque année jusqu'à sa mort.

En 1705, Newton est anobli. En outre, il était devenu membre de toutes les académies scientifiques étrangères. Au cours des trente dernières années de sa vie, Newton ne fit plus beaucoup de travaux importants, bien qu'il parvînt à résoudre très rapidement les quelques problèmes mathématiques qui lui furent soumis. Il mourut le 20 mars 1727 (le 31 mars 1727 d'après le calendrier actuel) à Kensington, près de Londres. Il fut inhumé à Westminster Abbey.

Thomas Newcomen

1663-1729

Newcomen fabriqua la première machine à vapeur vraiment pratique, grâce à la détente de la vapeur dans le cylindre, dont le piston ne subissait sur la face opposée que la contre-pression atmosphérique extérieure. Newcomen peut être considéré comme le précurseur de James Watt, dont la machine à vapeur apporte la preuve que la vapeur est une véritable source d'énergie.

Nous possédons peu de renseignements sur la jeunesse de Newcomen, sauf qu'il naquit à Darthmouth, en Angleterre, en 1663. Plus tard, il y exploita une quincaillerie. Il savait quels efforts les chevaux devaient fournir dans les mines d'étain en Cornouailles, où ils étaient utilisés pour faire fonctionner les pompes qui protégeaient des inondations les puits de mine. Newcomen décida de construire une machine à vapeur pour assurer ce travail.

L'utilisation de la vapeur comme force motrice avait déjà été décrite, au 1er siècle après J.-C. par le savant grec Héron d'Alexandrie, qui construisit une simple turbine à vapeur. Elle était formée d'une sphère fixée sur un axe au-dessus d'une chaudière à vapeur et elle tournait rapidement lorsque la vapeur s'échappait des deux tuyères coudées.

Par la suite, aucune tentative pour dominer la force motrice de la vapeur ne fut couronnée de succès, jusqu'en 1698. A cette date, l'officier du génie Thomas Savery reçut un brevet pour sa pompe, qui lui permettait de 'pomper' de l'eau 'au moyen de la force propulsive du feu'. Savery s'était appuyé sur les recherches du physicien français Denis Papin, qui fut le premier à entrevoir la possibilité de pomper de l'eau, grâce à la force élastique de la vapeur au-dessus d'un piston dans un espace clos. En étudiant le principe développé par Papin, Savery envisagea la possibilité de pomper l'eau des mines de charbon. La 'machine à pomper' de Savery était composée d'une chaudière à vapeur, reliée à deux cylindres et à un système de soupapes manuelles. Elle permettait de pomper de l'eau, mais diverses défaillances en limitèrent l'utilisation; par exemple, l'eau ne pouvait pas être pompée au-delà de 6 mètres de hauteur.

Tout comme Savery, Newcomen se servit des idées de Papin, et surtout de la suivante: 'un piston soumis, dans un cylindre, à la pression d'une certaine quantité de vapeur, se met en mouvement'. Newcomen travailla plus de dix ans avant de construire la première machine à vapeur utilisable.

La machine connut un vif succès, en dépit de l'énorme perte de chaleur, et donc d'énergie, utilisée pour assurer le mouvement continu du piston. La chaudière à vapeur était surmontée d'un cylindre vertical, dans lequel la vapeur montait en pous-

Ci-dessous, à gauche: Machine de Newcomen, formée d'un cylindre contenant un piston, relié au côté droit du bras du balancier, tandis que, à l'autre extrémité, une bielle de pompe est reliée au piston d'une pompe à eau. La vapeur pénétrait dans le cylindre: lorsque le piston était monté dans le cylindre sous le poids du mécanisme de la pompe, on fermait l'arrivée de vapeur. Ensuite on injectait de l'eau froide dans le cylindre, ce qui condensait la vapeur et créait un vide. La pression de l'air extérieur poussait ensuite le piston vers le bas, ce qui faisait remonter le piston de la pompe. Puis, on injectait à nouveau de l'eau dans le cylindre et le mécanisme repartait.

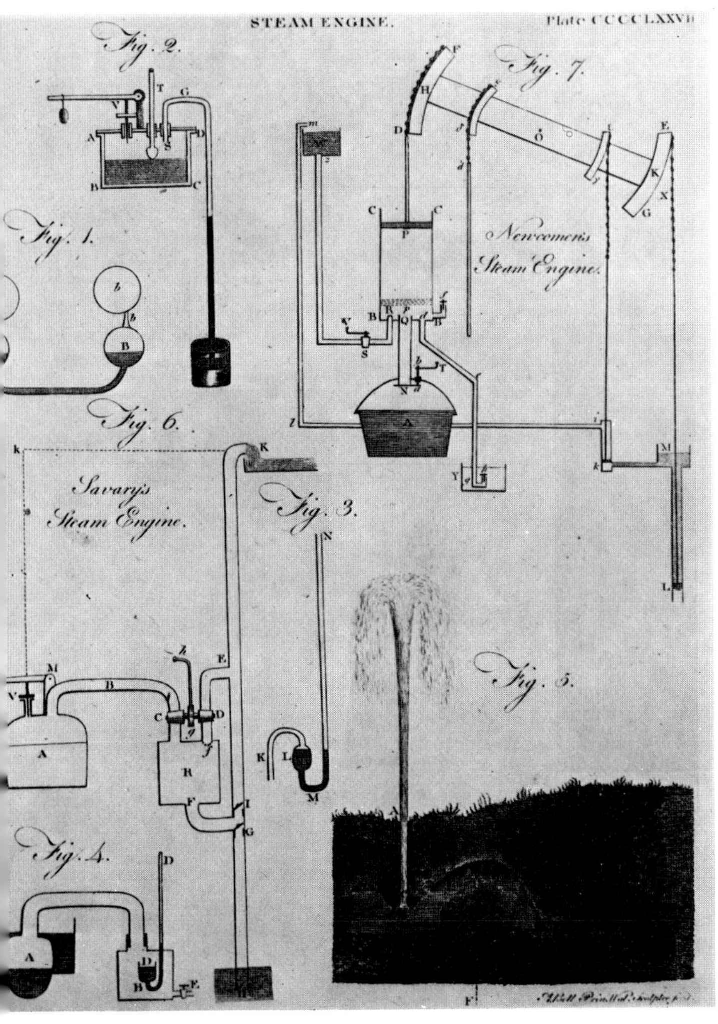

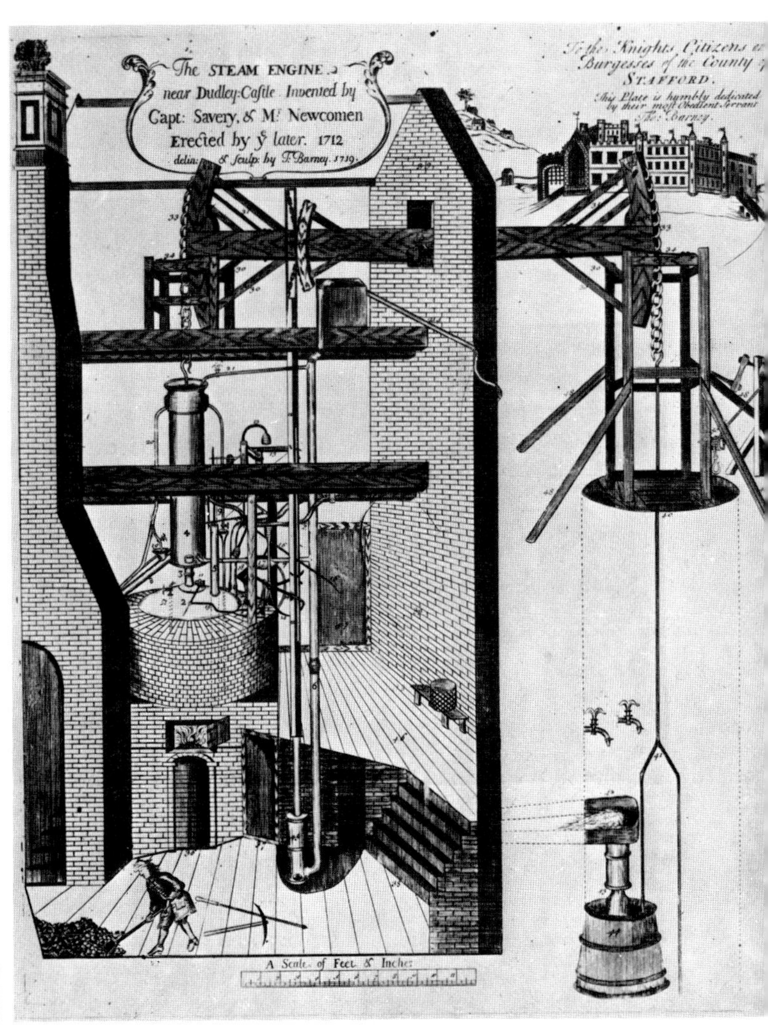

Ci-dessus, à gauche: Une gravure fait comprendre le principe de l'ancienne machine à vapeur; à gauche, la machine de Savery et, à droite, celle de Newcomen. Les deux machines utilisaient la pression atmosphérique pour pousser le piston vers le bas après condensation de la vapeur, au lieu de le faire redescendre sous la pression de la vapeur.

Ci-dessus, à droite: Une machine Savery-Newcomen, installée près de Dudley Castle en 1782. Etant donné que leurs brevets concordaient en partie, les inventeurs s'associèrent pour la fabrication de machines à pomper l'eau des mines.

A gauche: Peinture d'une mine de charbon, montrant une machine de Newcomen en fonctionnement. Quoique la machine de Newcomen - comparée aux actuelles - ne fût pas tellement efficace et gaspillât beaucoup d'énergie, elle fut cependant utilisée, mais sous une forme différente, jusqu'à la fin du XIXe siècle.

sant vers le haut avec le piston, une bielle qui actionnait un lourd balancier.

Ce dernier permettait à la pompe de rester en mouvement grâce à son inertie. Ensuite, on injectait un peu d'eau dans le cylindre, pour condenser la vapeur par refroidissement, ce qui créait un vide, et faisait redescendre le piston, tandis que l'eau pompée s'écoulait.

Le cylindre devait donc être réchauffé lorsque le piston montait, et refroidi lorsqu'il descendait. De plus, il arrivait parfois que l'air se melangeât à d'autres gaz dans le cylindre, ce qui arrêtait le fonctionnement de la machine. Cependant, les machines de Newcomen ne furent pas seulement utilisées en Angleterre, mais aussi dans toute l'Europe, pour maintenir les mines à sec par pompage de l'eau. Les machines devinrent plus sûres lorsque Newcomen découvrit et utilisa la distribution automatique par 'tiroirs'. La première machine de Newcomen utilisée fut probablement construite en 1712.

Ses dernières machines furent utilisées jusqu'au début des années 1900.

Newcomen mourut à Londres le 5 août 1729. On lui doit de grands progrès en matière d'utilisation de la force motrice de la vapeur. Mais ce fut l'esprit ingénieux de James Watt qui, au XVIIIe siècle, étendit les nombreuses applications de la vapeur comme force motrice, et qui permit d'aboutir à la révolution industrielle.

Abraham Darby

env. 1678-1717

Le maître de forges Darby remplaça le coûteux charbon de bois par du coke comme combustible pour la transformation du minerai de fer. Ce procédé permit de fabriquer de plus grandes quantités de fer à un prix plus intéressant. Darby contribua ainsi à la naissance de la révolution industrielle.

Abraham Darby est né vers 1678 près de Dudley, en Angleterre, et devint maître de forges. A cette époque, les foyers étaient alimentés au charbon de bois pour la fabrication de la fonte, en partant du minerai de fer en fusion. L'utilisation du charbon de bois limitait la quantité de fer qui pouvait être obtenue en une seule 'coulée', car le charbon de bois ne dégageait pas suffisamment de chaleur pour activer la fusion d'une grande quantité de fer. De plus, les forêts d'Angleterre étaient déjà fortement exploitées, en raison de la forte consommation de bois par les forgerons. Le charbon de bois était donc devenu très onéreux. Au début du XVIIe siècle, on avait déjà tenté de remplacer le charbon de bois par de la houille. Mais la haute teneur en soufre de la houille rendait le fer trop cassant pour une utilisation pratique. Darby décida de fabriquer du coke à partir de la houille, ce qui élimina la plus grande partie du soufre. D'autre part, il put construire des fours plus grands et plus élevés que ne le permettait l'utilisation du charbon de bois. Un meilleur tirage des hauts fourneaux permit d'élever la température du feu.
En 1708, Darby fonda la *Bristol Iron Company* (Compagnie du fer de Bristol) à Coalbrookdale, dans la vallée de la Severn. Il avait bien choisi son endroit. En effet, la région était réputée pour son sol riche en houille d'une assez faible teneur en soufre. D'autre part, il y avait du fer dans la région avoisinante. Déjà, en 1709, Darby fabriquait un fer d'excellente qualité, capable de concurrencer celui qui était produit au moyen du charbon de bois. Au commencement, le fer fourni par Darby fut essentiellement utilisé pour la fonte d'ustensiles de cuisine et d'accessoires. Les propriétaires des forges et les forgerons eux-mêmes considéraient que le fer obtenu au moyen du charbon de bois était le seul convenant à leur travail.
Mais on assista à un changement, lorsque Thomas Newcomen, vers 1712, s'adressa à Darby pour lui demander de fondre les cylindres de ses machines à vapeur. En 1718, son fils Darby II lui

THIS IRON BRIDGE WAS ERECTED IN 1779 AND WAS THEN THE FIRST CAST-IRON BRIDGE. IT WAS MADE AT COALBROOKDALE BY ABRAHAM DARBY TO THE DESIGNS OF THOMAS FARNOLLS PRITCHARD OF SHREWSBURY. IT WAS CLOSED TO VEHICULAR TRAFFIC IN 1934 AND IN THE SAME YEAR WAS SCHEDULED AS AN ANCIENT MONUMENT. THE PROPRIETORS OF THE IRON BRIDGE HANDED IT OVER TO THE SALOP COUNTY COUNCIL ON 12TH. OCTOBER 1950.

Ci-dessous, à gauche: Une plaque a été appliquée près de Ironbridge, pour commémorer la construction du pont par Abraham Darby.
A droite: Objets décoratifs en fonte de Coalbrookdale.

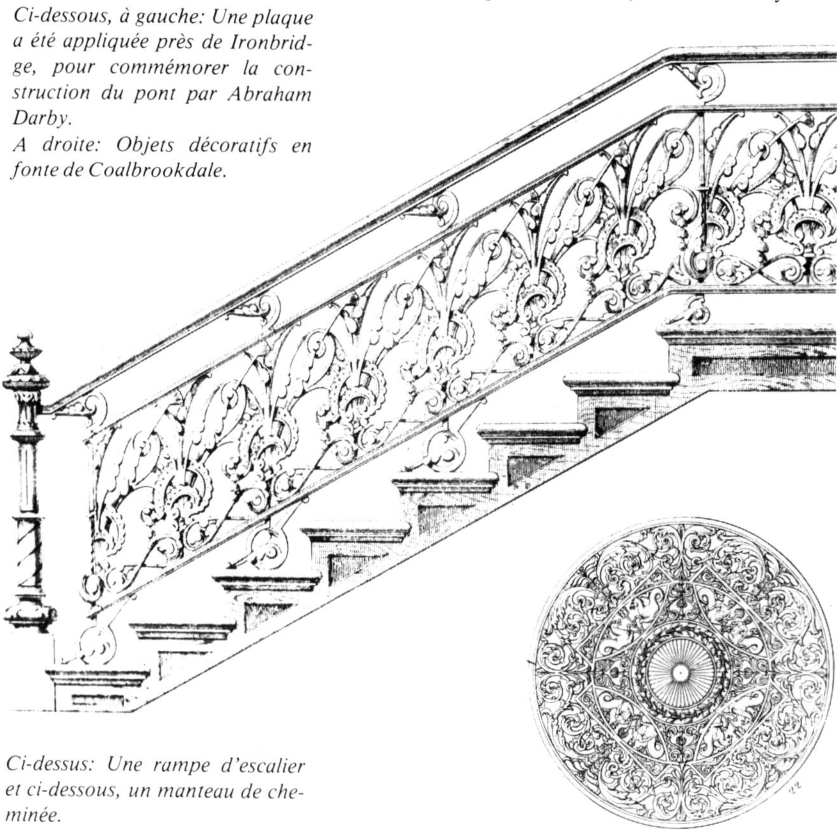

Ci-dessus: Une rampe d'escalier et ci-dessous, un manteau de cheminée.

ayant déjà succédé, on avait déjà coulé plus de cent cylindres Newcomen à Coalbrookdale. Le nombre des possibilités d'applications industrielles du fer ne fit que croître. En 1779, Abraham Darby III, le petit-fils du fondateur, et John Wilkinson construisirent le premier pont en fer du monde. Il surplombait le ravin de la rivière Severn sur une longueur de 43 mètres, tout près de Coalbrookdale, où arrivaient les navires à destination de Bristol. Le tablier du pont fut soutenu par cinq arches en fer, chacune fondue en deux parties. Ce pont, qui devait servir de moyen publicitaire pour montrer une nouvelle application du fer, fut immédiatement considéré comme une sorte de miracle. Actuellement, ce pont est un des monuments nationaux d'Angleterre.

Abraham Darby, le premier entrepreneur de la famille, mourut le 8 mars 1717. Grâce à son entreprise, l'ensemble de la région devint le 'berceau de la révolution industrielle'. D'autres méthodes de travail, comme celle de la construction de nouveaux fours, l'extraction de minerai de fer et de houille et le creusement d'un réseau complet de canaux firent de cette région le plus grand centre industriel de l'époque.

Mais les mines s'épuisèrent avec le temps, et de

Ci-dessus: Le pont en fer (Ironbridge) *sur la rivière Severn, construit par Abraham Darby II, près de Coalbrookdale.*

A droite: Le vieux four de Coalbrookdale, utilisé par Abraham Darby I pour fabriquer une fonte de qualité supérieure. Ce four fut repris en 1719 par Darby II et adapté pour l'utilisation du coke au lieu de la houille. Le soufflet fut renforcé par une roue hydraulique, mise en action par l'eau venant d'une source. Le four était rempli, par le haut, de coke et de minerai de fer en couches alternées; on y ajoutait de la chaux liquide pour éviter la formation d'impuretés. Le courant d'air pouvait faire monter suffisamment la température du four pour permettre la fusion du fer.

nombreuses usines furent transférées ailleurs. De même, les canaux, les forges et les usines devenus inutiles furent abandonnés.

Mais le pont de Darby et de Wilkinson continua à assurer le transport jusqu'au début de ce siècle, lorsque les fondations devinrent branlantes. Depuis, le pont a été entièrement restauré et est devenu un des plus grands ouvrages de l'*Ironbridge George Museum.*

Benjamin Franklin

1706-1790

Franklin joua un rôle très important dans l'indépendance de l'Amérique colonisée et dans la création des Etats-Unis. Maître général des Postes d'Amérique en 1753, ambassadeur extraordinaire des colonies en Grande-Bretagne en 1757, il était aussi membre de l'Académie des sciences. Il a également apporté une large contribution à la science, surtout en électricité. De toutes ses inventions, celle du paratonnerre est la plus connue. Ses Ecrits sur l'électricité et la météorologie *nous apprennent qu'il connaissait avant Faraday le rôle des isolants dans les phénomènes électriques.*

Benjamin Franklin est né le 17 janvier 1706 (6 janvier d'après le calendrier actuel) à Boston en Amérique. Il était le dixième des dix-sept

enfants d'un marchand de savon et de bougies. Benjamin n'alla à l'école que jusqu'à l'âge de dix ans, puis entra en apprentissage chez un de ses frères, imprimeur. Il acquit très vite ce métier qu'il exerça plus tard. Vers 1729, il imprima le papier-monnaie de l'Etat américain de Pennsylvanie et de quelques autres colonies. Ensuite, il commença à publier différentes revues, almanachs et journaux, qu'il rédigeait en grande partie lui-même. Benjamin Franklin se sentait de plus en plus attiré vers les sciences, et entretenait une correspondance avec les écrivains et les savants d'Europe. Il s'occupa de plus en plus de politique, d'abord au niveau local, ensuite national et enfin international. Il était extrêmement loyal, d'une scrupuleuse honnêteté et de tendance libérale. Il considérait les politiciens comme des instruments servant à améliorer la situation sociale et à assurer le bien-être général.

Benjamin Franklin se rendit en Angleterre, où il joua un grand rôle politique. Il séjourna longuement aussi dans les autres pays d'Europe, surtout en France où l'opinion était favorable à l' 'indépendance américaine', ce qui le rendit impopulaire chez les Britanniques, alors qu'il était bien accueilli partout ailleurs.

Cependant, Benjamin Franklin se sentait également attiré par les utilisations pratiques de l'électricité; quoiqu'il n'eût jamais reçu une véritable formation scientifique, il se mit à faire des expériences pour vérifier de nombreux phénomènes électriques. Dans un des premiers énoncés de sa théorie sur l'électricité, Franklin déclara qu'il s'agissait d'un 'élément qui est dispersé dans une autre matière et qui se sent attiré par elle'. Son esprit remarquable et avancé lui fit distinguer deux sortes d'électricité. La première contient des corps qui 'ne sont pas suffisamment chargés de feu électrique' et l'autre contient des corps 'dont la charge est trop forte'. Si la formule de Franklin, 'le feu électrique', est remplacée par le terme moderne 'électrons', nous obtenons une définition précise de la théorie actuelle sur les charges positives et négatives.

Franklin poursuivit son étude, en supposant que, lorsqu'un corps 'trop chargé' se rapproche d'un corps 'faiblement chargé', il se forme une étincelle électrique; cette étincelle indiquait la différence de quantité de 'feu électrique' contenue dans les

Ci-dessous: Illustration des Maritime Observations *(Observations maritimes), un des tomes des* Complete Works *(Oeuvres complètes) de Franklin, résumé de sujets scientifiques très variés étudiés par Franklin, publié après sa mort en 1806. Franklin voyagea beaucoup et séjourna donc souvent en mer, ce qui lui permit de faire des études précises sur les courants marins, les conditions atmosphériques et le comportement des navires sur l'eau.*

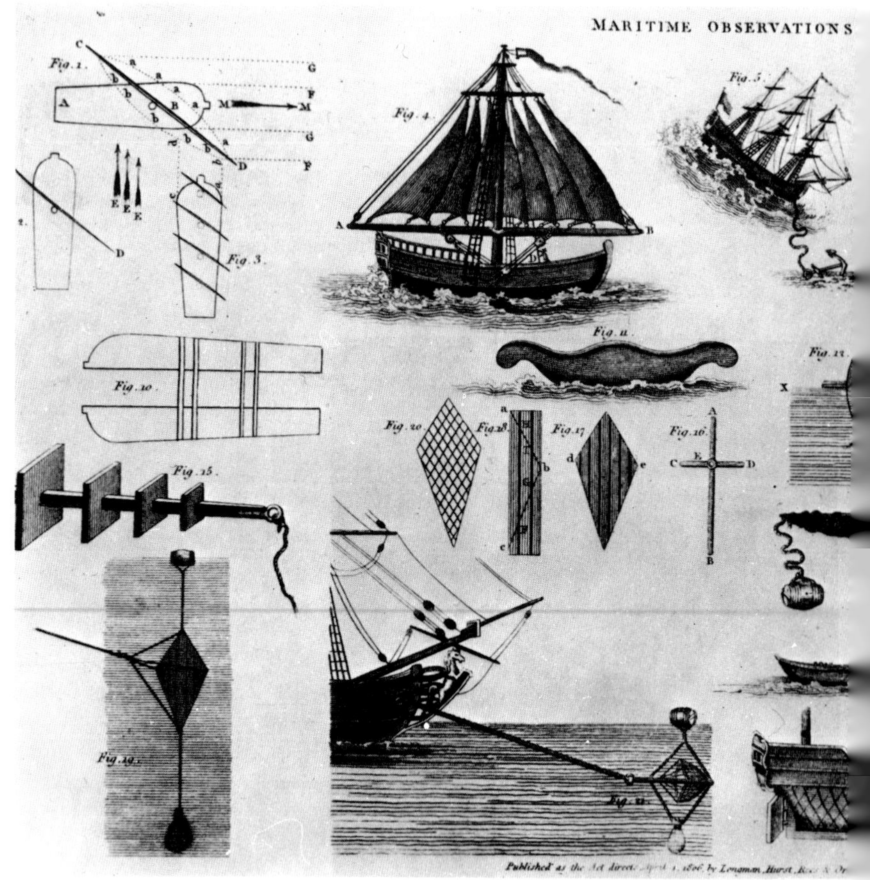

corps. Nous y reconnaissons le procédé selon lequel les électrons passent d'un corps dans un autre ayant des charges électriques différentes. La plus grande découverte de Franklin, concernant l'éclair qui est provoqué par des charges statiques de l'atmosphère, eut lieu en 1752, au cours d'une expérience faite au péril de sa vie. Au cours d'un

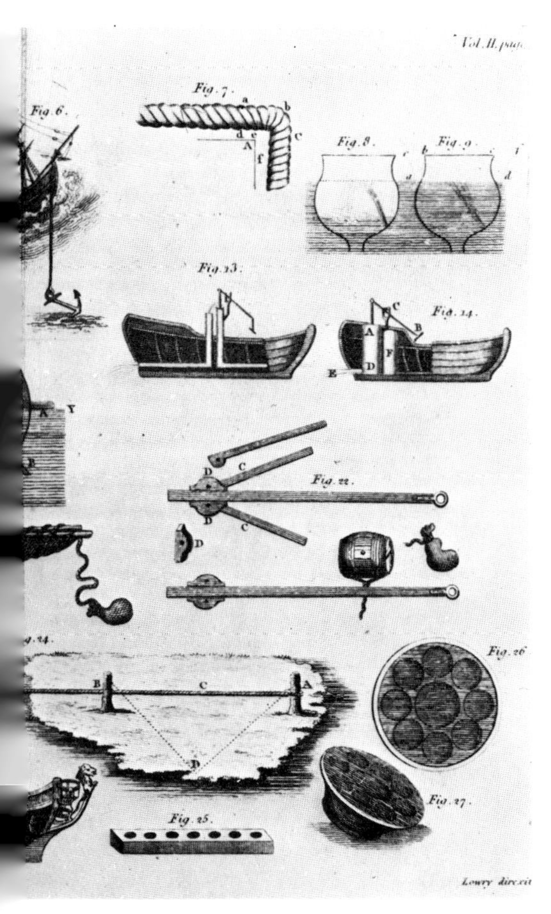

Ci-dessus, à gauche: 'Les bénédictions de la paix', image satirique, qui montre, à gauche, un coucher de soleil en Angleterre, tandis que les Etats-Unis apparaissent. Franklin, désigné par I sur le dessin, à l'extrême-gauche, fut un des fondateurs des Etats-Unis, et participa à la rédaction de la Constitution des Etats-Unis d'Amérique.

Ci-dessus, à droite: Franklin, en faisant une expérience avec une clé métallique attachée à un fil de soie, relié à un cerf-volant qu'il faisait s'élever, découvrit que l'éclair était provoqué par une décharge d'électricité statique.

A droite: Appareils utilisés par Franklin pour ses expériences sur l'électricité statique ou le 'feu électrique', comme il l'appelait lui-même.

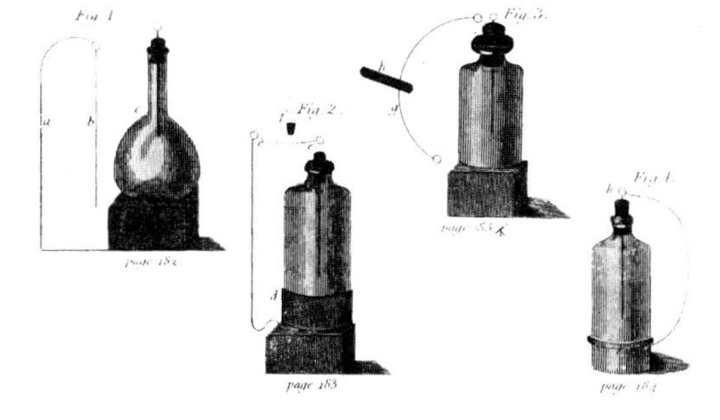

orage, il lança un cerf-volant relié à une clef métallique par un fil de soie. Des étincelles provoquées par la clé métallique jaillirent sur son corps. Franklin servit de conducteur, entre la clé et le sol, à une partie de la quantité mortelle d'énergie électrique contenue dans les nuages, et put s'estimer heureux d'être resté en vie. Pendant les mois qui suivirent la publication de ses expériences, différents savants européens périrent en voulant refaire l'expérience. Le projet du premier paratonnerre fut la conséquence pratique des recherches de Franklin. Il suggéra de fixer des profilés métalliques en forme de pointe sur le toit des immeubles et de les relier à la terre au moyen d'un fil. Ainsi, la charge électrique de l'éclair pouvait être déviée sans aucun danger, des bâtiments vers le sol.

Franklin collabora à la rédaction de la *Declaration of Independance* (déclaration d'indépendance) des Etats-Unis d'Amérique (1776). Il revint malade d'une mission en France et dut s'aliter; cependant, il participa encore à la rédaction de la Constitution des Etats-Unis d'Amérique de 1787. A sa mort, le 17 avril 1790 à Philadelphie, tous ses compatriotes lui rendirent l'hommage digne d'un père de la nation. Les Français le commémorèrent comme un homme d'Etat, qui fut le symbole d'un esprit libre et éclairé.

Carl von Linné

1707-1778

Carl von Linné était un grand botaniste. L'énorme intérêt de son oeuvre réside dans le fait qu'il formula une classification systématique du nom des plantes. Avant lui, les différentes plantes étaient désignées par toutes sortes de noms différents et arbitraires. Linné veilla à ce que chaque plante eût un nom approprié. Son système fut également utilisé en zoologie.

Carl von Linné naquit le 23 mai 1707 dans le village de Rashult en Suède. Son père, qui était pasteur, avait un petit jardin botanique à côté du presbytère. Le jeune Carl y passait tellement de temps qu'on le surnomma très vite 'le petit botaniste'.
Après avoir étudié la médecine à Lund et à Uppsala, il fut nommé en 1730 lecteur en botanique. En 1732, il prit part à un voyage d'études botaniques en Laponie, pour l'Académie des Sciences de Suède.
En 1734, Linné, qui s'était fait appeler Carolus Linnaeus, forme latinisée de son nom, d'après la tradition de son époque, se rendit pour quelques années aux Pays-Bas.
On lui conféra le grade de docteur à Harderwijk, puis il vécut à Amsterdam et à Leyde, où il fit la connaissance du médecin et botaniste hollandais Boerhaave et du biologiste Gronovius.
Ce dernier fut tellement impressionné par l'oeuvre de Linné sur le système du règne végétal, qu'il la fit publier à ses propres frais: *De systema natura.*
Ce livre fut suivi d'un autre ouvrage célèbre de Linné, *Genera plantarum,* mais c'est en 1753 que parut *Species plantarum,* qui fut et est resté le point de départ de la nomenclature: dénomination systématique des plantes vivaces et des fougères.
Ce système de nomenclature binaire donne à chaque espèce animale ou végétale deux noms. Le premier détermine le *genus* (genre) auquel il appartient et le second est le nom de l'espèce même *(species)* à l'intérieur du genre. Linné se rendait parfaitement compte que le système était en quelque sorte artificiel et présentait des défauts, avantageusement compensés par un grand mérite: la possibilité pour les botanistes et les zoologistes de répertorier les plantes et les animaux avec plus de rapidité et d'efficacité.
Le principe de son étude était la répartition du règne végétal en plantes vivaces et non vivaces. La première série était à son tour divisée d'après certaines caractéristiques, telles que la forme et la disposition des pistils et des étamines. Son systè-

Ci-dessous, à gauche: Portrait de Linné en médaillon (porcelaine de Wedgwood).

Ci-dessous, à droite: Habitation de Linné dans le vieux jardin botanique d'Uppsala. Le jardin avait été aménagé par son père, jardinier amateur. Il y avait un parterre de fleurs rehaussé et circulaire, les fleurs représentant les plats, et les buissons plantés tout autour, les invités.

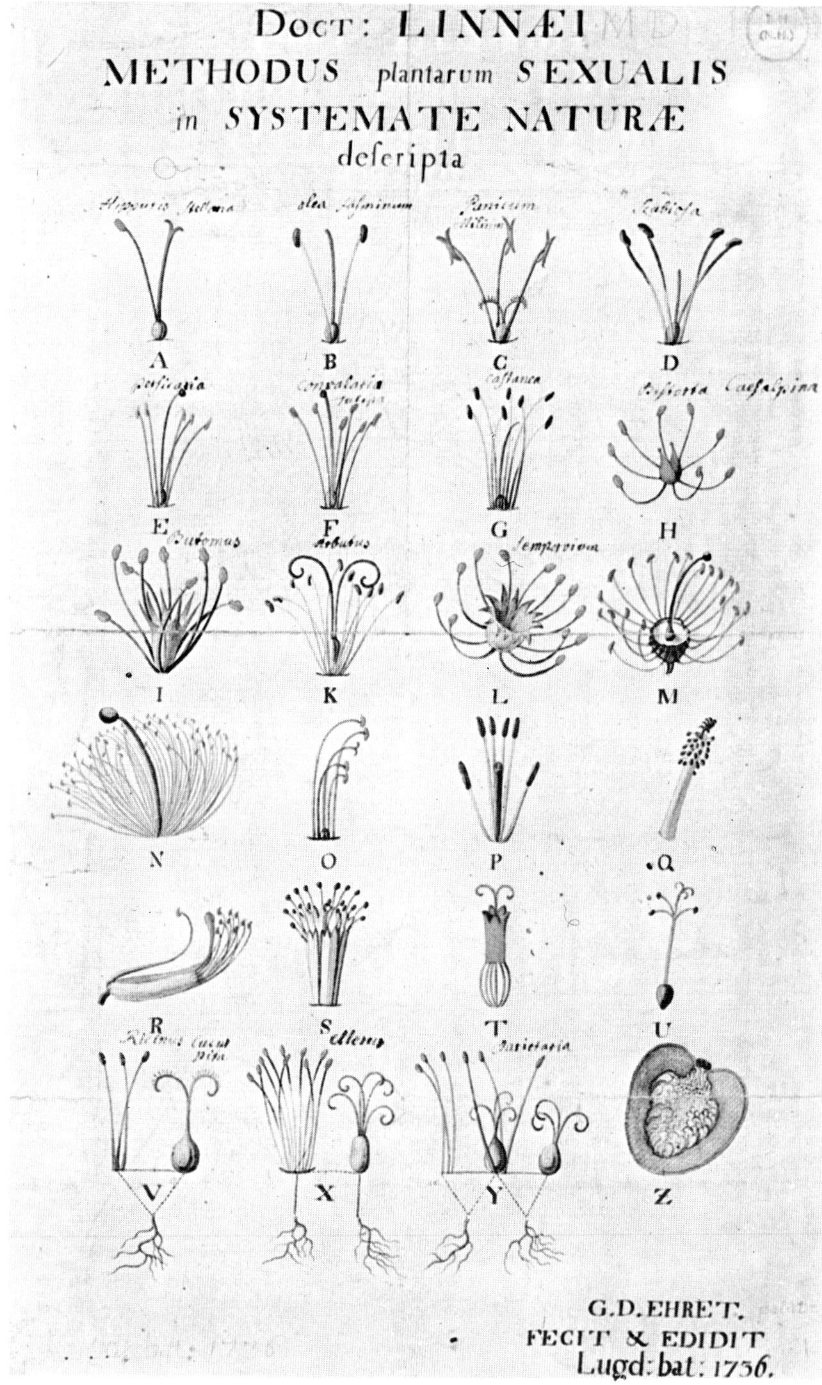

Ci-dessus, à gauche: Page titre de Hortus cliffortianus, *une description des plantes, et de l'herbier de George Clifford, protecteur de Linné aux Pays-Bas. C'était le premier livre qui représentait non seulement les fleurs entières en pleine floraison, mais également les différents stades de la floraison, représentés séparément. Il servit d'exemple pour les illustrations botaniques futures.*

Ci-dessus, à droite: Système de classification des plantes par Linné.

me initial accordait assez peu d'attention à la structure interne de la plante. On s'en aperçoit surtout dans sa répartition du règne animal, où il classa - par exemple - un ensemble de type hétérogène dans une seule catégorie, les *Amphibia* (amphibies).

La publication de *Species plantarum* rendit Linné célèbre dans le monde entier. On lui offrit une chaire de professeur à Uppsala et, anobli en 1761, il s'appela désormais Carl von Linné. Très spirituel et d'un caractère très enjoué, il était très aimé de ses étudiants.

Linné décéda le 10 janvier 1778 à Uppsala. La collection assez complète de ses oeuvres, son herbier et d'autres collections sont actuellement conservées à la *Linnaeus Society* de Londres.

James Hargreaves

env. 1710-1778

James Hargreaves était un tisserand anglais. En inventant le métier à filer, il franchit la première étape vers la mécanisation complète du filage.

Les outils les plus importants utilisés en Europe, depuis la préhistoire jusqu'au moyen âge pour filer la laine, étaient munis de quenouilles avec un contrepoids et une broche.
Au moyen âge, on vit apparaître le rouet, rapporté des Indes, qui, dans la fabrication du fil, marquait une petite étape vers la mécanisation.
Jusqu'au XVIIIe siècle - à l'approche de la révolution industrielle -, les tissus étaient fabriqués en grande partie à l'aide du système de 'placement'. Le fabricant de tissus approvisionnait les fileurs et les tisserands en laine brute, coton brut ou en lin; avec ces textiles, ils confectionnaient des ballots de tissus qu'ils remettaient au marchand. Ils étaient payés d'après des tarifs fixés à la pièce. Le système fonctionnait donc en grande partie sur le travail à domicile.
Nous ne savons rien du lieu ni de la date de naissance et des premières années de la vie de Hargreaves, sauf qu'il vécut vers 1760 dans la petite ville de Standhill dans le Lancashire. Il y était tisserand et possédait son propre rouet et son propre métier à tisser. Il se peut qu'il ait perfectionné ses connaissances techniques lors d'un emploi temporaire dans une rouennerie. Mais nous savons avec certitude que, en 1764, il eut l'idée de construire un métier à filer. Hargreaves pensa qu'une seule roue devait pouvoir mettre en action un certain nombre de broches fixes.
Il construisit un modèle expérimental avec huit broches, servant à tisser les fils à partir d'une rangée de huit quenouilles. Les huit fils pouvaient être filés grâce à la force musculaire d'une seule personne, homme ou femme. Cependant, le résultat était assez médiocre, car le fil ainsi fabriqué était plutôt rugueux et peu solide. Toutefois, Hargreaves avait choisi le bon moment pour son invention, lorsque l'industrialisation avait prit son essor.
Son invention survint trente ans après l'introduction par John Kay de la navette, qui accéléra le tissage en mécanisant le mouvement de va-et-vient de la bobine dans la chaîne. La demande de fils appropriés augmenta avec l'utilisation de la navette.
Hargreaves réussit à commercialiser ses machines; il les perfectionna à tel point qu'elles comptaient jusqu'à trente broches. Mais les tisserands à domicile, dont le gagne-pain et l'indépendance étaient menacés, se rebellèrent rapidement contre lui; un petit groupe fit même irruption dans son atelier, en 1768, et détruisit toutes ses machines et ses outils. Hargreaves alla s'installer à Nottingham, où il s'associa avec un homme d'affaires. Ils construisirent une petite usine et se mirent à fabriquer du fil pour l'industrie textile.
Malheureusement, Hargreaves négligea très longtemps de demander un brevet pour son métier à filer. Il ne l'obtint qu'en 1770.
Un an après sa mort, en 1779, Samuel Crompton perfectionna la *spinning jenny* (métier à filer) de

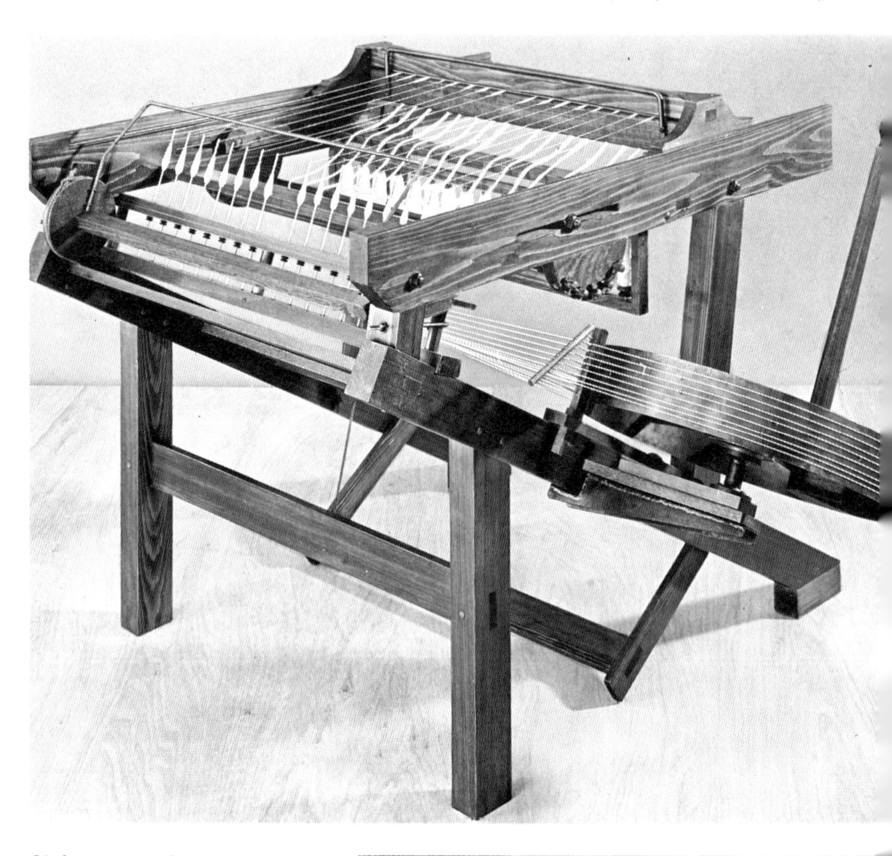

Ci-dessus: La spinning jenny, *une des machines qui permirent la révolution industrielle et annoncèrent la période industrielle actuelle. Les fibres passaient dans la* jenny *par un coude directionnel vers les broches, où elles étaient filées. Ensuite, la* jenny *tendait et moulinait les fibres pour en faire des fils.*

A droite: La spinning mule *de Samuel Crompton en fonctionnement. Cette machine était une version améliorée et étendue de la* jenny *de Hargreaves et produisait un fil plus fin et plus solide.*

Ci-dessus: Le filage du lin par une famille paysanne irlandaise. Avant l'introduction de la jenny *et de la* mule, *tout le filage et le tissage étaient exécutés à domicile.*

Hargreaves. Les fils fabriqués sur la machine Crompton *spinning mule* avaient une résistance à la traction comparable à celle qu'on obtenait avec les fils filés manuellement. Cette machine se fondait également sur les principes du châssis hydraulique d'après un métier à filer, construit par Richard Arkwright dix ans plus tôt, et qui fonctionnait au moyen d'une énergie hydraulique.

La *spinning mule* de Crompton permettait à un seul homme de filer mille fils en même temps.

Bien qu'on dénombrât environ 360 usines utilisant l'invention de Crompton vers 1812, il en tira très peu de profit. Il ne reçut que 60 livres anglaises, parce que les fabricants ne respectaient pas les engagements conclus avec lui. Le parlement lui octroya des subsides pour une valeur de 5 000 livres, mais il spécula avec la plus grande partie de cet argent en l'investissant dans des entreprises qui firent faillite.

L'ingéniosité du trio formé de Hargreaves, Arkwright et Crompton permit à l'industrie textile de croître dans le nord de l'Angleterre, au XIXe siècle, en constituant une partie du processus d'industrialisation que l'histoire appelle 'la révolution industrielle'.

John Hunter

1728-1793

L'Ecossais John Hunter éleva le métier de chirurgien au niveau de la science, au même titre que les autres branches de la médecine. Hunter établit également les fondements de la méthode expérimentale de la recherche anatomique. 'Ne perdez pas votre temps à vous demander de quoi il pourrait bien s'agir: disséquez et examinez.' Voilà le conseil qu'il donnait à ses étudiants.

John Hunter naquit le 13 février 1728 à Long Calderwood. Il était le dernier de dix enfants d'un noble écossais. En 1748, âgé de vingt ans, il quitta son Ecosse natale à cheval et se rendit à Londres, où son frère, William Hunter (1718-1783), de dix ans son aîné, s'était installé avec succès comme accoucheur et professeur, tout en écrivant des ouvrages médicaux, surtout sur l'obstétrique et l'anatomie.

John Hunter n'avait pas une opinion très favorable sur la formation purement formelle. En Ecosse, il était surtout attiré par les sports de plein air et les jeux. A Londres, il travailla à l'école d'anatomie de son frère: il y préparait le matériel anatomique, dont William avait besoin pour ses démonstrations. Il se servait avec beaucoup d'habileté et de précision du scalpel. Au bout d'un an, il fut chargé de contrôler le travail fait par les élèves de William.

A cette époque, on ne parlait pas encore beaucoup de formation organisée dans cette discipline. Les chirurgiens devaient suivre un apprentissage dans un cabinet. Il y avait encore un énorme fossé entre les médecins - qui avaient souvent un diplôme académique - et les chirurgiens, qu'on appelait aussi barbiers et qui étaient de simples travailleurs manuels. Pendant onze ans, John Hunter se consacra à l'étude approfondie de l'anatomie dans l'école de son frère. Il négocia également avec les 'fouilleurs', qui déterraient les cadavres, occupation qui, à l'époque, fournissait un matériel extrêmement précieux pour la science médicale. En 1754, John Hunter était devenu l'assistant de son frère et, en 1758, il devint chirurgien et professeur au *St. George's Hospital*. Il effectua, à cette époque, de nombreuses recherches sur l'anatomie, concernant notamment l'influence de la descente des testicules chez le foetus, la fonction des ganglions lymphatiques, la structure et la fonction du placenta dans la matrice.

En 1760, Hunter entra au service de l'armée comme chirurgien. Il accompagna une expédition militaire à Belle-Isle, devant la côte de Terre-Neuve. Il servit ensuite au Portugal durant les deux dernières années de la Guerre de Sept ans, entre l'Angleterre et le Portugal. L'expérience qu'il y acquit le rendit très habile pour soigner les blessures provoquées par des coups de feu. Il démontra que l'amputation d'un membre, ce que l'on considérait à l'époque comme le seul traitement possible, n'était pas toujours nécessaire, lorsque les blessures étaient bien soignées. Au cours de ses séjours à l'étranger, Hunter commença à collectionner des objets à usage anatomique, biologique et pathologique. Sa collection

Ci-dessous: 'La salle de Dissection', une peinture de Thomas Rowlandson, qui représente William (accoucheur et professeur de médecine à Londres), donnant une leçon d'anatomie à son frère John. William est le personnage debout et John est assis à sa droite.

A gauche: Portrait de John Hunter, peint par Robert Home, son beau-frère.

comptera 13 682 objets. Hunter avait une telle passion pour sa collection qu'il tenta d'obtenir d'un Irlandais - appelé O'Brien et mesurant 2,34 m - l'autorisation de disposer de son squelette après sa mort. Mais O'Brien refusa et tenta de jouer au plus fin avec Hunter, en demandant que son corps fût déposé dans un cercueil scellé de plomb et jeté en pleine mer. Cependant, Hunter parvint à soudoyer l'entrepreneur des pompes funèbres pour voler le cadavre, qu'il emporta, entièrement dénudé, dans sa propre voiture, pour n'être pas accusé de vol de vêtements sur un cadavre.

Le volume et la variété des recherches de Hunter étaient très étendus, et il anticipait souvent sur son époque. Il fut le premier à affirmer que le sang est une substance vivante, comme tous les autres tissus du corps. Il supposait qu'un embryon connaissait différents stades de développement qui correspondaient aux caractéristiques d'êtres antérieurs et primitifs. Il réussit la première transplantation tissulaire de l'éperon (ou ergot) de la patte d'un coq sur l'os frontal de l'animal. Il avait un énorme pouvoir de concentration. Un contemporain le décrivit de la façon suivante: 'Il restait debout durant des heures, aussi immobile qu'une statue, à l'exception de ses mains qui tenaient des pinces pour séparer les fibres d'un corps qu'il souhaitait étudier.' Il exerça une très grande influence sur le statut de la profession. Grâce à lui, la chirurgie devint une science reconnue, au lieu d'être la profession d'un artisan itinérant.

Hunter souffrant d'une déchirure de tendon à la jambe, découvrit la méthode de traitement appropriée, en l'appliquant sur sa propre personne. Actuellement, elle est encore utilisée. Mais il eut moins de chance avec une autre expérience: il imagina, à tort, que la blennorragie et la syphilis étaient des maladies identiques, et il se contamina lui-même pour le prouver. Il est probable que les conséquences de cette affection aient influencé son état de santé au cours des dernières années de sa vie.

Quand il enseignait, Hunter était sec et impatient, et sa parole était hésitante. Cependant, ses élèves semblaient l'apprécier; mais il se disputait avec son frère William pour savoir lequel des deux avait le droit de décrire le fonctionnement du placenta. William estimait que les honneurs de chaque invention faite dans sa salle de dissection lui revenaient de droit. Cette dispute ne connaîtra jamais de fin. James Hunter mourut à Londres le 16 octobre 1793. Sa collection fut placée dans un musée anatomique sous les auspices du gouvernement britannique.

Ci-dessous, à gauche: Eperon de la patte d'un coq, transplanté sur l'os frontal.

Ci-dessous, à droite: Signature de Hunter dans une lettre à Edward Jenner, un de ses anciens élèves, qui découvrit la vaccination contre la variole.

Ci-dessous: La chirurgie au XVIIIe siècle avant l'introduction de l'anesthésie. Le tableau représente une amputation au St. Thomas's Hospital *de Londres.*

John Hunter

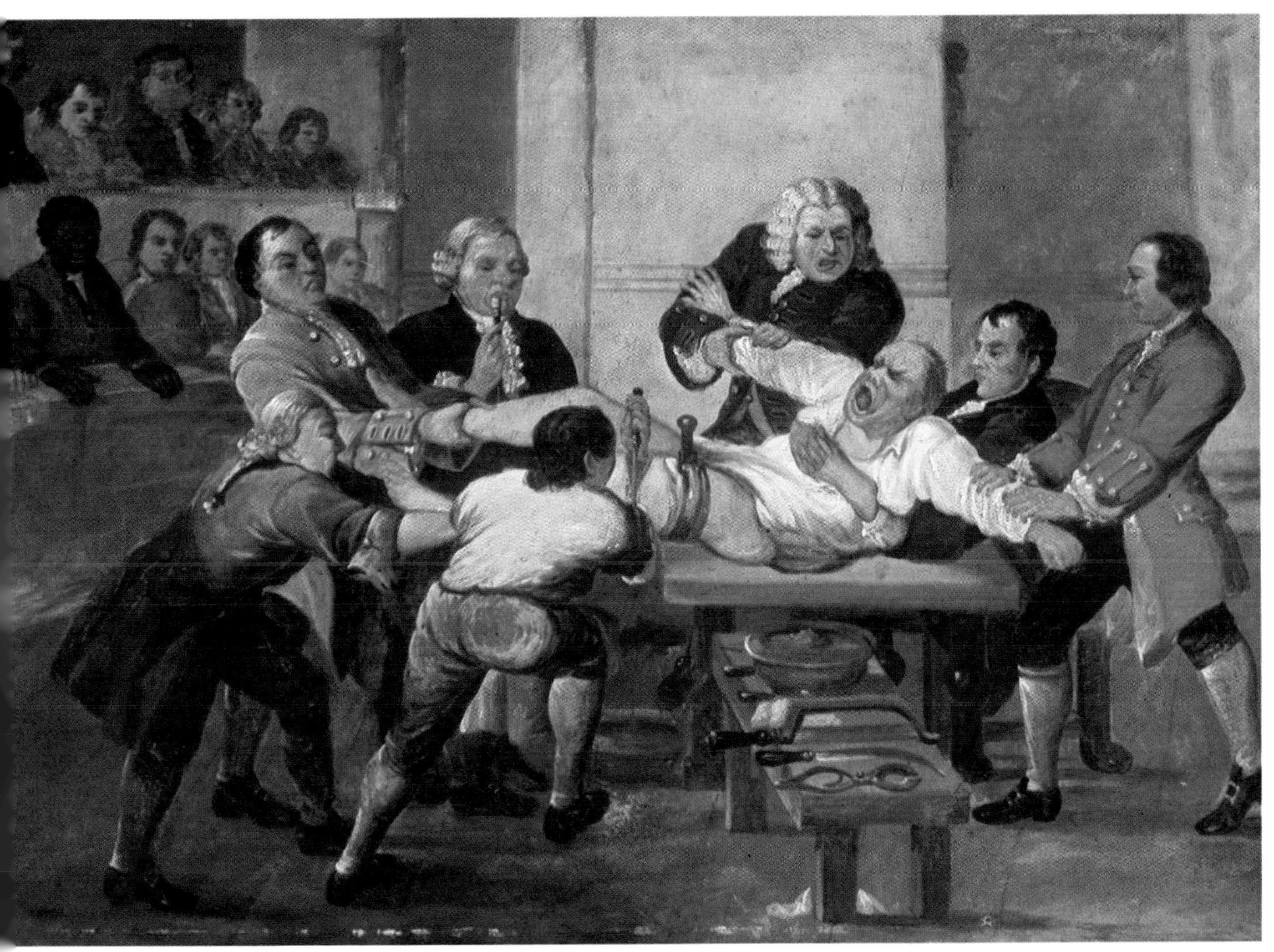

Henry Cavendish

1731-1810

Cavendish était un grand savant physicien et chimiste, certainement le plus grand de son époque après Sir Isaac Newton. Mais il vécut et travailla en ermite. Il consacra une grande partie de sa vie à l'étude des gaz: il identifia l'hydrogène, analysa la composition de l'air avec précision et montra que la combinaison d'hydrogène et d'oxygène s'unissaient en proportions déterminées pour donner de l'eau sous l'effet d'une étincelle électrique. C'est lui également qui définit les notions de charge et de potentiel électriques. Il étudia aussi la force d'attraction existant entre deux corps. Ses multiples travaux sont remarquables par la précision quantitative des mesures qu'il notait. Il entra à l'Académie des sciences en 1803.

Henry Cavendish, fils d'un lord, est né le 10 octobre 1731, à Nice. En 1742, il se rendit dans un séminaire près de Londres et, de 1749 à 1753, il étudia la physique à l'Université de Cambridge. Il ne se donna même pas la peine d'obtenir un diplôme, trait vraiment typique de son caractère.
Cavendish était le plus solitaire des hommes. Il ne se souciait pas du tout des bonnes manières ni de l'opinion des autres. Il préférait surtout rester seul, de sorte qu'il eut très peu de contacts avec ses contemporains. Ces contacts étaient d'ailleurs tellement superficiels que personne ne pouvait se faire une idée de la valeur de ses recherches. Ce n'est qu'après sa mort qu'on découvrit comment il avait utilisé les notes qu'il avait laissées, et dont la science put tirer profit. Dans ses expériences sur l'électricité, il n'hésita pas à exposer sa propre personne à des chocs électriques pour pouvoir comparer et évaluer les intensités de courant.
Lors de ses premières expériences, Cavendish formula des idées qui constituent la base de la théorie moderne de l'électricité. Il définit l'énergie électrique d'attraction et de répulsion entre deux corps chargés électriquement comme étant l'énergie sur laquelle repose toute l'électrostatique. Il introduisit également la notion de potentiel électrique, ce que nous appelons aujourd'hui 'la tension'. D'autre part, il étudia la façon dont certaines matières peuvent accumuler de l'électricité. Il anticipa sur une des lois fondamentales de l'électricité, en prouvant que la quantité de courant électrique, qui passe dans un conducteur, dépend de la matière qui la constitue. Cette expérience de Cavendish fut confirmée quelques années plus tard et formulée dans la 'loi d'Ohm'. La loi d'Ohm établit la relation entre l'intensité du courant, la tension et une caractéristique de la matière du conducteur, appelée 'résistance électrique'.
Cavendish consacra une grande partie de sa vie à l'étude des gaz. Le premier, il découvrit que l'eau - 'l'élément que l'on rencontre le plus souvent sur la terre' - n'est pas un élément, mais est composée d'hydrogène et d'oxygène, qui sont tous deux des éléments gazeux à température normale. Il découvrit notamment que l'hydrogène enflammé explose dans l'air pour former de l'eau, car il forme une combinaison chimique avec l'oxygène de l'air.

Ci-dessous, à gauche: Le seul portrait connu de l'excentrique et solitaire Henry Cavendish.

Ci-dessous: Verres ardents de la fin du XVIIIe siècle, servant à enflammer des produits chimiques. La lentille simple était la propriété de Joseph Priestley, la lentille double, celle de Cavendish.

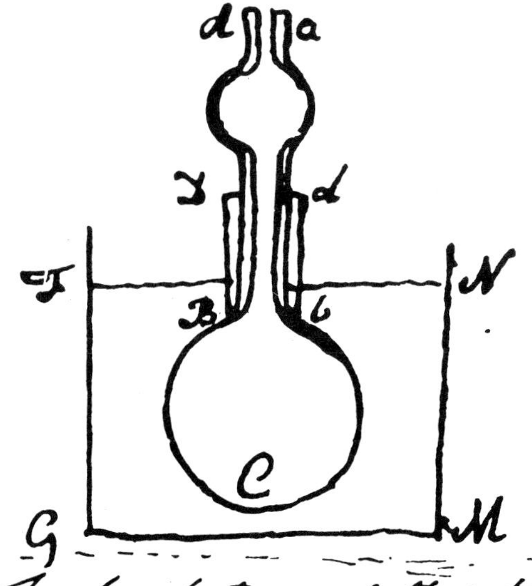

In order to try whether the charge of coated glass is the same when hot as when cold I made use of the appar. in Fig. 28 where ABCba represents a short thermom tube with a ball BCb blown at the end & another smaller ball near the top This is filled with ☿ as high as the bottom of the upper ball & placed in an iron vessel FGMN filled with ☿ as high as FN consequently the ball BCb was coated charged as a Leyden vial the ☿ within

Cavendish décéda le 24 février 1810 à Londres. A l'âge de 70 ans, il fit une expérience remarquable, dite 'expérience de Cavendish', qui exigeait la plus grande précision: il voulut mesurer d'une façon directe la force d'attraction produite par la pesanteur entre deux corps. Cette force étant très minime entre deux objets usuels, il eut l'idée de faire une expérience qui se révéla très remarquable. Il suspendit par son milieu une légère barre métallique au moyen d'un fil fin. Aux deux extrémités de cette barre, il fixa une petite sphère de plomb, et plaça ensuite deux grandes sphères de plomb à proximité de chaque petite sphère. Les forces d'attraction firent tourner légèrement la barre par rapport à sa position initiale. La mesure de ce mouvement de torsion permit à Cavendish de calculer l'intensité de la pesanteur. Grâce à ce résultat et à la loi de Newton sur la pesanteur, il était possible de calculer la masse et la densité de la Terre. Cavendish établit dans ses calculs que la Terre devait avoir une masse de 6,5 milliards de millions de tonnes et une densité égale à environ 5,5 fois celle de l'eau. C'est un résultat remarquable, car, d'après les données récentes les plus précises, la masse de la Terre est égale à 5,975 milliards de millions de tonnes et sa densité est 5,517 fois celle de l'eau.

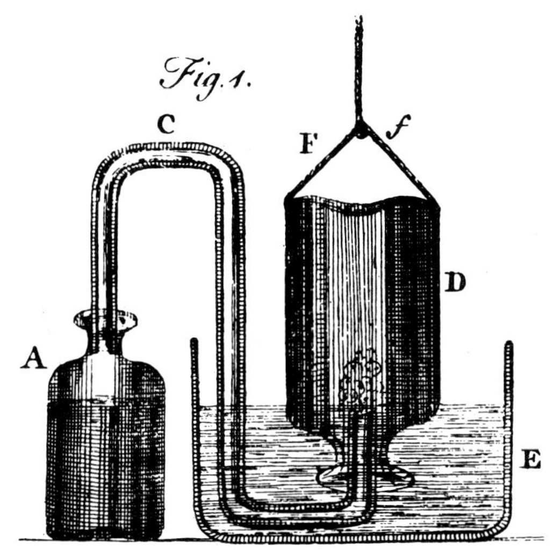

Ci-dessus: Notes de Cavendish sur les caractéristiques du verre chauffé. Il découvrit que le verre conduisait mieux l'électricité à une température plus élevée.

A gauche: Eudiomètres à étincelles de Cavendish pour mesurer la composition des gaz. L'instrument de gauche est en cuivre et l'autre en verre.

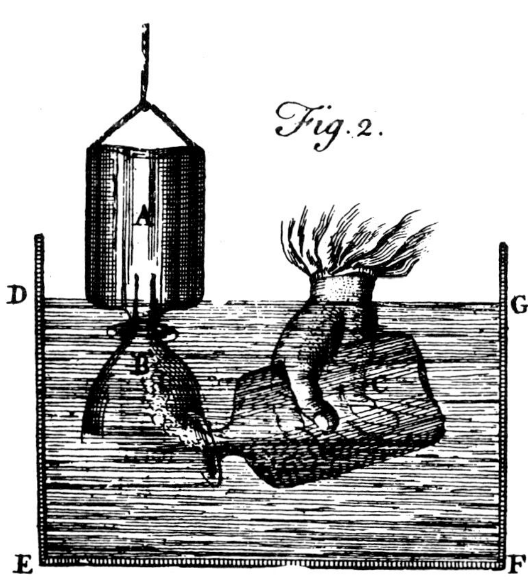

A droite: Expériences de Cavendish sur l'air artificiel ou gaz se dégageant de certaines substances sous l'effet d'acides, de bases ou par pourrissement.
fig. 1: Captation du gaz.
fig. 2: Transfert du gaz dans un collecteur.

Richard Arkwright

1732-1792

L'Anglais Arkwright inventa, notamment, les métiers à filer et à tisser actionnés par la force hydraulique; ces machines ont permis la création d'une industrie gigantesque, qui fournit du travail à plusieurs milliers de personnes et l'essor de l'industrie cotonnière en Angleterre.

Richard Arkwright est né en décembre 1732 à Preston dans le comté du Lancashire; il était le fils cadet d'une famille de treize enfants.
Il fut d'abord barbier et perruquier itinérant, ce qui lui permit de visiter son pays à fond. Au cours de cette période, il commença à perfectionner ses connaissances par l'étude, discipline qu'il s'imposa jusqu'à sa mort.
John Kay, inventeur de la navette, et James Hargreaves, inventeur du métier à filer *(spinning jenny)* avaient déjà établi les fondements de la mécanisation du filage et du tissage. Arkwright voulut franchir une étape de plus, en remplaçant la force manuelle par une autre source d'énergie. Il se mit au travail, aidé par un horloger pour les détails techniques.
En 1769, il reçut son premier brevet pour son

spinning frame, un métier à filer qui n'est pas actionné à la main.
Sa région natale du Lancashire étant fermement opposée à la mécanisation, il construisit un certain nombre d'usines à Nottingham et à Cromford, en collaboration avec quelques hommes d'affaires.
Au début, il se servit de chevaux comme source d'énergie, mais, en 1775, il décida d'utiliser la force hydraulique. La machine fut connue plus tard sous le nom de *water frame.* L'innovation la plus importante fut l'utilisation de cylindres pour dégager les fibres qui étaient dirigées vers les broches.

Ci-dessous: Spinning frame *d'Arkwright, le premier métier à filer actionné par une source d'énergie indépendante. Arkwright décida finalement que la force hydraulique serait la plus appropriée. Cette machine fut appelée plus tard* water frame. *La machine constitua une des bases de l'industrie textile moderne.*

Ce *water frame* servit de modèle pour tous les futurs métiers à tisser.
Il permettait également de surmonter le défaut de la *spinning jenny* de Hargreaves, sur laquelle le fil filé ne pouvait être utilisé que comme fil de trame, à cause de sa faiblesse pour servir de fil de chaîne dans le métier.
Arkwright fut un des premiers industriels. Il effectua un véritable travail de pionnier de grande envergure relativement au système de fonctionnement des usines.
Il établit le principe de la progression vers l'industrialisation à la fin du XVIIIe siècle et au début du XIXe.
En 1773, les tissus rugueux en laine n'étant plus appréciés, Arkwright entreprit de fabriquer du 'calicot', coton fin, blanc, facile à travailler et qui fit l'objet d'une demande immédiate.
Dans l'intervalle, les plantations de coton aux Antilles et dans le sud des Etats-Unis, où travaillaient des esclaves, fournissaient de grandes quantités de coton brut.
En quelques années, le tissage du coton devint l'industrie la plus importante du nord de l'Angleterre, où, vers 1840, cinquante ans après la mort d'Arkwright, cette industrie représentait 40 % des exportations globales de l'Angleterre.
Arkwright fut fort critiqué, et soupçonné d'avoir

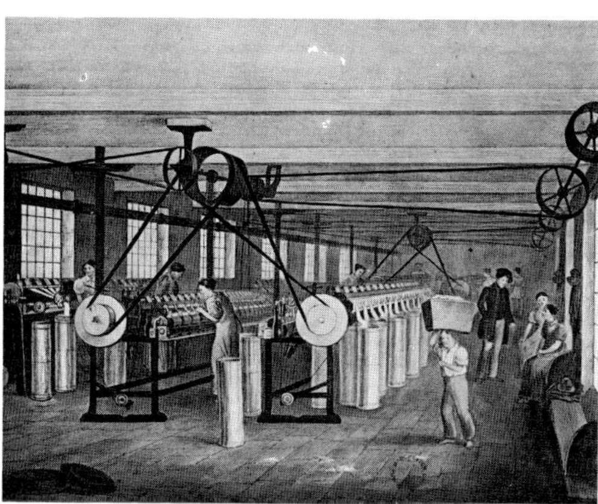

Une usine de coton à l'époque de la révolution industrielle.

Ci-dessus: Nettoyage des fibres dans un cardeur: machine dans laquelle tournent des rouleaux pourvus de dents.

Ci-contre: Machines à tréfiler et à étirer.

Ci-dessous, à gauche: Impression du tissu.

repris et utilisé d'autres inventions qu'il parvint à rendre utilisables et lucratives.

Il obtint encore d'autres brevets après celui de 1769, mais ils furent constamment dénigrés et critiqués.

Lorsqu'il se rendit au tribunal pour revendiquer son droit, le jugement prononcé le désavantagea. En 1785, tous ses brevets furent déclarés nuls.

Bien qu'Arkwright soit le précurseur de l'installation du système des usines, qui mina et ruina le métier des tisserands et fileurs à domicile, il fut reconnu comme un patron généreux et loyal. Il compta jusqu'à cinq mille travailleurs dans ses usines.

Il tenait absolument à ce que tous fussent bien logés et que le travail s'exécutât dans de bonnes conditions. Mais, en échange, il exigeait la plus grande efficacité et la plus grande ardeur possibles.

Arkwright fut, en 1785, le premier à utiliser la nouvelle machine à vapeur de Watt pour actionner les métiers d'une rouennerie, dans son usine de Nottingham.

Il fut anobli en 1786 et, l'année suivante, nommé Sheriff du Derbyshire, où se trouvait sa résidence de Cromford.

Il y fit construire un château et couvrit les frais de renconstruction de l'église paroissiale de Sainte-Marie.

Il mourut le 3 août 1792 à Willersbey Castle.

Joseph Priestley

1733-1804

L'Anglais Priestley fut un grand expérimentateur en physique, bien qu'il ne bénéficiât d'aucune formation dans ce domaine. Il s'occupa surtout d'électricité et, en chimie, de gaz. On peut le considérer comme le découvreur de l'oxygène. Si ses découvertes scientifiques lui valurent la célébrité, il n'en fut pas de même pour ses conceptions libérales en politique et radicales en religion.

Joseph Priestley naquit dans une famille modeste, le 13 mars 1733, dans un village près de Leeds. Enfant, il eut une santé très fragile, et perdit ainsi de nombreuses années d'enseignement à l'école primaire. Mais il était avide de connaissances et il s'instruisait lui-même durant ses séjours forcés à

la maison. A dix-neuf ans, son état de santé s'améliora et il étudia - avec beaucoup de succès - les langues mortes, la théologie et la philosophie politique. Il commença sa carrière comme prêtre presbytérien et, à cette époque, il avait déjà des conceptions très radicales sur la religion et la politique. Il avait des idées libérales et croyait beaucoup en la liberté personnelle de l'individu. Il examinait les usages d'un esprit très critique avant de les accepter et, toute sa vie durant, il conservera ses opinions.
Lorsqu'il rencontra Benjamin Franklin en 1766, son intérêt pour les sciences ne fit que croître. Priestley admirait les opinions politiques et les aspirations de Benjamin Franklin, mais ses expériences scientifiques le passionnaient encore bien plus. Peu de temps après, Priestley se mit à étudier l'électricité et, un an plus tard, il publiait une description très détaillée sur tous les phénomènes électriques connus, et sur l'évolution historique de cette science et de ses possibilités futures, *The History and Present State of Electricity*. Ce livre le rendit célèbre, lui permit de poursuivre ses expériences et lui valut d'être membre de la *Royal Society*. Entre-temps, il s'était également intéressé à la chimie et plus spécialement aux gaz.
Priestley habitait à côté d'une brasserie, ce qui lui permit de faire une de ses premières découvertes: il s'agissait du gaz, que nous appelons actuellement anhydride carbonique. Il avait remarqué que, lors du maltage de l'orge, il se dégageait un gaz, aux caractéristiques remarquables. Il était plus lourd que l'air et éteignait les flammes; plus tard, ce gaz deviendra indispensable pour les premiers extincteurs.
Lors de ses expériences, Priestley inventa des techniques originales et efficaces sur les gaz. Précédemment, les chimistes avaient toujours recueilli les gaz dans une éprouvette en verre, dont l'ouverture était plongée dans l'eau. Cette méthode n'était valable que si le gaz ne se dissolvait pas du tout ou mal dans l'eau. Priestley fut le premier à capter des gaz au-dessus du mercure. Ainsi, il

Ci-dessous: Une collection d'instruments du laboratoire de Priestley parmi lesquels son 'verre fin ardent' servant à capter la lumière solaire sur les produits chimiques. De nombreux instruments, inventés par Priestley, sont encore utilisés de nos jours dans les laboratoires de chimie.

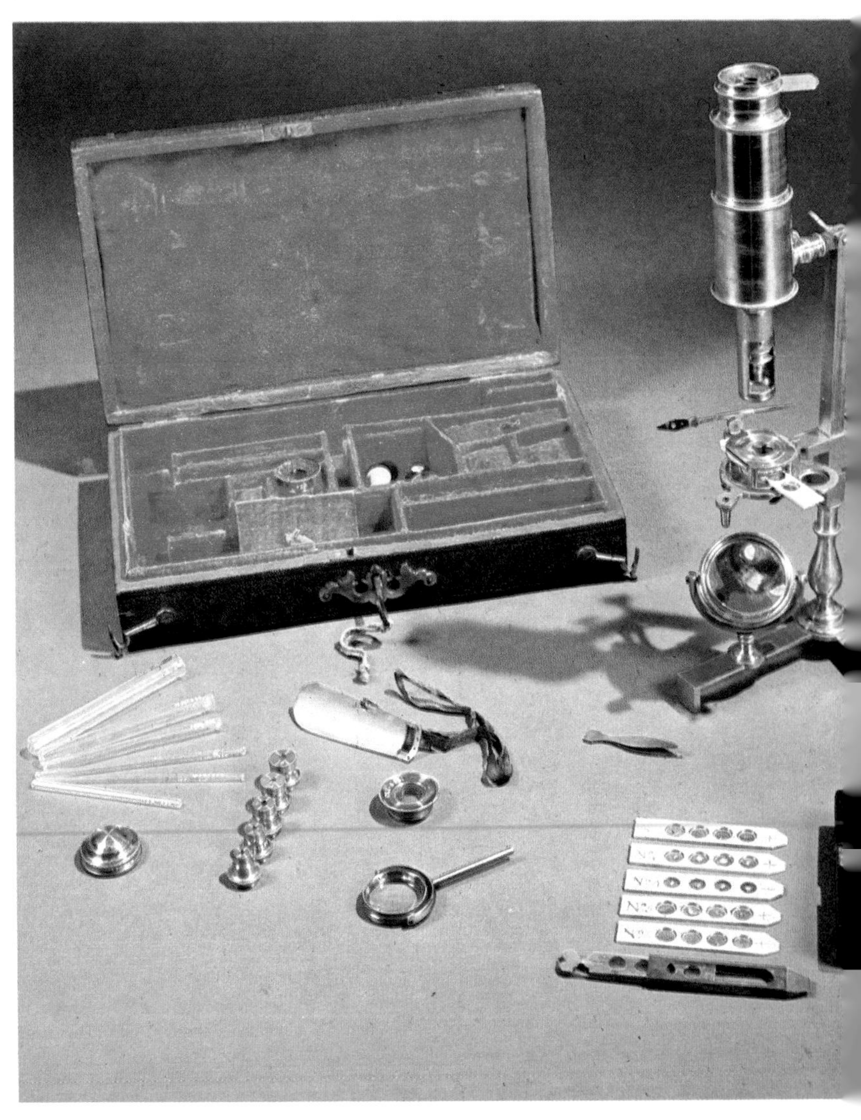

put distinguer des gaz solubles dans l'eau, comme l'ammoniaque, le gaz chlorhydrique, l'anhydrique sulfureux et le gaz carbonique qu'il étudia tout particulièrement.

En août 1774, Priestley fit sa plus célèbre découverte. Il isola un gaz, que nous appelons aujourd'hui oxygène. Comme il utilisait beaucoup d'oxyde rouge de mercure pour son travail, il se proposa d'en étudier également les caractéristiques. Il chauffa cette matière et découvrit qu'il obtenait à nouveau du mercure, ainsi qu'un autre gaz qui présentait des caractéristiques surprenantes. La conception de la combustion à son époque était qu'une partie de la matière enflammée disparaissait dans l'air. Cette partie était appelée 'phlogistique. Priestley appela son gaz de l'air déphlogistiqué', parce qu'il semblait aspirer le phlogistique d'une matière. En d'autres termes: les matières brûlent très vite et très fort dans les gaz.

Priestley maintint sa théorie sur le phlogistique jusqu'à sa mort. Il en examina les caractéristiques avec beaucoup de précision et découvrit qu'il avait un effet stimulant lorsqu'on le respirait, ce qui lui permit de le lier au phénomène de la respiration.

Les découvertes scientifiques de Priestley le rendirent célèbre, mais ses conceptions libérales en politique et radicales en religion ne le rendirent pas particulièrement populaire dans l'Angleterre conservatrice de l'époque, d'autant moins qu'il manifesta sa sympathie pour les révolutions française et américaine, où tous les milieux sympathisants le recevaient à bras ouverts. L'Université de Pennsylvanie lui offrit une chaire, mais il refusa toute fonction officielle. Il écrivit quelques ouvrages sur la religion et mourut à Northumberland (Pennsylvanie), le 6 février 1804.

A gauche: Priestley avec Tom Paine, l'auteur des Right of Man *(les Droits de l'homme). Le radicalisme de Priestley ne le rendait pas populaire, comme le montre le titre de cette caricature (instigation, démolition et spoliation; ou les faux amis du peuple en conférence).*

Ci-dessous: Une gravure du laboratoire de Priestley, représentant les appareils qui servaient à ses expériences sur les gaz. Priestley conçut le tube pneumatique, le tube à mercure et les bouteilles à gaz en remplacement des vessies animales pour la captation des gaz.

James Watt

1736-1819

L'Ecossais James Watt fut l'inventeur de la machine à vapeur moderne. Il modifia et perfectionna les machines à vapeur existantes et les rendit vraiment efficaces. Il ne fait pas de doute que la révolution industrielle ne put véritablement commencer que lorsqu'elle put disposer de cette source d'énergie indispensable et efficace.

James Watt naquit le 19 janvier 1736 à Woodall, le long de la Clyde, en Ecosse. Son père y était propriétaire et constructeur de bateaux. Comme il était de santé fragile, sa mère lui enseigna les connaissances indispensables. Il ne fréquenta l'école que plus tard. Après avoir surtout brillé en mathématiques, il acquit ses premières connaissances techniques dans l'atelier de son père, où il fabriqua lui-même des modèles et du matériel, par exemple des grues de levage. En 1755, il se rendit à Londres pour apprendre à fabriquer des appareils.

Deux ans plus tard, il retourna en Ecosse et ouvrit un atelier, à l'Université de Glasgow, pour la réparation et la fabrication d'instruments.
En 1764, un client apporta une machine à vapeur à réparer dans l'atelier de Watt: il s'agissait d'un modèle de la machine inventée par Newcomen au début du siècle. Watt constata une énorme perte d'énergie, du fait que le piston devait alternativement être réchauffé et refroidi. Il chercha une autre solution qu'il ne trouva qu'un an plus tard et qui consistait à ne plus laisser la vapeur se condenser dans le cylindre, mais dans une chambre de condensation isolée, reliée au cylindre, autrement dit le condenseur.
Watt construisit un propotype de démonstration de sa machine, qu'il breveta en 1779, comme une 'nouvelle méthode pour diminuer la consommation de vapeur et de combustible dans les machines à feu'. En effet, l'innovation qu'il apportait entraîna une économie de combustible de 75 %. L'ingénieur et propriétaire d'usines Matthew Boulton à Birmingham, fut intéressé par cette machine. Il acheta une part du brevet de Watt dans l'intention d'examiner les possibilités de cette machine pour son usine.
En 1775, Watt accepta de s'associer à Boulton, qui possédait à Birmingham une usine de grand renom pour la qualité de ses produits en métaux, pièces de monnaies, boutons, vaisselle de Sheffield et argenterie. On y fabriqua également la machine à vapeur de Watt, entreprise qui connut une rapide extension.
Peu après que Boulton et Watt se furent associés, ils prirent, à leur service, un jeune technicien William Murdock, qui les aida à obtenir des contrats pour placer la machine de Watt dans les mines d'étain et de cuivre dans les Cornouailles. Ils remplacèrent ainsi de nombreuses machines de Newcomen, qui y étaient déjà en service depuis cinquante ans.
Watt travailla sans répit au perfectionnement de sa machine. Lorsque Boulton comprit que l'industrie aurait besoin dans l'avenir d'un axe rotatif en remplacement du piston limité à un mouvement ascendant et descendant, Watt construisit un mécanisme muni de ce nouveau type de mouvement: l'engrenage planétaire. Ensuite, il mit au point le cylindre à double effet, qui faisait pénétrer la vapeur alternativement des deux côtés du piston ce qui augmentait très fortement le rendement de sa machine.
Il élabora également un régulateur-centrifugeur, appelé le régulateur à boules: cette partie maintenait automatiquement la machine à vapeur à un régime constant, en réglant l'arrivée de la vapeur. Watt construisit également un manomètre de pression.
Lorsque l'industrialisation évolua progressive-

Ci-dessous: Schéma de la machine à vapeur rotative de Watt. La machine était une amélioration du projet de Newcomen, en ce sens que la vapeur sortant du cylindre était conduite dans un condenseur isolé. Il n'était donc plus nécessaire de réchauffer et de refroidir alternativement la machine, de sorte que le rendement était accru. De plus, dans la machine de Watt, le piston était actionné de bas en haut et inversement par la pression de la vapeur. Un système reliait le piston à des engrenages qui se mettaient à tourner. Les machines à vapeur actuelles proviennent directement du projet de Watt.

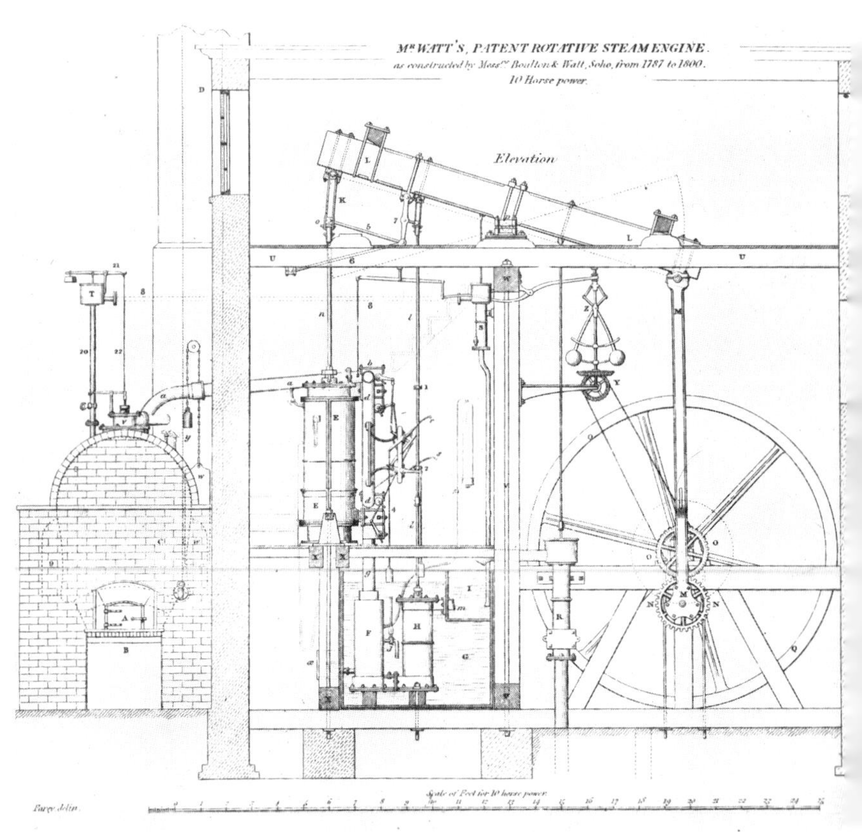

Ci-dessus: Atelier de Watt dans la soupente de sa maison.

A gauche: La machine à vapeur à double effet de Boulton et Watt.

ment, les machines à vapeur de Watt furent utilisées pour différentes applications, grâce à leur usage multiple et à leur rendement élevé, par exemple dans les usines de papier, les minoteries, l'industrie du coton, les fonderies et les industries de spiritueux et lors de l'aménagement de canaux ou à l'occasion d'autres travaux hydrauliques.
Plus de 500 machines avaient été construites à la fin du XVIIIe siècle. Watt était devenu un homme riche. En onze ans, il avait reçu 76 000 livres de droits sur son brevet. Les honneurs ne se firent pas attendre: en 1785, Boulton et lui-même furent élus membres de la *Royal Society*.
Watt voyagea quelque temps en Europe avec son épouse, puis se retira dans sa résidence de campagne à Heathfield, où il travailla encore pendant de nombreuses années, dans un atelier qu'il avait construit lui-même dans la soupente de sa maison; il y exécuta encore beaucoup de travail productif. Il fabriqua une machine permettant de recopier avec beaucoup de précision des bustes et d'autres oeuvres de sculpture, ainsi qu'une presse à copier utilisant une encre spéciale. Il mourut dans sa demeure, le 25 août 1819, et fut enterré à côté de son associé, Matthew Boulton, dans une église près de Birmingham. Il a son buste à la Westminster Abbey de Londres. L'unité de puissance électrique fut appelée le 'watt', en son honneur.

Sir Frederick William Herschel

1738-1822

Herschel, d'origine allemande, naturalisé Anglais par la suite, ne devint astronome que vers la fin de sa vie. Il acquit la célébrité par sa découverte de la planète Uranus, alors qu'il n'était encore qu'un amateur, et, plus tard, par ses recherches systématiques du monde des étoiles et les théories qu'il formula à leur propos.

Frederick William Herschel est né le 15 novembre 1738 à Hanovre, en Allemagne, sous le nom de Friedrich Wilhelm Herschel. Son père était musicien militaire; il bénéficia donc d'un enseignement musical et, vers l'âge de quinze ans, il jouait déjà dans l'orchestre militaire de sa ville natale. Mais il détestait l'armée, et lorsque Hanovre fut assiégée lors de la guerre franco-allemande, il décida de quitter le service militaire et de se rendre dans la paisible Angleterre. Il s'y installa en 1757 comme musicien. Il consacrait la plus grande partie de son temps libre à sa passion: l'astronomie. En 1772, sa jeune soeur Caroline Luretia, qui s'intéressait également à l'astronomie, le rejoignit. Elle sera son assistante durant toute sa vie dans ses recherches astronomiques, et, devenue elle-même une astronome très compétente, elle découvrira huit comètes. Les seuls télescopes que les Herschel pouvaient louer étaient petits et ne donnaient pas d'image nette. Ils décidèrent d'en construire un d'après le modèle de Newton. Finalement, leur instrument s'avéra meilleur que celui de l'observatoire de Greenwich.

Son but était simple, mais nécessitait énormément de temps. Il pensait que la meilleure façon de faire des découvertes intéressantes, était d'observer systématiquement tous les corps célestes et de noter leurs caractéristiques et leur position par rapport aux autres. En 1781, il fut récompensé

A droite: Télescope d'Herschel de 2 m de longueur. C'était un instrument, semblable à celui que Newton utilisa pour la première fois vers 1688. Dans cet instrument, l'objectif est constitué par un grand miroir concave, et non par des lentilles. Au début, Herschel utilisa des lentilles, mais comme elles étaient très coûteuses et difficiles à monter, il construisit lui-même des réflecteurs. Les miroirs métalliques pouvaient être fondus par un amateur, tandis qu'une lentille devait être bien choisie lors de l'achat et polie par un spécialiste.

Ci-dessus: Télescope d'Herschel de 12 m de longueur. Le tube était en tôle et le miroir avait un diamètre de 1,22 m. Il était monté sur un support en bois et pouvait être dirigé vers chaque partie du ciel au moyen d'un système de poulies. Les frais de construction furent supportés par le roi d'Angleterre, George III.

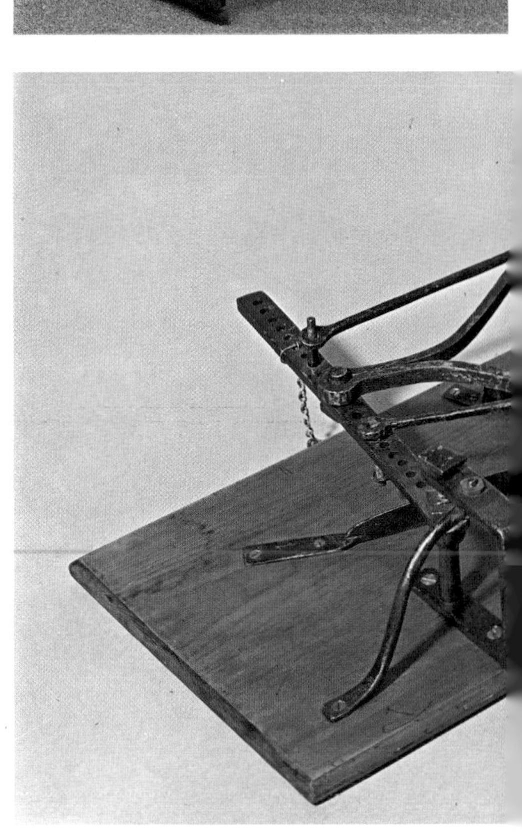

pour son travail et sa persévérance. Il avait suivi, parmi les étoiles, les mouvements d'un petit astre de couleur verte, derrière l'orbite de la planète Saturne. Il pensa d'abord qu'il s'agissait d'une comète, mais il semblait que l'orbite observée ressemblait trop à une orbite circulaire pour être confondue avec une comète. Herschel sentit qu'il avait découvert une nouvelle planète, pour la première fois depuis l'antiquité. Il l'appela *Georgius pidus,* puis plus tard Uranus.

Tuesday March 13
Pollux is followed by 3 small stars abt 2' and 3' distance.
α as usual. p H
in the quartile near ζ Tauri the lowest of two is a curious either Nebulous star or perhaps a Comet.
~~preceding the star that precedes ν Geminorum double about 30''.~~
a small star follows the Comet at 2/3 of the field's

Ci-dessus: Notes d'Herschel sur la découverte de la planète Uranus en mars 1781. Il faisait 'une étude systématique du ciel', lorsqu'il découvrit un corps en forme de plateau; ce corps ne pouvait donc pas être une étoile. Il pensa d'abord qu'il s'agissait d'une comète, mais découvrit par la suite que l'orbite décrite était trop voisine d'un cercle pour une étoile.

Cette découverte le rendit immédiatement célèbre. La *Royal Society* lui décerna une médaille et le nomma membre de l'Académie, tandis que le roi George III le nommait astronome de la Cour et lui accordait un traitement annuel de 200 livres, et de 50 livres pour sa soeur, pour leur permettre de poursuivre leurs recherches scientifiques.
Il découvrit, dans le système solaire, encore deux autres petits satellites de Saturne et les deux satellites d'Uranus. Mais c'est en examinant les étoiles qu'il réussit sa plus belle oeuvre.
En utilisant une nouvelle méthode (statistique) de comptage des étoiles dans les différentes parties du ciel, il put déterminer la forme du système de la voie lactée. Il en vint à conclure qu'elle devait avoir la forme d'une lentille biconvexe, semblable à deux assiettes dont les bords sont posés l'un contre l'autre.
Mais il n'en resta pas là. En travaillant d'après leur première recherche systématique du ciel, Herschel et sa soeur découvrirent des milliers de nouveaux nuages. Ces objets célestes nébuleux étaient considérés comme des énigmes par les astronomes. Quelques nuages semblaient être composés d'étoiles, tandis que d'autres étaient tellement flous qu'ils ressemblaient davantage à des traînées de gaz ou de liquide, supposition adoptée par certains astronomes. Herschel imagina que ces objets mystérieux pouvaient très bien ne pas appartenir au système de la voie lactée, mais former, au contraire, une autre voie lactée, très éloignée de la nôtre. C'était une idée très pertinente, témoignant de sa grande intelligence.
Les Herschel établirent également un catalogue des corps célestes: il se composait de trois parties et décrivait 2 500 nuages et amas d'étoiles (on n'en connaissait encore que cent à l'époque) et 848 étoiles doubles, formant un système de deux étoiles tournant l'une autour de l'autre.
Herschel déclara également que ce que nous observons à un moment précis, n'est qu'une image dans le temps d'un univers qui continue à se développer. En 1816, Herschel fut nommé chevalier et put s'appeler Sir William. Il mourut le 9 janvier 1822 à Slough. Son fils John poursuivit son oeuvre et devint un astronome aussi célèbre que son père.

Ci-dessus, à gauche: Dessins d'Herschel de la planète Saturne (en haut) et de Jupiter. Le petit disque dans la figure du dessous est le troisième satellite de Jupiter, et le trait noir est son ombre sur Jupiter. L'estimation d'Herschel du temps de révolution de Saturne autour de son propre axe ne différait que de 2 minutes par rapport à la valeur actuellement connue de 10 heures et 14 minutes.

A gauche: Matériel de polissage dont Herschel se servait pour polir les miroirs de ses télescopes. Les miroirs étaient constitués d'un alliage de métaux , dont le cuivre, l'argent et l'étain. Ils étaient fondus dans des moules en terre, cuits sur du charbon de bois. Les coulées étaient achevées avec des morceaux de cuivre strié. Enfin, Herschel polissait les miroirs avec des 'coussinets' métalliques couverts de poix. Le procédé ne put être généralisé, chaque miroir devant répondre aux exigences du télescope auquel il était destiné.

Les frères Montgolfier

Joseph-Michel 1740-1810

Jacques-Etienne 1745-1799

Les frères Montgolfier sont les inventeurs du ballon à air chaud. Pour autant que nous soyons informés, c'était la première fois qu'un homme montait en ballon dans le ciel.

Joseph-Michel de Montgolfier naquit le 26 août 1740, son frère Jacques-Etienne, le 6 janvier 1745, tous deux à Vidalon-lès-Annonay. Ils faisaient partie des seize enfants de Pierre de Montgolfier, riche fabricant de papier. Les papeteries - dont une à Vidalon - étaient depuis des siècles la propriété de la famille Montgolfier. Les deux frères montrèrent un intérêt très vif pour les sciences et perfectionnèrent la fabrication du papier. Joseph était au courant des recherches effectuées par Joseph Priestley en Angleterre sur les caractéristiques des gaz, et c'est peut-être ce qui lui donna l'idée de construire un ballon.
Joseph était également informé de la découverte du gaz hydrogène par Henry Cavendish et de sa conclusion, selon laquelle un gaz quatorze fois plus léger que l'air, pourrait soulever une charge, à condition de maintenir ce gaz dans une enveloppe hermétique. Mais il était très difficile de produire l'hydrogène en grande quantité et, de plus, on ne trouvait pas facilement une matière étanche empêchant le gaz de s'échapper. C'est pourquoi les frères Montgolfier décidèrent d'utiliser de l'air chaud, sans savoir que l'air se dilate par la chaleur et devient donc plus léger que l'air froid extérieur à l'enveloppe. Ils pensaient - semble-t-il - que les gaz émanant d'un feu feraient monter le ballon, et que, par conséquent, un feu de paille humide ou tout autre combustible donnant beaucoup de fumée conviendrait à leurs besoins.
Ils se mirent donc à construire des petites modèles en soie. Lorsqu'ils en firent de plus grands, ils choisirent du lin, sur lequel ils appliquèrent du papier.
Le 5 juin 1783, ils firent monter pour la première fois un ballon dans le ciel, à Annonay. Au grand étonnement des spectateurs, le ballon de neuf mètres de diamètre monta majestueusement dans le ciel à partir d'une plate-forme, au-dessous de laquelle brûlait un feu. Il parcourut près de deux km dans le ciel et retomba sur le sol, dix minutes plus tard à une distance de 800 mètres.
Lorsque la nouvelle arriva à Paris, les Montgolfier furent immédiatement invités par l'Académie des Sciences pour faire une démonstration: elle eut lieu le 19 septembre 1789 près du Palais royal à Versailles, en présence de Louis XVI, de Marie-

A droite: Ascension d'une montgolfière le 21 novembre 1783.

Ci-dessous, à gauche: Les frères Montgolfier, à gauche Jacques et, à droite, Joseph.

GENERAL ALARM of the INHABITANTS of GONESSE, occafioned

Ci-dessous: Atterrissage du ballon. Il prit feu, explosa et tomba sur le village de Gonesse. Les habitants, très déconcertés, pensant qu'il s'agissait de la peau d'un monstre, commencèrent à la déchirer avec des fourches et des pierres.

Antoinette, de nombreux savants et spectateurs, dont Benjamin Franklin.
A cette époque, on pensait qu'il était très dangereux pour l'homme de s'aventurer dans les hautes couches de l'atmosphère. L'idée de passagers humains paraissait dénuée de sens et, à cette occasion, les premiers passagers de l'air furent un mouton, un coq et un canard. Le ballon, richement décoré de bleu royal et d'or, avait un diamètre de 12,5 m pour 17 m de hauteur. Il atteignit une altitude de 500 m et disparut dans les bois après huit minutes, à une distance de trois km environ. A l'exception du coq qui avait été légèrement blessé à l'aile - sans doute parce que le mouton l'avait bousculé - tous les passagers étaient en excellente santé.
Il était donc possible à l'homme de voyager dans les airs; mais le roi décida que seuls des malfaiteurs, dont la vie était sans importance, serviraient de passagers pour de telles expériences. Heureusement, le chimiste du roi, appelé Jean-François Pilâtre de Rozier insista pour être passager au cours d'une série de vols d'essai. Au premier essai, le ballon était encore relié à la terre par une longue corde. Par la suite, on réussit le premier vol libre de l'humanité. Le feu, qui se trouvait sous la manche de gonflement du ballon, pouvait être alimenté par un combustible et réglé par les aérostiers.
Des frères Montgolfier, seul Joseph fit un vol, à la suite duquel il fut légèrement blessé par la chute du ballon. Jacques ne vola jamais, mais ils furent tous deux royalement honorés. Joseph fut élu membre de l'Académie et Jacques membre de l'Institut national. Louis XVI anoblit leur père à titre héréditaire, et, de cette façon, il honorait aussi les deux frères.
Jacques décéda le 2 août 1799, en se rendant à Annonay. Joseph lui survécut jusqu'au 26 juin 1810, date à laquelle il mourut d'une crise cardiaque à Balaruc-les-Bains. Le ballon à air chaud porta désormais le nom de montgolfière.
Après eux, on apporta encore quelques perfectionnements au ballon à air chaud, mais l'innovation en ce domaine fut le ballon à hydrogène, dont l'auteur était Jacques Alexandre César Charles (1746-1823), physicien français, qui accomplit lui-même son premier vol quelques jours après les Montgolfier.
Le 1er décembre 1783, il resta deux heures dans les airs et atteignit l'altitude de 3 000 m. Sa découverte aboutit plus tard aux ballons dirigeables et aux aéronefs.
Les vols de ballons à air chaud sont revenus à la mode à partir des années 60 de notre siècle en tant que sport, le combustible utilisé étant le gaz butane en bouteilles.

A droite: L'avenir du ballon était le ballon à hydrogène inventé par Jacques Charles. Au cours de son premier voyage, le 1er décembre 1783, il parcourut 43 km en deux heures.

Ci-dessous: Une tentative ratée d'un voyage en ballon, le 26 mars 1785, par Jean-Pierre-François Blanchard et John Jeffries, médecin à Boston. Blanchard et Jeffries furent les premiers passagers de l'air à traverser la Manche et à assurer la poste aérienne internationale.

Antoine-Laurent Lavoisier

1743-1794

Le chimiste français Lavoisier a établi les fondements de la chimie moderne. En appliquant des mesures précises et de nouvelles méthodes de recherche physique, il fit de la chimie une science exacte. Dans son Traité élémentaire de chimie *(1789), il donna le premier tableau d'ensemble de la chimie. S'intéressant à la chimie physiologique, il étudia les fonctions de l'organisme animal et montra notamment que la respiration est, en fait, une combustion assurée par l'inspiration d'oxygène. Il découvrit aussi l'hémoglobine et l'origine de la chaleur animale. Il entreprit également des travaux sur la digestion. Sa célèbre expérience a été effectuée avec l'aide de Meusnier (1785) au cours de laquelle furent réalisées la décomposition et la synthèse de l'eau.*

Antoine-Laurent Lavoisier est né le 26 août 1743 à Paris. Son père, conseiller juridique au Parlement, lui fit donner une bonne formation au collège des Quatre-Nations, fondé par Mazarin, où il étudia les mathématiques, l'astronomie, la chimie et la botanique. Il n'avait encore que vingt-trois ans lorsque l'Académie des Sciences lui décerna une médaille d'or en récompense de son travail sur un nouveau système perfectionné et renforcé d'éclairage urbain.

Quoique originaire d'une famille aisée, Lavoisier dut chercher un emploi pour couvrir les frais de ses nombreuses recherches scientifiques. En 1768, il devint administrateur à la Ferme générale, institution qui percevait les impôts pour l'Etat. Lavoisier n'a sûrement pas imaginé les conséquences que son emploi dans cette institution détestée aurait plus tard, d'autant plus qu'en qualité de membre de l'Académie, il s'était opposé à la nomination de Marat. Jean-Paul Marat, qui fut d'abord médecin, puis amateur de physique, ne fit rien de très important, mais il estimait avoir droit à plus d'honneurs qu'Isaac Newton. Député montagnard à la Convention, il fut l'instigateur des massacres de Septembre.

Le travail scientifique de Lavoisier est caractérisé par un respect des mesures, aussi rigoureuses que possible. Il était persuadé que, seules des observa-

A droite: Calorimètre de Lavoisier, instrument qui permet de mesurer la quantité de chaleur qui se dégage lors de la combustion.

Ci-dessous: Le grand verre ardent, fabriqué par l'Académie des Sciences, utilisé par Lavoisier pour enflammer des produits chimiques. La grande lentille (A) était constituée de deux morceaux de verre, et l'espace entre les deux morceaux était rempli d'alcool. La lentille amovible (B) attirait encore plus les rayons du soleil sur le produit à enflammer. L'homme qui manipulait l'appareil devait se protéger les yeux en portant des lunettes foncées.

tions précises constitueraient une base sûre au progrès scientifique. Il obtint un énorme succès en formulant une nouvelle théorie expliquant le procédé de la combustion. A cette époque, on pensait que toute matière contenait, en proportion plus ou moins grande, un produit mystérieux, appelé 'phlogistique'. En cas de combustion, la matière devait céder une partie de son phlogistique à l'air environnant. Lavoisier trouva cette conception plutôt étrange et décida de la contrôler expérimentalement. Il effectua un certain nombre d'essais, avec la précision qu'on lui connaît, afin d'examiner le procédé de la combustion. Il chauffa à haute température différents produits dans l'air et les pesa très exactement avant et après le chauffage. Il découvrit que les produits étaient plus lourds après la combustion. Il en conclut qu'ils absorbaient uniquement de 'l'air' et ne cédaient rien. Lorsqu'il entendit parler de la découverte de Priestley sur l'air 'déphlogistiqué', le phlogistique étant un gaz qui provoquait la combustion, il lui vint à l'esprit qu'il s'agissait là du gaz que les produits en combustion prélevaient dans l'air. L'air devait donc être composé de ce gaz et d'un autre. Lavoisier donna au premier gaz le nom d'*oxygenium* (oxygène). Il définit la combustion comme étant la combinaison d'un corps avec de l'oxygène. Cette définition est encore utilisée actuellement. Sa théorie fut rapidement acceptée partout et mettait un terme définitif à la théorie du phlogistique.

A gauche: Appareils utilisés par Lavoisier pour étudier les procédés de combustion. Pendant des jours entiers, il chauffait du mercure dans une cornue, jusqu'à ce que la surface fût entièrement recouverte de petits grains rouges. Au cours de ce processus, la quantité d'air dans la cloche de verre diminuait. Lavoisier découvrit que l'air restant dans la cloche ne pouvait permettre ni la combustion, ni la vie. Ensuite, il chauffait la poudre rouge qui se transformait de nouveau en mercure. Cette opération libérait également une quantité de gaz équivalente à la quantité consommée lors du chauffage du mercure. La combustion dans ce gaz était très violente, comme Joseph Priestley l'avait également découvert. De plus, on pouvait respirer le gaz sans aucun danger. Lavoisier l'appela oxygenium *(oxygène). Il formula la théorie de l'oxydation qui remplaça l'idée de libération par combustion, d'une matière appelée 'phlogistique'.*

Lavoisier ne se limita pas à découvrir les principes de la chimie. Il ressentit également la nécessité de formuler un langage chimique, qui permettrait d'exprimer ces principes avec précision et clarté. Il créa la méthode de la 'formule chimique', qui exprime en symboles la composition d'un corps. Il éliminait ainsi les confusions provoquées par les noms fantaisistes que l'on donnait aux différents corps. Il publia sa méthode en 1787: elle parut tellement logique, pratique et précise qu'elle fut acceptée immédiatement. Deux ans plus tard, la Révolution commençait en France. Le poste que Lavoisier avait occupé précédemment à la Ferme générale attirait dangereusement sur lui l'attention. De plus, Marat, qui gardait une vive rancune à l'égard de Lavoisier, le fit emprisonner.

En 1794, Lavoisier comparut devant un tribunal. Il avait très peu de chance d'être acquitté, étant donné l'accusation première de Marat, qui lui-même avait déjà succombé, assassiné par Charlotte Corday. L'après-midi du même jour, le 8 mai 1794, sous prétexte que 'la République n'avait pas besoin de savants', Lavoisier fut guillotiné et son corps jeté dans une fosse commune.

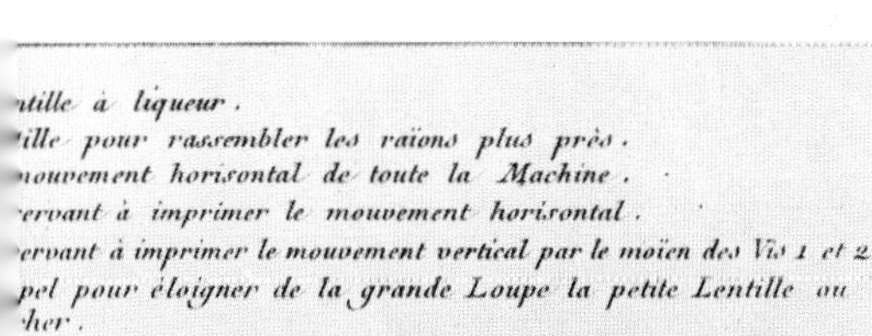

ntille à liqueur.
ille pour rassembler les raïons plus près.
nouvement horisontal de toute la Machine.
ervant à imprimer le mouvement horisontal.
ervant à imprimer le mouvement vertical par le moïen des Vis 1 et 2
pel pour éloigner de la grande Loupe la petite Lentille ou
her.
t aïant le mouvement de haut en bas et de bas en haut
ncer et reculer parallellement à la plate-forme et de s'incliner
lu Soleil et de s'avancer parallellement aux raïons.
Plate-forme portant toute la Machine et les Opérateurs.
Chariot tendantes au Centre de mouvement par leurs Axes
s sur des bandes de fer incrustées circulairement sur une
e de pierre.
our parvenir sur le Chariot, il est soutenu de deux
excentriques.

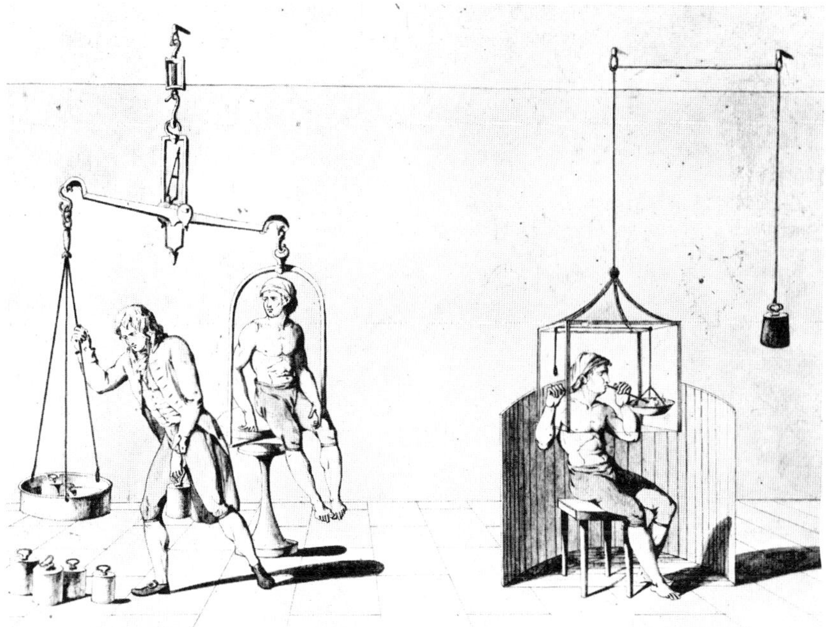

Ci-dessus: Une héliogravure des expériences de Lavoisier sur la respiration. Il démontra que le corps aspire de l'oxygène et le transforme dans les poumons en 'air fixé'.

Alessandro Volta

1745-1827

Le physicien italien Volta, qui s'intéressa surtout à l'électricité, est l'inventeur du condensateur électrique le plus primitif, qui permet d'accumuler une charge électrique. Il fut surtout célèbre pour son invention de la 'pile de Volta', élément électrique que nous appelons actuellement pile électrique. On lui doit également l'eudiomètre, appareil avec lequel il réussit à faire la synthèse de l'eau. Son nom a été donné à l'unité de force électromotrice.

Alessandro Giuseppe Antonio Anastasio Volta naquit le 18 février 1745 à Côme, dans le royaume de Lombardie, actuellement province italienne. Devenu professeur, il se mit à examiner les phénomènes électriques.

En 1782, il inventa l'électrophore, appareil permettant d'accumuler une charge électrique et qui remplaça rapidement la bouteille de Leyde, qu'on utilisait généralement à cet effet. L'électrophore était composé d'une plaque métallique recouverte d'une couche d'ébonite, et d'une deuxième plaque métallique munie d'une poignée isolante. L'ébonite était connue depuis longtemps, comme une matière accumulant une charge électrique négative, lorsqu'on la frottait avec un tissu sec. Volta avait découvert que, en maintenant la plaque métallique avec la poignée au-dessus de l'ébonite chargée, la charge négative de l'ébonite provoquait une charge positive sur le côté inférieur de la plaque métallique maintenue et une charge négative sur le côté supérieur. Il découvrit ensuite qu'il pouvait éliminer la charge négative au moyen d'un fil relié à la terre, ce qui donnait à la plaque une charge positive. En répétant ce procédé plusieurs fois successivement, il accumula une quantité considérable de charge positive dans la plaque. La découverte de l'électrophore, en somme l'ancêtre de notre condensateur, rendit Volta immédiatement célèbre. Mais c'est en 1794 qu'il fit sa plus grande découverte. Il s'agissait d'un appareil qui, après avoir été chargé, pouvait transmettre un courant électrique continu et que nous appelons pile électrique. Volta suivait déjà depuis quelques années, avec intérêt, les essais de son ami, l'anatomiste Luigi Galvani. Ce dernier avait trouvé que lorsqu'on mettait deux métaux différents en contact avec le muscle d'un animal - Galvani employait des grenouilles - il y passait un léger courant électrique. Galvani pensait, mais à tort, qu'il avait découvert une sorte 'd'électricité animale' existant dans le tissu animal et qui se libérait au contact des métaux.

En 1800, ce fut la réussite pour Volta. Il avait découvert l'existence d'un courant électrique, lorsque deux métaux différents étaient mis en contact dans une solution d'eau salée. Ce fut la création de la première 'pile': elle était formée d'un certain nombre de cuves contenant une solution salée et de fils passant d'une cuve à l'autre. Le fil était en zinc à une extrémité et en cuivre à l'autre. Dès qu'ils se touchaient, un courant pas-

Ci-dessous: Page d'une lettre de Volta dans laquelle il fit connaître son invention de la pile électrique. Volta découvrit que l'on pouvait provoquer un courant électrique en reliant une série de cuves contenant une solution salée avec des fils dont une des extrémités était en zinc et l'autre en cuivre. Ensuite, il remplaça cette disposition, difficile à déplacer, en entassant alternativement de petits disques de zinc et de cuivre, séparés par du carton imbibé d'une solution salée: la pile de Volta.

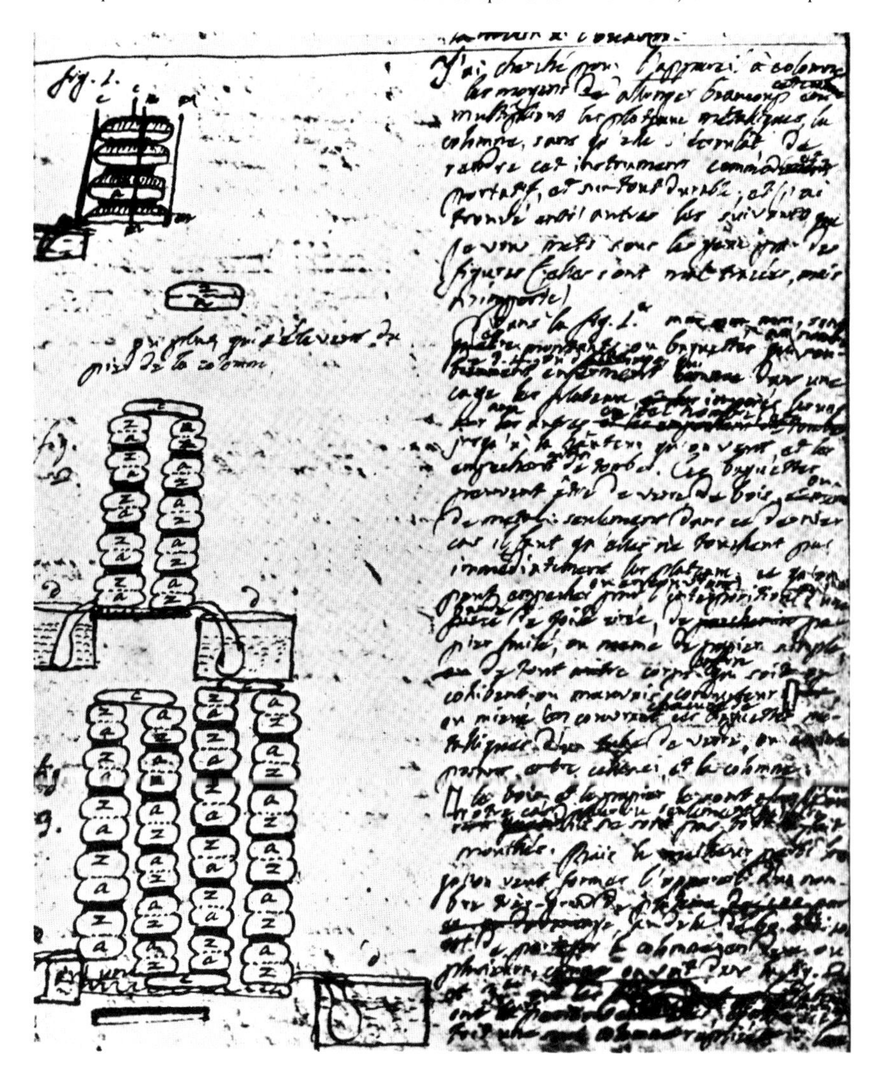

Ci-dessus: Fresque représentant une expérience avec la pile de Volta.

A gauche: L'électrophore de Volta.

Ci-dessous: L'électrophore de Volta permet d'amasser une grande quantité de charge positive. Lorsqu'il est posé sur une surface chargée négativement, la partie supérieure de l'électrophore a une charge négative, et la partie inférieure une charge positive. La charge négative peut disparaître, en s'écoulant par un fil relié à la terre.

sait par les fils. Volta perfectionna le système en utilisant une série de petites plaques rondes, en cuivre et en zinc. Deux plaques de métaux différents étaient séparées l'une de l'autre par un petit disque en carton imbibé d'une solution salée. L'empilement de métaux et de carton porta le nom de 'pile de Volta': ce fut la première source de courant utilisable. Cette invention permit de découvrir l'électrolyse, c'est-à-dire la décomposition chimique des corps par un courant électrique. Volta décéda à Côme le 5 mars 1827. Il avait déjà été honoré à de nombreuses reprises avant son décès. Napoléon 1er lui prouva son estime en lui décernant le titre de comte, la médaille de la Légion d'honneur et en le nommant sénateur de Lombardie.

L'unité de tension électrique fut appelée le 'volt' en son honneur, et c'est sûrement l'hommage le plus durable qui lui fut décerné.

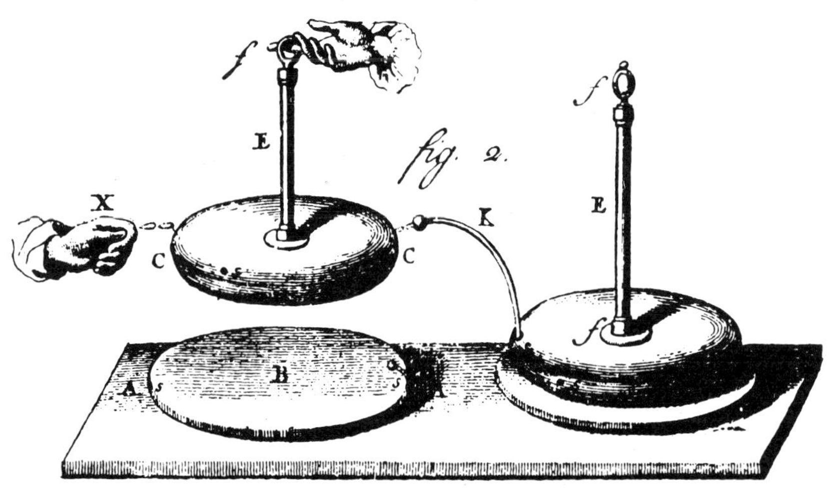

Joseph Brahmah

1748-1814

Le menuisier et technicien anglais Brahmah construisit le premier water-closet pratique, qui fut primitivement connu sous le nom de 'brahmah' et très largement répandu. Il contribua énormément à l'amélioration de l'hygiène. Ce fut sa plus célèbre invention, mais on lui en doit encore beaucoup d'autres.

Il va de soi, pour nous, que le water-closet, w.c., combiné à un système d'égout efficace, permettant d'éviter la pollution par les déchets organiques, est nécessaire à l'hygiène d'une population citadine ou campagnarde. Mais, durant des siècles, tous les habitants des villes d'Europe considérèrent les égouts et les gouttières comme un inconvénient certain et inévitable.
Au XVIe siècle, Sir John Harrington (1561-1612) avait déjà inventé un cabinet qui fonctionnait simplement au moyen d'un clapet, mais sans approvisionnement d'eau.
La reine Elisabeth Ire en fit installer un dans le palais de Richmond, mais l'idée ne rencontra pas encore le succès voulu. Environ deux cents ans plus tard, l'horloger londonien Alexander Cumming (1733-1814) reçut un brevet pour son modèle.
Le cabinet de Cumming comprenait une poignée, qui devait être tirée vers le haut, faisant monter ainsi une certaine quantité d'eau dans un réservoir. Simultanément, une valve s'ouvrait sous la cuvette et faisait s'écouler le contenu dans un tuyau d'évacuation. Ensuite, un col de cygne empêchait ce tuyau de communiquer avec l'égout principal de la maison. Mais le système de Cumming ne donna pas satisfaction. C'est ce que constata le jeune Brahmah, lorsque son travail l'amena à installer de nouveaux cabinets de Cumming dans de nombreuses habitations. Avec une habileté et une intelligence qui semblaient innées, il construisit lui-même un cabinet à chasse d'eau, pour lequel il reçut un brevet en 1778. Le système de valves, comportant une valve fixée et articulée d'un côté était nettement meilleur que celui de Cumming.
Ce n'est que vers la moitié du XIXe siècle que l'on envisagea sérieusement de perfectionner et d'aménager un système d'égouts efficace, à la suite des premières et graves épidémies de choléra qui ravagèrent les villes européennes en pleine croissance et qui atteignirent Londres en 1794.
Il fut donc nécessaire de rénover entièrement le système d'égouts. Au cours de la deuxième moitié du XIXe siècle, le système se perfectionna pour prendre peu à peu la forme que nous lui connaissons actuellement, où la cuvette et le col de cygne forment un seul ensemble.
Mais il ne faudrait pas que la construction et la mise en vente du système de Joseph Brahmah, qui a rendu des services inestimables au confort de

Ci-dessous: Une serrure, conçue en 1787 et pour laquelle Brahmah obtint un brevet. Elle porte gravée cette mention: '479 001 600 clés sont nécessaires pour ouvrir toutes les variantes de cette serrure'.

A gauche: Une reproduction du livre de Brahmah Traité sur la construction des serrures *de 1784, représentant un de ses projets de serrure.*

l'homme, nous fasse perdre de vue ses autres découvertes. Une des découvertes les plus importantes et les plus ingénieuses de Brahmah est la serrure qui porte son nom.

La construction de cette serrure était tellement solide et son mécanisme tellement complexe, qu'il était impossible de l'ouvrir sans clé.

La seule difficulté que présentait la serrure brahmah était le temps très long de fabrication d'un seul exemplaire, dû à son mécanisme compliqué. C'est pourquoi Brahmah prit un jeune forgeron à son service, un certain Henry Maudsley (1771-1831) pour l'aider à construire des machines permettant de fabriquer, prêtes à l'emploi, les différentes parties de la serrure, avec la plus grande précision. Les machines de Maudsley furent les précurseurs de machines ultérieures.

Elles constituèrent un exemple des machines-outils pour l'industrie qui se développa aux XIXe et XXe siècles.

Maudsley a probablement apporté une large contribution à l'invention de la presse hydraulique par Brahmah, d'une très grande importance pour les ateliers de machines-outils. Cette presse permet d'augmenter progressivement la pression exercée, en utilisant relativement peu d'énergie.

Parmi les nombreuses inventions de Brahmah, il

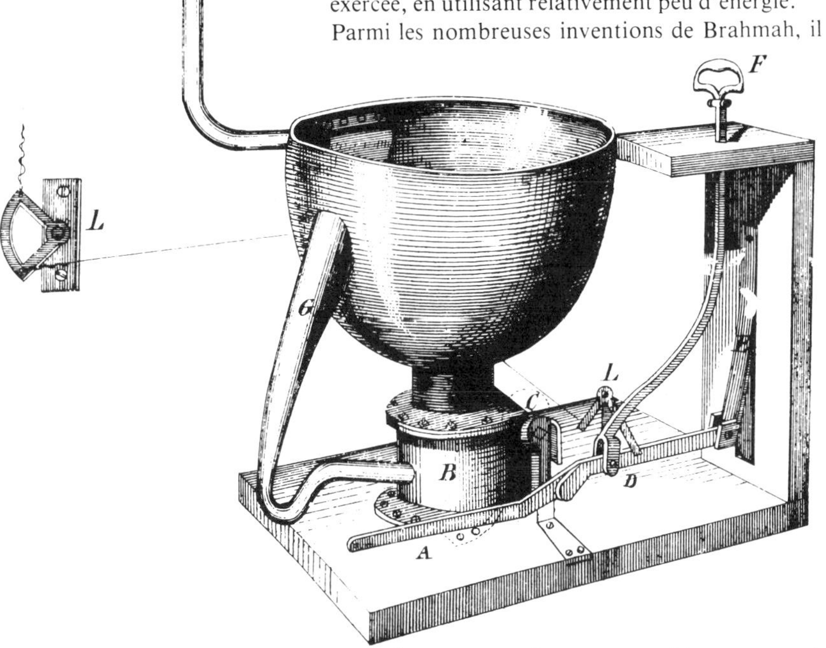

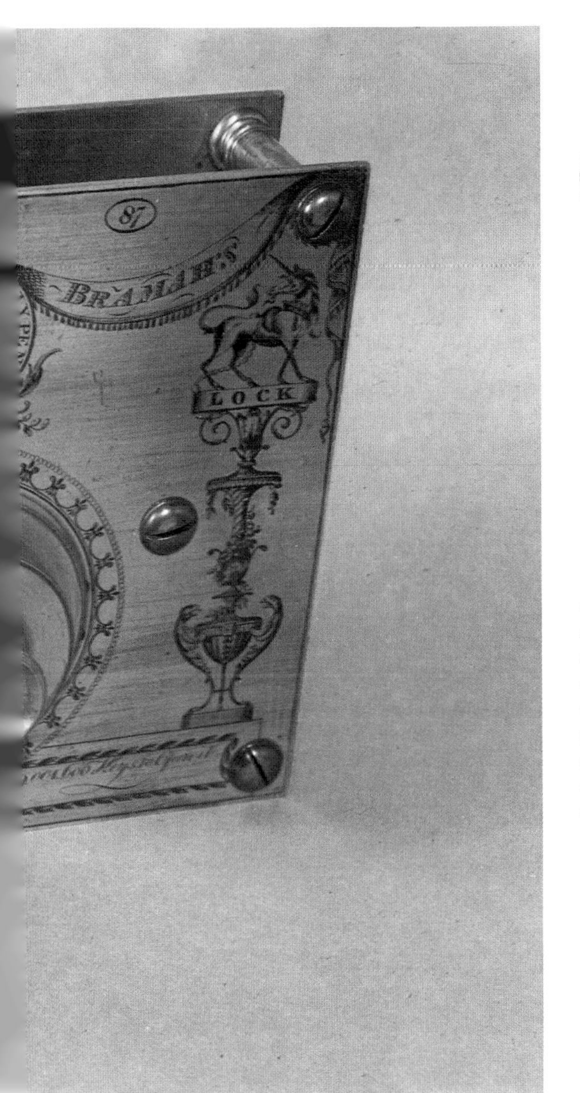

Ci-dessus: Water-closet de Brahmah de 1778. La tirette (F) permettant d'ouvrir le fond de la cuvette, était reliée par un petit câble à la valve d'un réservoir d'eau situé au-dessus de la cuvette, de sorte que le niveau du volume d'eau nécessaire au rinçage baissait à chaque chasse.

nous faut encore citer une machine servant à numéroter les billets de banque, le banc à planer le bois, qui permet de raboter un bois jusqu'à le rendre parfaitement lisse.

Brahmah fut probablement aussi le premier à discerner les possibilités de l'hélice pour la propulsion d'un navire, à la place des roues à aubes. Mais il fallut attendre plus de soixante ans, avant que son idée ne devînt réalité; en 1858, l'ingénieur et inventeur britannique Isambard Kingdom Brunel acheva la construction du *Great Eastern,* un navire qui devait servir au transport de passagers et qui resta le plus grand navire du monde pendant quarante ans. Mais le navire, manquant de stabilité, ne put servir au transport de passagers et fut transformé en navire-câblier; il posa le premier câble télégraphique entre l'Angleterre et l'Amérique.

Edward Jenner

1749-1823

Le médecin de campagne Jenner a acquis, avec raison, une grande réputation en découvrant la vaccination: l'injection d'un vaccin contre la variole. Il ouvrit ainsi la voie à l'application du même principe pour les autres maladies contagieuses.

Edward Jenner est né le 17 mai 1749 à Berkeley, dans le comté du Gloucestershire.
Son père, pasteur, mourut lorsque Edward avait cinq ans.
Il reçut la plus grande partie de son éducation de son frère aîné, également pasteur.

De treize à vingt et un ans, il travailla comme apprenti chez un chirurgien. Au cours de cette période, il acquit des connaissances médicales assez solides.
Ensuite, il se rendit à Londres, où il devint l'élève particulier du célèbre John Hunter, qui pratiquait au *St. George's Hospital.* Ils se lièrent d'une amitié très franche, et Hunter eut une grande influence sur le jeune garçon. Il encouragea Jenner à adopter une attitude indépendante vis-à-vis de la science médicale de l'époque. Il lui conseilla à plusieurs reprises de ne pas gaspiller son temps en spéculations, mais d'acquérir plus de connaissances par ses propres observations.
Après deux ans, en 1773, Jenner retourna à Berkeley, où il ouvrit avec succès, un cabinet de médecin.
Jusqu'à cette époque, la variole était une des maladies les plus dangereuses en Europe. Chaque nouvelle épidémie provoquait un décès sur dix malades. Louis XV en mourut.
Certaines formes étaient plus bénignes, mais on la craignait particulièrement, car ceux qui survivaient à la contamination, restaient marqués pour le reste de leur vie, par des cicatrices indélébiles, laissant la peau 'variolée'. Elle était parfois tellement atteinte, que les traits du visage ne se distinguaient plus.
Depuis des siècles, la Chine connaissait un moyen de s'immuniser contre la variole en respirant quelques lambeaux, réduits en poudre, de la peau d'un varioleux.
L'immunisation contre la variole était apparue au XVIIe siècle en Grèce et en Turquie, sous la domination ottomane. L'exsudat d'un malade atteint de la variole était injecté au moyen d'une aiguille dans la peau d'une personne en bonne santé. Celle-ci était légèrement (du moins, l'espérait-on) atteinte par la maladie et était immunisée pour l'avenir.

Ci-dessus: La variole ou l'effet pratique de la nouvelle inoculation. Cette caricature fut publiée en 1802 par l'Association contre la vaccination, et constituait une partie de la campagne menée contre Jenner. L'image montre Jenner occupé à vacciner dans un hôpital de Londres. Peu après l'introduction de la vaccination en Angleterre, la méthode fut condamnée par de nombreux médecins et attaquée par des tracts et des critiques dans les journaux.

En exerçant sa profession dans la campagne du Gloucestershire, Jenner entendit parler de la croyance très ancienne affirmant que les filles et les garçons de ferme laitière, qui avaient contracté la *cow-pox* ou vaccine, maladie des vaches, avec lesquelles ils étaient en contact, n'étaient jamais contaminés par la 'vraie' variole, tellement dangereuse pour l'homme.
La vaccine, comme nous le savons actuellement, est apparentée à la variole, mais elle est bénigne.

A droite: Une statue d'Edward Jenner vaccinant un enfant. Il pratiqua sa première vaccination en 1796. Il préleva l'exsudat de la main d'une fille de ferme qui avait contracté la vaccine et l'injecta dans le bras d'un enfant en bonne santé. La vaccination provoqua un syndrome très faible qui ne dura que quelques jours. Après cette intervention, l'enfant était immunisé contre la variole. Plus tard, Jenner remarqua qu'on pouvait également inoculer à un malade le liquide d'une vaccination antérieure.

Ci-dessus: L'oeuvre de Jenner jouit finalement de la reconnaissance méritée. Il reçut de nombreux témoignages honorifiques. Cette tabatière en or de 18 carats lui fut offerte, lorsqu'il fut nommé citoyen d'honneur de la City of London en reconnaissance ... pour sa science et sa persévérance dans la découverte de la généralisation de la vaccination.

Jenner décida d'examiner cette croyance de plus près et conclut à sa véracité. Il envisagea alors la possibilité d'immuniser contre la variole en inoculant à ses patients l'exsudat de lésions humaines d'individus atteints de la vaccine.
Jenner travailla pendant vingt ans à des expériences extrêmement prudentes avant de se décider à faire un essai définitif en 1796: il inocula au jeune James Phipps, âgé de huit ans, l'exsudat prélevé sur les doigts d'une fille de ferme. Le garçon fut rapidement frappé d'une légère atteinte de vaccine. Jenner renouvela l'inoculation deux mois plus tard, avec un exsudat de varioleux. Le garçon ne montra aucun symptôme de maladie et semblait être totalement immunisé.

Le grand pas était franchi. Jenner appela cette méthode 'la vaccination' d'après le mot vaccine. La méthode s'étendit très rapidement dans un monde où la crainte de la variole était bien plus forte que les obstacles dressés par de nombreux membres du corps médical contre le procédé.
La publication de Jenner, qui fut initialement présentée à la *Royal Society,* fut ensuite refusée par cette Académie. On tenta de discréditer son oeuvre; un médecin alla même jusqu'à contaminer un envoi de vaccin de *cow-pox* avec un sérum de variole.
Cependant, quelques médecins londoniens aidèrent Jenner à étendre sa méthode, et l'un d'entre eux alla même jusqu'à s'attribuer le mérite de la découverte.
Lors de l'extension de sa méthode, Jenner pleinement confiant dans son efficacité, travailla d'arrache-pied et sans songer à une quelconque rémunération.
Lorsque le taux de mortalité provoqué par la variole baissa d'une façon impressionnante, sa position financière personnelle s'améliora dans le même temps.
Jenner, qui s'était retiré de la vie publique en 1814, mourut le 26 janvier 1823 à Berkeley.
La vaccination contre la variole est toujours effectuée avec le même matériel. Des progrès furent obtenus à partir de 1889, grâce à l'emploi de la glycérine qui permet de conserver et de transporter le vaccin loin des centres de préparation où sont élevées les génisses.

Nicolas Appert

env. 1750-1841

Le maître-coq français Nicolas Appert fut l'inventeur de la méthode actuelle de conservation des aliments. Cette invention marque le début de l'industrie des conserves, qui est une des caractéristiques de notre siècle. A juste titre, on appelle Nicolas Appert 'le père de l'industrie des conserves'.

Nicolas Appert naquit vers 1750 dans la ville de

Châlons-sur-Marne où son père était aubergiste. En 1795, il travailla à Paris comme maître-coq, confiseur et distillateur. Cette année-là, marquée par les querelles et les révoltes des premières années après la Révolution, le Directoire décernait un prix à qui mettrait au point une nouvelle méthode de conservation des aliments, à condition que le produit fini pût facilement être transporté. Depuis des temps immémoriaux, l'homme avait recherché des méthodes pour conserver ses aliments, en bon état pour la consommation. Cette condition était surtout nécessaire durant les mois d'hiver, lorsque la terre ne produit guère. Les conserves pouvaient également servir à constituer des réserves en cas de besoin et de famine.

Attiré probablement par le prix offert et par le défi qu'il y voyait, Appert décida d'utiliser toutes ses connaissances et fit des essais. En 1810, après quatorze années de travail, il avait tellement progressé qu'il pouvait revendiquer le prix de 12 000 francs, qui lui fut attribué à condition qu'il révèlât son procédé. La première édition de sa publication parut la même année, car il fallait également satisfaire à cette condition pour obtenir le prix. Il intitula cet ouvrage: *'Le livre de tous les ménages, l'art de conserver pendant plusieurs années toutes les substances animales et végétales'.*

En fait, Appert avait découvert qu'il était possible d'éviter le pourrissement d'aliments, tels que les potages, les plats de viandes, les confitures et les fruits entiers, en les enfermant dans des récipients hermétiquement clos. Il utilisa d'abord des bocaux en verre. Mais ces bocaux devaient tremper plusieurs heures dans de l'eau bouillante, ensuite être fermés à l'aide de capsules maintenues par un fil de fer. Plus tard, ces capsules étaient scellées avec de la cire à cacheter. Cette méthode dut son succès à son efficacité. A cette époque, on ne trouva pas d'explication scientifique à ce phénomène. Ce n'est qu'un demi-siècle plus tard, qu'un autre Français devenu célèbre, Louis Pasteur (1822-1895), fondateur de la bactériologie, établit la liaison entre les phénomènes de

Ci-dessous: Atelier de cuisson des aliments à mettre en conserve (en haut) et un atelier de remplissage des boîtes de conserves (en bas). Le procédé Appert de mise en conserve permettait de garder les aliments pendant des dizaines d'années. Il veillait à une propreté extrême et n'utilisait que des produits frais.

pourriture et l'existence de bactéries et d'autres micro-organismes.

Il expliqua le phénomène, et le principe en fut adopté (pasteurisation des produits). La méthode de conservation d'Appert fut appelée 'appertisation' ou procédé Appert.

Appert utilisa l'argent du prix pour fonder la première usine de conserves au monde. Elle resta sur le marché jusqu'en 1933, sous le nom de Maison Appert. Mais Appert ne s'arrêta pas en si bon chemin. Il fabriqua une gélatine désacidifiée pour la clarification des boissons fermentées et un extrait de viande concentré, le précurseur de notre petit 'cube de bouillon concentré'. Il perfectionna également l'autoclave: chaudron à haute pression, dans lequel cuisent des liquides dans des boîtes scellées à des températures plus élevées qu'à la pression normale. Les autocuiseurs à pression en sont une application moderne.

Dans l'intervalle, l'Anglais Peter Durand avait obtenu un brevet pour la conservation des aliments, d'abord en verre et ensuite en 'boîtes de fer-blanc'. Il devint ainsi le père de notre 'conserve' moderne. En 1813, Durand avait signé un contrat avec la *Royal Navy* pour la livraison de viande en conserves. En 1815, Appert commença à utiliser du fer-blanc dans son usine, en remplacement du verre.

Appert mourut le 3 juin 1841 à Massy, près de Paris. Sa méthode de conservation fut progressivement améliorée. Au début, le procédé était long: il fallait quatre à cinq heures de cuisson avant d'obtenir une stérilisation absolue. Cette durée fut réduite à partir de 1860, lorsqu'on découvrit que l'adjonction de chlorure de calcium à l'eau augmentait le point d'ébullition de 16 °C. La production de l'industrie de conserves passa de 2 500 boîtes à 20 000 boîtes par jour. Au début du XXe siècle, on utilisa des boîtes serties, au lieu de boîtes à couvercle soudé, comme en utilisaient Durand et Appert.

Ci-dessus: Le port de Brest, où l'on chargeait les produits de la Maison Appert. Appert entra en contact avec les autorités maritimes pour les persuader de consommer ses conserves sur les navires français.

L'ART DE CONSERVER,

PENDANT PLUSIEURS ANNÉES,

TOUTES LES SUBSTANCES

ANIMALES ET VÉGÉTALES;

OUVRAGE soumis au Bureau consultatif des Arts et Manufactures, revêtu de son approbation, et publié sur l'invitation de S. Exc. le Ministre de l'Intérieur;

PAR APPERT,

Propriétaire à Massy (Seine-et-Oise), ancien Confiseur et Distillateur, Élève de la bouche de la maison ducale de Christian IV.

DEUXIÈME ÉDITION,

REVUE ET AUGMENTÉE DE PLUSIEURS OBSERVATIONS ET DE NOUVELLES EXPÉRIENCES.

« J'ai pensé que votre découverte méritait un témoignage » particulier de la bienveillance du Gouvernement. »

Lettre de S. Exc. le MINISTRE DE L'INTÉRIEUR.

A PARIS,

Chez PATRIS et Cie, IMPRIMEURS-LIBRAIRES, rue de la Colombe, nº 4, dans la Cité;
Et au DÉPÔT DES PRÉPARATIONS, rue Boucher, nº 8.

1811.

En haut: Page titre du livre d'Appert sur la mise en boîtes et la conservation, publié en 1811.

Ci-dessous, à droite: Une usine moderne de conserves. L'aliment à conserver est mis dans des boîtes scellées hermétiquement, qui sont placées dans des autoclaves où on maintient une température de 115 °C pendant 10 à 15 minutes, au bout desquelles l'aliment est cuit et stérilisé. Après cette opération, les conserves sont refroidies sous un jet d'eau courante et dirigées vers une machine à étiqueter.

Joseph-Marie Jacquard
1752-1834

Le canut français Jacquard fut l'inventeur de la machine que l'on appela plus tard le métier Jacquard, un métier à tisser permettant de reproduire tous les motifs, même les plus compliqués. La machine exécutait automatiquement toutes les opérations de tissage.

Joseph-Marie Jacquard naquit le 6 juin 1752 à Lyon, où son père possédait une manufacture de soie. La dernière amélioration apportée sur les anciens métiers à tisser horizontaux avait été le métier à traction. Les lisses, qui poussaient les fils de chaîne vers le haut, furent reliées en groupes à des cordes, en fonction du modèle à tisser. Ensuite, elles furent attachées à des cordes plus épaisses, les semples.
Le tisseur-tracteur avait besoin d'un assistant, qui s'installait au-dessus de la machine et tirait les cordes: le garçon de semple. Les lisses étaient tendues par des poids, ce qui les faisait retomber à chaque fois.
Vers la fin du XVIIe siècle, la France était devenue le centre international de la soierie. Lorsqu'on apporta différents perfectionnements au métier à tisser, on tenta de trouver une manière d'introduire le modèle de façon automatique dans le métier, afin d'éviter des erreurs humaines - surtout de la part du garçon de semple. On découvrit une première méthode vers 1730. Un rouleau de papier, dans lequel des trous avaient été perforés - conformément à un modèle - était fixé dans la machine. L'idée ne rencontra pas de succès, mais sera utilisée plus tard par Jacquard pour son invention.
En 1790, Jacquard entreprit d'apporter de sérieuses innovations aux métiers à tisser existants. On lui fournit à cet effet un vieux métier à tisser qu'il devait examiner à fond et réparer. Il s'agissait d'une machine vieille de cinquante ans appartenant à Jacques de Vaucanson, le célèbre fabricant d'automates (1709-1782), qui fut un des premiers à penser à l'automatisation des métiers. De nombreux mécanismes inventés par lui trouvèrent leur application dans l'industrie moderne. Il automatisa l'introduction du modèle au moyen de cartons perforés (les cartes perforées actuelles). Ces cartons actionnaient un système de crochets, reliés aux fils de chaîne. Ce métier que Jacquard devait vérifier avait été placé dans un musée, fondé par l'inventeur lui-même.
Inspiré par le vieux métier, Jacquard construisit quelques prototypes d'un métier à tisser entièrement nouveau et automatique. Son travail fut interrompu par la Révolution, mais il le reprit plus tard.
En 1801, il fit une démonstration avec son pre-

Ci-dessous, à gauche: Un portrait de Joseph-Marie Jacquard, tissé sur un métier Jacquard.

Ci-dessous: une manufacture de soie à Lyon vers 1830, utilisant un des premiers modèles du métier Jacquard. Dès son apparition, ce métier à tisser fut violemment critiqué par les canuts, mais, au début du XIXe siècle, il fut utilisé dans toutes les manufactures de soie, aussi bien en France qu'ailleurs.

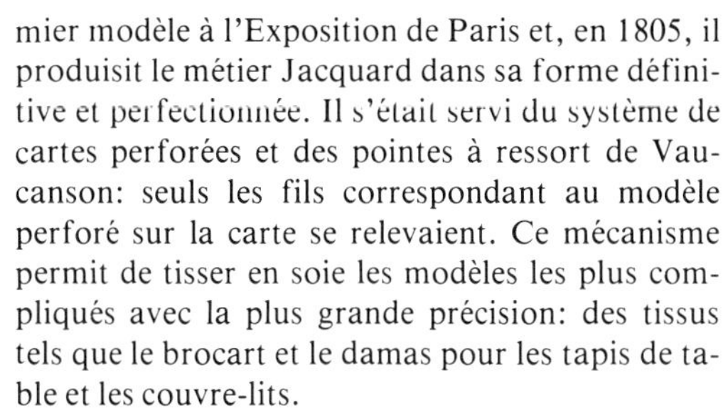

mier modèle à l'Exposition de Paris et, en 1805, il produisit le métier Jacquard dans sa forme définitive et perfectionnée. Il s'était servi du système de cartes perforées et des pointes à ressort de Vaucanson: seuls les fils correspondant au modèle perforé sur la carte se relevaient. Ce mécanisme permit de tisser en soie les modèles les plus compliqués avec la plus grande précision: des tissus tels que le brocart et le damas pour les tapis de table et les couvre-lits.

Au début, les canuts craignaient que le métier de Jacquard ne les laissât sans travail. Ils l'attaquèrent à plusieurs reprises personnellement, et brûlèrent sa maison et ses métiers. Mais ces mécontentements prirent rapidement fin, lorsque l'efficacité de son invention se fit connaître. En 1804, il fit une démonstration de son métier à Napoléon, qui lui octroya un brevet. Deux ans plus tard, le métier fut déclaré 'propriété du peuple'. Jacquard reçut un traitement annuel et un pourcentage sur chaque machine fabriquée. En 1912, 11 000 métiers Jacquard fonctionnaient en France. Jacquard reçut également une médaille d'or et la croix de la Légion d'honneur. Il mourut le 7 août 1834 à Oullins.

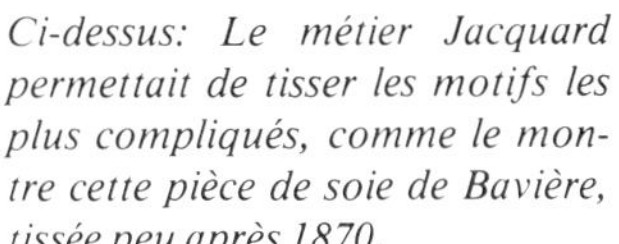

Ci-dessus: Le métier Jacquard permettait de tisser les motifs les plus compliqués, comme le montre cette pièce de soie de Bavière, tissée peu après 1870.

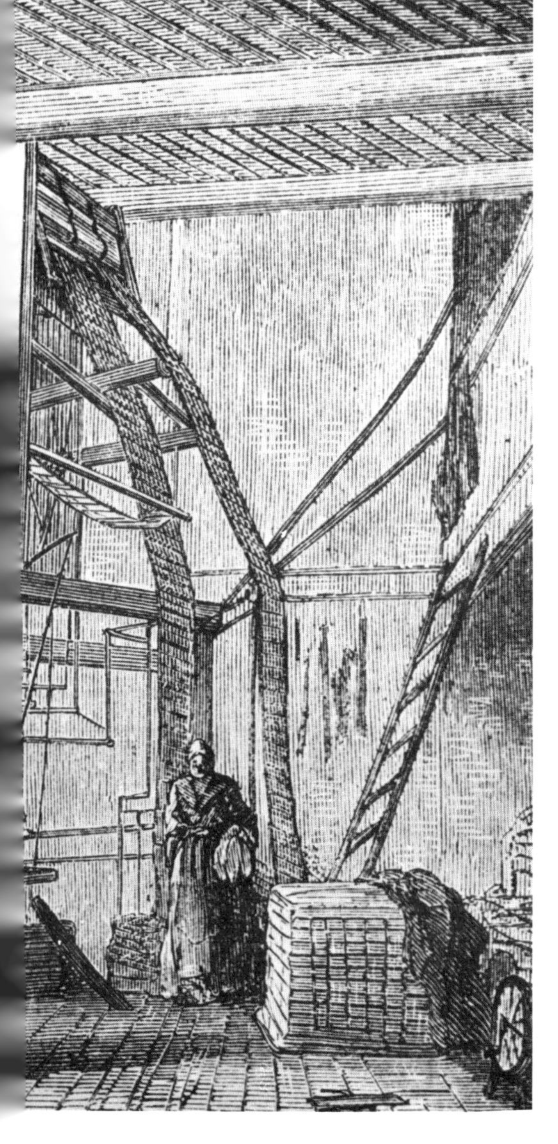

A droite: Un métier à tisser Jacquard en fonctionnement dans une usine textile moderne. Le métier était initialement destiné au tissage de la soie. Mais le système de cartes perforées de Jacquard, réglant le levage des fils de chaîne, fut adopté pour tisser des motifs compliqués dans presque tous les types de tissus.

Sir Benjamin Thompson

1753-1814

Le Britannique Thompson, né en Amérique, fonctionnaire du gouvernement et physicien, a fait de nombreuses recherches importantes sur le phénomène de la chaleur. Il découvrit que la chaleur est une forme de mouvement, et que l'énergie de la chaleur et l'énergie du mouvement peuvent être assimilées l'une à l'autre.

Benjamin Thompson naquit le 26 mars 1753 à Woburn, dans l'ancienne colonie anglaise du

Massachusetts. Durant son adolescence, il travailla dans un magasin à Rumford (Concord aujourd'hui) dans le New Hampshire. Lorsque la guerre de l'Indépendance américaine éclata en 1775, Thompson faisait partie des coloniaux - environ un tiers - qui restaient fidèles à l'Angleterre. Aussi, en 1776, il dut fuir en Angleterre en abandonnant sa femme et sa petite fille. La victoire de la Révolution et la Déclaration d'Indépendance de l'Amérique du Nord le mirent dans l'impossibilité de s'installer dans son pays natal, ce qui l'obligea à mener une vie d'exil.
Thompson fut anobli par le roi George III - il devint Sir Benjamin Thompson - et reçut l'autorisation d'entrer au service du Prince Electeur de Bavière. Thompson poursuivit sa théorie sur la chaleur au cours de son séjour en Bavière, après avoir observé la fabrication des tubes de canons. Pour fabriquer un tube, on forait un bloc de métal massif à l'aide d'une longue mèche qui tournait lentement. Mais il y avait un tel dégagement de chaleur, que les ouvriers devaient refroidir sans arrêt le métal en l'arrosant d'eau froide. Thompson connaissait évidemment l'explication scientifique de l'époque sur la chaleur: c'était une sorte de corps volatil - 'corps de la chaleur' - que l'on trouvait en plus ou moins grande quantité dans tout autre corps. Lorsqu'on forait des tubes de canons, 'le corps de la chaleur' était libéré et transmis à l'air. Mais Thompson se rendit compte que l'on perdait énormément de chaleur en forant, de sorte qu'il était impossible que cette quantité 'de corps de la chaleur' provînt du métal. Il conclut que c'était le travail mécanique provoqué par le mouvement de la mèche qui suscitait cette chaleur. Autrement dit, la chaleur devait être une forme de mouvement. Il établit ainsi la correspondance entre chaleur et travail mécanique, relation que devait ensuite développer l'Anglais Joule.
Quand sa réputation scientifique fut bien établie, Thompson retourna en Angleterre comme Count (comte) Rumford, titre qu'il reçut en Bavière. Il fonda le *Royal Institute* à Londres. Il voyagea en-

En bas: Un modèle de l'expérience de Thompson sur la nature de la chaleur, faite en utilisant l'alésage des canons.

Ci-dessous: Dessins exécutés par Thompson représentant les appareils servant à ses expériences sur l'alésage des tubes de canons.

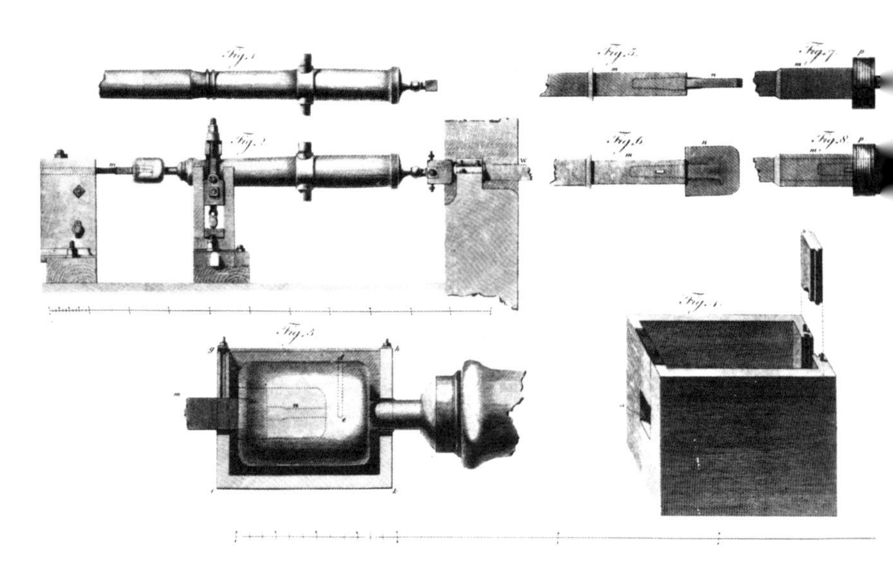

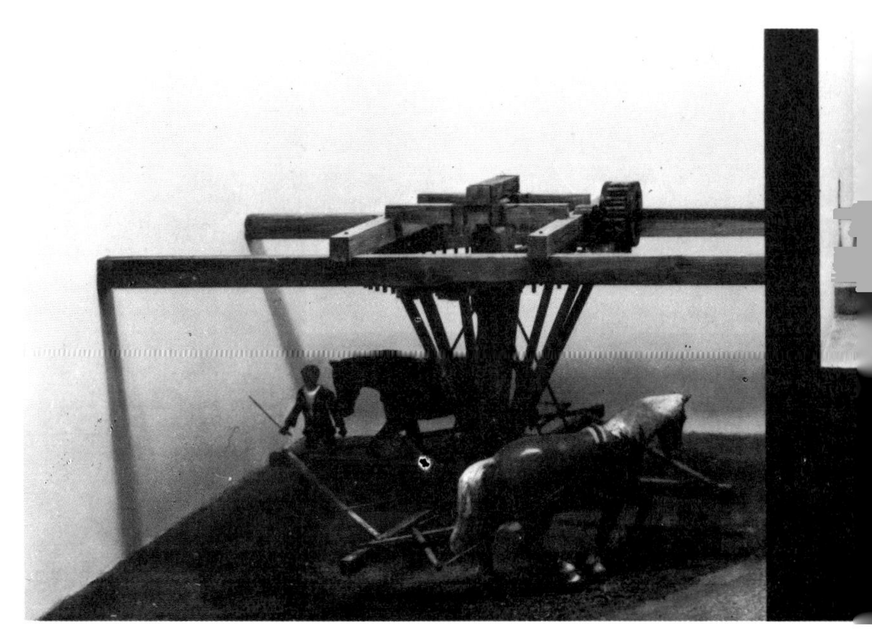

core pendant quelque temps et passa les dernières années de sa vie en France, où il épousa la veuve de Lavoisier et où il mourut le 21 août 1814 à Auteuil.

Pour la première fois, on avait considéré la chaleur comme une forme d'énergie mécanique, mais Thompson n'en était pas resté là. Il avait effectué d'autres expériences pour calculer avec exactitude la quantité de chaleur nécessaire pour produire une certaine quantité d'énergie mécanique. Les résultats de ses calculs étaient loin de correspondre à la réalité, mais il établit le principe de ce que nous appelons actuellement 'l'équivalent mécanique de la chaleur'. La théorie de Thompson servit également de base à une nouvelle branche de la physique, la thermodynamique. Cette discipline scientifique étudie la nature de la chaleur et la liaison entre la chaleur et d'autres formes d'énergie. L'idée de Thompson, considérant la chaleur comme une sorte de mouvement, était dans un certain sens exacte. A présent, nous considérons la chaleur comme l'ensemble des mouvements des molécules et des atomes.

The Comforts of a Rumford Stove

Ci-dessus: La bibliothèque du Royal Institute.

A droite, en haut: Lampes à alcool et brûleurs à flammes multiples de Thompson.

Ci-dessous: Chaudière de Thompson.

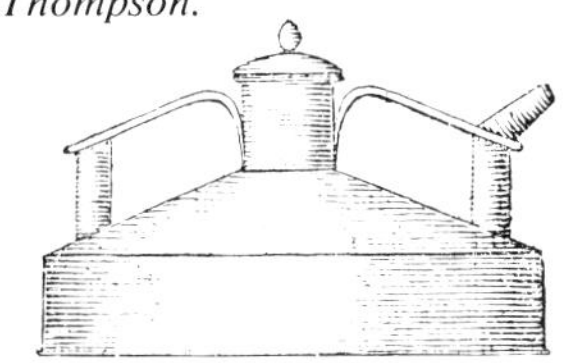

A gauche: Thompson se chauffant devant un poêle Rumford.

A droite, en bas: Thompson conçut une série d'appareils de cuisson. Au-dessus, une petite casserole (C) posée sur une daubière (A), chauffée par un fourneau séparé (B) et, au-dessous, le fourneau sans le récipient.

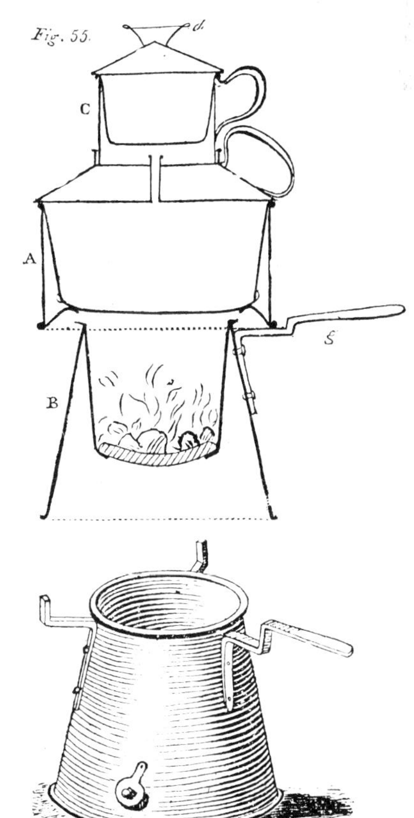

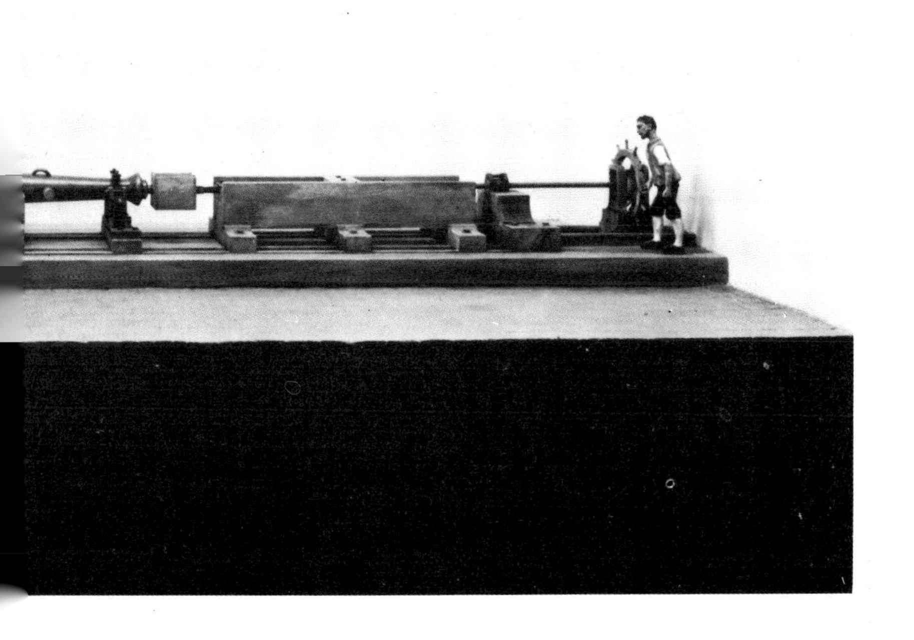

William Murdock

1754-1839

William Murdock, un ingénieur écossais très ingénieux, est surtout fort connu pour son invention de l'utilisation du gaz comme combustible pour l'éclairage et le chauffage. Toutes les formes d'utilisation industrielle et domestique du gaz sont dues aux expériences de Murdock dans les années 1790 à 1800.

William Murdock naquit le 21 août 1754 à Auchinleck en Ecosse. Son père y était constructeur de moulins et le jeune Murdock exerça également cette profession au début de sa carrière. Mais, en 1777, il se rendit à Birmingham en Angleterre, où il entra au service de Matthew Boulton et de James Watt dans leur usine de construction de machines. Deux ans plus tard, Murdock fut envoyé dans les Cornouailles pour y surveiller l'installation de machines de Watt dans les mines d'étain, ces machines devant fournir l'énergie aux pompes.

Murdock s'établit en Cornouailles dans la petite ville de Redruth et épousa la fille d'un surveillant des mines. C'est là qu'il commença ses expériences: il voulait savoir si les gaz, qui se dégageaient du charbon lors de la combustion, pouvaient encore être utilisés. Il essaya toutes les variétés de charbon de Grande-Bretagne. Dans le fond de son jardin, il installa un grand alambic en métal, dans lequel il chauffait le charbon. Il y fixa une conduite en cuivre de 20 m de longueur qui menait à la salle à manger de sa maison. Le 29 juin 1792, il put allumer une flamme de gaz dans cette pièce. C'était le début de l'industrie du gaz, bien que Murdock ne semble pas avoir exploité davantage

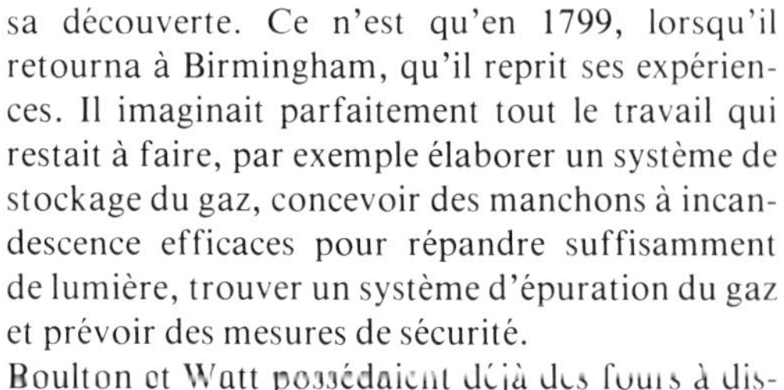

sa découverte. Ce n'est qu'en 1799, lorsqu'il retourna à Birmingham, qu'il reprit ses expériences. Il imaginait parfaitement tout le travail qui restait à faire, par exemple élaborer un système de stockage du gaz, concevoir des manchons à incandescence efficaces pour répandre suffisamment de lumière, trouver un système d'épuration du gaz et prévoir des mesures de sécurité.

Boulton et Watt possédaient déjà des fours à distiller et des installations d'épuration pour la pré-

A droite: Regent Street à Londres, en 1840. Vingt ans après l'introduction de l'éclairage au gaz, la plupart des rues de Londres étaient éclairées par des réverbères au gaz.

*Ci-dessous: Eclairage au gaz dans une demeure, vers 1870 à l'*Army and Navy Club *de Londres.*

En bas: Une vue des réverbères au gaz de Pall Mall (1809), illustrant l'introduction de l'éclairage au gaz dans les rues.

paration d'oxygène et de gaz hydrogène à l'usine. Ils suivirent les essais de Murdock avec le plus grand intérêt. Cependant, ils n'introduisirent aucune demande de brevet, car différents brevets étaient en litige devant les tribunaux, et, de toute façon, une nouvelle demande n'aurait eu aucun succès. Cependant, en 1801, ils entendirent parler des essais faits à Paris par l'ingénieur Philippe Lebon (1769-1804). Il avait obtenu un brevet en 1799 pour sa 'thermolampe', comme il l'appelait lui-même. Cette lampe brûlait avec du gaz obtenu par la distillation sèche du bois. Les Britanniques se hâtèrent d'exécuter leurs projets et, en 1802, ils allumèrent deux lampes à gaz près de leur usine, à l'occasion de la célébration de la paix d'Amiens (entre l'Angleterre d'une part et une alliance franco-hispano-batave d'autre part). L'année suivante, la fonderie fut entièrement éclairée au gaz. L'inconvénient provoqué par l'odeur désagréable qui émanait des lampes fut supprimé en peu de temps. Le système d'éclairage au gaz commença à pénétrer aussi bien dans l'industrie que dans les habitations. L'usine de Boulton et Watt à Birmingham se mit à produire des appareils d'éclairage et de chauffage fonctionnant au gaz.

Après 1810, Murdock ne parut pas s'intéresser beaucoup au développement de sa découverte. La toute nouvelle industrie du gaz était entre les mains d'hommes d'affaires, qui se battaient d'arrache-pied pour obtenir un poste de direction et construisaient une usine de gaz concurrente dans chaque ville. Cette année-là, Murdock devint l'associé de Boulton et Watt dans leur usine; il se retira en 1830 et mourut le 15 novembre 1839 à Birmingham, où il fut inhumé dans la même église que ses anciens associés.

Le système de soupapes d'aspiration pivotantes, pour lequel Watt reçut un brevet en 1781, est généralement considéré comme une invention de Murdock. Il est certain que son invention d'un tiroir à vapeur canalisé en longueur représente un perfectionnement considérable par rapport au système compliqué de soupapes que Watt utilisa d'abord pour sa machine à vapeur. Murdock fut le premier à construire une machine à vapeur avec des cylindres oscillants.

Ci-dessous: Un modèle du gazogène conçu par Murdock pour éclairer son atelier à Redruth en Cornouailles. Le gaz était obtenu par distillation sèche de la houille.

John Loudon Mac Adam

1756-1836

L'ingénieur écossais Mac Adam est l'inventeur du revêtement routier qui porte son nom, le 'macadam'. Sa méthode de construction des routes permit d'aménager un réseau routier étendu et efficace entre les villes, d'abord en Angleterre et, ensuite, dans le monde entier.

John Loudon Mac Adam naquit le 21 septembre 1756 dans le petit port de Ayr, en Ecosse. En 1770, il se rendit à New York, où il travailla dans le bureau de son oncle, riche homme d'affaires. Lorsque Mac Adam retourna dans son pays natal en 1783, il s'était enrichi, mais il utilisa une partie de ses bénéfices pour des expériences, qui aboutiront à une toute nouvelle méthode de construction des routes; le mauvais état permanent des routes dans son pays en furent le point de départ. De plus, la construction d'un réseau routier efficace était devenu aussi impérieuse dans tous les pays d'Europe occidentale à la fin du XVIIIe siècle, qu'à l'époque de l'apogée de l'Empire romain.
La croissance du commerce et de l'industrie, entraînant une augmentation constante du transport des marchandises, conduisit à une utilisation plus intensive des cours d'eau navigables. On creusa des canaux, mais on s'aperçut également qu'il fallait apporter des perfectionnements aux revêtements des routes.
Un des premiers pionniers en matière de construction des routes fut l'ingénieur français Pierre-Marie-Jérôme Trésaguet (1716-1796). En 1775, devenu inspecteur général des ponts et chaussées, il entreprit la construction d'une route bien drainée reposant sur une solide fondation en pierres plates. Ces pierres étaient jointives et devaient résister au poids du trafic routier. La crête de la route était légèrement rehaussée, et le revêtement était en pierres concassées. Grâce à Trésaguet, la France possédait vers 1800 un des meilleurs réseaux routiers d'Europe.
Alors que d'autres suivirent dans les grandes lignes la méthode de Trésaguet, Mac Adam avait des idées bien personnelles sur l'amélioration des routes. Il constata que le revêtement routier devait supporter la plus grande partie du poids du trafic, bien plus encore que les fondations. Mac Adam fit exécuter ses premières expériences à ses propres frais en Ecosse et, s'installa ensuite en Cornouailles.
Un contrat conclu avec le gouvernement lui permit de faire d'autres essais sur de nouvelles routes de Cornouailles. Mais ce n'est que lorsqu'il fut nommé inspecteur général des routes dans la ville de Bristol qu'il put réaliser ses idées sur une grande échelle.
McAdam fit le plan de la construction d'une nouvelle route, dont l'assiette dépassait légèrement le niveau environnant, afin de faciliter le drainage. Il y avait des caniveaux d'évacuation des deux côtés de la route, et le ballastage - qui répartit uniformément la charge de la route sur la couche inférieure - était en pierres concassées très gros-

Ci-dessous: Une diligence sur une route McAdam en 1840. Le système de construction des routes de McAdam permettait de transporter de lourdes charges à une vitesse élevée. Ses routes ressemblaient beaucoup aux routes construites par les Romains, car la crête dépassait le niveau des terres voisines. De cette façon, les routes restaient sèches, et c'est là que réside le véritable secret de son succès, encore plus que dans les fondations. L'aménagement de ses routes était plus rapide et meilleur marché en raison de la simplicité de son système.

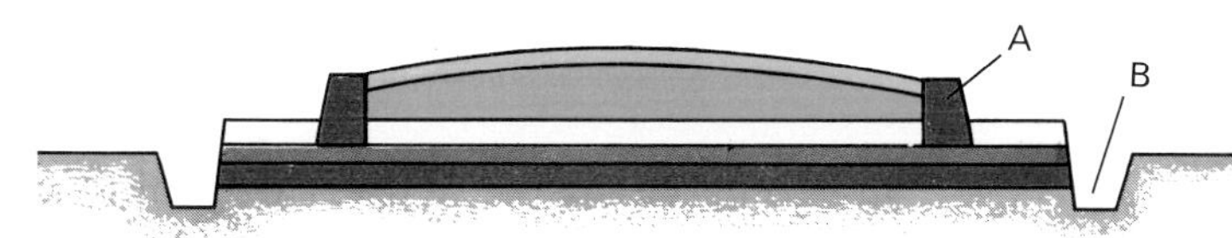

Route romaine en coupe transversale, composée d'une couche d'usure en pierres concassées de la région (bleu), d'une charge voûtée en béton de gravier (vert), d'une couche de béton romain (mortier de ciment de gravier (jaune), d'une couche étanche de pierres concassées (brun) et d'un fond de terre battue; d'autre part, une bordure (A) et un caniveau d'évacuation (B).

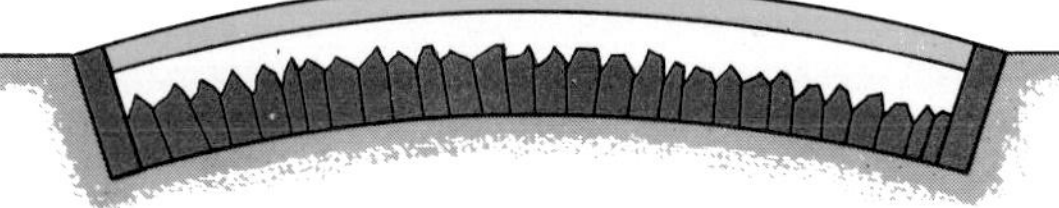

Construction d'une route par l'ingénieur français Pierre Trésaguet au XVIIIe siècle. La couche de surface de huit cm d'épaisseur en fines pierres concassées (bleu), recouvrait une couche de dix-sept cm en grosses pierres (jaune). Cet ensemble reposait sur une fondation de pierres lourdes (rouge), posées sur une assiette voûtée.

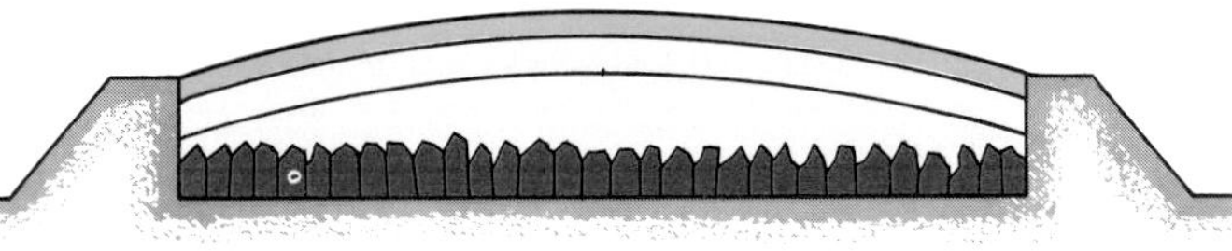

Projet de route solidifiée par l'ingénieur britannique Thomas Telford au XVIIIe siècle. La couche de revêtement de 5 cm d'épaisseur en gravier (bleu) reposait sur deux couches de grosses pierres de 6,5 cm. Cette couche intermédiaire voûtée était de 50 cm au milieu. Le tout était soutenu par de lourdes pierres (rouge) sur 17 cm d'épaisseur.

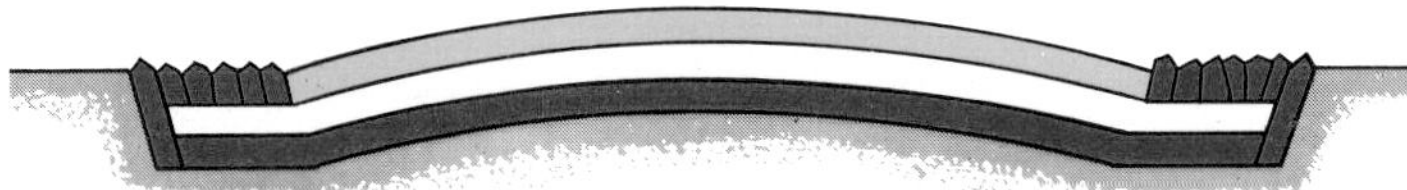

La méthode de solidification de McAdam était non seulement plus simple que beaucoup d'autres, mais aussi plus efficace. La construction était composée de trois couches, la couche de revêtement (bleu), la couche intermédiaire (jaune) et la couche inférieure (rouge). La fondation voûtée était en terre battue.

Ci-dessus, à gauche: Différentes méthodes de construction des routes.

Ci-dessus, à droite: Une partie surélevée de l'autoroute n° 4 à Tokyo, construite en béton armé sur des piliers d'acier et permettant un gain de place. Pour faciliter le trafic rapide de véhicules très lourds, les autoroutes modernes ont une fondation en gravier de 5 cm d'épaisseur au moins et une couche de revêtement de 25 cm en gros béton armé. Les routes de campagne sont toujours construites d'après le système de McAdam.

A gauche: Une caricature de 1827, montrant que McAdam peut aussi bien construire des routes que gagner beaucoup d'argent.

ses, mais jointives. La route avait une largeur de 5,5 m et la crête était surélevée de 7,5 cm par rapport aux côtés. La couche d'usure, tellement importante, était constituée de petits morceaux anguleux de granite, dont chaque morceau ne devait pas peser plus de 150 g. Des couches successives furent ajoutées, chaque fois que le trafic avait pressé la couche précédente. Les bandages en fer autour des roues de tous les véhicules - qui, auparavant, transformaient tous les revêtements routiers en une effroyable succession d'ornières et de trous - servaient précisément à rendre le revêtement plus stable et plus solide.
Le plus grand inconvénient de la nouvelle route était que, par temps sec, le voyageur était couvert de poussière de la tête aux pieds. Mais les avantages étaient tellement nombreux et évidents, que le système de McAdam fut adopté, à la suite d'une enquête parlementaire sur la construction des routes faite dans le pays en 1823.

En 1827, McAdam fut nommé inspecteur général des routes pour tout le pays. Etant également très doué pour l'organisation et l'administration, son rôle fut remarquable dans tout le pays. McAdam mourut le 26 novembre 1836 à Moffat en Ecosse.

A sa mort, on avait construit des routes à octroi sur une longueur totale de 36 000 km avec près de 8 000 bureaux de douanes.

Les nouvelles diligences rapides, parfois tirées par douze chevaux, entrèrent dans leur période de gloire, qui dura jusqu'à l'avènement des chemins de fer.

La méthode de McAdam fut très vite adoptée dans d'autres pays, surtout aux Etats-Unis.

Toutes les langues furent enrichies de mots nouveaux: macadam et macadamiser, et la méthode resta la même jusqu'à l'apparition de l'automobile.

Les pneus en caoutchouc détachaient les pierres et la couche supérieure, ce qui rendit nécessaire l'utilisation d'un liant goudronneux - l'asphalte caillouteux - et l'apport d'innovations révolutionnaires dans les méthodes de construction des routes.

Robert Fulton

1765-1815

L'Américain Robert Fulton, bien que n'étant pas l'inventeur du bateau à vapeur, fut cependant le premier à construire un bateau à vapeur utilisable. Ce fut un succès qui marqua le début de la période de la navigation à vapeur. Fulton a également apporté une large contribution au développement du sous-marin, quoique le modèle qu'il ait conçu ne fût pas une grande réussite.

Robert Fulton naquit le 14 novembre 1765 à Little Britain, aujourd'hui Fulton, en Pennsylvanie (Etats-Unis). Dans sa jeunesse, il voulut devenir artiste-peintre (ses toiles n'étaient pas sans un certain mérite). A l'âge de dix-huit ans, il reçut une aide financière pour étudier à l'Académie des

beaux-arts de Londres. Ses peintures ne remportèrent aucun succès, mais, heureusement pour lui, il s'intéressait aussi à d'autres activités, et surtout à la navigation. En 1797, il se rendit à Paris.
A cette époque, la France et l'Angleterre étaient en guerre. Ce fut l'occasion pour Fulton de présenter ses plans de sous-marin, qui lui tenaient tellement à coeur.
Il pensa qu'un sous-marin conviendrait pour fixer des charges d'explosifs sous la coque d'un navire de guerre. Le gouvernement français hésita d'abord à utiliser une arme de guerre aussi menaçante, mais en 1801, Fulton eut l'autorisation de faire une démonstration de son modèle. Il appela son sous-marin le *Nautilus.* Il avait une charpente en fer recouverte de cuivre, pouvait transporter quatre hommes et restait trois heures sous l'eau. L'hélice était actionnée à la main et le sous-marin avait une simple tourelle de commandement. Certes, il réussit à couler un schooner condamné, mais il ne parut pas assez rapide pour attaquer un navire de guerre. Fulton ne reçut plus l'appui des Français, mais, entre-temps, il avait rencontré Robert L. Livingston, alors ambassadeur des Etats-Unis à Paris. Les deux hommes décidèrent de collaborer.
Fulton construisit lui-même, en France, une péniche de 20 m de longueur, propulsée par des roues à aubes. Elle était mise en mouvement par une machine à vapeur de 8 ch, de fabrication française. Le bateau fut terminé en 1803 et fit une croisière d'essai sur la Seine. La coque se brisa, parce qu'elle ne pouvait pas supporter le poids de la machine. Le modèle suivant remporta un énorme succès. Fulton commanda une machine à vapeur de 24 ch chez Boulton et Watt en Angleterre, qui devait immédiatement être embarquée pour l'Amérique. Livingston obtint une prolongation de son monopole sur la navigation à vapeur à

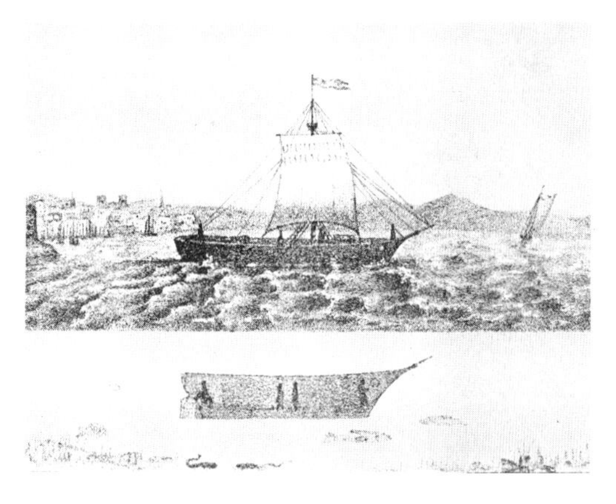

A droite: Le Nautilus, *construit pour la France en 1801. Sur l'eau, il ressemblait beaucoup à un bateau classique avec un mât rabattable dans un logement situé sur le pont, lorsque le bateau plongeait. Il y avait une tourelle de commandement, ainsi que des ballasts que l'on pouvait remplir et vider. Le premier modèle pouvait embarquer quatre hommes, qui faisaient tourner une courroie au moyen de balanciers et actionnaient une hélice. Le sous-marin était conçu pour contenir suffisamment d'oxygène pour quatre hommes et deux petites bougies durant trois heures. Plus tard, Fulton construisit une sphère en cuivre, contenant de l'air comprimé et servant de réservoir.*

New York, et Fulton y retourna en 1806. L'histoire de l'évolution du navire à vapeur économiquement viable remontait déjà à de nombreuses années, alors que les possibilités d'utilisation n'apparurent qu'avec la machine à vapeur perfectionnée par James Watt en 1770. L'Américain John Fitch (1743 1798) construisit un certain nombre de navires à vapeur après 1780: d'abord un modèle qui avançait au moyen de rames mécaniques, ensuite deux modèles avec des roues à aubes, dont le dernier transporta régulièrement des passagers sur la rivière Delaware. Mais l'entreprise fut un véritable échec financier, provoqué d'une part par les erreurs de Fitch en tant qu'homme d'affaires, et, d'autre part, parce que le public ne comprenait pas encore très bien l'utilité d'une telle innovation.

Ci-dessus: Le lancement du Demologos *à New York, le 29 octobre 1814. Le navire fut baptisé officiellement* Fulton the First. *Ce fut le premier navire de guerre à vapeur. Le* Demologos *était une batterie flottante, avec des roues à aubes fixées dans un tambour. Il fut construit pour être utilisé contre les Britanniques dans la guerre de 1812-1814.*

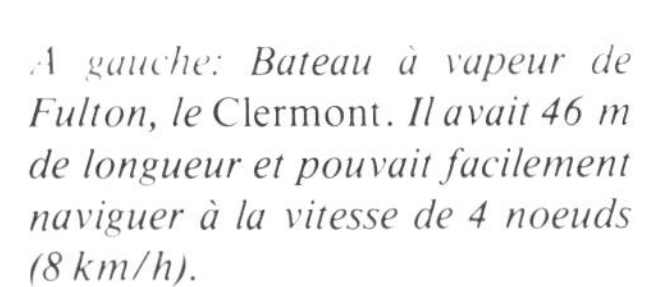

A gauche: Bateau à vapeur de Fulton, le Clermont. *Il avait 46 m de longueur et pouvait facilement naviguer à la vitesse de 4 noeuds (8 km/h).*

En 1800, l'ingénieur écossais Henry Bell (1769-1830), que Fulton a peut-être rencontré au cours de son séjour en Angleterre, envoya ses propositions pour un navire à vapeur à l'Amirauté britannique. Mais il fallut attendre 1812 avant que la *Comet* de Bell ne fît son premier essai sur la rivière Clyde. Ce bateau marqua le début de la navigation à vapeur en Europe. Déjà, en 1802, l'ingénieur britannique William Symington (1763-1831) avait lancé son bateau à aubes, le *Charlotte Dundas* de 17 m de longueur. Ce bateau, ayant navigué pendant de longues années comme remorqueur sur les eaux intérieures d'Ecosse, avec succès, peut être considéré avec raison comme le premier bateau à vapeur auxiliaire.

Cependant, le premier navire à passagers et marchandises rentable, fut le *Clermont* de Fulton, de 46 m de longueur, qui fut lancé en août 1807 sur la rivière Hudson. Le *Clermont* fut une réussite immédiate. Et Fulton construisit sans tarder d'autres bateaux à aubes - également pour les fleuves américains - après avoir amélioré considérablement son premier projet. Il construisit également le premier navire de guerre, propulsé à la vapeur, le *Demologos*. Ce navire servit à protéger le port de New York au cours du blocus opéré par les Britanniques entre 1812 et 1814.

Durant les dernières années de sa vie, Fulton consacra beaucoup de temps et d'argent en procès - pour défendre ses brevets de bateaux à vapeur - et à ses projets de sous-marin, qui l'occupèrent toute sa vie. Il réussit à obtenir l'appui du Congrès américain pour la fabrication d'un sous-marin fonctionnant à la vapeur, qui transporterait un équipage de cent hommes. Mais Fulton mourut le 24 février 1815, à New York, avant que cette entreprise ne devînt réalité; il mérite bien son titre de 'père de la navigation moderne'.

Eli Whitney

1765-1825

L'Américain Eli Whitney, technicien très habile, est surtout devenu célèbre pour l'invention d'une machine permettant de séparer les fibres brutes de coton des graines sur lesquelles elles poussent: la machine à égrener. Mais il mit au point également une méthode de travail pour l'industrie, qui permettait une production en masse et la réparation rapide des articles fabriqués en séries.

Eli Whitney est né le 8 décembre 1765 à Westboro dans le Massachusetts. Il était fils de paysans et dut beaucoup aider à la ferme, après l'école - ce qui était tout à fait courant à son époque. Cette circonstance lui permit d'observer les machines en fonctionnement dans l'exploitation agricole et de faire preuve de ses dons pour la technique. Après la guerre de l'Indépendance américaine, il comprit qu'il devait suivre les cours d'une faculté, s'il voulait réussir dans la vie. Lorsqu'il obtint son diplôme à Yale, à l'âge de vingt-sept ans, il avait acquis une parfaite connaissance de la technique et de ses développements en Europe et en Amérique.
Whitney se rendit en Georgie, un des Etats du Sud, où les plantations cultivées par des esclaves n'étaient plus rentables depuis longtemps; il espérait y trouver une place comme professeur, mais cet espoir fut déçu; cependant, il fit la connaissance du régisseur d'une plantation, Phileas Miller.
C'est ainsi que Whitney se fit connaître par ses méthodes de culture du coton. La difficulté consistait à trouver une sous-espèce convenable du cotonnier. L'une d'entre elles présentait des fibres (excroissances filiformes de la graine) allongées et faciles à détacher des graines. Mais cette sous-

espèce ne poussait que dans une région limitée le long de la côte. Une autre espèce, qui pouvait pousser à l'intérieur du pays, avait une fibre beaucoup plus courte, difficile à détacher des graines. Un esclave ne pouvait pas égrener plus de 400 à 500 g de coton par jour. A la même époque, il y avait en Angleterre, une forte demande en coton brut, due aux nouvelles améliorations révolutionnaires des métiers à tisser et à filer apportées par Arkwright.
Whitney comprit immédiatement comment devait être construite une machine à égrener. Son premier prototype fut prêt en dix jours. Il était composé d'un entonnoir, puis d'un cylindre pivotant rapidement, auquel étaient fixés des centaines de crochets métalliques, qui s'ajustaient exactement dans les rainures d'une planche fixe. La machine était également équipée d'un cylindre à brosses, qui pivotait dans le sens opposé au cylindre à crochets. Les fibres restaient fixées dans les crochets, tandis que les graines tombaient le long des rainures. Les brosses du deuxième cylindre détachaient des crochets les fibres de coton. La machine était aussi simple qu'efficace. Le premier modèle permettait d'atteindre une production de 25 kg par jour. Plus tard, les "cotton gins" améliorées, et

Ci-dessous: Machine à égrener le coton. Auparavant, il fallait trois heures de travail manuel pour l'égrenage d'une livre de coton. Dans la machine de Whitney, un tamis fixé dans le sens de la longueur retenait la graine, tandis qu'un tambour pivotant sur son axe détachait la "cueillette" au moyen de crochets. Une brosse rotative enlevait la cueillette des crochets.

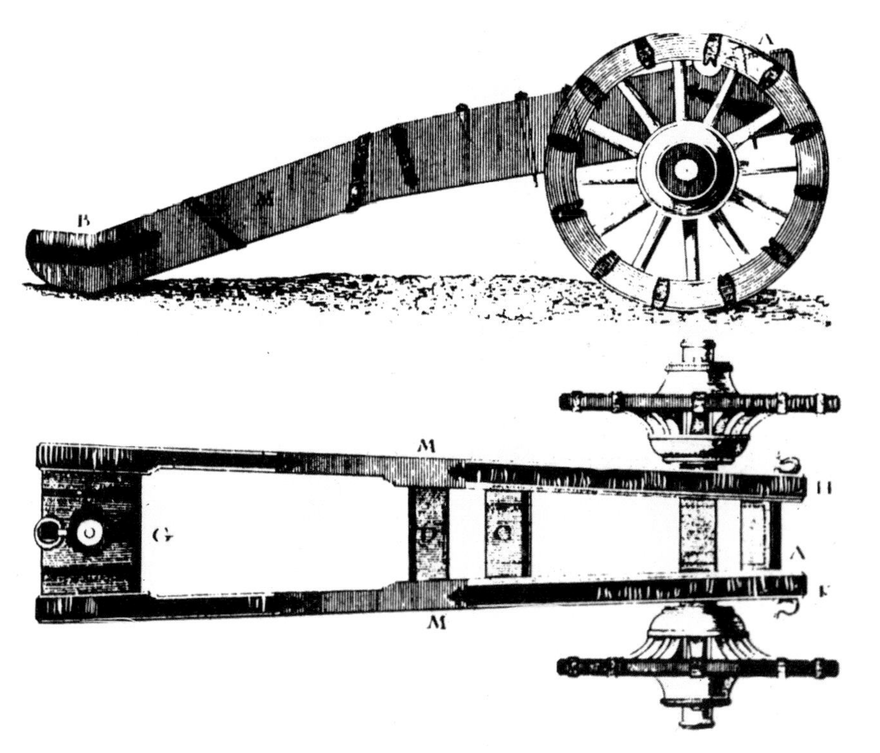

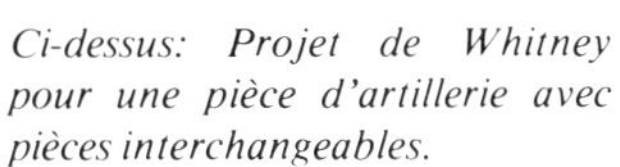

Ci-dessus: Projet de Whitney pour une pièce d'artillerie avec pièces interchangeables.

fonctionnant à la vapeur, permirent de produire quotidiennement 500 kg et plus. Cette machine entraîna en outre une plus grande rentabilité de l'esclavage, ce que Whitney n'avait pas du tout prévu, ni recherché. Cette situation ralentit considérablement la libération des esclaves.

Entre-temps, l'esprit inventif de Whitney s'était déjà intéressé à tout autre chose. En 1797, le gouvernement, menacé d'une guerre avec la France, avait un besoin urgent de mousquets. L'ensemble des armuriers ne pouvait pas en livrer plus de 250 par an. Ce que Whitney imagina alors ne sera pas seulement utile aux manufactures d'armes, mais aussi à toutes les branches de l'industrie: il s'agissait de la production en masse de toutes les pièces nécessaires, à l'aide de gabarits et selon des prescriptions très précises pour les dimensions.

Auparavant, chaque arme était fabriquée isolément par un artisan. Whitney fonda une manufacture d'armes dans le Connecticut, dans laquelle chaque ouvrier fabriquait une pièce déterminée. Il lui faudra près de dix ans avant de réaliser la promesse, faite au gouvernement, de fabriquer 10 000 mousquets en deux ans. Il dut affronter des épidémies et des retards dans la livraison des matières premières. Mais, en 1801, à Washington, il parvint à persuader le président, Thomas Jefferson et d'autres personnalités des avantages de sa méthode. Il confectionna d'excellents mousquets à partir de pièces détachées, prises au hasard dans le tas.

A droite: Machine à fraiser brevetée de Whitney, conçue pour découper des formes métalliques précises et identiques. La machine était pourvue d'une roue dentée, dont les dents étaient tranchantes comme un rasoir. La petite roue était conduite le long d'un calibre, fixé sur le métal, qui était posé sur un plateau mobile. L'époque était maintenant révolue où chaque pièce était fabriquée séparément par un artisan expérimenté à l'aide d'un tranchet.

Eli Whitney mourut le 8 janvier 1825 à New Haven.

Un de ses fils, Eli Whitney Jr, continua à diriger la manufacture d'armes de son père. Son système de fabrication fut appliqué dans toutes les industries pour la production des cloches. Ses idées furent également reprises en Europe.

L'héritage que Whitney laissa au monde de l'industrie fut encore plus grand.

Il établit de nouvelles normes sur la précision avec laquelle devait s'effectuer un forage ou un filetage de vis. Il fournit également des exemples de service par équipes et de répartition du travail dans une usine. La combinaison de ces différents éléments établit les fondements du système de la production de masse des XIXe et XXe siècles, la manufacture d'armes de Whitney servant de modèle.

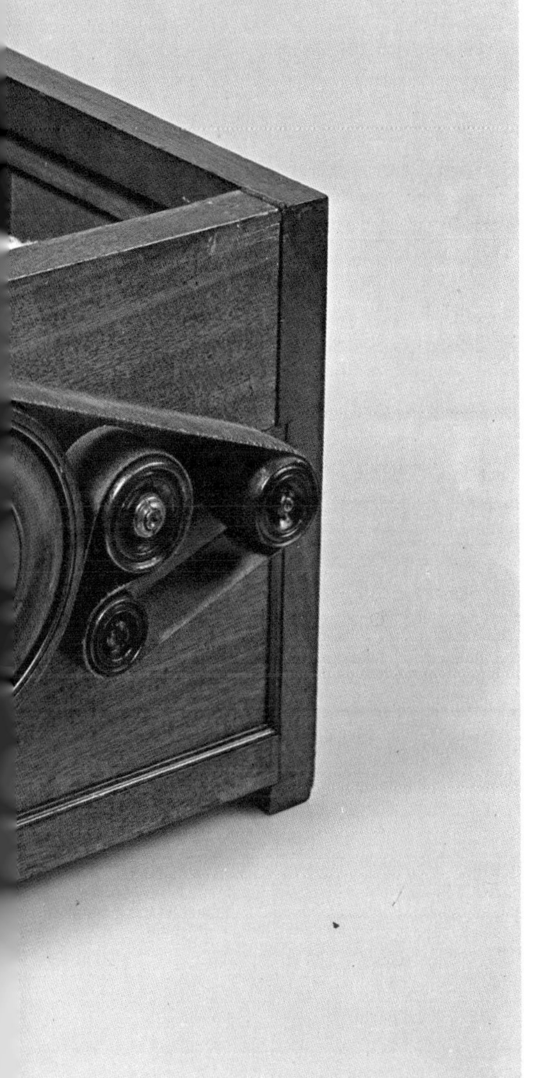

Joseph-Nicéphore Niepce

1765-1833

Le chercheur français Niepce fut le premier à réussir ce que l'on peut vraiment appeler "une photographie": image fixée sur une plaque sensible par l'action de la lumière. Les techniques qu'il utilisa étaient absolument différentes de celles de la photographie moderne, à laquelle elles furent cependant très utiles, même après sa mort, car il avait fait oeuvre de pionnier.

Joseph-Nicéphore Niepce naquit le 7 mars 1765 à Châlon-sur-Saône; il était originaire d'une riche

famille d'aristocrates, qui fut soupçonnée de royalisme durant la Révolution française. Niepce s'éloigna d'abord de la Révolution, mais il revint plus tard en France pour servir dans l'armée de Napoléon. Il dut se retirer pour des raisons de santé et s'établit dans sa ville natale, où il resta toute sa vie et fit différentes expériences de physique. Entre-temps, les biens de sa famille avaient été confisqués comme appartenant à des émigrés.
En 1807, son frère Claude et lui-même inventèrent, d'après un modèle très ancien, un nouveau moteur à combustion, constitué par un cylindre et un piston. En 1813, il s'intéressa à la lithographie, qui avait été perfectionnée précédemment par l'inventeur allemand Aloys Senefelder (1771-1834).
Les bases de la photographie avaient déjà été établies depuis des siècles. La "camera obscura" (chambre noire) était déjà connue au moyen âge. C'était une boîte fermée ne comportant qu'un seul trou minuscule sur un des côtés. Sur la face opposée à ce trou, on pouvait voir une image renversée.
En 1816, Niepce fit des expériences sur des chambres noires et sur un procédé qu'il appela l'héliographie (gravure par l'effet des rayons solaires). Après une très longue période d'exposition, il parvint à obtenir une image sur papier, qu'il rendait photosensible avec du chlorure d'argent. Mais il ne parvint pas à fixer cette image. C'est pourquoi il commença à travailler avec d'autres matières, telles que le verre et l'étain, servant de support à une plaque photographique. En 1822, il utilisa une solution obtenue à partir d'une sorte d'asphalte, appelé asphalte syrien, qui se solidifiait aux endroits frappés par la lumière.
En 1826, il avait perfectionné cette méthode à un point tel qu'il parvenait à obtenir la copie d'une estampe, en la posant sur une plaque en cuivre ou en étain, imprégnée de cet asphalte. En exposant cet ensemble à la lumière du soleil, les parties qui se trouvaient sous les parties blanches de l'estam-

Ci-dessus: Vue du Pont-au-Change et du Pont Notre-Dame, Paris 1820. Dans le coin droit, on distingue encore le magasin de Charles-Louis Chevalier, opticien, qui fabriqua des lentilles pour Niepce, de 1825 à 1835.

A droite: "Histoire de l'inventeur inconnu", anecdote rédigée ultérieurement sur l'invention de la photographie. Un beau jour, un homme inconnu entra dans le magasin de Chevalier et lui expliqua comment il avait découvert la manière de fixer des images photographiques.

A gauche: La "camera obscura".

A droite: Texte original, sur parchemin en veau, de l'acte de vente de l'invention de la photographie au fils de Niepce et à Daguerre.

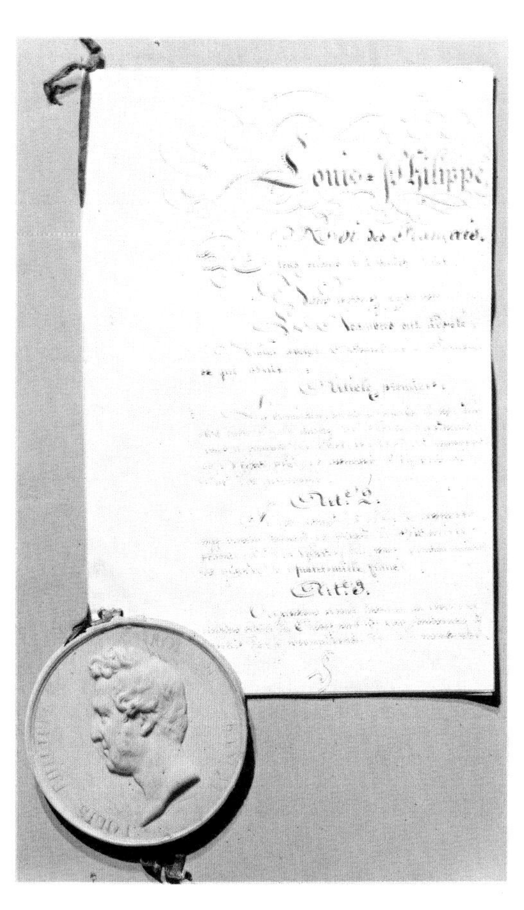

pe se durcissaient. Les parties gravées en noir pouvaient aisément être dissoutes dans de l'huile de lavande. Ensuite, on pouvait graver à l'eau-forte, encrer la plaque et l'utiliser pour en faire des copies sur papier. Les copies étaient un peu moins claires que l'original, mais l'héliogravure de Niepce représenta une étape importante vers la photogravure.

Ci-dessous: L'histoire et les applications de la photographie, de la "camera obscura" et de la découverte du chlorure d'argent photosensible, à travers les découvertes de Niepce et de Daguerre jusqu'au portrait photographique.

En cette même année 1826, Niepce fit la première 'vraie photo' au monde. Au moyen de sa caméra, il éclaira pendant de nombreuses heures une plaque en étain photosensible et obtint ainsi une image stable du sujet à partir de la fenêtre de son atelier.

Il avait l'intention de fabriquer une plaque destinée à être gravée à l'eau-forte et qui pourrait produire des copies positives. Mais il y avait une difficulté: la position du soleil variait considérablement durant l'exposition, qui durait plusieurs heures. La netteté de l'image et le contraste n'étaient pas satisfaisants, et les copies étaient vagues et imprécises.

Niepce n'obtint pas beaucoup de succès dans ses tentatives pour perfectionner son système. De plus, il gardait farouchement tous les secrets de sa méthode.

A l'occasion d'une conférence qu'il donna sur sa "photographie" pour la *Royal Society* de Londres, il évita soigneusement d'en citer les particularités techniques. Les auditeurs ne pouvaient donc se faire aucune idée de la valeur de sa découverte. Après plusieurs tentatives, le jeune peintre parisien Louis Daguerre parvint à faire accepter sa collaboration pour perfectionner l'héliogravure. Ils s'associèrent en 1829.

Mais Niepce ne vécut plus assez longtemps pour observer lui-même les importantes améliorations qui furent le fruit de leur travail en commun. Il mourut le 5 juin 1833 dans sa ville natale. Peu après, Daguerre réussit à réduire considérablement le temps d'exposition, en découvrant la possibilité de faire apparaître par développement une image latente sur la couche photosensible.

John Dalton

1766-1844

Le physicien et chimiste anglais Dalton rassembla toutes les connaissances scientifiques existantes dans ce domaine en un ensemble logique et cohérent. Il le formula dans la théorie moderne sur les atomes, selon laquelle tous les corps sont composés d'atomes comptant un nombre limité d'éléments. Il fit connaître ainsi les bases de la physique et de la chimie modernes. La chimie était devenue une science indépendante. Dalton expliqua comment tous les corps existants étaient composés de liaisons réciproques entre les éléments. En affirmant que les atomes de chaque élément ont un poids déterminé et propre, il établit les fondements de ce que l'on appelle l'analyse quantitative des corps.

John Dalton, né le 6 septembre 1766 à Eaglesfield, dans le comté du Cumberland, était le fils d'un tisserand. Il devint très vite instituteur et, plus tard, il sera professeur de mathématiques et de physique à Manchester où il restera presque toute sa vie et où il eut James Prescott Joule (1818-1889) comme élève. Sa vie fut dominée par ses conceptions religieuses (il était un quaker convaincu) et la science. Un riche ami de la famille, fabricant d'instruments et mathémacien amateur, l'initia à la météorologie. En 1787, il commença à noter quotidiennement les circonstances atmosphériques avec une grande précision. Il tint ce journal régulièrement jusqu'à sa mort. Il publia des ouvrages sur des sujets tels que la naissance des vents alizés et, en 1793, il rédigea un livre très complet sur la météorologie. Il écrivit également un traité sur la dyschromatopsie (daltonisme), affection dont il souffrait énormément depuis sa naissance. Ses expériences avec le gaz furent très importantes et constituèrent la base de ses futures découvertes, qui menèrent à la théorie des atomes.

En 1800, il quitta son poste de professeur pour se consacrer entièrement à la recherche scientifique. Entre 1808 et 1827, Dalton publia sa théorie sur les atomes dans son célèbre ouvrage *A New System of Chemical Philosophy* (Nouveau système de la philosophie de la chimie), titre prometteur que ne démentit pas son effet dans le monde

A droite: Les symboles de Dalton pour les atomes de différents éléments, avec leur poids atomique, mesurés entre 1808 et 1810. Dans son livre New System of Chemical Philosophy *(Nouveau système de la philosophie de la chimie), Dalton expliqua que les réactions chimiques étaient provoquées par l'association des atomes en "atomes composés", que nous appelons maintenant molécules. Peu après, on découvrit que quelques-uns des éléments représentés ici, sont en réalité des liaisons combinées, telles que la magnésie (oxyde de magnésium), la calcite (carbonate de calcium), la soude, la potasse et les barytes.*

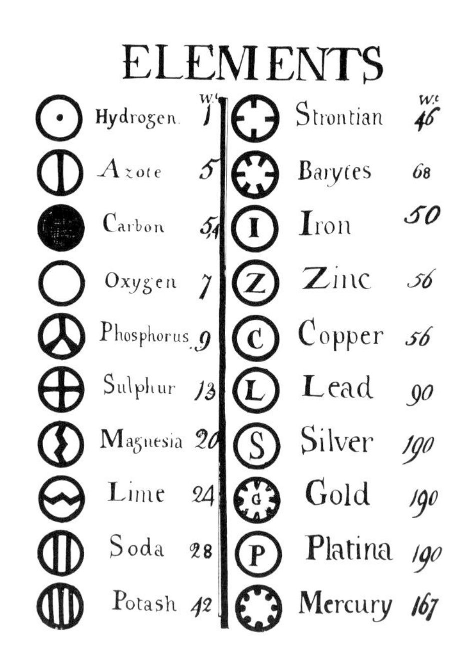

Ci-dessous: "Dalton recueillant le gaz des marais (méthane impur)", fresque de Ford Maddox Brown.

scientifique. Sa théorie se fondait sur trois suppositions.
Premièrement, tous les corps sont constitués de particules minuscules, indivisibles et indestructibles, qu'on appelle atomes.
Deuxièmement, les atomes d'un élément déterminé sont égaux les uns aux autres, également en poids, mais ils diffèrent des atomes des autres éléments.
Troisièmement, lorsque différents éléments s'associent pour former des corps composés, les atomes s'assemblent toujours selon une proportion numérique simple, comme 1 sur 1, 2 sur 1 ou 3 sur 4.
Grâce au style caractéristique et clair de Dalton, présentant les choses de façon scientifiquement évidente, la théorie des atomes fut acceptée par tous les savants sans aucune opposition. L'idée des atomes n'était pas entièrement nouvelle.
Bien des siècles auparavant, le savant grec Démocrite avait formulé une idée semblable.
Mais la première formulation complète d'une théorie entièrement cohérente représenta une révolution en la matière. Une des grandes caractéristiques de la théorie était que les atomes de différents éléments avaient un poids différent. C'était un élément de mesure, et voilà pourquoi la théorie des atomes de Dalton fut la première théorie quantitative, fondée sur des quantités, des nombres. Il était à présent possible de mesurer des quantités.
La théorie de Dalton semblait également donner une explication complète du fait que les éléments s'associent à d'autres corps, exclusivement en fonction de certaines relations de poids. Les chimistes se posaient depuis longtemps la question de savoir comment la combinaison du carbonate de cuivre, par exemple, s'opérait, et pourquoi il semblait toujours être constitué avec la même proportion en poids: cinq parties de cuivre pour quatre parties d'oxygène et une partie de carbone. Le même phénomène se produisait avec tous les autres corps qu'ils analysaient. La théorie de Dalton, qui énonce que les atomes s'associent en proportions numériques simples dans la liaison des éléments, était une explication de ce phénomène. En effet, si tous les atomes d'un seul et même élément ont le même poids, le poids total combiné doit toujours être identique.

Ci-dessous: Quelques appareils utilisés par Dalton lors de ses expériences. Dalton fabriqua lui-même de nombreux accessoires pour son usage personnel et pour d'autres savants.

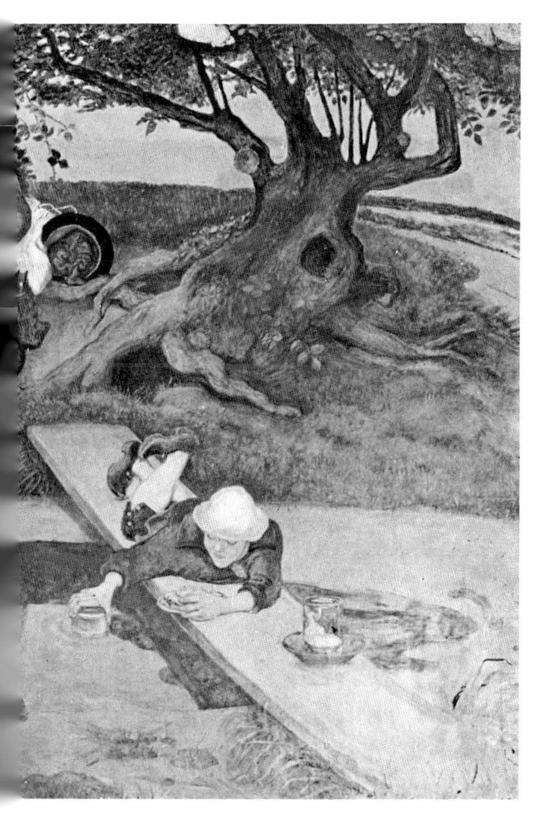

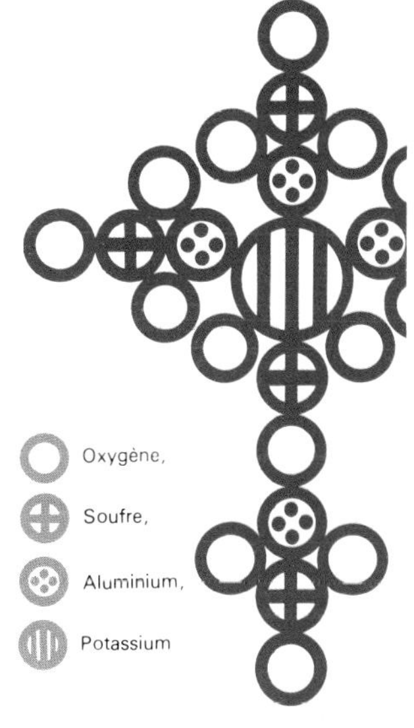

Ci-dessus: Schéma de Dalton représentant la molécule de potassium-aluminium-soufre (l'alun est en fait un sulfate de potassium et d'aluminium), avec l'explication des symboles utilisés (de haut en bas): oxygène, soufre, aluminium, potassium.

Dalton tenta de calculer les poids des atomes, les uns par rapport aux autres à partir des relations de poids des éléments dans certains corps. Il dressa le premier tableau donnant le poids atomique de chaque élément. Ce tableau, bien que peu étendu, permettra plus tard de composer le premier système périodique des éléments. C'est un système dans lequel tous les éléments sont groupés logiquement, en fonction de leurs caractères différents.
Etant quaker, Dalton était toujours très modeste et indifférent à sa réputation et aux honneurs dont on le comblait de partout. En 1832, on parvint à le convaincre d'accepter le titre de docteur *honoris causa* de l'Université d'Oxford. Ses amis insistèrent également pour qu'il fût présenté au roi, peu après qu'il eut accepté ce titre.
Dalton s'y était toujours opposé, parce qu'il ne lui était pas permis, en tant que quaker, de porter l'habit de rigueur. En effet, le manteau était rouge écarlate, et les quakers ne devaient pas porter cette couleur. Ne voulant pas décevoir ses proches, il leur dit que, pour lui, ce manteau était gris (n'était-il pas daltonien ?). Cet homme très illustre, mais très simple mourut le 27 juillet 1844 à Manchester.

Georges Cuvier
1769-1832

Le grand naturaliste Cuvier établit l'anatomie comparée et la paléontologie - science qui étudie les fossiles de plantes et d'animaux disparus depuis longtemps. Il démontra que le passé géologique devait également être pris en considération dans l'étude de la vie actuelle sur terre. Bien qu'il pensât que chaque espèce restait identique à elle-même, son oeuvre constitue une documentation de base importante pour la théorie de l'évolution. Il écrivit un grand nombre d'ouvrages: Leçons d'anatomie comparée *(1800-1805);* Recherches sur les ossements fossiles de quadrupèdes *(1812-1813);* Description géologique des environs de Paris *(1822), en collaboration avec le minéralogiste français Alexandre Brongniart;* Discours sur les révolutions de la surface du globe *(1825) et* Histoire naturelle des poissons (1828).

Georges, baptisé Jean-Léopold-Nicolas-Frédéric Cuvier, est né le 23 août 1769 à Montbéliard. Il étudia l'anatomie comparée à Stuttgart, en Allemagne, de 1784 à 1788. Ensuite, il travailla comme précepteur à Caen, où il put étudier la faune marine et les fossiles. Il écrivit des études originales, sur les mollusques en particulier, qui intéressèrent les savants de l'Institut d'Histoire naturelle à Paris. Cuvier accepta leur offre de devenir membre actif de l'Institut. Il y poursuivit ses recherches scientifiques sur les animaux et se révéla un des savants les plus habiles de son temps. En 1805, il termina le dernier des cinq tomes de son ouvrage *Leçons d'anatomie comparée* et, en 1810, il publia un aperçu historique de l'évolution des sciences. Il rassembla un grand nombre de fossiles (dont le célèbre ptérodactyle, un reptile volant) et commença leur étude systématique.

Il découvrit que les fossiles ressemblaient d'autant moins aux espèces actuelles que les couches de la terre étaient profondes. Son contemporain Jean-Baptiste Lamarck (1744-1829) avait établi une théorie simple sur l'évolution, publiée en 1809.

Cette théorie anticipait en partie sur la théorie détaillée élaborée par Charles Darwin (1809-1882) sur l'évolution des espèces animales. Cuvier rejeta complètement cette théorie.

Pour expliquer le développement progressif des animaux au cours des périodes successives, il se référa à la théorie des catastrophes, déjà formulée au XVIIe siècle, et qui fut complètement dépassée par la suite. Il évitait ainsi toute contradiction avec l'explication du livre de la Genèse, acceptée à cette époque. Il ne discuta pas les célèbres calculs faits par l'archevêque Ussher en 1654, selon lequel le monde aurait été créé le 26 octobre de l'an 4004 avant J.-C., à 9 heures du matin. Le grand déluge aurait détruit toutes les espèces animales, que l'on retrouve encore aujourd'hui sous la forme de fossiles.

Cuvier compliqua encore sa théorie des catastrophes; en effet, il persistait à croire que chaque animal conservait la forme originelle que le Créateur lui avait donnée. Il dut admettre qu'un grand nombre de catastrophes successives - dont certaines étaient locales - détruisaient chaque fois toute forme de vie, à laquelle se substituait une nouvelle vie. Après chaque catastrophe, le monde animal adoptait évidemment une forme et une structure plus complexes et plus développées.

Le fait que la théorie de Cuvier - élaborée en raison de sa croyance opiniâtre plus ou moins aveugle en des préjugés - ait paru complètement erronée par la suite, n'enlève rien à la valeur de sa contribution au monde de la science, grâce à sa description et à sa répartition précise des fossiles. Il proposa un nouveau système de classification du règne animal.

Ci-dessous: Etude anatomique d'un hippopotame (l'espèce actuelle) d'après les Recherches sur les ossements fossiles de quadrupèdes *de Cuvier, publié en 1824. Cuvier pensait que, si l'on étudiait la forme de chaque os en fonction de son rôle par rapport au reste du corps, il devait être possible de reconstituer un animal en entier à partir d'un seul os retrouvé. Ce fut surtout important pour l'étude des os fossiles. Mais la fonction de nombreuses caractéristiques anatomiques et leur relation avec d'autres organes n'étaient pas toujours connues. Cuvier devait donc faire davantage appel à ses connaissances anatomiques étendues sur les espèces vivantes qu'au principe de la corrélation fonctionnelle.*

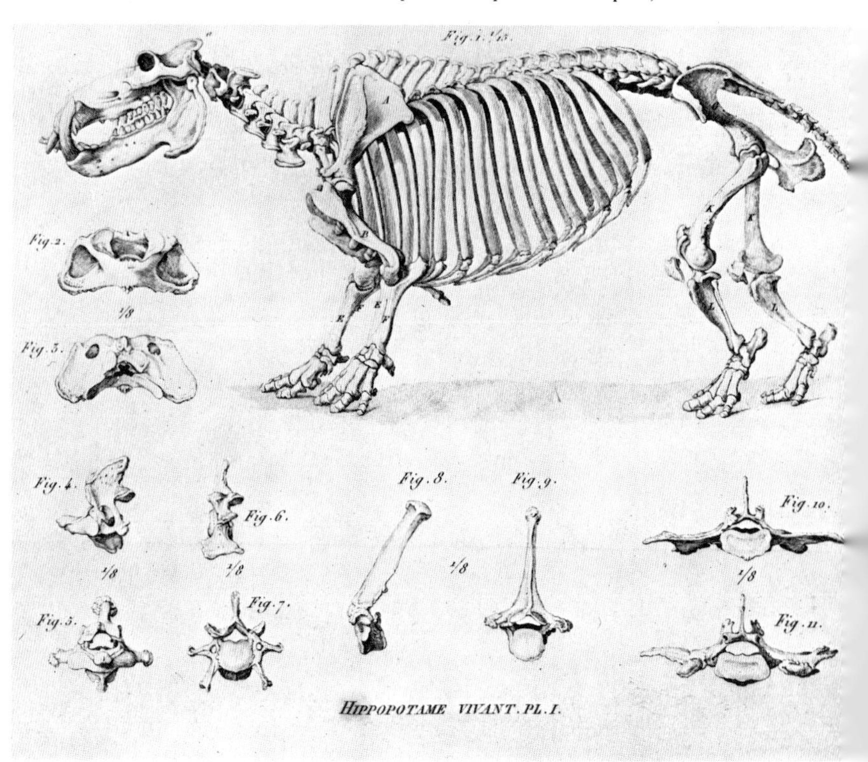

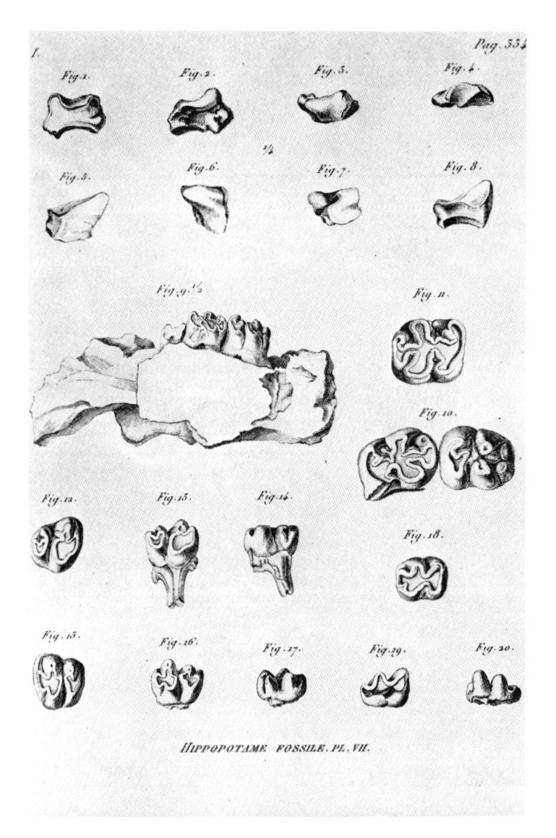

A gauche: Fragments d'ossements fossiles d'hippopotames, dessinés par Cuvier. Il identifia la plus grande pièce (9) comme un os cassé de la mâchoire inférieure gauche et les pièces 12 à 17 comme les molaires d'une espèce animale qui ressemblait à un hippopotame, mais qui était plus petite qu'un porc.

Il créa quatre groupes principaux ou *phyla (phylae,* au pluriel): les *radiata* (comme les méduses et les étoiles de mer), les *articulata* (les insectes et les vers), les *mollusca* (comme les limaces et les pieuvres) et les *vertebrata* (tous les animaux supérieurs).

Cuvier apporta également une importante contribution, en expliquant la fonction des animaux dans leur environnement par sa théorie sur la ''corrélation des organes'': elle énonçait que toutes les particularités et les fonctions physiques de chaque animal ''collaborent'' entre elles pour que l'animal s'adapte à son mode de vie. Ainsi, il contestait l'opinion la plus généralement admise à son époque, affirmant que ce ne sont pas les conditions de vie qui déterminent la fonction des organes, mais que, à l'inverse, la structure physique déterminait le milieu où un animal pouvait vivre.

Cuvier mourut du choléra le 13 mai 1832 à Paris, au cours de la première épidémie qui ravagea la capitale. En dépit de son entêtement sur la théorie des catastrophes, il fut le premier à faire une étude comparée des fossiles et des espèces animales vivantes. De plus, sa théorie sur la ''corrélation des organes'' confirmait son opinion, selon laquelle il était possible de reconstituer le squelette d'un animal en étudiant un ou plusieurs de ses organes, et même un seul de ses os.

Ci-dessous: Une peinture de la reconstitution du dodo au Musée National d'Histoire naturelle à Paris, où Cuvier était chargé du matériel anatomique. Bien que le dodo, pourchassé, disparût de l'île Maurice vers 1681, il fut encore possible de le reconstituer à partir de squelettes existants et d'anciennes descriptions.

Thomas Johann Seebeck

1770-1831

Le physicien allemand Seebeck, originaire d'Estonie, fut surtout célèbre par sa découverte de la thermoélectricité, appelée également effet Seebeck (1821): il prouva que l'on peut transformer directement de l'énergie thermique en énergie électrique. Le phénomène, provoquant un courant électrique entre deux points à températures différentes a trouvé de nombreuses applications importantes, notamment la construction de 'piles thermoélectriques' constantes.

Thomas Johann Seebeck, dont la vie privée est peu connue, est né en Estonie en 1770. Il vécut et travailla en Allemagne. Jeune physicien, il collabora quelque temps avec le grand poète allemand Johann Wolfgang von Goethe (1749-1832) pour élaborer une théorie sur la nature des couleurs. Cette théorie n'avait aucune valeur scientifique, bien qu'elle influençât quelques peintres de l'époque.

Ce n'est que plus tard, en 1821, que Seebeck découvrit le phénomène qui porte son nom, lorsqu'il remarqua que l'aiguille d'un compas changeait de direction lorsqu'elle était placée près d'une boucle formée par deux métaux différents; il s'agissait d'un morceau de fil en cuivre soudé à un morceau de fil en bismuth.

Il fit des expériences et il découvrit que lorsque l'on constituait une boucle fermée avec deux métaux différents, un courant électrique passait, à condition qu'il y eût une différence de température aux deux points où les métaux avaient été soudés. Ce courant est provoqué par une perte de chaleur du point de liaison chaud vers le point de liaison froid.

Sa découverte fit l'objet d'autres applications, où l'on utilisait la transformation directe de la chaleur en un courant électrique. Il s'agit de la thermoélectricité.

L'effet Peltier, autre phénomène thermoélectrique, est en fait l'inverse de l'effet Seebeck, quoiqu'il y ait une relation étroite entre les deux. Il fut découvert en 1834 par Jean Charles Athanase Peltier (1785-1845), un horloger français qui quitta son métier à l'âge de trente ans pour étudier la physique.

Il découvrit que, lorsqu'un courant électrique passait dans un circuit comme celui de Seebeck, un des points de liaison se réchauffait, tandis que l'autre se refroidissait.

Seebeck mourut en 1831. Il ne put pas s'imaginer à quel point les applications de sa découverte furent importantes plus tard. La seule application pratique connue pendant de nombreuses années fut le thermoélément.

Au début du XXe siècle, on pensait pouvoir utiliser l'effet Seebeck pour produire de l'électricité à des fins pratiques, tandis que l'effet Peltier pouvait s'appliquer à des installations de réfrigération.

Cependant, ces connaissances théoriques ne purent être mises en pratique, car les alliages de mé-

Ci-dessous: "Lumière et couleur - la théorie de Goethe - le matin après le déluge - Moïse écrit le livre de la Genèse" de Turner en (1843). Le peintre britannique Turner fut fortement impressionné par la théorie de Goethe sur la couleur, élaborée en collaboration avec Seebeck. D'après la théorie de Goethe, la couleur était composée de particules colorées indivisibles, comme les gradations de clair et foncé. Il affirma que la décomposition de la lumière blanche par un prisme en un "spectre" de couleurs pures, était due à une illusion d'optique. Par sa théorie, il attaquait directement Newton, qui avait affirmé que la lumière blanche était composée d'une série de couleurs qui pouvaient être absorbées et renvoyées par un objet.

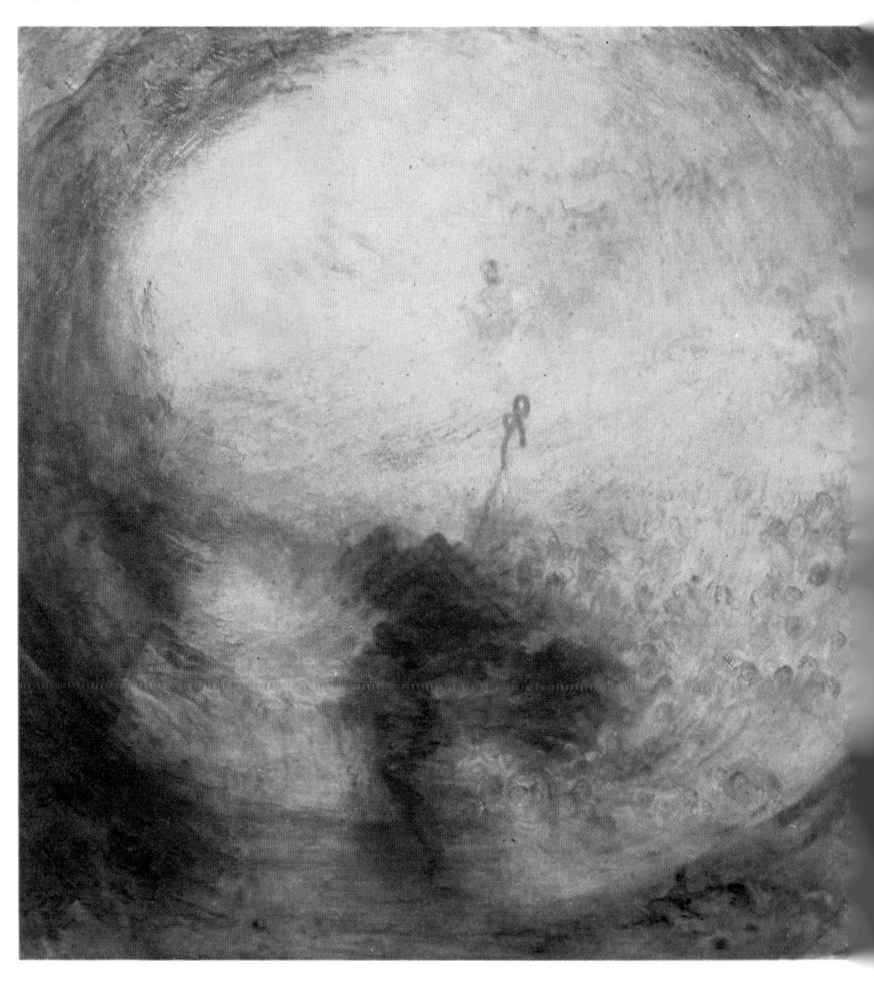

taux nécessaires ne furent obtenus que vers 1950. A partir de cette époque, on obtint de très nombreuses applications des phénomènes thermoélectriques. On commença par un appareil pour produire un courant au moyen d'une simple lampe à pétrole comme source de chaleur, sur laquelle pouvait fonctionner une installation radio à une distance limitée, pour arriver aux générateurs à radio-isotopes, dans lesquels des corps radioactifs fournissent des sources calorifiques. Ces rayons sont utilisés pour fournir du courant dans les régions polaires, aux stations météorologiques automatiques et sans personnel; pour l'appareillage des satellites spatiaux et lunaires et pour renvoyer sur terre les données recueillies par ces appareils.

L'application la plus importante dans la technique du froid - à l'aide de l'effet Peltier - est essentiellement limitée à des expériences dans les laboratoires scientifiques et industriels où il est très important d'obtenir et de maintenir une basse température bien précise.

Ci-dessus: Lettre de Seebeck, dans laquelle il décrit ses expériences sur le platine et le mercure.

Ci-dessous, à gauche: Un générateur thermomécanique, résultat pratique du travail de Seebeck.

Ci-dessous, à droite: L'effet de Seebeck est utilisé dans la technique du froid pour liquéfier l'hélium.

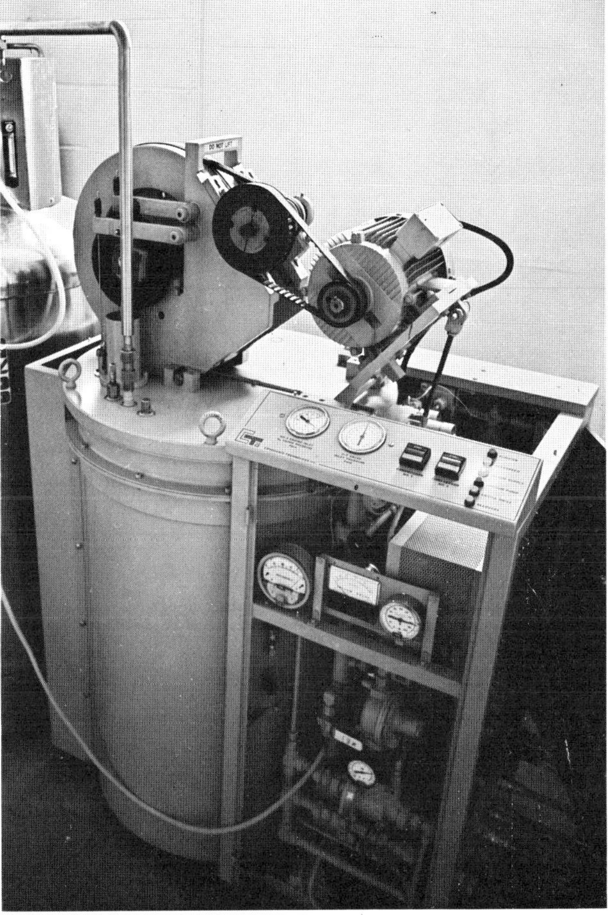

Aloys Senefelder

1771-1834

Le Tchèque Senefelder, au départ auteur dramatique, acquit la notoriété par sa découverte de la lithographie (impression sur pierre), le premier procédé d'impression à plat. Jusqu'à nos jours, ce procédé d'imprimerie a été et est toujours très utilisé.

Aloys Senefelder est né le 6 novembre 1771 à Prague, capitale de la Bohême, un des Etats de l'empire des Habsbourg à cette époque. Il commença sa carrière en tant qu'auteur dramatique; mais, étant donné les difficultés financières qu'il con-

naissait, il ne put publier ses pièces, à cause des frais de gravure. A cette époque, en effet, on gravait les textes et les gravures sur des plaques en cuivre, puis on utilisait de l'encre pour en faire des copies sur papier. Il décida de faire lui-même la gravure et d'acheter les plaques de cuivre nécessaires. Ses résultats furent très décevants jusqu'au jour de 1796, où il utilisa, par pur hasard, une craie grasse pour inscrire sa liste de linge sur un morceau d'ardoise. Tout d'abord, il s'aperçut que les lettres écrites restaient en relief sur l'ardoise après élimination d'une mince couche d'ardoise autour des lettres, grâce à une solution d'acide azotique. Ce raisonnement l'amena au développement de la technique lithographique (du grec *lithos* = pierre). Entre-temps, il s'était établi à Munich. Il abandonna ses pièces de théâtre pour ce qu'elles valaient et commença à vérifier ses idées sur les techniques d'impression, de toutes les manières possibles. Il consacra deux ans à ces expériences, pour lesquelles il utilisa différentes espèces de métaux et de pierres. Enfin, en 1798, il était arrivé à une méthode d'impression à plat, qui laissait la plaque d'impression parfaitement plane. Le principe reposait sur la répulsion de l'eau et des graisses. Le projet, lettres ou dessins, était directement dessiné sur l'ardoise avec une encre grasse ou de la craie. L'ardoise était ensuite rincée à l'eau. Ce procédé permettait aux seules parties dessinées - et donc recouvertes de graisse - de rester sèches, en fonction du principe du non-

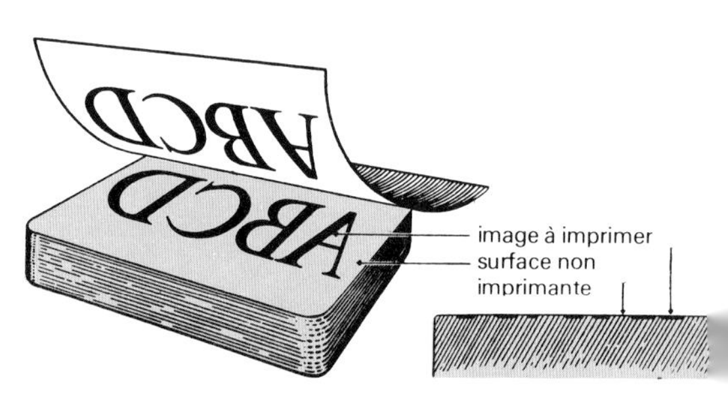

A droite: Impression lithographique. L'image est posée sur une surface plane comme celle d'une petite couche grasse à laquelle adhère l'encre. La surface restante de la plaque est mouillée et repousse l'encre.

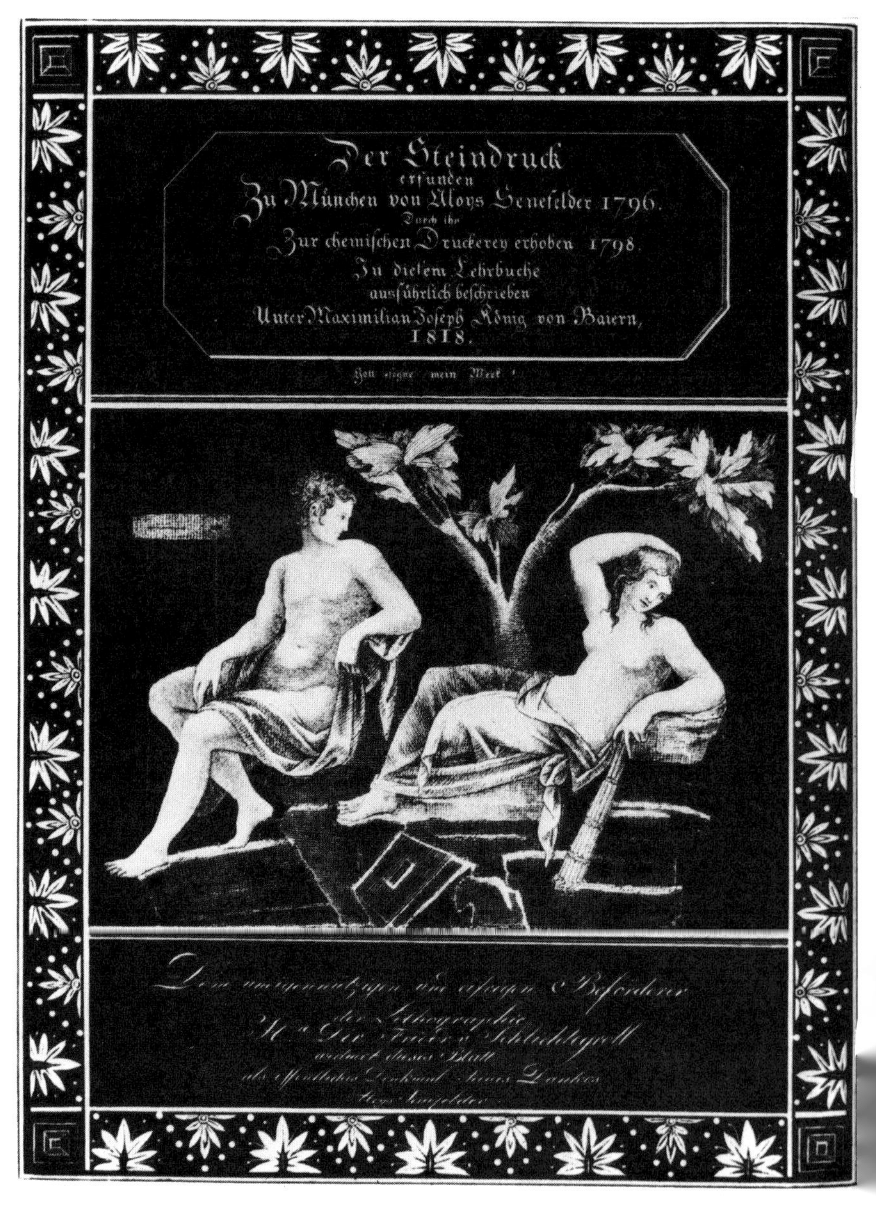

Ci-dessous: Plaque titre de l'ouvrage de Senefelder Vollständiges Lehrbuch der Steindruckerei *(Manuel complet de lithographie) de 1818.*

mélange des eaux et des graisses. Lorsqu'on enduisait ensuite la plaque avec une encre d'impression à base d'huile, seules les parties recouvertes d'eau restaient propres. L'encre se fixait uniquement sur les traits et sur les surfaces du dessin original. En pressant fortement une feuille de papier sur la surface de la pierre, on obtenait ainsi une lithographie.
Le nombre d'exemplaires était illimité. Même les

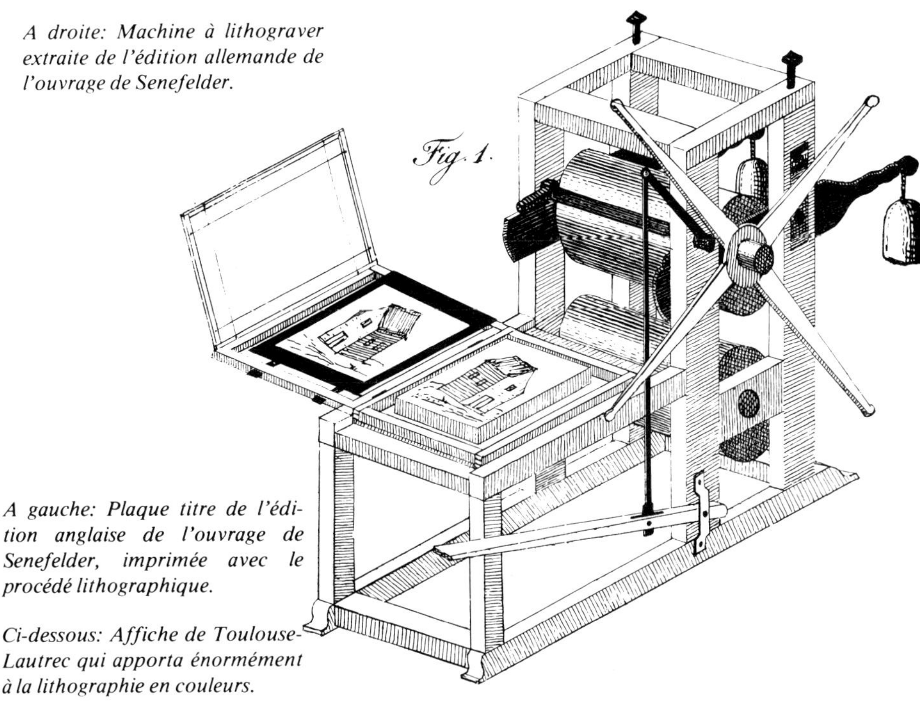

A droite: Machine à lithograver extraite de l'édition allemande de l'ouvrage de Senefelder.

Eatus vir qui non abijt in ꝯsilio impioꝝ et in via peccatoꝝ non stetit: ⁊ in cathedra pestilentie non sedit. Sed in lege domini volūtas

A gauche: Plaque titre de l'édition anglaise de l'ouvrage de Senefelder, imprimée avec le procédé lithographique.

Ci-dessous: Affiche de Toulouse-Lautrec qui apporta énormément à la lithographie en couleurs.

plus petits détails du dessin original étaient reproduits avec une précision remarquable. Les premières applications de la lithographie furent à la fois pratiques et rentables. Mais le procédé ne fut connu que lorsque Senefelder publia en 1818 son ouvrage intitulé *Vollständiges Lehrbuch der Steindruckerei* (Manuel complet de lithographie).
A la demande d'un éditeur de musique d'Offenbach, Senefelder établit chez lui une entreprise de lithographie et forma des ouvriers à ce procédé. Quoiqu'il se fût toujours battu pour une mécanisation totale de la presse lithographique, ce but ne fut atteint que de nombreuses années après sa mort. Il décéda le 26 février 1834 à Munich.
Le graveur caricaturiste et peintre Honoré Daumier réalisa la plupart de ses oeuvres importantes sous forme de lithographies. Il utilisa, à cet effet, un procédé quelque peu modifié; il dessinait d'abord sur papier au moyen d'une encre grasse, puis il reportait son dessin sur la pierre lithographique. Ce procédé lui permettait d'obtenir une meilleure reproduction de la structure du papier. La lithographie en couleurs due à Hippolyte Moulin, ou chromolithographie, qui apparut en 1838, nécessitait davantage de pierres dans le projet de dessin, une par couleur. La difficulté majeure était de caler fortement les pierres avec précision dans la presse, car toutes les couleurs devaient correspondre très exactement.
Depuis les impressionnistes et durant tous les courants importants de l'art moderne, la lithographie est restée un facteur important pour la propagation des expressions artistiques. Picasso et Henry Moore - maîtres modernes - ont utilisé cette technique. De nombreux progrès techniques et, par contre-coup, des possibilités d'impression plus raffinées sont apparues. Seuls les meilleurs et les plus habiles obtiennent d'excellents résultats.
De nos jours - en cette seconde moitié du XXe siècle - la lithographie reste une des techniques préférées et les plus employées.

Friedrich König

1774-1833

Par son invention d'une presse rotative rapide et entraînée par la vapeur, le constructeur de machines et imprimeur allemand König apporta une amélioration révolutionnaire dans les techniques d'imprimerie, qui n'ont, d'ailleurs, subi aucune modification sensible durant trois siècles.

Il est notoire que Friedrich König est né en 1774 et que, de 1803 à 1811, il travailla comme imprimeur et tenta d'améliorer une presse existante. Le principe de l'imprimerie établi par Johannes Gutenberg (1400-1468) avait déjà fait l'objet de quelques modifications et améliorations. Mais, vers la fin du XVIIIe siècle, la demande en matériel imprimé avait fortement augmenté. En conséquence, les presses d'imprimerie manuelles, difficiles à mettre en oeuvre, ne pouvaient satisfaire à la demande. La solution était d'utiliser la force motrice de la vapeur pour actionner les presses.
La presse qu'utilisait König possédait un système d'engrenages qui faisait monter et descendre le rouleau (la plaque de pression plane qui pressait le papier à imprimer sur la matrice). Ces engrenages faisaient également coulisser dans un mouvement de va-et-vient la matrice sous le rouleau, pour encrer les formes coulées au moyen de cylindres à encre. La presse mécanique à rouleau ne semblait pas donner de bons résultats en pratique. König s'associa à un autre constructeur de machines, Andreas Bauer (1783-1860); de leur association naquit en 1811 un système remplaçant la plaque par un cylindre, qui, lorsqu'il tournait, entraînait le papier et le pressait simultanément sur la matrice, elle-même emprisonnée dans une forme plane. Cette forme coulissait à la même vitesse que celle du rouleau cylindrique rotatif. Dès que la matrice arrivait au bout de sa course, la pression du cylindre était relâchée, et une feuille de papier imprimée était éjectée. Entre-temps, la matrice revenait à sa position initiale en passant sous les rouleaux encreurs. Le procédé pouvait ensuite recommencer. De plus, la machine fonctionnait à la vapeur. Après l'apport d'un deuxième cylindre, grâce auquel on pouvait tirer deux feuilles à chaque mouvement de va-et-vient, la machine fut capable d'imprimer plus de 1 000 feuilles à l'heure (simple face). Quatre ans plus tard, König et Bauer construisirent une presse qui permit l'impression recto-verso. Dans celle-ci, le papier passait par un ensemble de deux rouleaux qui le pressaient, chacun sur deux matrices différentes. Il fallait encore y introduire le papier manuellement. Mais cette opération fut également mécanisée par l'inventeur britannique d'origine américaine William Church (env. 1776-1863). Il conçut principalement une machine à composer efficace et un système mécanique de prise du papier. König mourut en 1833.

Ci-dessous: La machine de König construite en 1814 pour imprimer "The Times". Les rouleaux encreurs montés sur cette presse étaient des cylindres durs recouverts de mélasse et de colle. Ils procuraient un encrage uniformément réparti et une meilleure couverture, ce qui représentait une amélioration notable sur le vieux procédé d'encrage avec les presses à main, au moyen de boules recouvertes de cuir.

A gauche: "La lecture du Times". Les résultats impressionnants obtenus par la presse de König lui procurèrent la commande de deux machines pour le Times. Le 29 novembre 1814, les premiers journaux, tirés sur une presse à cylindre, apparurent dans les rues de Londres.

La firme König et Bauer resta encore durant de nombreuses années un fer de lance de l'industrie des presses d'impression. Cette firme construisit en 1864 une presse à deux couleurs et, en 1897, la presse rotative "moderne" pour journaux. La dernière innovation importante au projet de König vint avec le perfectionnement de la presse entièrement rotative. La première matrice plane fut remplacée par un cylindre rotatif.

Cette amélioration fut rendue possible par la stéréotypie, procédé qui permet de tirer la copie d'une page initiale sur un matériau tendre. Au départ de ce procédé, on pouvait faire un moulage sur une plaque que l'on cintrait autour d'un cylindre. On laissait courir le papier entre les deux cylindres rotatifs.

Ainsi, un cylindre imprimait le recto et l'autre le verso. De cette façon, tout le processus d'impression s'effectuait en une seule opération rapide.

Enfin, en 1865, un autre inventeur américain, William Bullock (1813-1867) apporta encore une amélioration en alimentant la machine avec de plus grandes longueurs de papier sur rouleaux. Un couteau automatique coupait les pages au format voulu.

Il fut alors possible de produire 12 000 exemplaires complets de journaux à l'heure.

Ci-dessous: La première presse de König construite à Suhl en 1811. Ce fut la première presse à cylindres fonctionnant à la vapeur. Un rouleau se déplaçait horizontalement dans un mouvement de va-et-vient sous un cylindre rotatif. La presse pouvait tirer facilement 800 pages à l'heure.

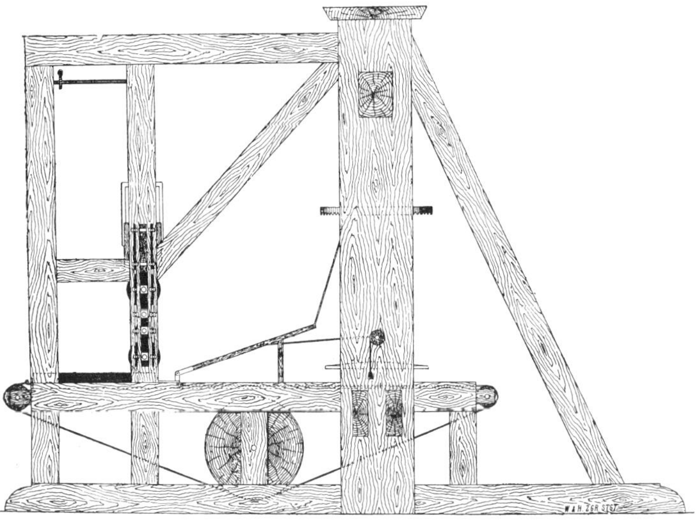

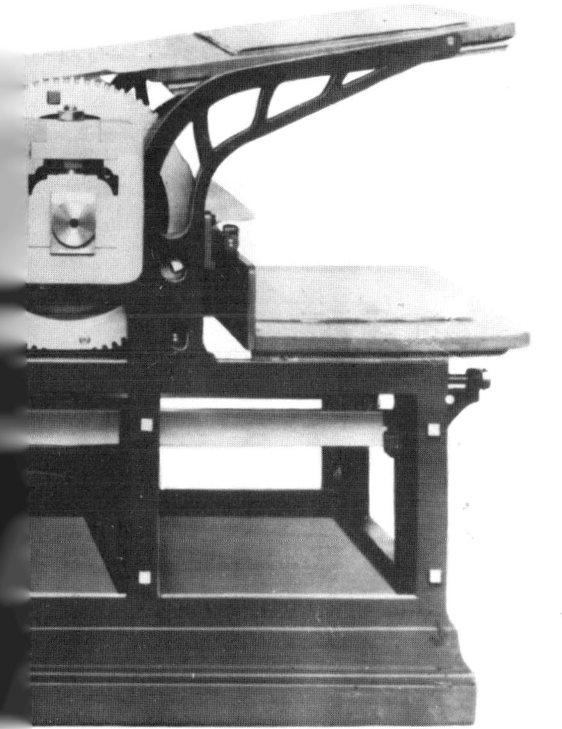

A droite: Le "Hall of Presses" (imprimerie) du "Times Newspaper" avec les matrices bloquées dans leur logement.

André-Marie Ampère

1775-1836

L'ouvrage le plus important du mathématicien et physicien français Ampère fut sa découverte de la relation entre les phénomènes électriques et magnétiques. Il fut donc le fondateur de la science qu'il appela d'abord ''électrodynamique'', mais qui est devenue depuis l'électromagnétisme. Dans le domaine mathématique, on lui doit également de remarquables travaux.

André-Marie Ampère est né le 20 janvier 1775 près de Lyon. Enfant, il montrait déjà son génie: à l'âge de douze ans, il savait tout sur les mathématiques de l'époque. A partir de ce moment, son adolescence ne fut qu'une suite d'épreuves. Son père, royaliste convaincu, fut impliqué dans l'émeute de Lyon contre le courant révolutionnaire en France. Il fut accusé de trahison et condamné à l'échafaud par le tribunal du peuple. Le jeune Ampère était âgé de dix-huit ans. Quelques années plus tard, sa jeune épouse mourut d'une maladie inconnue. En 1801, il devint professeur de physique à Bourg et, en 1809, professeur de mathématiques à l'Ecole polytechnique de Paris. En 1824, il devint aussi professeur de physique au très célèbre ''Collège de France'' et membre de l'Académie des Sciences.

En 1820, une certaine effervescence régnait dans le monde des sciences à cause d'une importante découverte, due au hasard, et faite par le physicien danois Hans Oersted (1777-1851), relativement peu connu à l'époque. Ce savant avait remarqué que l'aiguille d'un compas placé à proximité d'un fil métallique changeait de direction lorsqu'un courant électrique passait dans le fil. Ce fut la première preuve de la relation existant entre le magnétisme et l'électricité, les deux phénomènes physiques les plus mystérieux à l'époque. Ampère refit les expériences d'Oersted dans des circonstances bien précises et contrôlées. Moins d'une semaine après la découverte d'Oersted, Ampère trouva la loi définissant comment et dans quelle direction l'aiguille s'oriente en fonction de la puissance et de la direction du courant électrique. Ampère qualifia de ''pont-aux-ânes'' l'expression ''la règle du nageur'' ou du ''petit bonhomme d'Ampère'': imaginons que vous nagiez le long du fil électrique dans le sens du courant en regardant la pointe du compas, le pôle nord s'en éloigne, dans la direction de votre main gauche.

Un autre ''pont-aux-ânes'' s'appelle la ''règle du tire-bouchon''. Lorsqu'un tire-bouchon imaginaire est tourné dans le sens du courant dans un fil électrique, le sens de rotation de la poignée du tire-bouchon indique la façon dont les lignes de force du champ magnétique se déplacent.

En poursuivant ses recherches, Ampère découvrit qu'un fil conducteur se comportait de la même façon qu'un aimant, lorsqu'on y faisait passer un courant. Il sut également distinguer la polarité

Ci-dessous: L'Ecole polytechnique à Paris, où Ampère fut désigné pour la chaire de mathématiques en 1809 et où il effectua ses travaux les plus importants.

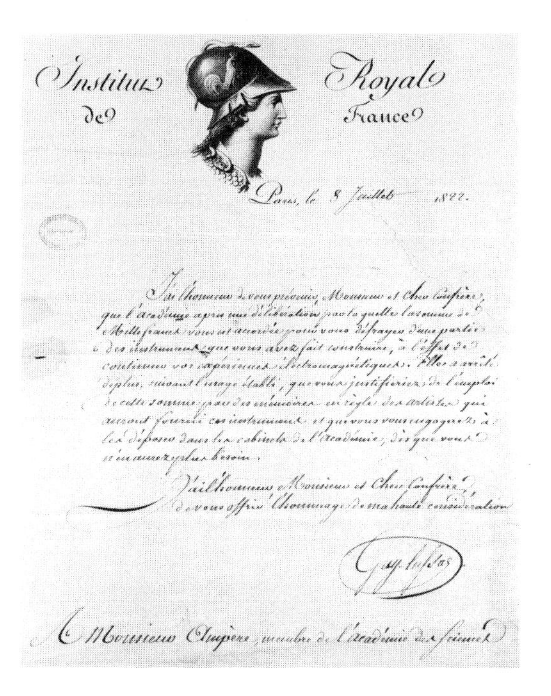
Institut Royal de France

Paris, le 8 Juillet 1822.

J'ai l'honneur de vous prévenir, Monsieur et Cher Confrère, que l'Académie après une délibération par laquelle la somme de Mille francs vous est accordée pour vous défrayer d'une partie des instruments que vous avez fait construire, à l'effet de continuer vos expériences électromagnétiques. Elle a arrêté de plus, suivant l'usage établi, que vous justifierez de l'emploi de cette somme par des mémoires en règle des artistes qui auront fourni ces instruments et que vous vous engagerez à les déposer dans les cabinets de l'Académie, dès que vous n'en aurez plus besoin.

J'ai l'honneur, Monsieur et Cher Confrère, de vous offrir l'hommage de ma haute considération

Gay-Lussac

À Monsieur Ampère, membre de l'Académie des Sciences

A gauche: Lettre de Gay-Lussac à Ampère, de l'Académie royale des Sciences. Il y mentionne que cette Académie des Sciences était disposée à accorder un crédit de mille francs à Ampère pour lui permettre de poursuivre ses recherches dans le domaine de l'électromagnétisme.

A droite: Le bobinage d'un moteur à induction linéaire. Ampère définit le rapport entre l'électricité et le magnétisme, qui fut découvert par Oersted. Le mouvement d'un aimant provoqué par la proximité d'un courant alternatif constitua en fait le premier moteur électrique, le précurseur d'une des principales sources d'énergie disponibles pour l'homme. Les moteurs électriques peuvent se différencier dans de très grandes proportions et peuvent également être divisés en différents types. Leurs applications sont infinies. Le moteur à induction linéaire, par exemple, est utilisé pour les transports rapides sur terre, pour les machines à tisser, dans les avions et les installations de lancement de fusées.

d'un corps magnétique - c'est-à-dire reconnaître le pôle magnétique nord et le pôle magnétique sud - d'après le sens du courant électrique. Pour son expérience la plus connue, Ampère utilisa deux fils électriques, placés l'un au-dessus de l'autre. L'un des fils était fixe et l'autre libre. Lorsqu'il reliait les deux fils de façon à les faire traverser tous deux dans le même sens par un courant électrique, le fil libre était attiré par le fil fixe. Et lorsqu'on inversait le courant dans un des fils, ils se repoussaient. Les fils se comportaient exactement comme deux aimants droits, dont les pôles identiques se repoussent et les pôles opposés s'attirent. Lorsqu'Ampère eut découvert les relations existant entre l'électricité et le magnétisme, et les eut traduites en lois physiques, il poussa un peu plus son raisonnement jusqu'à être convaincu que le courant électrique était vraiment à l'origine de toute manifestation magnétique. En 1823, il publia aussi une théorie mathématique très remarquable, dans laquelle il démontrait qu'un aimant pouvait être considéré comme un ensemble d'une infinité de petits courants électriques circulant dans autant de petits aimants. Mais, sur ce point, il était trop en avance pour son époque, et sa théorie fut considérée comme non crédible par ses contemporains. Ce ne fut que soixante ans après sa mort - Ampère mourut le 10 juin 1836 à Marseille - que sa théorie fut reconnue exacte dans son principe, grâce à la découverte d'une particule d'atome chargée négativement, et que nous appelons électron. Il réunit les résultats de ses recherches dans son livre *La théorie analytique des phénomènes électrodynamiques uniquement déduits de l'expérience* (1827). A propos des autres travaux d'Ampère, notons encore qu'il fut le premier à améliorer une technique pour mesurer les grandeurs électriques. Il construisit d'abord un galvanomètre pour mesurer de très faibles courants. Une forme ultérieure plus élaborée devint l'ampèremètre destiné à mesurer l'intensité d'un courant. Dans le domaine des mathématiques pures, il apporta une importante contribution au calcul différentiel. Sa contribution à l'étude du phénomène de l'électromagnétisme fut reconnue, et l'unité d'intensité électrique prit le nom d'ampère. Grâce à l'étendue de son travail et à l'importance de ses découvertes, Ampère reste un des plus grands physiciens de son époque.

Sir Humphry Davy

1778-1829

Le chimiste anglais Davy effectua de nombreux travaux importants dans tous les domaines de la chimie, ce qui lui procura une grande notoriété parmi les savants de son époque. De même, le grand public, pourtant peu au courant de ses activités, l'honora pour sa découverte de la lampe de sûreté pour les mineurs.

Humphry Davy est né le 17 décembre 1778 dans le petit port de pêche de Penzance, à la pointe sud-ouest de l'Angleterre.

Dans sa jeunesse, doué d'un tempérament artistique, il voulut se consacrer à la peinture ou à la poésie, dans lesquelles, effectivement, il faisait preuve d'un réel talent. Mais ses parents le persuadèrent de s'orienter vers une carrière plus pratique. Il se tourna alors vers la formation médicale. A dix-sept ans, il entra en apprentissage auprès d'un apothicaire-chirurgien, et peu après, son intérêt se porta définitivement sur la chimie.

Une des premières découvertes de Davy fut un gaz, combinaison d'azote et d'oxygène, appelé de nos jours protoxyde d'azote (N_2O). Davy, qui accordait une grande importance à la respiration et au goût de matières chimiques inconnues, découvrit que ce gaz avait des propriétés remarquables. La respiration de ce gaz lui procura d'abord une sensation de bien-être. Ensuite, il perdit le contrôle de ses émotions; il se mit tour à tour à rire bruyamment et à pleurer jusqu'à en perdre presque connaissance. La divulgation des effets de ce

gaz hilarant - comme on l'appelait à l'époque - amena son utilisation comme premier anesthésiant pour les opérations chirurgicales. D'autre part, cette découverte le fit nommer maître de conférences au célèbre *Royal Institute* de

H. Davy

Ci-dessous: Davy au travail.

En bas: Appareil d'électrolyse du début du XIXe siècle.

Londres. Au cours de ses travaux à l'Institut, Davy entendit parler d'une technique récemment découverte: l'électrolyse, qui permettait de séparer les deux éléments de l'eau: l'hydrogène et l'oxygène. La technique consistait à placer dans le liquide deux électrodes et d'y faire passer un courant électrique. Davy se demanda si d'autres produits que l'eau pouvaient également être séparés au moyen d'un courant électrique. Pour s'en assurer, il construisit une énorme batterie électrique - ou pile de Volta - la plus puissante à cette époque; elle était composée d'environ 2 000 éléments. A l'aide de cette batterie, il fit des essais sur de nombreux produits usuels et, avec le courant produit, découvrit l'arc électrique. Les résultats ne se firent pas attendre et furent surprenants: en faisant passer un courant à travers de la potasse fondue - ancien nom du carbonate de potassium - il vit apparaître de petites boules métalliques. Davy appela potassium le résultat de cette opération.

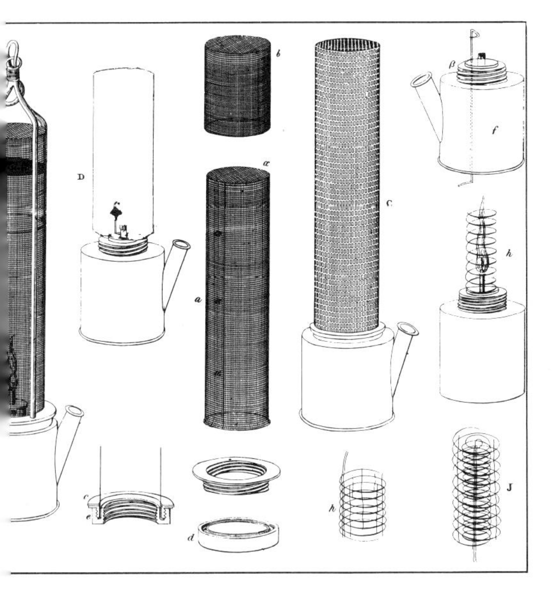

A droite: La batterie de Davy et son appareil d'électrolyse.

A gauche: Exemples de lampes de sûreté pour mineurs, extraits de The Collected Works of Sir Humphry Davy *(Ensemble des travaux de Sir Humphry Davy) A) lampe de sûreté normale avec manchon en treillis métallique. C) lampe avec un cylindre en cuivre. D) lampe avec miroir métallique utilisée en cas de concentrations importantes de gaz. J) petite cage en treillis de platine utilisée lorsque la quantité d'air présent est insuffisante pour provoquer une explosion.*

Ci-dessous: Lampes de travail pour la mine mises au point par Davy.

Peu de temps après, Davy isola de la même façon le sodium du sel de soude (carbonate de sodium) et, l'année suivante, le strontium, le calcium, le magnésium et le baryum. La découverte de tant de métaux nouveaux représentait une contribution importante au monde de la science et de la

technique. La renommée de Davy comme savant était déjà solidement établie. En 1812, il fut anobli et s'appela désormais Sir Humphry Davy. Mais sa plus grande popularité auprès de toutes les couches de la population vint avec sa découverte (1815) d'une nouvelle lampe pour les mineurs. Une des causes principales d'accidents mortels dans les mines, à l'époque, était l'explosion de poches souterraines de gaz, enflammées par les flammes libres des lampes à bougie des mineurs. Dans la plupart des cas, il s'agissait de méthane, un gaz inodore. Les mineurs ne remarquaient rien de la présence de ce gaz léger, dangereux et inflammable, jusqu'au moment où, la concentration étant suffisante, ils se voyaient entourés par les flammes. Une commission, ayant pour mission d'étudier la sécurité dans les mines, demanda l'opinion de Davy, qui comprit immédiatement que le danger était dû à la haute température des flammes de bougie. Si la température dégagée par la lampe pouvait se maintenir à un niveau inférieur à la température d'inflammation des gaz explosifs, il n'y aurait plus d'explosions.

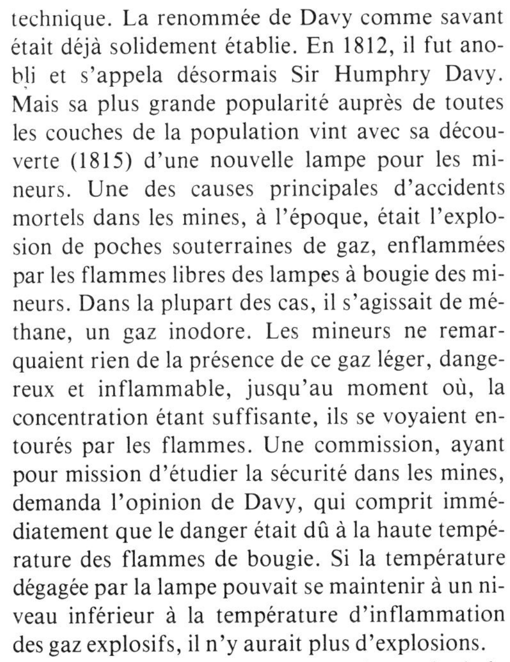

Davy eut enfin l'idée qu'une grande partie de la chaleur pouvait être absorbée par un entourage en treillis métallique. Les vides du treillis permettaient une alimentation suffisante en air pour assurer l'entretien de la flamme; de toute façon, la température à la surface du treillis restait inférieure à la température d'inflammation du méthane et des autres gaz explosifs. La coloration bleue de la flamme en cas de présence de méthane était un autre avantage important.

De ce fait, les mineurs étaient déjà avertis d'un danger éventuel.

La santé de Davy allait en sens inverse de son fructueux travail. Son habitude, durant toute sa vie, de respirer et de goûter des substances chimiques inconnues, semble lui avoir été fatale.

A l'âge de trente-trois ans, il était déjà partiellement paralysé.

Il fit quelques voyages en Europe en vue d'améliorer son état. En 1829, il se décrivit, avec un humour assez noir, comme ''une ruine parmi les ruines''. Il mourut à Genève le 29 mai de la même année.

George Stephenson

1781-1848

George Stephenson, ingénieur anglais, perfectionna la locomotive à vapeur. Les innovations qu'il apporta dans ce domaine donnèrent l'élan à l'ère des chemins de fer. Il fut le premier à comprendre le principe de l'adhérence sur rails lisses. Après avoir inventé la traction à vapeur sur voie ferrée - l'invention qui l'a rendu célèbre - il conçut une locomotive fonctionnant avec une chaudière tubulaire d'après les principes de l'ingénieur français Marc Seguin.
En Grande-Bretagne, George Stephenson réalisa aussi de nombreuses lignes ferroviaires. C'est à juste titre qu'il fut appelé " le père des chemins de fer".

George Stephenson est né en 1781 à Wylam, près de Newcastle, dans le comté du Northumberland. Il était le fils d'un constructeur de machines. Comme son père, il alla travailler dans les mines et s'occupa là d'une machine à vapeur. Avec intelligence et rapidité, il s'initia lui-même à la lecture, à l'écriture et au calcul. En 1802, il se maria et, l'année suivante, naquit son fils Robert destiné à devenir un des ingénieurs les plus brillants du XIXe siècle. Sa femme mourut en 1806, et il se retrouva seul pour veiller à l'éducation de son fils encore très jeune. Fermement décidé à lui procurer un enseignement de qualité, il occupa ses loisirs à réparer des montres et des horloges, des chaussures, et même à couper des tissus en série pour la confection. Il fit le maximum pour envoyer son fils dans une bonne école à Newcastle.
A vingt-trois ans, George Stephenson fut le témoin de la découverte de l'ingénieur des mines Richard Trevithick, qui avait utilisé la vapeur à haute pression pour faire fonctionner sa machine, la locomotive *New Castle*. Watt était fermement convaincu que la pression qu'il avait réglée était à la limite de la sécurité. Trevithick obtint une pression presque trente fois supérieure, ce qui lui permit d'utiliser un cylindre beaucoup plus petit. Il appliqua ces principes à la construction d'une locomotive qui devait rouler sur des rails. On aboutit ainsi au modèle, le *New Castle*, qui fit son voyage d'essai sur les voies de tram hippomobiles dans une fabrique de fer. Hélas, cette locomotive était si lourde que les rails en fonte se rompirent. Les progrès ultérieurs se manifestèrent lentement. Entre-temps, Stephenson avait été nommé chef machiniste dans les mines de charbon de Killingworth. Il s'était fait un nom dans le domaine de la manoeuvre de machines "ennuyeuses". A cause de cette réputation, son employeur lui ordonna de construire une locomotive destinée au transport du charbon hors de la mine. Stephenson

A droite: La locomotive à vapeur de Stephenson Caledonian *avec un des premiers trains sur la ligne Liverpool-Manchester en 1833.*

améliora les projets existants et construisit, en 1814, la *Blücher*, qui semblait être la locomotive roulante promise à cette époque au plus grand succès. Peu après, Stephenson fit sa découverte la plus importante, qui consistait à laisser échapper l'excédent de vapeur par un petit tuyau dans la cheminée. Ce procédé améliora considérablement le tirage de la chaudière et offrit la possibilité d'une plus grande vitesse. Durant les années qui suivirent, Stephenson travailla pendant ses heures de liberté à l'amélioration du chemin de fer dans tous les domaines: éclissage de rails, rails, essieux et pistons de locomotive.
Au début de 1821, il fut nommé ingénieur du chemin de fer entre Stockton et Darlington. Lorsque ce chemin de fer fut inauguré en 1825, la *Locomotion* de Stephenson tira le premier train de passagers au monde à une vitesse qui atteignait presque vingt km/h. La ligne entre Stockton et Darlington était initialement prévue pour le transport de marchandises.
Le premier service de passagers fut inauguré cinq ans plus tard avec l'ouverture de la ligne

Liverpool-Manchester. Stephenson y avait été attaché comme ingénieur de chantier. Les directeurs du nouveau chemin de fer décidèrent d'ouvrir un concours, un an avant l'ouverture, pour choisir la locomotive la mieux adaptée à leur ligne. A cet effet, Stephenson construisit la *Rocket,* une locomotive dans laquelle on retrouvait tout ce qu'il avait appris durant les vingt dernières années.
En outre, la *Rocket,* qui avait une meilleure apparence que les autres locomotives participantes, atteignait la vitesse, extraordinaire pour l'époque, de près de 48 km/h. L'exploitation effective des chemins de fer eut lieu le 15 septembre 1830, lors d'un voyage de huit locomotives flambant neuf, qui transportèrent ensemble six cents invités. Les résultats probants du chemin de fer Liverpool-Manchester accélérèrent le développement des chemins de fer. Jusqu'à sa mort, George Stephenson resta le conseiller de nombreuses et importantes sociétés de chemin de fer.
En 1850, son fils Robert put dire, au cours d'une conférence: "Lorsque je jette un regard rétrospectif sur les résultats étonnants obtenus en si peu de temps, il semble que notre génération ait fait appel au génie d'une armée de sorciers. Les collines sont aplanies et les vallées comblées. Et comme ces simples modifications du paysage ne suffisaient pas, on a construit des viaducs. De même, lorsque les montagnes faisaient obstacle, on a creusé des tunnels." Celui qui voit aujourd'hui rouler les wagons sur les rails peut difficilement s'imaginer les difficultés de pionnier que le "père du chemin de fer" a connues.
Stephenson apporta également sa contribution à la pose des rails et à leur éclissage. A son époque, il existait deux types de rails pour tram: le "rail habillé", où la bride (hauteur de guidage) était fixée au rail, et le "rail plan" où la bride était montée sur la roue. Stephenson était partisan du dernier type. Il proposa d'utiliser son propre rail en fonte de 90 cm de longueur.
A la même époque, John Birkinshaw avait trouvé une méthode pour laminer des rails en fer forgé de 4,5 m, ce qui nécessiterait moins d'éclisses. En outre, les nouveaux rails étant plus résistants que les rails en fonte, ils se rompaient moins vite. Bien que ce ne fût pas dans son intérêt, Stephenson reconnut immédiatement que les rails de Birkinshaw étaient meilleurs que les siens, et il les fit poser sur la ligne Stockton-Darlington.

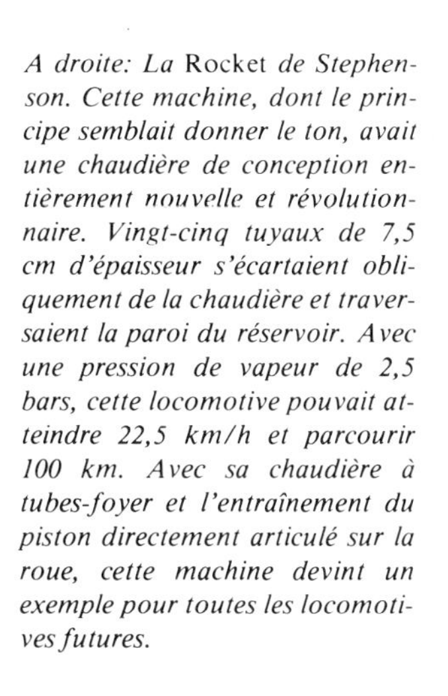

A droite: La Rocket *de Stephenson. Cette machine, dont le principe semblait donner le ton, avait une chaudière de conception entièrement nouvelle et révolutionnaire. Vingt-cinq tuyaux de 7,5 cm d'épaisseur s'écartaient obliquement de la chaudière et traversaient la paroi du réservoir. Avec une pression de vapeur de 2,5 bars, cette locomotive pouvait atteindre 22,5 km/h et parcourir 100 km. Avec sa chaudière à tubes-foyer et l'entraînement du piston directement articulé sur la roue, cette machine devint un exemple pour toutes les locomotives futures.*

Ci-dessous: Ouverture de la ligne Stockton-Darlington en 1825. Sur cette ligne de chemin de fer, longue de 60 km, roula le premier train de passagers du monde, tracté par la Locomotion *de Stephenson.*

Joseph von Fraunhofer

1787-1826

Durant sa courte vie, Joseph von Fraunhofer fut célèbre dans toute l'Europe comme étant un des meilleurs fabricants de lentilles et de prismes de son temps. Actuellement, son nom est lié à la science de la spectroscopie, méthode de séparation de la lumière du soleil et des étoiles, qui permet de visualiser séparément les différentes couleurs de la lumière.

Fraunhofer est né à Straubing dans le Sud de l'Allemagne. Il était le fils d'un opticien, pauvre mais très doué. Il perdit ses parents lorsqu'il était encore fort jeune et sa formation scolaire fut par conséquent assez limitée. A l'âge de quatorze ans, il devint apprenti chez un miroitier, près de Munich. Il devait travailler très dur, et, pourtant, il souffrait de la faim. Il connut "le bonheur dans son malheur" un peu plus tard. L'immeuble dans lequel il habitait s'écroula, et il resta coincé sous les ruines. Par miracle, il resta sain et sauf et devint le centre d'une opération de sauvetage dramatique.

Le Prince Electeur de Bavière vint se rendre compte personnellement de ce sauvetage. Bouleversé par le sort du jeune Fraunhofer, il décida d'aider le jeune homme, en lui donnant la possibilité de bénéficier d'une bonne éducation. C'est alors que tout changea pour Fraunhofer. En 1806, il fut admis dans l'équipe du célèbre Institut d'Optique de Munich.

Dans ce nouveau milieu, le talent de Fraunhofer dans le domaine des lentilles et des prismes optiques parfaits put être jugé à sa juste valeur. Les astronomes et les savants de l'Europe entière entendirent parler de ses travaux et s'adressèrent à l'Institut de Munich pour obtenir toutes sortes de lentilles et de prismes. De nombreuses découvertes furent rendues possibles grâce à la qualité des lentilles fabriquées par Fraunhofer. En 1817, il prépara une lentille pour l'observatoire russe de Dorpat. Lorsque la lunette de cet observatoire fut mise en service, les astronomes eurent la possibilité d'observer plus de 2 000 nouvelles étoiles doubles.

Ci-dessus: L'"Utzschneider Optische Institut" *à Benedictbeurn près de Munich, où Fraunhofer perfectionna sa technique du polissage des lentilles et des prismes. Il en devint l'unique directeur en 1818.*

Fraunhofer fit sa principale découverte en 1814, lors du contrôle de la qualité d'un prisme. Dans le spectre des couleurs, dans lequel la lumière solaire est réfractée, il observa un grand nombre de raies foncées. Bien qu'un petit nombre de ces raies eussent été observées précédemment par des savants, l'excellente qualité du prisme de Fraunhofer leur permit d'en découvrir plus de cinq cents. Il reproduisit sur une carte la position et la longueur d'onde des sept raies principales et leur attribua des lettres de A à G. Ces raies ont toujours conservé la même dénomination. Plus tard, Fraunho-

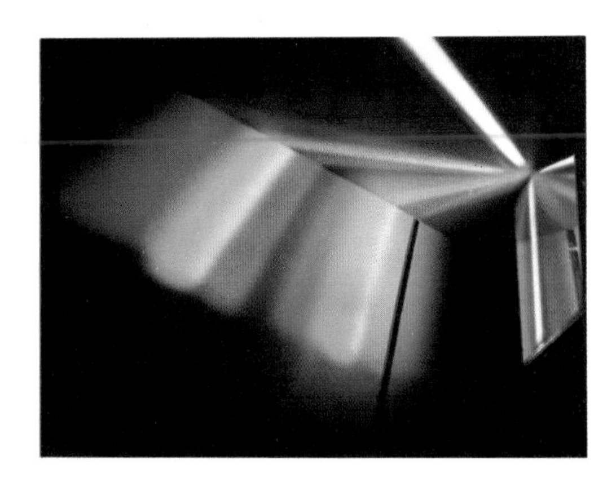

A droite: Un réseau courbe de diffraction, petite plaque qui présente une série de fines rainures à distance égale . Si un rayon de lumière y arrive sous une certaine incidence, il est décomposé en un spectre. L'importance de la courbure dépend de la longueur d'onde de la lumière et de la constance du réseau, c'est-à-dire la distance entre les rainures. Le spectre apparaît, parce que les différentes couleurs de la lumière ont des longueurs d'ondes différentes. Actuellement, on utilise plutôt les réseaux de diffraction dans les spectroscopes, parce qu'ils produisent une meilleure séparation des couleurs que le prisme.

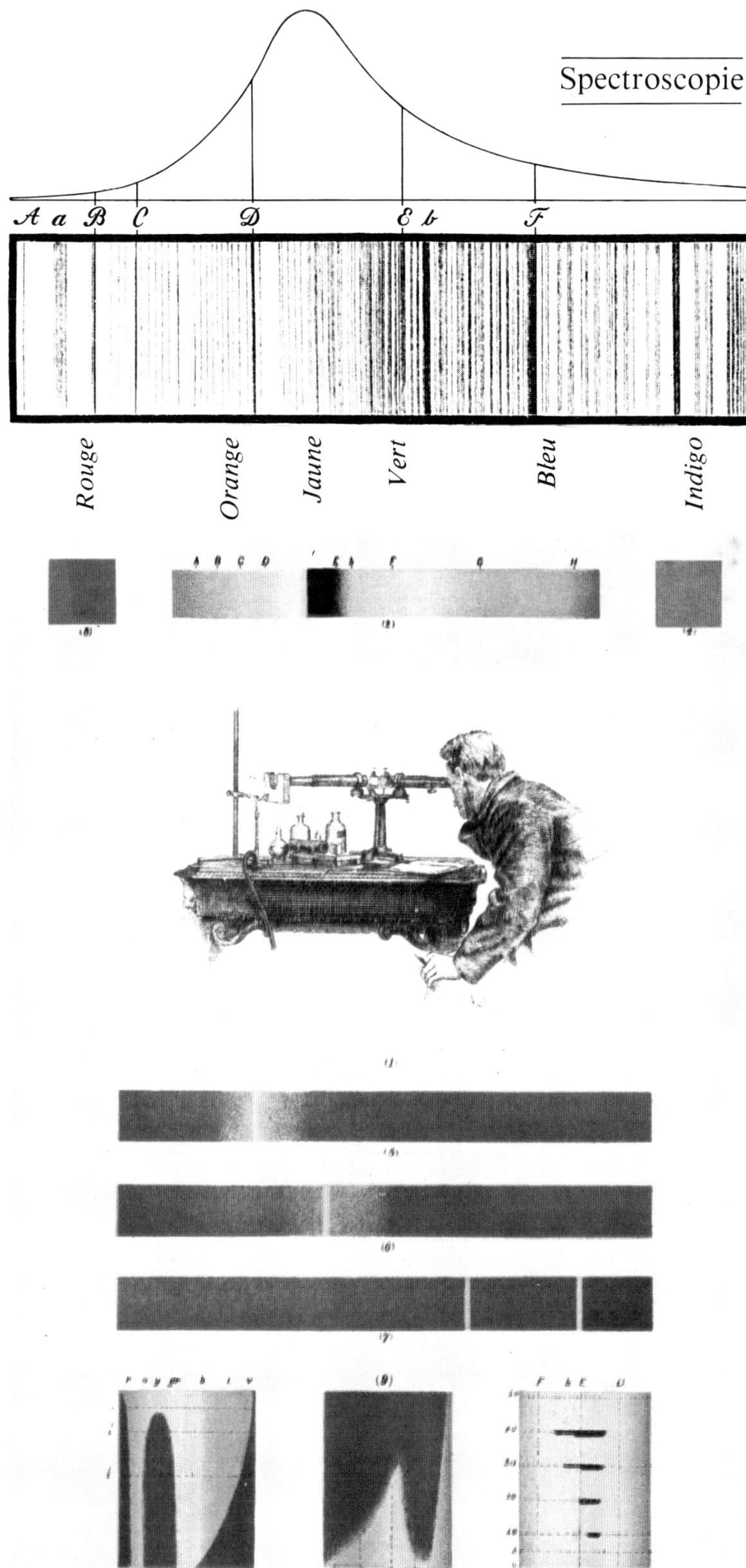

(d'après Muller) (d'après Gladstone) (d'après Ackroyd)

En haut: Le spectre du soleil.
Ci-dessus, à gauche: Un observateur au spectroscope (1) et ce qu'il observe: le spectre de la couleur magenta (2), sa couleur à la surface (3), la couleur d'une solution (4). D'autre part, les spectres d'émission du sodium (5), du thallium (6), de l'indium (7) et les spectres d'absorption de la couleur indigo (8), du chromichloride (9) et du magenta (10).
Ci-dessus, à droite: Spectroscope et prisme de Fraunhofer.
A droite: Une spectrophotomètre d'absorption.

fer réussira à mesurer les longueurs d'ondes de la majeure partie des raies qu'il observa. Elles sont connues sous le nom de raies de Fraunhofer.
Fraunhofer poursuivit ses recherches en analysant la lumière des étoiles, sa curiosité ayant été attirée par l'étude de la signification des raies. Il dirigea un télescope sur une étoile et plaça un prisme dans le foyer de ce télescope. Le prisme dispersa la lumière des étoiles en une série de raies foncées, différentes de celles du spectre de la lumière solaire.
Malheureusement, Fraunhofer n'eut pas le temps de terminer ses recherches et de donner une explication à ces raies. Atteint de tuberculose, au moment précis où il allait faire une importante découverte, il mourut à l'âge de trente-neuf ans. Quelques années plus tard, le travail entrepris par Fraunhofer porta ses fruits, lorsqu'on découvrit que les raies du spectre qu'il avait observées, correspondaient en fait à la présence de certains éléments chimiques dans l'atmosphère du soleil et des étoiles.
Actuellement, les astronomes sont en mesure de déterminer la composition détaillée des étoiles, en examinant les raies du spectre de la lumière. Prenons un exemple: on sait que le soleil comporte au moins soixante-dix des éléments existants. Les chimistes peuvent également utiliser cette méthode pour l'analyse des corps chimiques. Si l'on chauffe ces corps jusqu'à incandescence, ils vont émettre de la lumière qui peut être décomposée en un spectre, de sorte qu'il sera possible de déterminer quels éléments composent ces corps.
Fraunhofer établit les bases de l'analyse chimique des corps au moyen de la lumière; cette méthode est toujours appliquée de nos jours en astronomie.

Georg Simon Ohm

1787-1854

Georg Simon Ohm, physicien allemand, découvrit la célèbre loi fondamentale de l'électricité. Vers 1832, il fit une communication concernant un phénomène important dans les éléments électriques.
Malgré ses travaux intéressants, il ne fut pas reconnu suffisamment de son vivant par les savants de son pays.

Ohm naquit à Erlangen en Allemagne du Sud. Encore enfant, son plus grand souhait était de devenir savant et de travailler dans une grande université allemande. Son père, qui avait des connaissances techniques, lui communiqua son savoir pratique, qui, plus tard, lors de ses expériences, allait lui être d'une grande utilité. Il encouragea son fils dans son enthousiasme pour la science. Mais la famille était pauvre et n'avait pas d'amis riches influents.

Ohm ne réussit pas à obtenir un poste dans une université, et finit par accepter un modeste poste de professeur, avant de se retirer pour se consacrer à des recherches.
Il ne voulait pourtant pas se faire un nom dans la recherche scientifique, mais par une grande découverte.
Son plus grand intérêt était l'électricité. Les progrès de l'électricité avaient continué grâce à l'invention de la pile électrique par Alessandro Volta (1745-1827). C'était la première source permanente d'électricité.
Toutefois, n'étant pas en mesure d'acquérir les appareils nécessaires à ses recherches, Ohm se servit de ce que son père lui avait enseigné et fabriqua lui-même les appareils dont il avait besoin.
Il était au courant de quelques découvertes importantes dans le domaine du transfert de la chaleur.

Ci-dessous: Appareils utilisés par Ohm, entre 1825 et 1840, pour ses expériences qui prouvèrent que l'intensité d'un courant électrique dépend de la résistance du fil dans lequel passe le courant. Au début, Ohm n'utilisait pas de piles, mais une série de bouteilles de Leyde, reliées entre elles par des tiges en cuivre.

Il avait le sentiment que ces mêmes principes pouvaient s'appliquer au courant électrique.
En cas de transfert de chaleur entre deux points, ce transfert est provoqué par des différences de température entre les deux points, ainsi que par la qualité de la matière conductrice.
Ohm imagina que le courant électrique pourrait naître de la différence de tension entre deux points - généralement exprimée en volts - et la conductibilité de la matière entre ces deux points.
Il concrétisa son idée en faisant passer un courant par des fils d'épaisseurs et de longueurs différentes, ce qui lui permit de rassembler un grand nombre de données précises.
Il découvrit que, pour un métal déterminé, la quantité de courant variait suivant la longueur et l'épaisseur du fil. En toute logique, si le fil est plus fin, l'électricité peut plus difficilement parcourir le fil, et une plus grande tension est alors nécessaire.
Ohm utilisa ses découvertes pour définir une valeur qu'il appela la résistance électrique. En 1807, Ohm avait poussé ses recherches tellement loin, qu'il put démontrer l'existence d'une relation simple entre la résistance, l'intensité du courant et la tension.

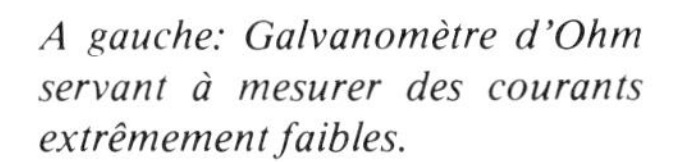

A gauche: Galvanomètre d'Ohm servant à mesurer des courants extrêmement faibles.

A droite: Un rhéostat toroïdal, exemple moderne de l'application pratique de la loi d'Ohm. Les rhéostats (résistances de réglage) règlent le débit d'électricité vers les appareils, par l'intermédiaire d'une résistance variable. Ils sont utilisés pour le démarrage des moteurs électriques et le réglage de leur vitesse, pour la régulation du champ de force des générateurs, dans les récepteurs radio, et pour choisir l'intensité de la lumière. Le rhéostat toroïdal, dont le nom vient de la forme du bobinage autour duquel le fil est enroulé, est utilisé dans de nombreux laboratoires et pour d'innombrables procédés industriels, en particulier l'argenture par électrolyse.

La célèbre loi d'Ohm établit que l'intensité d'un courant (en ampères) est directement proportionnelle à la tension (en volts) et indirectement proportionnelle à la résistance.
Cette loi permettait, pour la première fois, de calculer les quantités de courant, la tension de ce courant et la résistance dans les circuits électriques, ainsi que les modifications qui apparaissent. En apportant certains changements dans le circuit électrique, en y intercalant une résistance par exemple, il était possible d'établir des circuits qui pouvaient satisfaire à des besoins particuliers.
La loi d'Ohm ne représentait pas seulement une étape importante en matière d'électricité, mais elle fut également la base de l'électrotechnique.
Ohm savait qu'il avait fait une découverte très importante. Il était bien décidé à s'en servir pour obtenir un poste à l'université, mais il craignait que le monde scientifique ne reconnût pas sa découverte, parce qu'elle n'était établie que sur des expériences.
Et Ohm commit l'erreur fatale de formuler sa loi dans une théorie.
Lorsqu'il publia sa découverte, il ne parla qu'incidemment de ses brillantes expérimentations. La plus grande partie de son ouvrage attira l'atten-

tion de mathématiciens hésitants. Au lieu d'établir sa réputation une fois pour toutes, cette publication lui causa un énorme préjudice.
Les savants allemands n'attachèrent aucune importance à l'intérêt considérable de sa découverte.
Mais la reconnaissance de sa découverte se confirma peu à peu. A son grand étonnement, Ohm reçut des lettres de félicitations de la part de savants de différentes villes d'Europe. En 1842, il fut élu membre de la *Royal Society* de Londres.
Partout en Europe, les savants examinèrent à nouveau les principes qui découlaient de ses expériences et furent peu à peu convaincus du grand intérêt que représentait la découverte de la loi d'Ohm. Il reçut bien plus d'éloges qu'il n'aurait espéré.
En 1849, cinq ans avant sa mort, le rêve d'Ohm devint réalité: il fut nommé professeur de physique à l'Université de Munich. Actuellement encore, les résistances électriques sont exprimées en "ohms".

Sir Edward Sabine

1788-1863

Sir Edward Sabine, astronome et militaire anglais, fut le premier savant à découvrir le modèle du champ magnétique terrestre. Il fut également le premier à établir une relation entre l'activité des taches solaires et les perturbations du champ magnétique terrestre. Edward Sabine réussit à concilier son travail scientifique avec une remarquable carrière militaire.

Edward Sabine naquit à Dublin (Irlande) et passa par l'Académie royale militaire de Woolwich (Angleterre). Il débuta comme lieutenant d'artillerie. En 1813, il fut envoyé au Canada, où il prit part à la victoire du Fort Erié en 1814, lors de la guerre d'Indépendance américaine. Il montrait beaucoup d'intérêt pour les sciences, et surtout pour l'astronomie et le magnétisme terrestre.
En 1816, Sabine retourna en Angleterre. De 1818 à 1820, il participa à deux explorations officielles dans la région du pôle Nord, à la recherche du fameux ''passage du nord-ouest''.
Il se montra très rapidement capable de faire d'excellentes relations et d'établir des rapports entre différentes données scientifiques. Chargé de faire une étude sur la forme de la Terre, il se servit d'un pendule sensible en dix-sept endroits fixés préalablement et répartis sur une grande surface de la Terre.
Il fit connaître les résultats de ses recherches en 1825, mais on reconnut plus tard que ses données n'étaient pas exactes. Il n'en était pas responsable: comment aurait-il pu savoir qu'il devait tenir compte des différences de densité de la croûte terrestre?
Il eut plus de succès en lançant des signaux de fusées pour déterminer la distance en ligne droite entre Paris et Londres. Son résultat était précis à un sixième de seconde près.
Le congé qu'il avait pris pour se consacrer à la recherche scientifique fut interrompu en 1830, lorsqu'il fut envoyé en Irlande. Il retourna en

Ci-dessus: Alexander von Humboldt, physicien et explorateur allemand, qui établit les fondements de la géographie physique et de la géophysique (physique du Globe).

A droite: La magnétosphère; présentation relativement récente de la Terre, au centre d'un champ magnétique étendu. La magnétosphère sert de barrière contre les radiations. Elle revêt la forme d'une larme, dont l'extrémité est déviée par le Soleil. Lorsque le vent solaire - un courant de petites particules atomiques - rencontre le champ magnétique terrestre dans la direction de la Terre, il se forme une onde de choc qui renferme une zone turbulente délimitant la zone magnétique.

En bas, à droite: L'origine du champ magnétique terrestre n'est pas encore connue, mais il est possible d'en mesurer la direction et l'intensité.

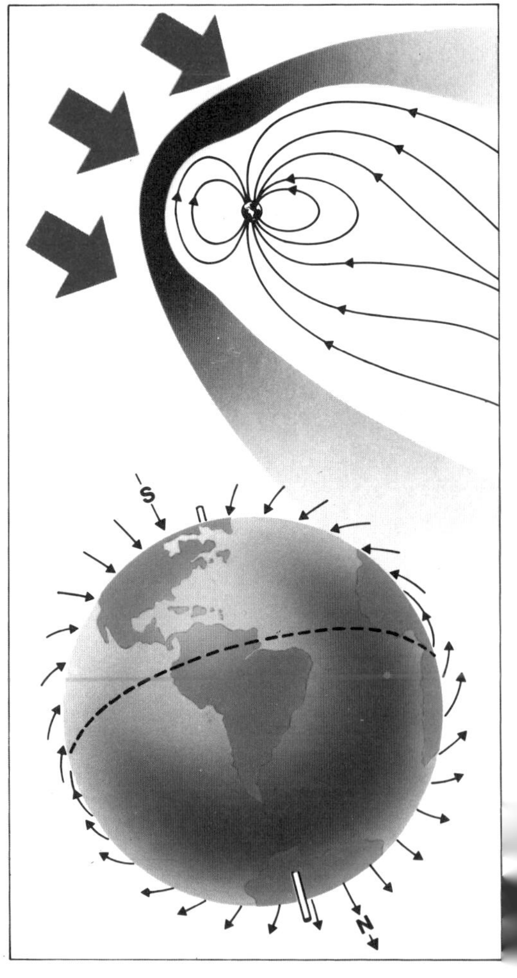

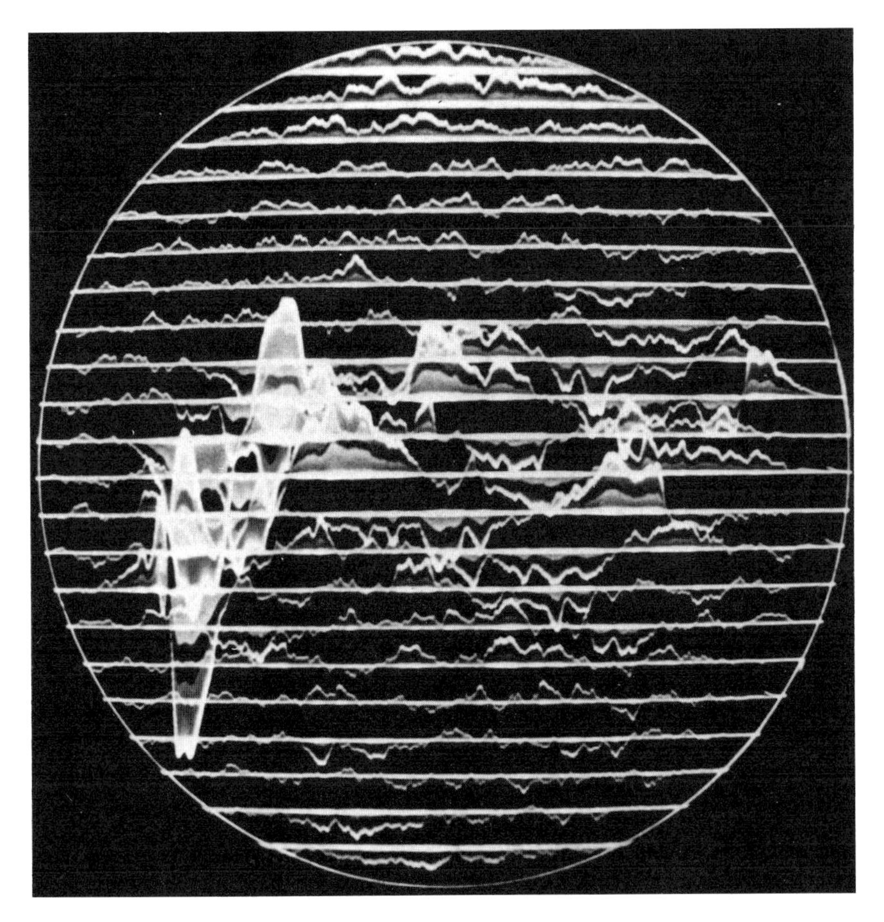

Entre-temps, Samuel Heinrich Schwabe, pharmacien et astronome allemand, avait enregistré avec beaucoup de précision, depuis 1826, le nombre de taches solaires observées quotidiennement. Il découvrit ainsi que ces taches (surfaces plus sombres, et relativement plus froides sur la périphérie solaire) augmentaient en nombre au cours d'un cycle d'environ onze ans.
Lorsque Sabine examina en détail le travail de Schwabe, il constata qu'il y avait une relation entre les taches solaires et les orages magnétiques.
Cette découverte revêtait une grande importance scientifique. En établissant une carte du magnétisme terrestre, Sabine confirma sa réputation de chercheur, qui lui valut de nombreuses distinctions.
Malheureusement, durant ses dernières années, il fut atteint de troubles mentaux et dut se retirer de la vie publique.

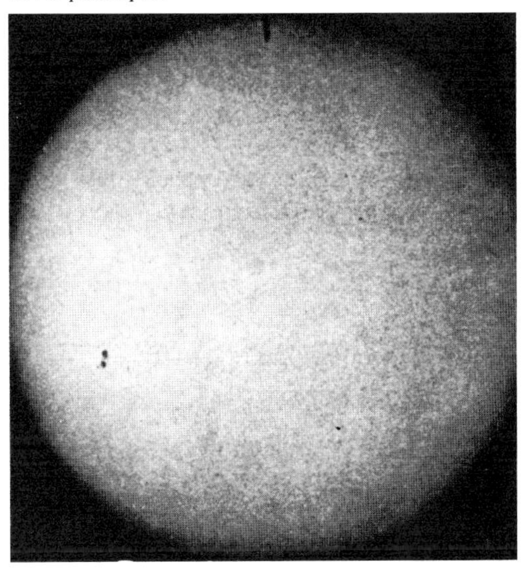

Angleterre en 1834 et devint l'auteur principal des premières recherches officielles sur le magnétisme terrestre, à la demande du gouvernement britannique.
L'explorateur et savant Alexander von Humboldt étudiait déjà depuis longtemps les mutations permanentes du magnétisme terrestre. Lors des orages magnétiques, nom que l'on donnait à ces mutations, les aiguilles du compas déviaient d'une façon étrange.
A ces moments-là, on observait également les phénomènes de l'aurore boréale et de l'aurore australe. Humboldt suggéra de faire construire une série de stations d'observation dans le monde entier, afin de mesurer les mutations locales du magnétisme terrestre. Il sollicita l'appui du gouvernement britannique. L'Angleterre possédait des territoires sur les deux hémisphères et le projet fut officiellement accepté par l'Angleterre en 1839, tant Sabine sut se montrer persuasif. En 1840, un réseau complet de stations de mesure fonctionnait déjà.
Afin d'aider Sabine à coordonner ses nombreuses données, le Ministère britannique de la Guerre mit à sa disposition à Woolwich une petite équipe de rédacteurs, qui classa les informations pendant vingt ans. Sabine en publia régulièrement les résultats. Ces publications étaient un véritable monument aux yeux de cette équipe inhabituelle de chercheurs scientifiques, qui, grâce à leur compétence, découvrirent un nombre incroyable de valeurs importantes sur le magnétisme terrestre. Sabine s'aperçut que les orages magnétiques avaient un cycle approximativement undécennal.

Une carte magnétique (en haut) et une photo (à droite) du Soleil, prises le même jour. L'activité magnétique est la plus forte près des taches solaires.

Ci-dessous: Aurora Borealis ou aurore boréale.

Louis-Jacques-Mandé Daguerre

1787-1851

Louis-Jacques-Mandé Daguerre est l'inventeur du "daguerréotype" appelé ainsi en son honneur. C'était la première forme de photographie appliquée. Sa façon de photographier domina toutes les méthodes existant à l'époque pour fixer les images, grâce à un temps d'exposition plus court et une meilleure netteté de l'image. Le daguerréotype fut l'instrument le plus couramment utilisé pour photographier jusqu'en 1850 environ.

Daguerre commença sa carrière à Paris comme peintre de décors et metteur en scène. Il fut le premier, en 1822, à présenter à Paris, puis à Londres, un "diorama", ensemble d'images peintes sur un drap transparent. Ces draps étaient disposés de telle sorte que chaque peinture semblait montrer une série d'images au public. Un certain nombre de ces peintures étaient placées autour d'un podium lors de la représentation. Le podium sur lequel se trouvait le public tournait en rond.
Cette disposition permettait de provoquer des effets astucieux et trompeurs, tels qu'un clair de lune ou un crépuscule, grâce à un éclairage mobile. On se lassa assez vite de ce spectacle, mais la découverte de Daguerre est encore utilisée dans les chambres optiques et dans les musées.
Dès 1824, Daguerre rechercha une manière de fixer en permanence l'image qui apparaissait dans une "camera obscura". Il apprit que Joseph Niepce avait réussi pour la première fois à fixer des représentations photographiques. Après de longs pourparlers, il parvint à convaincre Niepce de collaborer avec lui pour développer son invention (1829). La réduction du temps d'exposition constituait la principale difficulté. Ils collaborèrent jusqu'à la mort de Niepce (1833). Ensuite, Daguerre poursuivit seul ses recherches. Il utilisa des plaques en cuivre recouvertes, d'un côté, d'une solution de sel d'argent. Ce côté fut exposé à une poudre iodée, ce qui fit apparaître une fine couche très photosensible d'iodure d'argent. Lorsqu'il expérimenta cette découverte dans une chambre noire, les plaques restèrent blanches. Cependant, il nota qu'une image apparaissait sur un certain nombre de vieilles plaques qu'il avait entassées dans une armoire et qui s'étaient recouvertes d'une fine couche de mercure. Voilà comment il découvrit, par hasard, que le mercure pouvait rendre une image visible. Plus tard, il remarqua qu'une solution d'hyposulfite de sodium permettait de garder l'image constante, ce qui éliminait en même temps le sel d'argent non exposé. Daguerre perfectionna donc sa méthode à tel point

Ci-dessous: La place du Château-d'Eau à Paris. On remarque le Diorama à l'arrière-plan, exposition de scènes par Daguerre, peintes sur des draps transparents.

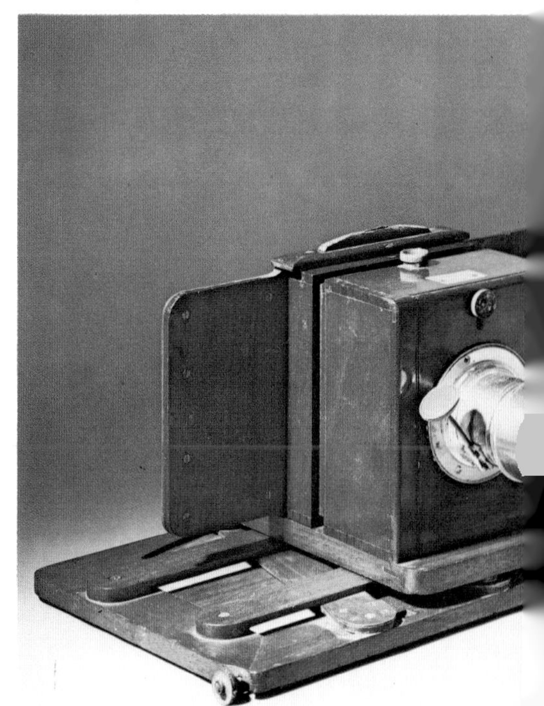

A droite: Trois des premiers types de caméras daguerréotypes.

qu'il obtint des résultats remarquables en 1837.
Le daguerréotype semblait être un procédé très valable pour rendre les détails et la netteté d'une image. De plus, il avait ramené le temps d'exposition à vingt minutes environ. Au cours des années suivantes, la découverte fut perfectionnée, notamment par l'utilisation d'une couche plus sensible à la lumière et par l'amélioration des lentilles des appareils photographiques. La demande d'appareils photographiques crût considérablement, lorsque le temps d'exposition fut réduit à moins d'une demi-minute.
Cependant, le daguerréotype présentait quelques inconvénients pratiques. La photographie était une opération très onéreuse, parce qu'il fallait une plaque métallique pour chaque image. En outre, les daguerréotypes étaient faits à partir de l'image directe, de sorte que chaque photo était unique et ne pouvait pas être reproduite plusieurs fois. De plus, les images étaient représentées comme dans un miroir.
Vers 1850, toutes les possibilités qu'offrait la découverte de Daguerre furent épuisées. Il ne semblait plus possible de trouver une application plus pratique. Le daguerréotype fut peu à peu supplanté par une nouvelle méthode de photographie, inventée par l'Anglais William Henry Fox Talbot. Sa méthode consiste à obtenir des reproductions positives à partir d'images négatives.

En haut, à gauche: Daguerréotypie du roi Louis-Philippe, imprimée sur papier.

En haut, à droite: Une des premières photos réussie de Daguerre, prise du château des Tuileries, vers 1839.

Ci-dessus: Quelques-unes des premières daguerréotypies: plaques en cuivre polies et argentées, traitées par de la vapeur d'iode et de brome.

A droite: Plaque de garantie du daguerréotype, sur laquelle le client est averti de se prémunir contre toute imitation.

Michael Faraday

1791-1867

Michael Faraday est généralement considéré comme le plus grand chercheur scientifique de l'histoire. Il compensa la faiblesse de sa formation mathématique par le désir démesuré de visualiser les phénomènes physiques. Il doit surtout sa renommée à la contribution qu'il apporta pour expliquer la liaison entre le magnétisme et l'électricité.

Faraday naquit près de Londres. Il était originaire d'une famille de dix enfants. Ses parents étaient ouvriers; après avoir suivi l'école primaire, il entra en apprentissage chez un libraire à l'âge de 14 ans. Le patron de Michael l'encouragea à étudier, ce qui lui ouvrit de larges possibilités pour l'avenir. Il suivit les cours du savant Humphry Davy à l'Institut Royal de Londres.

Fortement impressionné par ces cours, il notait chaque détail. Plus tard, il y ajoutera des schémas et des graphiques. Il envoya ses notes à Davy, dans l'espoir secret d'obtenir un poste à l'université. A sa grande joie, Davy lui offrit de devenir son assistant personnel. Le salaire était inférieur à ce qu'il gagnait dans sa librairie. Cependant, il saisit l'occasion sans hésiter. Après sa nomination, Davy et Faraday quittèrent l'Angleterre pour parcourir l'Europe, où ils rencontrèrent les plus grands savants.

Lorsque Faraday rentra à Londres, il décida de faire des recherches à l'Institut Royal dont il devint membre en 1824. Le physicien danois Hans Oersted avait découvert en 1820 qu'une aiguille de compas (boussole) accuse une déviation lorsqu'elle est rapprochée d'un fil, dans lequel passe un courant électrique.

Ci-dessous, à droite: Laboratoire de Faraday.

Page de droite, à gauche: Electroscope de Faraday. Lorsqu'une barre en verre chargée négativement est maintenue au-dessus de l'instrument tout près de la poignée, la charge négative ricoche dans cette poignée et est repoussée vers les couches d'or en feuilles qui s'écartent. Lorsque la barre en verre est retirée, la charge négative se répartit de nouveau équitablement dans l'appareil, qui redevient neutre, de sorte que les feuilles restent inertes. Mais si l'on touche le manche sous la poignée - avant de retirer la barre en verre - une partie de la charge négative se dirige vers la terre. Puis, si on retire la barre en verre, l'électroscope se charge positivement et les feuilles se repoussent.

Se fondant sur ce phénomène, Faraday commença à faire des expériences pour tenter de déterminer le rapport entre l'électricité et le magnétisme. Il fit sa première découverte un an plus tard. Il démontra que les forces électriques et magnétiques pouvaient être modifiées, si l'on tendait un fil conducteur entre les pôles d'un aimant en fer à cheval. Les forces réagissant l'une sur l'autre faisaient pivoter le fil.

Bien que n'ayant pas poursuivi ses recherches, Faraday avait découvert le premier moteur électrique simple. Cette découverte fit de Faraday un savant très réputé.

Cependant, il travaillait toujours comme assistant de Davy. Intéressé par les expériences de Davy sur l'électrolyse, il décida d'examiner lui-même ce phénomène de plus près. On savait déjà depuis quelques années que, lorsqu'on fait passer un courant électrique dans l'eau, elle se décompose en deux éléments, l'oxygène et l'hydrogène. Davy demontra que cette expérience pouvait également réussir avec des solutions de composition chimique différente. Il parvint même à séparer des sels simples pour en faire de nouveaux métaux encore inconnus. Après avoir mené des recherches très précises, Faraday parvint à déterminer les quantités dans lesquelles les différents corps étaient séparés par électrolyse.

Ses lois établirent que lorsqu'une partie se sépare d'un élément déterminé durant le processus, celle-ci dépend de l'intensité du courant, de la masse atomique et de la composition chimique de l'élément en question.

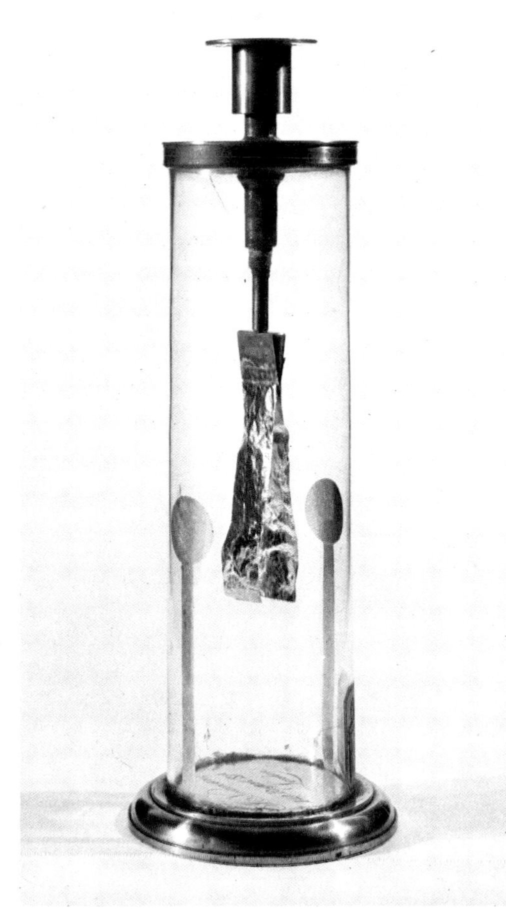

Malgré le grand succès qu'il obtint avec l'électrolyse, Faraday s'intéressa avant tout au rapport entre le magnétisme et l'électricité. Il était convaincu que le magnétisme pouvait être utilisé pour provoquer un courant électrique, tout comme l'électricité pouvait provoquer un effet magnétique. Après avoir réussi un certain nombre d'expériences devenues célèbres depuis, il découvrit, en 1831, le phénomène de l'induction électromagnétique (production d'un courant électrique dans un conducteur qui se déplace dans un champ magnétique).

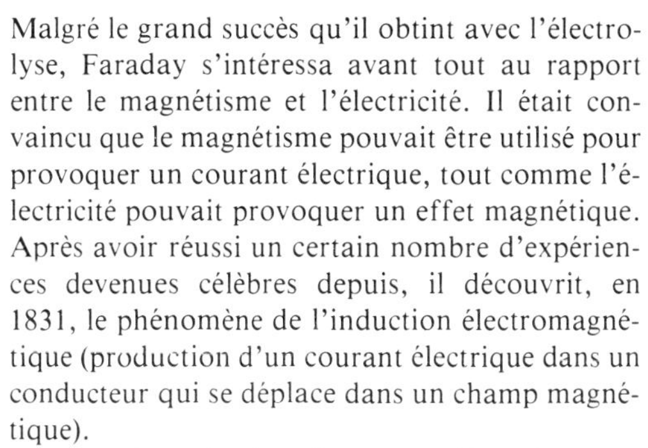

A droite: Bobine utilisée par Faraday lors de sa découverte de l'induction électromagnétique. Lorsque la bobine était reliée à un galvanomètre et qu'un aimant était introduit dans l'ouverture de la bobine, l'aiguille du galvanomètre indiquait le passage d'un courant électrique, mais seulement lorsque l'aimant se déplaçait. Faraday démontra ainsi qu'un champ électrique pouvait naître dans un champ magnétique variable, à condition que, pendant ce temps, le champ magnétique change d'intensité.

Son expérience la plus célèbre est celle de l'anneau en fer doux entouré de deux fils isolés. L'extrémité d'un des fils était reliée à un galvanomètre (instrument servant à mesurer l'intensité du courant). Lorsque l'autre fil fut fixé à une pile, il ne se passa rien. Cependant, Faraday savait que l'anneau en fer était magnétique au moment où le courant passait. Mais, lorsque le circuit fermé était interrompu ou rétabli, le galvanomètre indiquait la présence d'un courant électrique. Il comprit alors qu'un courant électrique apparaissait lorsque la force de l'aimant augmentait ou diminuait. En d'autres termes: toute modification dans l'intensité de l'aimant provoque un courant. Il formula ainsi le principe de base de l'induction électromagnétique: tout changement d'un flux magnétique dans lequel se trouve un conducteur y produit un courant.

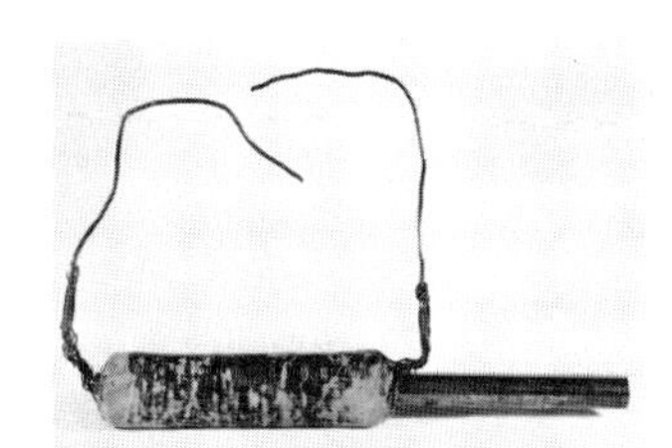

Ci-dessus: La barre et la bobine utilisées par Faraday pour démontrer qu'un aimant peut produire un courant électrique. La barre est un cylindre en fer doux, entourée d'un fil de cuivre enveloppé de soie. Une plaque métallique en cuivre est fixée à l'une des extrémités du fil, tandis que l'autre extrémité est coudée pour qu'elle puisse toucher la plaque. Lorsque la barre est placée sur un aimant puissant, les extrémités du fil se séparent un instant. Le même phénomène se produit lorsqu'on retire la barre. La présence d'un courant électrique, qui provoque l'écartement des deux extrémités du fil, est également visible, grâce à l'étincelle qui apparaît au moment où les deux extrémités se repoussent.

L'application de cette découverte permit à Faraday de fabriquer la première dynamo, qui servit de modèle pour les futurs générateurs, machines puissantes utilisées dans les centrales électriques, pour alimenter en électricité la plus grande partie des ménages et des industries. D'autre part, Faraday découvrit l'existence d'un champ de force, permettant d'expliquer le phénomène magnétique. Il imagina des forces magnétiques, qui se dispersaient dans toutes les directions à partir des pôles d'un aimant. En reliant tous les points dont la force d'attraction avait la même intensité, il obtint un certain nombre de lignes. Cette opération lui permit de représenter le champ magnétique sur une carte. Après la mort de Faraday, on continua à exploiter ses découvertes. Elles constituèrent la base de la première description complète de la nature et de l'influence réciproque de l'électricité et du magnétisme.

Samuel Morse

1791-1872

Le premier appareil télégraphique utilisable revêtit une très grande importance pour le développement des liaisons dans la seconde moitié du XIXe siècle. Cette invention est l'oeuvre d'un peintre professionnel, qui fit des expériences en tant que physicien amateur et qui a pour nom Samuel Morse. L'intérêt de son télégraphe électrique, qu'il imagina en 1832, ne fut pas directement apprécié. La première ligne télégraphique fut essayée, le 24 mai 1844. Il établit également un alphabet conventionnel, utilisant des points et des traits: l'alphabet Morse.

Samuel Finley Breese Morse était le fils d'un pasteur calviniste, qui était également un géographe réputé. Après sa formation scolaire, Samuel fut d'abord peintre et, peu après avoir terminé ses études au *Yale College,* en 1810, il se rendit une première fois en Angleterre, pour se perfectionner dans l'art de la peinture.

En dehors de sa passion pour l'art, Samuel Morse avait toujours été attiré par la physique et surtout par l'électricité. En revenant d'un voyage en Europe en 1832, il eut une conversation, à bord du navire qui le ramenait, sur l'électro-aimant de Joseph Henry. Henry fut le premier à faire passer un courant électrique le long d'un fil de fer de 1 500 mètres.

Le courant était transmis à partir d'une batterie de piles et faisait tinter une sonnette à l'autre bout du fil. Morse se proposa d'utiliser l'électro-aimant comme point de départ pour la télégraphie avec fil.

En 1837, il abandonna complètement la peinture pour se consacrer entièrement à sa nouvelle invention.

En une année, il établit le système Morse, écriture constituée de points et de traits, correspondant aux lettres de l'alphabet. Avec ténacité, Morse se mit à fabriquer la première liaison télégraphique à longue distance. Il bénéficia même de l'appui du Congrès américain en 1843.

La liaison, composée d'un fil de fer, était fixée à des poteaux et isolée à l'aide de boutons de porte en verre. Le fil fut posé entre Baltimore et Washington, sur une distance de 60 km. Le 24 mai 1844, l'avis suivant fut transmis: ''C'est un miracle de Dieu !'', ce qui donna à l'événement une dimension historique.

Cependant, l'extension du télégraphe fut très lente, parce que les gens craignaient les conséquences que pouvait entraîner le placement de fils électriques dans leur pays.

Néanmoins, le télégraphe joua rapidement un rôle important dans l'ouverture des relations entre les Etats d'Amérique.

Mais Morse n'avait ni reconnaissance ni estime pour ceux qui avaient collaboré à son invention, et c'était là, sûrement, le point faible de son caractère. En effet, Morse n'aurait jamais pu réaliser ses projets sans l'invention de Joseph Henry, qui consistait à renforcer le signal à certains endroits du fil.

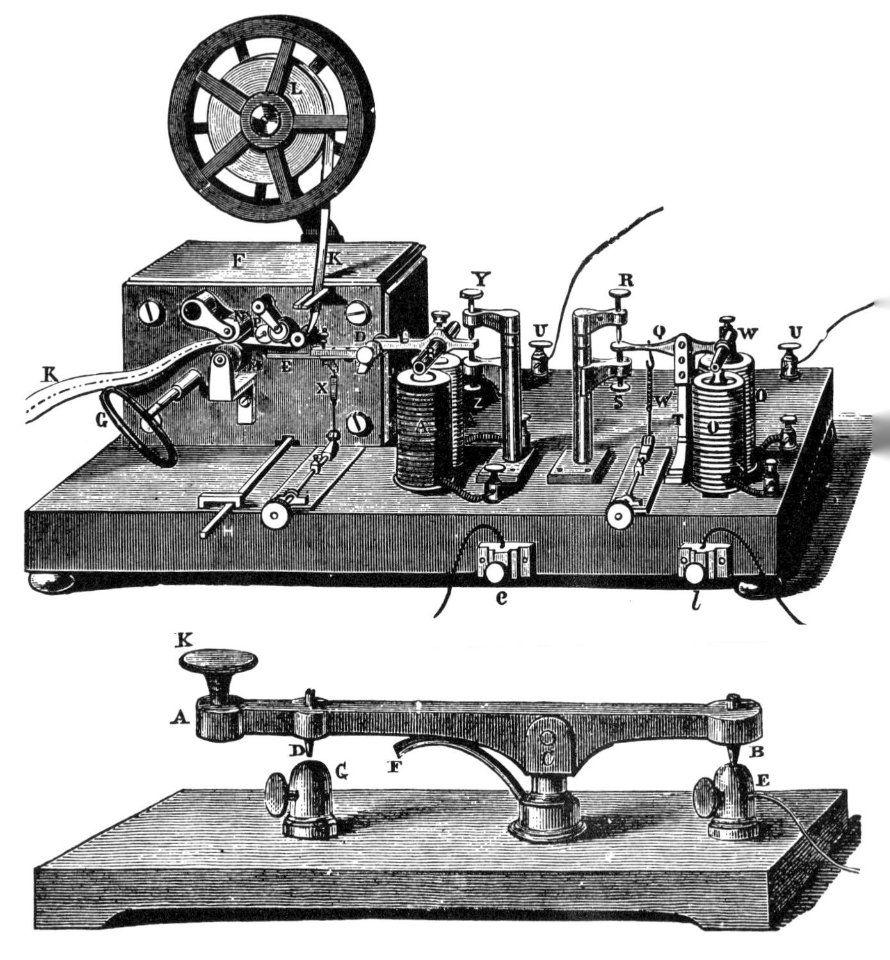

Ci-dessous: Télégraphe Morse. Lorsque le télégraphiste appuie le levier du manipulateur, un courant passe de l'électro-aimant (A) à une armature (B), qui attire un levier (C). L'extrémité (E) du levier le plus long se relève. La pointe d'acier, à cette extrémité, est enfoncée dans une rainure peu profonde, qui se trouve dans une roue métallique. Une bande de papier sur laquelle le message est perforé circule entre la pointe et la roue.

En bas: Un manipulateur Morse.

A gauche: Un bureau du télégraphe à Londres en 1871. L'invention de Morse fut très vite utilisée et permit de procurer du travail à de nombreuses femmes.

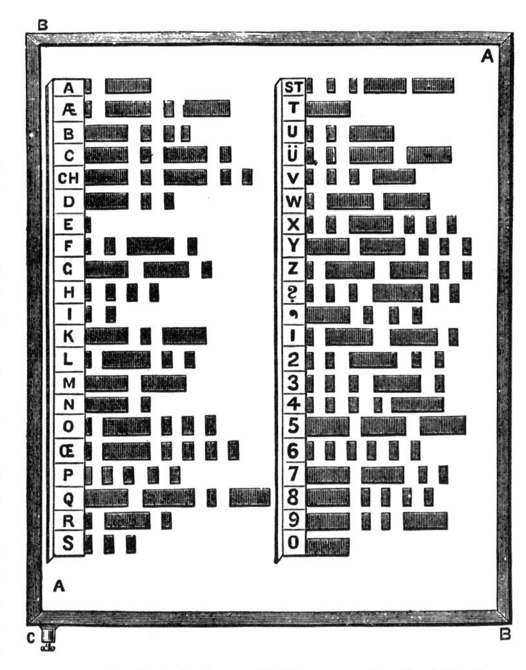

A droite: Plaque de Morse. Pour transmettre les points et les traits de l'alphabet, on appuie plus ou moins longuement sur le levier du manipulateur. De nombreux télégraphistes avaient des difficultés pour transmettre correctement les signaux. C'est pourquoi Morse inventa une plaque en ivoire (non conducteur) présentant des bandes métalliques dont la longueur correspondait au code. Ces bandes étaient reliées entre elles par une plaque métallique fixée contre l'ivoire. Une borne de raccordement (C) reliait la plaque métallique à une batterie. Le télégraphiste faisait glisser, sur la plaque, une tige reliée à l'émetteur. Un circuit électrique était établi chaque fois que la tige glissait sur une petite plaque métallique.

Le manipulateur Morse utilisé pour la transmission, n'a presque pas subi de modifications depuis son invention. Mais l'appareil a été l'objet d'un certain nombre de modifications essentielles. On utilisa d'abord un rouleau de papier qui tournait en permanence et subissait des perforations, comme pour l'écriture Braille. Cet appareil fut remplacé par un autre fonctionnant à l'encre.

Vers 1850, on découvrit qu'un utilisateur pouvait facilement lire et écrire simultanément le code d'après le son.

L'écriture Morse dut subir des modifications en Europe; si l'on voulait télégraphier dans d'autres langues que l'anglais, il fallait tenir compte d'accents et d'abréviations différents. On établit donc un code international.

Dans les dernières années de sa vie, Samuel Morse devint un humaniste. Il collabora aux missions ainsi qu'à la création et la protection d'institutions éducatives.

A sa mort, sa méthode de télégraphie au moyen de l'alphabet Morse était répandue dans le monde entier.

Ci-dessous: Un modèle de récepteur Morse.

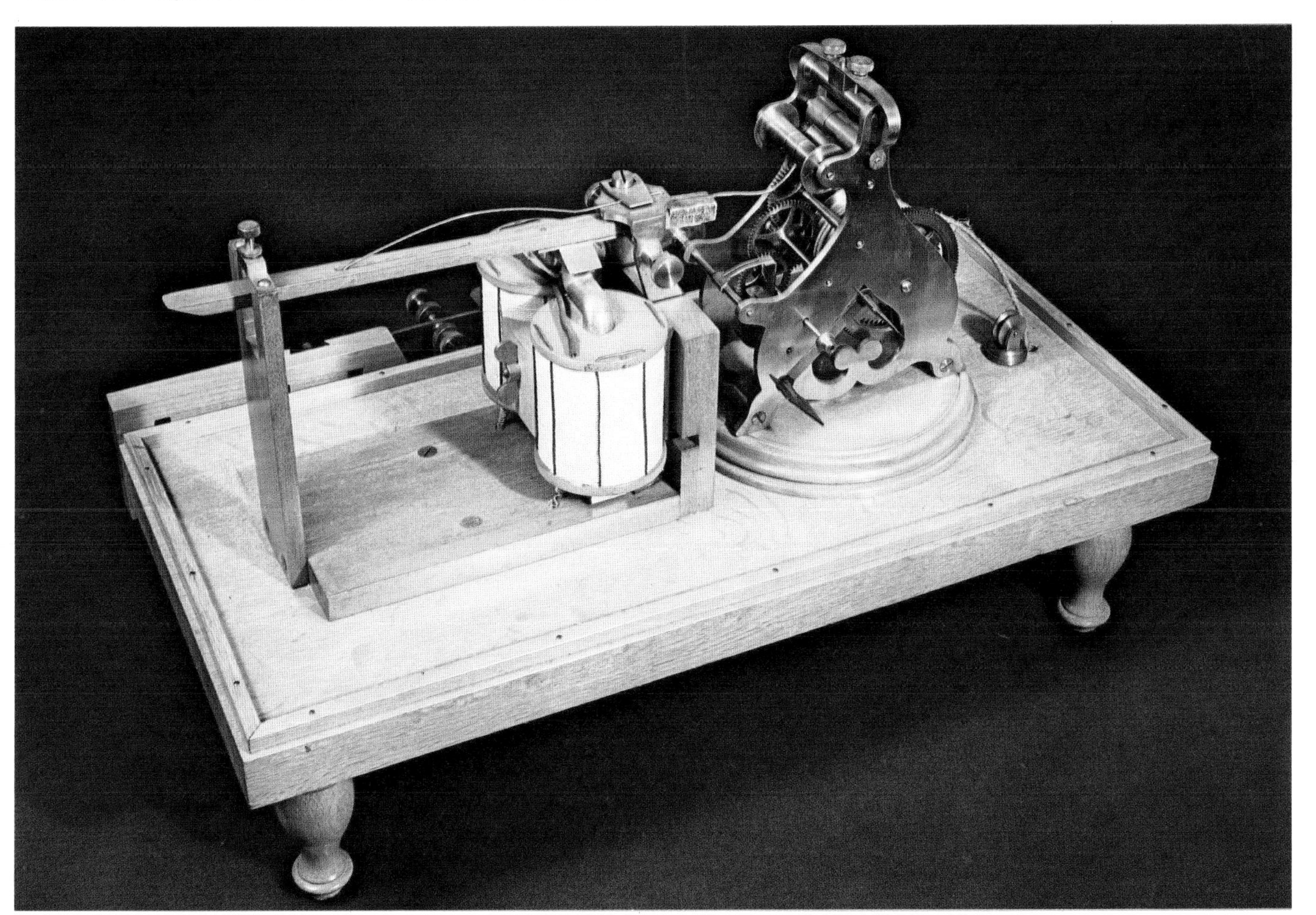

Charles Babbage

1792-1871

Le mathématicien britannique Charles Babbage est l'auteur de nombreuses inventions. Citons, par exemple, celle du tachymètre, du chasse-pierres sur les locomotives et d'une première réalisation de l'ophtalmoscope. Auteur du Traité de l'économie des machines et des manufactures *(1832), il participa à l'essor de la logique mathématique en Grande-Bretagne. Mais sa plus grande contribution au développement de la technologie, fut un projet de premier ordinateur digital qui combinait les possibilités d'une calculatrice et celles des cartes perforées.*

La première machine à calculer conçue par l'homme fut le boulier compteur, constitué par un cadre et des boules enfilées sur des tringles. Chaque rangée de boules avait une valeur numérique déterminée. Il est probable que le boulier compteur a été inventé en Babylonie, il y a quelque cinq mille ans.

La première machine à additionner et à soustraire fut construite en 1642 par le mathématicien et philosophe français Blaise Pascal. Il utilisa un système de liaisons et de roues chiffrées.

L'étape suivante fut franchie par le mathématicien allemand Gottfried Wilhelm von Leibniz; il fabriqua une machine qui pouvait également multiplier et diviser. Leibniz fit sa découverte en 1649, mais la machine n'était pas encore suffisamment sûre pour être utilisée couramment. Son emploi ne fut possible qu'un siècle plus tard, après quelques modifications.

Tous ces appareils étaient des machines à calculer, mais sans rapport avec les ordinateurs d'aujourd'hui. Charles Babbage fut le premier à se faire une idée d'un véritable ordinateur et des fonctions qu'il pouvait remplir. Son génie semblait être fort en avance sur son époque.

Babbage était originaire d'une riche famille et il fit ses études à Cambridge, où il se lia avec un groupe de savants et de mathématiciens, qui estimaient que les sciences en Grande-Bretagne étaient négligées aussi bien par le gouvernement que par l'enseignement. Les mathématiques étaient toujours enseignées dans les universités d'après les thèses conservatrices, extraites de l'oeuvre de Newton.

En 1830, Babbage publia *Reflections on the Decline of Science in England* (Réflexions sur le déclin des sciences en Angleterre). Son ouvrage était une attaque directe contre l'Académie royale. Babbage pensait que le système d'admission limitée des membres était la preuve que l'Académie se complaisait en elle-même. L'année suivante, il fut un des fondateurs de la *British Association for the Advancement of Science* (Association britannique pour la promotion des sciences). L'association entra rapidement en lice (et c'est encore le cas actuellement) pour le débat moderne dans tout domaine scientifique.

Babbage consacra de nombreuses années à l'étude des machines à calculer. En 1832, il commença à fabriquer une machine à calculer avec une capacité de vingt décimales. En 1834, il avait complètement conçu son idée d'une ''Machine pensante''. Babbage avait imaginé que les cartes perforées utilisées par Joseph-Marie Jacquard pour ses machines à tisser la soie, pourraient très bien être utilisées pour transmettre des instructions à une ma-

Ci-dessous: L'Analytical Machine de Babbage, précurseur des machines à calculer et ordinateurs modernes. Les données sont mises en réserve dans des suites de petites roues. Chaque roue peut prendre dix positions, qui correspondent chacune à un chiffre décimal. La machine était programmée au moyen de cartes perforées. Les séries de petites roues résolvaient les problèmes numériques par l'action d'un levier que l'on relevait et abaissait.

chine à calculer dans le cas de problèmes mathématiques complexes. Cette machine permettrait de calculer les réponses plus rapidement et plus précisément que l'homme.
Babbage avait une idée très claire de son ''ordinateur''. Il fonctionnait à l'aide d'une mémoire, comparait les résultats et transcrivait les données souhaitées. L'ordinateur devrait également pouvoir adapter son propre programme et transformer les données de la même façon. Babbage consacra les trente-sept dernières années de sa vie au perfectionnement de sa machine. C'était une tâche (qui se transforma en obsession à la longue) incroyablement complexe et pratiquement impossible à remplir. Après quelque temps, il bénéficia de subsides pour poursuivre ses recherches. Mais, en 1842, le gouvernement lui retira ses subsides et Babbage se vit forcé de financer personnellement toute l'opération.
A la fin de sa vie, Babbage était devenu un homme aigri. Il estimait que l'intérêt de son travail n'avait pas été reconnu, et il fut déçu de ne pouvoir donner une forme concrète à ses principes de la ''Machine pensante''.
Dans ses prototypes, Babbage avait conçu un système mécanique de roues, d'engrenages, de manettes et de fils. Ces éléments ne purent jamais atteindre la précision et la souplesse nécessaires pour résoudre le genre de problèmes auxquels il pensait. Mais au cours de la Seconde Guerre mondiale, on fit de grands progrès en électronique, qui permirent la construction de l'ordinateur moderne. Il semble bien qu'on y ait appliqué les idées émises initialement par Babbage.

Ci-dessous: Les ordinateurs permettent de simplifier l'opération compliquée de réservation des places d'avion. Cette vue du bureau de réservation de la British European Airways *montre les machines Uniset en action. Elles établissent les réservations pour l'ordinateur Beacon de la société.*

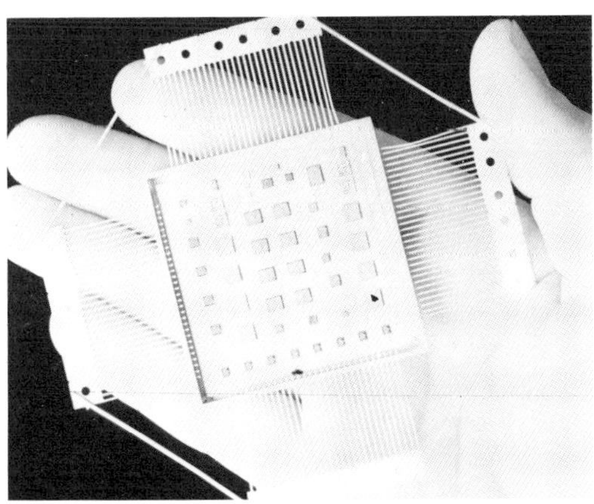

A gauche: Un micro-ordinateur. Les ordinateurs modernes n'ont aucun point commun avec la lourde Analytical Machine. *Au début des années soixante, il était devenu possible de fabriquer des pièces électroniques tellement petites, que l'on put construire des micro-ordinateurs. L'utilisation croissante des ''chips'' en silicium extrêmement petits a permis une telle miniaturisation des pièces électroniques que l'ordinateur représenté sur la photo semble proportionnellement fort grand.*

Joseph Henry

1797-1878

Joseph Henry était un savant américain très actif et énergique. Sa longue vie fut jalonnée de nombreuses découvertes et inventions. Parmi les plus importantes, il faut citer un électro-aimant pratique (qui conduisit au premier télégraphe simple), la construction des premiers moteurs électriques et la découverte du phénomène d'auto-induction (1832), très important dans le domaine de l'électricité. Lors de ses recherches, Joseph Henry s'appliquait surtout à ce que ses découvertes servent le bien-être de l'humanité.

Le contact de Henry avec le monde de la science est dû à un pur hasard. A l'âge de seize ans, il logeait chez un membre de sa famille à Albany, dans l'état de New York. Un jour, il courait derrière un lapin, et sa course le conduisit dans la crypte d'une vieille église. Il ne s'intéressa plus au lapin et se mit à visiter l'église. Il y découvrit une vieille caisse remplie de livres, dont un volume ancien, merveilleusement illustré traitant de diverses expériences scientifiques. Le jeune homme parcourut le livre et fut tellement enthousiasmé qu'il décida de se consacrer dorénavant aux sciences.
Henry se rendit à l'Université d'Albany dans l'intention d'y étudier la médecine. Mais, peu après, il orienta son choix vers les techniques scientifiques. Ses études à peine terminées, il retourna à l'université, mais cette fois en qualité de professeur de physique et de mathématiques. Il s'intéressait tout particulièrement aux expériences entreprises pour provoquer l'électro-magnétisme, en entourant un noyau de fer doux d'un fil conducteur.
En 1829, Henry entreprit d'améliorer le projet européen. Il se rendait parfaitement compte que la puissance d'un aimant dépendait du nombre de bobinages autour du noyau de fer doux. Pour accroître le nombre de bobinages sans provoquer un court-circuit, il décida d'isoler les fils, en utilisant des bandes de soies.
Les résultats furent remarquables. L'électro-aimant le plus puissant de l'Europe ne pouvait soulever que 4 kg. Celui de Joseph Henry pouvait en soulever mille.
Henry, comprenant qu'il ne suffisait pas d'utiliser les électro-aimants pour leur force, envisagea la possibilité de les employer pour envoyer des messages sur une grande distance. Son projet consistait à relier un petit électro-aimant, dont les fils avaient une longueur de plus de 1,5 km, à une batterie de piles. Un télégraphiste placé près de la batterie pourrait fermer (c'est-à-dire faire passer le courant) et interrompre le circuit électrique. L'aimant fonctionnait alors de façon alternative ou continue. L'aimant attirait et relâchait successivement une petite barre métallique, selon un or-

Ci-dessous: Récepteur de Charles Wheatstone. La question de savoir qui avait le droit d'être considéré comme l'inventeur du télégraphe se termina en un regrettable procès de priorité entre Samuel Morse et Joseph Henry. Wheatstone fut également convoqué, car il avait inventé un télégraphe à aiguille en 1837.

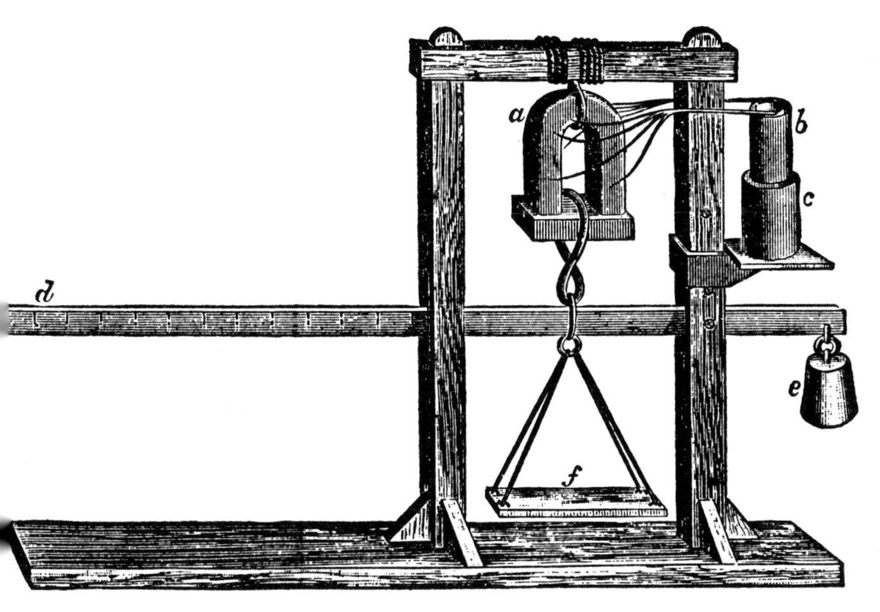

dre établi par le télégraphiste. On pouvait transmettre ainsi un message à l'aide d'un code.
Henry mit rapidement son idée en pratique et, en 1831, il termina son premier télégraphe électrique. Il était fermement convaincu que toutes les découvertes scientifiques étaient la propriété de toute l'humanité. C'est pourquoi il ne sollicita jamais de brevet pour ses découvertes.
En 1844, Samuel Morse, assisté de Joseph Henry, fit fonctionner le premier télégraphe breveté.
Un autre 'exploit' de Joseph Henry fut la découverte de 'l'auto-induction'. En 1830, il publia un article, dans lequel il expliqua comment le courant électrique d'une bobine (ensemble de bobinages de fils) ne provoquait pas seulement un courant électrique dans une autre bobine, mais aussi en elle-même. Le courant dans cette bobine était donc la combinaison du courant initial et du courant provoqué par auto-induction.
Sa découverte fut d'une grande importance pour la construction de circuits électriques et, plus spécialement, pour maintenir le courant à une certaine valeur.

En haut, à gauche: Puissant électro-aimant d'Henry, qui pouvait soulever une tonne. L'aimant en fer à cheval (a) était entouré d'un grand nombre de bobines de fil isolé, dont les extrémités étaient reliées à un élément galvanisé de la batterie de piles, qui contenait un récipient rempli d'un acide dilué (c), fixé sur un taquet mobile. Le courant fourni par la batterie magnétisait l'aimant en fer à cheval, de sorte qu'il pouvait maintenir une armure, à laquelle pendait une balance (f) sur laquelle on posait les poids.

Ci-dessus, à droite: Samuel Morse. Le télégraphe électromagnétique d'Henry anticipait de six ans l'invention de Morse.

Sa vie durant, Henry fut un scientifique très enthousiaste dans son travail. En dehors de ses découvertes, il s'efforça d'appliquer la science au bien-être de la société.
En 1846, il fut élu premier secrétaire du tout récent *Smithsonian Institute*. Il usa de son influence, pour faire étudier une méthode, permettant de recueillir toutes les informations météorologiques du pays. Ce système est la base de l'actuel Service météorologique des Etats-Unis. Il fut l'un des principaux conseillers techniques du président Lincoln.
A sa mort, il fut pleuré par l'Amérique entière. Le président des Etats-Unis et de nombreux ministres étaient présents à son enterrement.
Quelques années plus tard, on appela l'unité d'auto-induction le ''henry'' en souvenir de lui. L'henry (H) est l'inductance d'un circuit fermé dans lequel une variation uniforme d'intensité de 1 ampère en 1 seconde produit une force électromotrice d'un volt.

William Henry Fox Talbot

1800-1877

William Fox Talbot apporta les deux contributions les plus importantes dans le domaine de la photographie: l'impression du négatif en positif et le développement d'une "image latente" sur une surface sensibilisée. Ces découvertes entraînèrent une véritable révolution dans le monde de la photographie.

A partir de cette époque, un sujet pouvait être fixé immédiatement et sans aucune erreur, et la repro-

duction pouvait être assurée en un nombre illimité d'exemplaires.

L'Anglais Fox Talbot quitta sa vie paisible à la campagne pour étudier la physique à l'Université de Cambridge. Il se servit d'une chambre noire pour ses premières tentatives de fixation de l'image. Il avait acheté ce petit appareil lors d'un voyage en Italie. A cette époque, Talbot n'était pas au courant du travail de pionnier réalisé par les Français Niepce et Daguerre. Il commença ses premières expériences de façon tout à fait indépendante. Il utilisa du papier qu'il rendit photosensible en le trempant alternativement dans des solutions de nitrate d'argent et de chlorure de sodium (sel de cuisine). Le papier, imbibé de chlorure d'argent, devint foncé et dur aux endroits exposés à la lumière. La quantité de lumière qui pénétrait par la lentille dépendait de l'objet sur lequel la lentille de la chambre noire était dirigée. La lumière pénétrait d'autant moins facilement que l'objet était plus foncé. Par conséquent, il y avait moins de noir sur le papier photosensible.

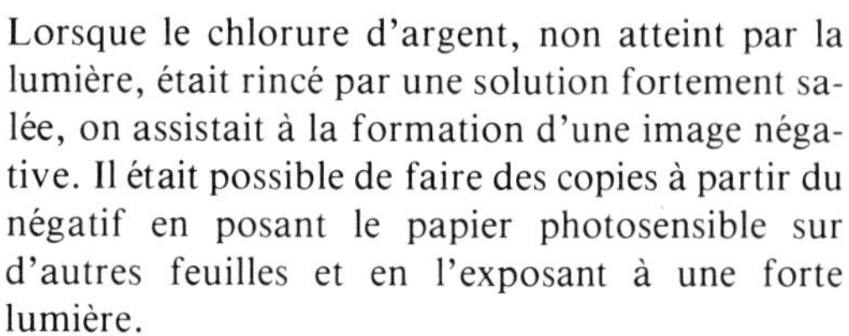

Lorsque le chlorure d'argent, non atteint par la lumière, était rincé par une solution fortement salée, on assistait à la formation d'une image négative. Il était possible de faire des copies à partir du négatif en posant le papier photosensible sur d'autres feuilles et en l'exposant à une forte lumière.

Mais les résultats étaient encore imprécis. Un temps d'exposition de vingt minutes était nécessaire pour faire des copies. Cependant, en 1835, Talbot mit au point un système efficace, qu'il appela 'dessin photogénique'. En 1839, il entendit parler des expériences de Daguerre en France. Il fit rapidement publier ses découvertes et introduisit des demandes de brevets. En 1840, il découvrit le principe de ce que nous appelons l'image latente. Il remarqua qu'il était possible d'obtenir une image initialement invisible au moyen d'une période d'exposition beaucoup plus courte. On pouvait ensuite développer l'image négative en la

A droite: Lacock Abbey, propriété de la famille Fox Talbot, dans laquelle est installé actuellement le "Fox Talbot Museum".

Ci-dessous: Fenêtre à encorbellement de Lacock Abbey, photographiée par Fox Talbot en 1835. C'est une copie positive du négatif le plus ancien existant encore. Le papier utilisé pour y fixer l'image négative, était d'abord trempé dans des solutions de chlorure de sodium (sel de cuisine) et de nitrate d'argent, de sorte qu'il était imprégné de chlorure d'argent. Fox Talbot devait exposer pendant vingt minutes pour obtenir cette photo. Le nom de "calotype" qu'il donnait lui-même à ses photos, fut changé plus tard en "talbotype" en son honneur.

trempant dans un bain contenant une solution à base de produits chimiques. Fox Talbot appela le produit final de sa méthode le "calotype" (du grec signifiant belle reproduction).
Talbot poursuivit ses expériences dans sa maison de Lacock Abbey à Wiltshire. Il utilisait chaque objet qui se trouvait dans les environs immédiats: les maçons qui travaillaient dans la propriété, le garde-chasse, son cocher, etc. Entre 1844 et 1846, il publia son ouvrage en six tomes, *The Pencil of Nature* (Le crayon de la nature). C'était le premier livre illustré de photos. Malheureusement, il ne savait pas encore à quel point il était important d'effacer toutes les traces laissées par le fixateur utilisé. Ces calotypes devinrent de plus en plus imprécis au cours des années. En 1851, Fox Talbot pris le premier une photo avec une lumière éclair. Il utilisa à cet effet une vieille batterie de Leyde, avec laquelle il provoquait une étincelle, qui enflammait du magnésium et donnait une vive lumière. Après les découvertes de Fox Talbot, le procédé au collodion fut la découverte la plus importante en photographie. Il était possible d'obtenir presque immédiatement une copie, si l'on respectait la durée d'exposition. Ce procédé fut élaboré par l'orfèvre et sculpteur anglais Frederick Scott Archer, qui avait fait de nombreux essais avec le calotype de Fox Talbot. Il comprit très vite qu'un négatif entièrement transparent présenterait de très nombreux avantages. Il réussit à rendre une plaque en verre photosensible grâce à une solution de collodion (fulmicoton, dissous dans de l'éther et de l'alcool).
On utilisa la technique de la plaque humide jusqu'au milieu du XXe siècle, et plus particulièrement lorsqu'il s'agissait de photos qui devaient présenter une haute qualité graphique.
Mais on perfectionna simultanément la photographie à base de plaque sèche. Cette technique fut découverte dans les années soixante-dix du XIXe siècle. Cette méthode fut améliorée à un point tel qu'elle remplaça à peu près tous les autres procédés.

En haut: Un talbotype d'un cocher de Lacock Abbey, pris en 1840. Après la découverte de l'image latente et de son développement, on put réduire sérieusement la durée d'exposition, jusqu'à trois minutes pour le talbotype.

Ci-dessus, à gauche: The Pencil of Nature *(Le crayon de la nature), le premier livre illustré de photos. Etant donné que la solution fixante n'avait pas été éliminée, les talbotypes se brouillèrent très rapidement.*

Ci-dessus, à droite: Un talbotype d'un garçon jouant de l'orgue.

A gauche: Une photo sur plaque humide d'Abraham Lincoln, faite par Matthew Brady.

Friedrich Wöhler

1800-1882

Le savant allemand Friedrich Wöhler fit, en 1828, une découverte qui, à première vue, semblait anodine: la possibilité de fabriquer de l'urée, produit organique (présent dans les cellules vivantes), par un moyen synthétique (artificiel). Il s'agissait là d'une des contributions clés qui entraînèrent une révolution dans les domaines de la chimie organique et inorganique. Il fut aussi le premier à obtenir de l'aluminium en lingot (1827).

Friedrich Wöhler naquit à Eschersheim en Allemagne. Il alla à l'école à Francfort-sur-le-Main. Encore écolier, il portait énormément d'intérêt à la chimie. Il passait plus de temps à collectionner des minéraux et à faire des expériences qu'aux autres branches de ses études.
A l'Université de Marburg, il obtint son diplôme de médecine, mais décida plus tard de faire de la chimie son occupation principale.
En 1823, il partit pour Stockholm, où il travailla durant un an avec le chimiste suédois Jöns Jacob Berzelius.
Berzelius était, à cette époque, un des maîtres de la chimie en Europe. On lui fut reconnaissant pour ses nombreuses et intéressantes expériences. Berzelius était un pionnier dans la détermination des éléments, à partir desquels des matériaux composés étaient élaborés.
Il imagina pour les formules chimiques un système d'annotations qui est toujours appliqué.
Il découvrit différents éléments, jusqu'alors inconnus, créa de nombreuses techniques de laboratoire et construisit des appareils qui font toujours partie de l'équipement normal d'un laboratoire.
En 1825, Wöhler retourna en Allemagne, où il obtint un poste de professeur à Berlin. Il continua à combiner ses expériences avec d'autres occupations et put mettre ainsi les leçons de Berzelius en pratique. Un jour de 1828, il fit, à son grand étonnement, une découverte importante. Après avoir chauffé un composé d'ammonium cyanogène dans une éprouvette, il semblait que la substance chimique inorganique s'était transformée en urée, principale substance organique présente dans l'urine.
Comme tous les chimistes de son époque, Wöhler avait été éduqué dans la voie du vitalisme. Suivant cette théorie, la chimie de la vie (chimie organique) diffère beaucoup de la chimie inorganique, une force spirituelle conduisant tous les phénomènes du corps.
De ce fait, seul un tissu vivant pouvait engendrer une substance organique. Dans le cas de l'urée, il s'agissait des reins.
La découverte de Wöhler était en contradiction totale avec cette croyance, ce qui provoqua la préparation, par d'autres savants, de nombreuses substances organiques par voie artificielle. Le vitalisme finit par perdre sa crédibilité, et la voie était ouverte à la nouvelle chimie, qui reconnaît la propriété de certaines lois fondamentales d'être applicables aussi bien aux substances organiques

Ci-dessous, à droite: Justus von Liebig dans son laboratoire en 1845. Von Liebig et Wöhler travaillèrent ensemble à l'analyse et à la synthèse de nombreuses substances organiques.

A gauche: Friedrich Wöhler dans sa jeunesse.

qu'inorganiques. En 1832, Wöhler perdit sa femme.
Afin de surmonter son chagrin, il accepta l'offre de Justus von Liebig de travailler dans son laboratoire, réputé pour son enseignement des méthodes de recherche.
Les deux hommes collaborèrent fructueusement malgré leurs caractères différents. Liebig était assez intransigeant et irascible tandis que Wöhler était amical et taciturne.
Le but principal de leurs recherches était la struc-

A gauche: Appareil de von Liebig pour l'analyse galvanique.

A droite: Quelques exemples des découvertes de Wöhler: urée synthétique (au-dessus) et aluminum métallique pur (au-dessous).

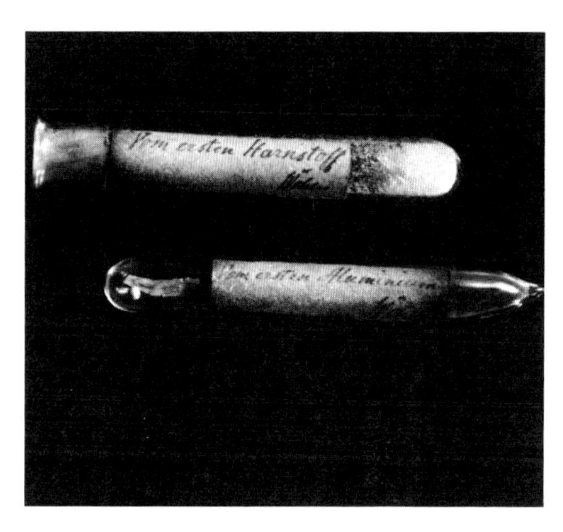

ture, la composition des molécules et l'étude des combinaisons des atomes qui constituent la molécule.
Liebig travaillait sur le fulminate d'argent, une substance explosive, tandis que Wöhler étudiait le

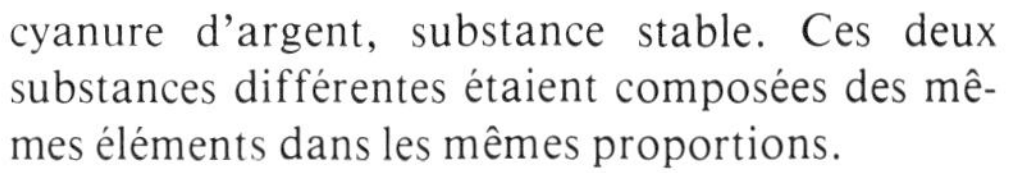

cyanure d'argent, substance stable. Ces deux substances différentes étaient composées des mêmes éléments dans les mêmes proportions.
Cette découverte conduisit à la notion que la structure spatiale des atomes à l'intérieur d'une molécule était importante pour la formation d'une substance déterminée, et pour ses propriétés.
Berzelius utilisa leurs travaux pour le développement de ses conceptions sur les isomères. Les isomères sont des substances composées différemment, ayant leurs propriétés propres, mais constituées des mêmes atomes. Leur différence de propriétés était due aux différences de classification des atomes à l'intérieur de la molécule.
A partir de 1836 et jusqu'à la fin de sa vie, Wöhler occupa une chaire de chimie à l'Université de Göttingen, où il continua ses importantes recherches.
En 1845, il découvrit une méthode pour purifier l'aluminium, établissant ainsi les bases de la production industrielle de l'aluminium. Son influence resta notoire parmi les générations suivantes de chimistes.

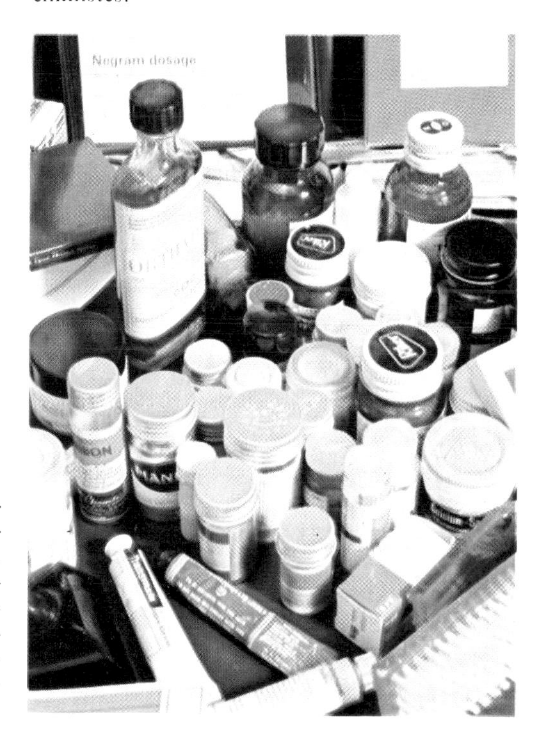

A droite: Un assortiment de médicaments modernes, tous composés chimiques de synthèse. L'existence de l'industrie pharmaceutique est une des conséquences de la découverte de Wöhler, à savoir que des liaisons organiques peuvent être composées artificiellement en laboratoire.

Christian Johann Doppler

1803-1853

Le mathématicien et physicien autrichien Christian Doppler fut le premier à découvrir que le mouvement d'une source sonore entraîne un changement au niveau du son, tel que l'entend l'auditeur.

Doppler naquit à Salzbourg. Dès son jeune âge, son souhait le plus vif était de faire une carrière académique. Malgré ses qualités indiscutables de mathématicien, il lui fut difficile d'obtenir un poste à l'université. Après plusieurs tentatives infructueuses, il perdit courage et fit des projets pour émigrer aux Etats-Unis, où existaient plus de possibilités.

Quelques jours avant son départ, l'Université de Prague lui offrit un poste de professeur de mathématiques.

Pendant que Doppler enseignait à Prague, il s'intéressa à un phénomène quotidien, mais néanmoins énigmatique, celui des ondes sonores. Il chercha pendant longtemps une explication à un phénomène qui était déjà connu depuis de nombreuses années.

Une source sonore mobile semble présenter des tonalités de hauteurs différentes. Pour l'auditeur qui se rapproche de plus en plus de la source, la tonalité semble augmenter, mais elle semble diminuer lorsqu'il s'en éloigne.

Doppler donna d'abord une explication physique à la hauteur régressive du son. Ensuite, il établit une formule mathématique. D'après Doppler, une source sonore locale est entourée d'ondes sonores sphériques successives, la source étant en leur centre et les ondes se déplaçant vers l'extérieur. La distance qui sépare les ondes sonores détermine la hauteur de la tonalité. Lorsque la source sonore est en mouvement, les ondes les plus voisines se rapprochent les unes des autres, parce que chaque onde sonore successive est plus ou moins rattrapée par la vitesse de la source. Vers l'arrière, les ondes sont ''étirées'', parce que les distances entre les ondes sonores croissent, avec l'éloignement de la source. C'est pourquoi à l'avant de la source, les pauses durant lesquelles les ondes sonores atteignent l'oreille de l'auditeur se réduisent, et la tonalité augmente. Tandis qu'à

Ci-dessous: Prague au XIXe siècle. C'est lorsqu'il était professeur de mathématiques à l'Université de Prague que Doppler fit ses plus importantes recherches sur les ondes sonores. De plus, il découvrit l'effet qui s'appelle actuellement ''effet Doppler''.

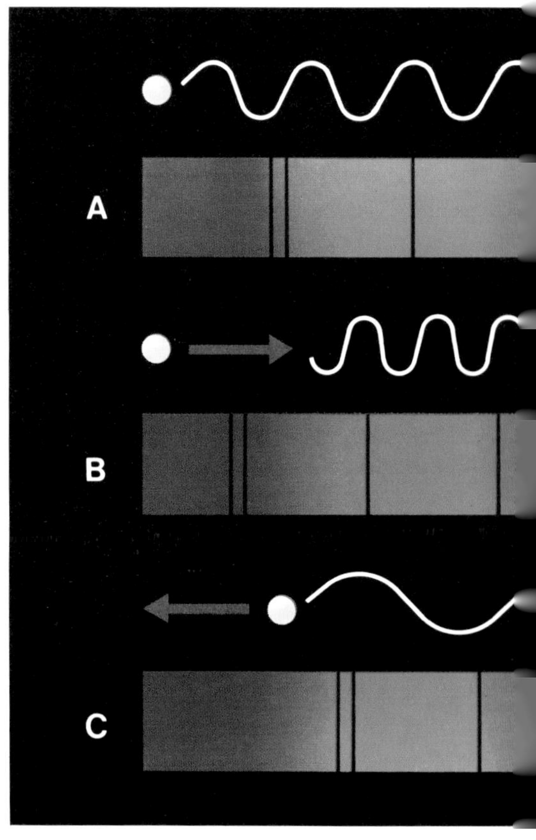

A droite: L'effet Doppler est utilisé pour déterminer le mouvement des objets célestes par rapport à la Terre. La longueur d'onde de la lumière d'un objet qui se rapproche de nous se réduit et la longueur d'onde d'un objet qui s'en éloigne augmente. Ce phénomène est visible si l'on disperse par un prisme la lumière des corps célestes en un spectre. Lorsque les raies du spectre se déplacent vers l'extrémité rouge de ce spectre, l'objet s'éloigne. Il se rapproche de nous, lorsque les raies se déplacent vers l'extrémité violette. A) spectre d'un objet qui se déplace à la même vitesse que la Terre: les raies du spectre sont dans une position normale. B) spectre d'un objet se rapprochant: les lignes du spectre se déplacent vers le violet. C) spectre d'un objet s'éloignant: les lignes du spectre se déplacent vers le rouge.

l'arrière, les intervalles s'allongent et la tonalité diminue.
Il conclut un accord, pour faire éprouver sa théorie par quelques confrères hollandais. Ils élaborèrent un projet pour effectuer une des expériences scientifiques les plus étranges. Ils demandèrent à plusieurs trompettistes de monter dans un wagon de chemin de fer qui roulerait à différentes vitesses dans les deux directions. Ils devaient jouer des notes différentes. Des musiciens ''à l'oreille absolue'' étaient installés le long du chemin de fer. Ils purent distinguer les fréquences des notes de musique et déterminer les tons qu'ils entendaient lorsque le train se rapprochait ou s'éloignait d'eux. En dépit de cette technique peu crédible, les résultats confirmaient entièrement la théorie de Doppler.
Doppler était très heureux du succès de son entreprise. Il supposa que l'on pourrait déterminer un effet identique pour les ondes lumineuses. Il fallut attendre encore quelques années avant de pouvoir calculer les changements lumineux présumés par Doppler. On démontra que la fréquence de la lumière se déplaçait vers l'extrémité rouge du spectre des couleurs, lorsqu'une source lumineuse s'éloignait à grande vitesse d'un observateur; elle se déplaçait vers l'extrémité bleue du spectre, lorsque la source s'en rapprochait. Les astronomes découvrirent rapidement que la lumière de nombreuses étoiles et de nuages stellaires se déplaçait vers le rouge, ce qui indique qu'ils s'éloignent de la terre à très grande vitesse. Une analyse approfondie des ''déplacements de Doppler'' permit de déterminer une méthode pour formuler une image de l'univers, et que nous connaissons sous le nom de ''big-bang'' (lors de l'explosion originelle). Elle établit que l'univers s'étend à partir d'un seul point de l'univers et que le cosmos est apparu lors de l'explosion d'une ''molécule'' de matière, dont toutes les particules ont été repoussées pour former notre univers en expansion, comme nous le connaissons aujourd'hui.

Ci-dessous, à gauche: L'effet Doppler est utilisé au radar pour mesurer les mouvements des gouttes de pluie ou des flocons de neige. La position, le volume et les mouvements de l'impulsion la plus à droite sur la large ligne donnent la hauteur, le volume et le nombre de particules, ainsi que leurs mouvements montant et descendant. Leur vitesse est mesurée d'après les modifications d'échos aux fréquences variables, à l'instar des variations dans la hauteur de tonalité d'un train en mouvement.

A droite: Ondes sonores d'un écho, visible à l'aide d'une photographie Schlieren. C'est un système optique permettant de visualiser des zones de densités différentes - et par conséquent d'indices de réfraction différents - qui réfractent un faisceau lumineux dans différentes proportions.

Ci-dessous: ''Traces'' d'ondes sonores, observées sur des hauts-fonds marins.

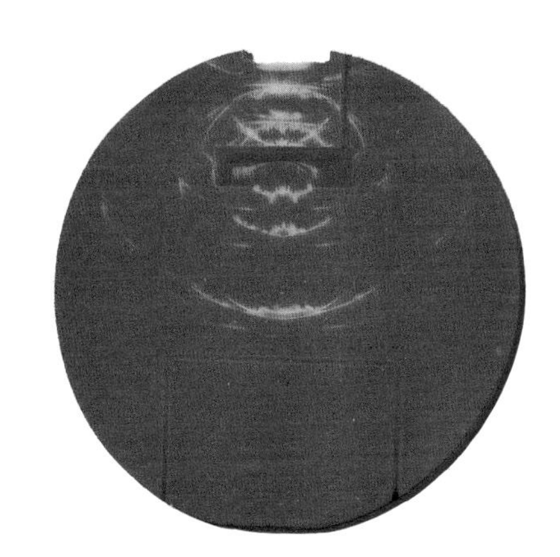

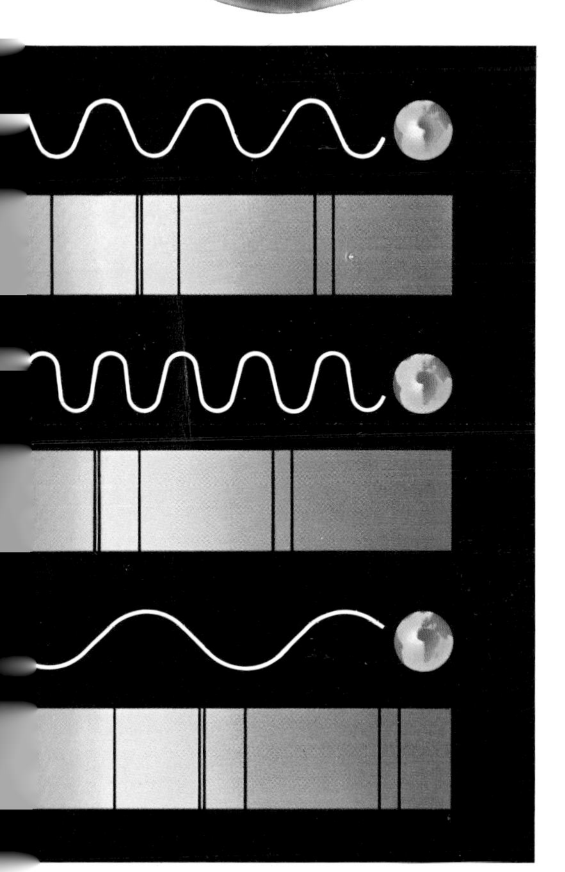

Sir Joseph Whitworth

1803-1887

Les inventions de Sir Joseph Whitworth représentèrent une étape importante dans le développement de la fabrication de l'outillage. Whitworth fut le premier mécanicien qui parvint à fabriquer des surfaces métalliques parfaitement planes. Il introduisit des mesures normalisées pour le filetage des vis et fabriqua également un grand nombre d'armes de conception révolutionnaire.

Joseph Whitworth naquit à Stockport près de Manchester. Son père y était maître d'école et pasteur. A l'âge de quatorze ans, il entra en apprentissage chez un oncle qui était filateur de coton dans le Derbyshire. En très peu de temps, il fut capable d'utiliser et de réparer toutes les machines de l'usine de son oncle. Mais il critiqua énormément la façon dont ces machines avaient été construites. Il quitta Stockport en 1821 et se rendit d'abord à Manchester où il travailla comme monteur.

En 1825, il partit pour Londres, afin de parfaire sa technique dans l'usine de Henry Maudslay. Il revint à Manchester en 1833 pour y ouvrir sa propre usine de machines.

Dans les années cinquante du XIXe siècle, l'entreprise de Whitworth avait acquis une réputation mondiale. Elle était la seule usine capable de produire des machines d'une qualité supérieure et d'une précision remarquable. Lors de l'exposition mondiale en 1851, Whitworth fut considéré en Grande-Bretagne comme le plus grand fabricant d'outils et de machines, dont la plus grande qualité était la précision. Lors des premières années d'activité de son entreprise, il élabora une machine permettant de faire des mesures jusqu'à un quart de micron. Ensuite, il présenta un projet de mesures normalisées pour les filets de vis. Jusqu'à cette époque chaque usine avait son propre filet de vis. Après 1860, ses mesures furent généralisées.

Comme de nombreux mécaniciens de son époque, Whitworth appliqua son ingéniosité à de nombreux domaines de la technique. Il fut un des premiers, en Angleterre, à insister sur les avantages du système décimal. Les plans de coupe très coûteux qu'il employa permirent aux machines à raboter et à fraiser de fonctionner avec plus d'efficacité. La guerre de Crimée survenant en 1854, Whitworth commença à s'intéresser aux armes et

Ci-dessous: Foreuse de Whitworth. Ce modèle est encore utilisé aujourd'hui. Sa fabrication est peu coûteuse, mais son usage est limité, en raison du fait que la mèche et son support ne peuvent effectuer qu'un mouvement vertical vers le haut ou le bas.

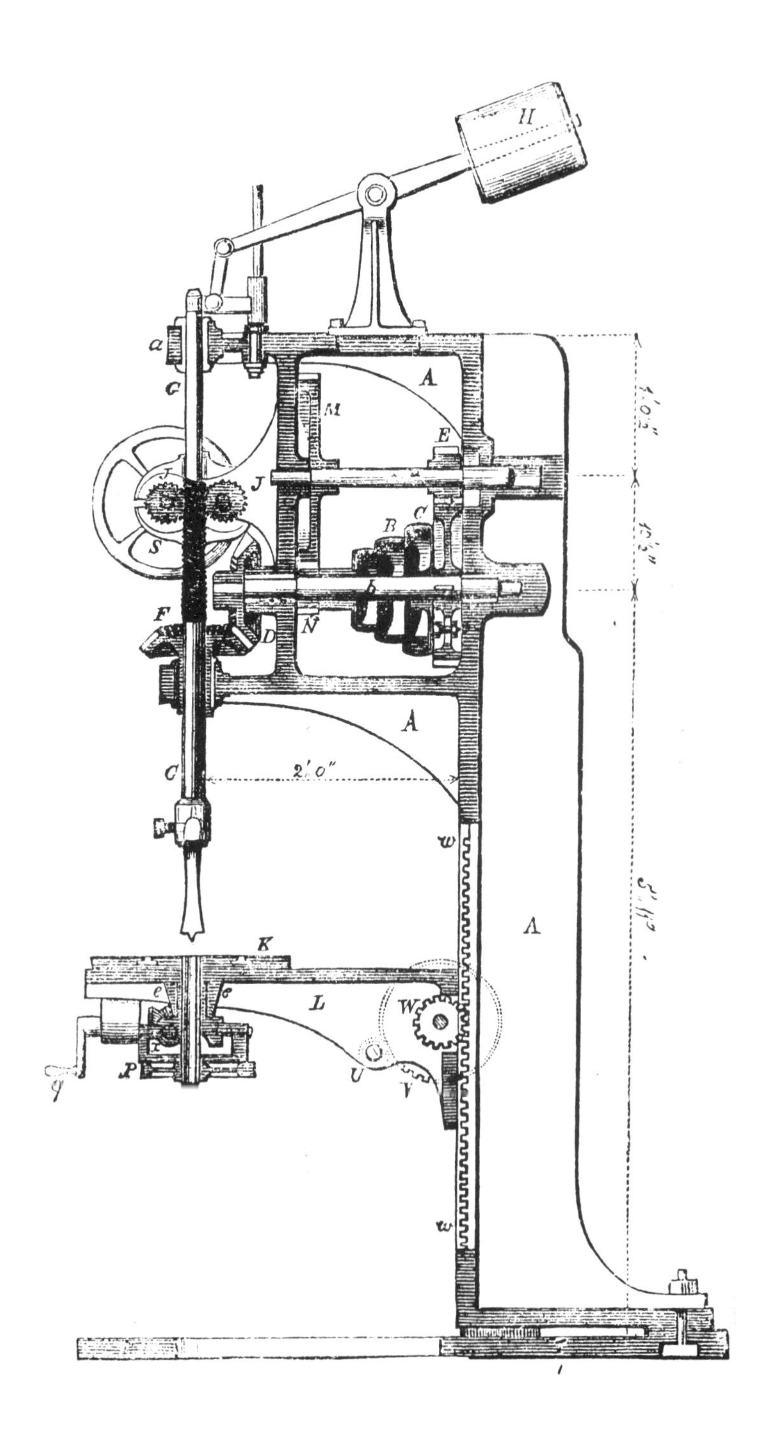

au matériel de guerre. A cette époque, on utilisait le fusil Enfield, considéré comme une arme peu sûre. Whitworth commença à établir des mesures normalisées pour le diamètre des canons de fusils "rayés" (rainures hélicoïdales servant à donner un mouvement rotatif à la balle). Le Ministère de la Guerre ne put accepter son offre d'un fusil au calibre de 0,45 pouce (diamètre intérieur du canon: 1,154 cm), dont les rayures donneraient une rotation rapide à la balle.
Néanmoins, la *National Rifle Association* considéra ce fusil comme étant l'arme la plus précise existante.
Whitworth fabriqua aussi une pièce d'artillerie de campagne, capable de lancer une grenade à 10 km. Mais une réaction hostile empêcha la mise en service de cette arme. Cependant, l'introduction de fer forgeable dans la fabrication d'artillerie lourde rencontra le succès. Whitworth réussit à éliminer les bulles d'air qui apparaissaient dans le métal fondu, en laminant le métal à plat sous une pression élevée.
On évitait ainsi les méplats dans le blindage des pièces d'artillerie.
Whitworth reçut de nombreuses distinctions pour ses inventions, entre autres la médaille de la Légion d'honneur décernée par Napoléon III et un titre de noblesse de la reine Victoria. Malgré ses deux mariages, il n'eut aucun enfant. La majeure partie de son héritage considérable fut utilisée pour ouvrir un fonds, servant à financer des bourses ainsi que des recherches dans le domaine de la mécanique.

Ci-dessus: Foreuse automatique de Whitworth. La mèche et son support pouvaient se déplacer à l'horizontale, à la verticale, vers l'intérieur et l'extérieur.

A gauche: Tour d'Henry Maudslay, prototype des instruments suivants.

Ci-dessous, à gauche: Machine à raboter de Whitworth.

Ci-dessous: Taraudeuse de Whitworth.

Ci-dessous, à droite: Tenons et filières de vis de Whitworth.

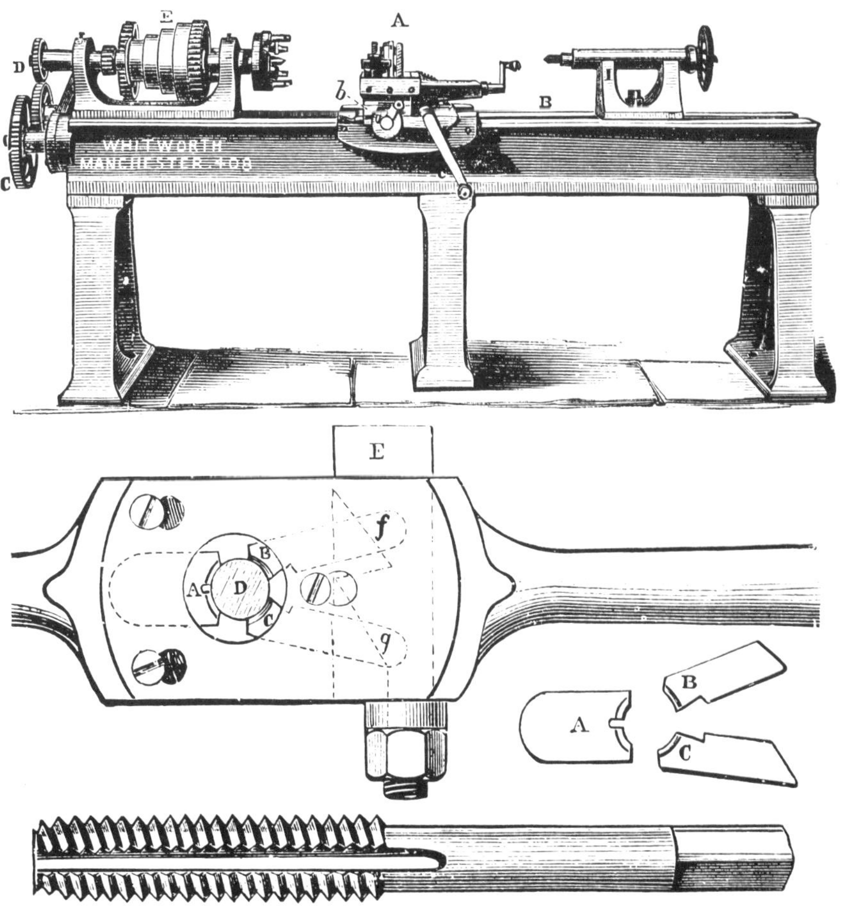

Isambard Kingdom Brunel

1806-1859

Isambard Kingdom Brunel matérialisa d'une façon parfaite l'énergie et l'esprit inventif du XIXe siècle. Il était ingénieur, auteur de projets, géomètre et constructeur. Mais ce sont surtout les trois gigantesques transatlantiques qui rendirent Brunel célèbre. Ils marquèrent le début de l'ère de la vapeur dans le domaine de la navigation. Durant toute sa vie, ses idées ambitieuses furent un défi aux possibilités techniques de son temps.

Brunel est né à Portsmouth, en Angleterre. Il était le fils de l'ingénieur français Sir Marc Brunel, qui avait émigré en 1793 et s'était établi en Angleterre en 1799. Ses inventions le rendirent célèbre, et il fut nommé chevalier pour avoir construit le premier tunnel sous la Tamise, achevé en 1843. Dès son plus jeune âge, Isambard fit preuve d'une véritable passion pour la technique. A dix-neuf ans, il était déjà directeur des travaux du tunnel sous la Tamise conçu par son père.

En 1833, le jeune Brunel fut nommé ingénieur en chef à la *Great Western Railways.* Son premier grand travail consista à élaborer et construire le premier chemin de fer entre Londres et Bristol, comprenant des ponts, des tunnels et des gares.
Mais Brunel exécuta ses plus grands travaux dans la construction maritime. Il pouvait appliquer ses idées radicales dans une plus grande mesure. Il remporta deux grands succès et un échec désastreux.
Il construisit d'abord le *Great Western,* le premier transatlantique à vapeur, qui remporta un grand succès. Comme il le déclara lui-même: "la *Great Western Railways* étendait ses activités". Quant au *Great Western,* il était, lors de son lancement, en 1837, le plus grand navire à vapeur avec roues à aubes en bois.

Ci-dessus: Le Great Western, *premier paquebot de ligne de Brunel, lancé en 1837. Il était considéré comme une prolongation sur mer de la* Great Western Railways *(chemins de fer).*

A droite: La construction du Great Eastern, *appelé le "Leviathan" à l'époque, en raison de ses grandes dimensions et de sa belle construction. Il fut conçu pour transporter quatre mille passagers ou dix mille hommes de troupe. Il était propulsé par quatre machines à roues, de dimensions encore inconnues à l'époque.*

Le deuxième navire gigantesque que Brunel construisit, le *Great Britain,* était encore plus impressionnant. C'était le plus grand navire en acier et le premier qui n'était pas propulsé à l'aide de roues à aubes mais par une hélice. Ce bâtiment de 3 270 tonnes fut lancé en 1843. Il navigua sur l'Atlantique avec beaucoup de succès jusqu'en 1846, année où il s'échoua près de la côte irlandaise. Mais les passagers ne se découragèrent pas pour autant, car le *Great Britain* ne subit aucun dommage, grâce à sa coque en fer. Un navire en bois se serait certainement brisé.

Le troisième navire de Brunel, le *Great Eastern,* représenta le projet le plus ambitieux dans l'histoire des navires à vapeur, mais il fut une véritable catastrophe financière. Le navire était prévu pour quatre mille passagers, avec des cabines et des salles luxueuses. Il pouvait embarquer assez de combustible pour se rendre en Australie et en revenir. Il était propulsé par des roues à aubes et une hélice. Sa double coque révolutionnaire en acier servira de modèle pour toutes les lignes maritimes futures.

Brunel était obsédé par ce géant de l'océan. "Jamais, auparavant, je n'ai commencé un travail auquel je me sois consacré avec tant d'enthousiasme", écrivit-il. Mais le navire ayant coûté très cher et des difficultés étant apparues au cours de la construction, les moyens financiers furent rapidement épuisés. Le lancement était un tour de force presque irréalisable. De plus, le *Great Eastern* semblait être un échec total comme navire à passagers. Brunel ne fut plus informé des critiques émises sur son dernier grand rêve: épuisé par un travail ardu et de grands ennuis financiers, il mourut quelques jours avant le premier voyage catastrophique du *Great Eastern.*

Ci-dessus: Une représentation du Clifton Suspension Bridge *(pont suspendu), avec le projet initial de Brunel pour les tours. Le pont fut terminé après la mort de Brunel.*

A droite: Le Great Eastern *en 1857.*

Au cours du premier voyage, une partie du navire fut soufflée et causa la mort d'un des chauffeurs. Cependant, la puissance et la construction des machines du *Great Eastern* étaient à ce point excellentes qu'il put encore atteindre un port pour y être réparé. L'échec de ce dernier grand navire signifiait la fin malheureuse d'une brillante carrière.

Brunel avait posé plus de 1 600 km de rails durant sa vie.

Il avait construit d'innombrables ponts, dont le célèbre pont suspendu situé près de Clifton. Il avait fait un projet pour un hôpital préfabriqué de mille lits, qui fut utilisé lors de la guerre de Crimée.

Mais Brunel avait aussi des points faibles. Il lui était très difficile de confier des responsabilités à d'autres, et il était très désordonné dans le domaine financier.

Un de ses amis écrivit: "Par sa mort nous avons perdu le plus grand ingénieur d'Angleterre, un homme à l'originalité grandiose et dont l'esprit d'à-propos était connu de tous. Ses projets étaient audacieux, mais il était souvent dans le vrai". C'était un grand témoignage en l'honneur d'un homme exceptionnel.

James Nasmyth

1808-1890

Le mécanicien écossais James Nasmyth fut l'inventeur du marteau-pilon à vapeur, machine d'une importance inestimable dans l'évolution de la construction des machines. Nasmyth fut un des plus grands ingénieurs du XIXe siècle dans le domaine de la construction des machines à vapeur. Il consacra les dernières années de sa vie à sa grande passion, l'astronomie.

James Nasmyth faisait partie de ces mécaniciens talentueux, qui se formèrent dans l'usine de Henry Maudslay, le ''père des machines-outils''. A cette époque, la demande d'outils de précision était très grande.

En 1797, déjà, Maudslay avait inventé le premier tour permettant de tailler des filets de vis. Ce tour fonctionnait avec une machine à vapeur.

En 1799, Maudslay présenta un des premiers projets pour la production en série de machines. Il construisit ainsi pour l'ingénieur franco-anglais Sir Marc Brunel, une série de machines, servant à fabriquer des poulies destinées à la marine britannique.

Vers la même époque, Eli Whitney inventait une machine analogue aux Etats-Unis.

Depuis son plus jeune âge, James Nasmyth s'intéressait à la mécanique. A dix-sept ans, il était déjà capable de construire tous les modèles de machines à vapeur. Il les utilisera lors de ses conférences dans les écoles techniques.

A peine âgé de dix-neuf ans, il reçut une première commande: construire un vrai véhicule à vapeur.

En 1829, deux ans avant la mort de Maudslay, il se rendit à Londres, où il devint l'assistant du vieux maître et apprit les techniques les plus récentes de fabrication de machines et d'outils.

En 1834, il retourna à Edimbourg, où il avait grandi. Il y exécuta d'abord un certain nombre de commandes pour la région et décida trois ans après de s'installer à Manchester, devenue une importante ville industrielle.

Il construisit la fonderie de Bridgewater sur un terrain de six acres à Patricroft, à l'extérieur de la ville. Il y fabriqua des locomotives et des machines à vapeur, des presses et des pompes hydrauliques.

De plus, il perfectionna considérablement les machines existantes et les méthodes de construction.

En 1839, il fit une invention qui établit sa réputation: le marteau-pilon à vapeur. Il fabriqua cet outil massif et puissant à la demande du célèbre constructeur de navires Isambard Kingdom Bru-

Ci-dessous: Le marteau-pilon à vapeur de Nasmyth en activité. L'enclume repose sur une grande plaque d'assise, supportant les deux piliers qui guident le marteau. Le cylindre avec son piston repose aussi sur ces piliers. La tête du marteau, fixée au piston, se soulève lorsque la vapeur pénètre dans le cylindre et retombe lorsque la vapeur s'échappe.

A gauche: Un modèle plus petit du marteau-pilon à vapeur de Nasmyth.

Ci-dessous: Nasmyth près de son télescope. L'instrument pouvait s'orienter vers toutes les parties du ciel sans obliger l'observateur à se déplacer. Ce télescope combinait le principe du réflecteur de Newton et celui du télescope de Cassegrain, appelé ainsi d'après le nom du célèbre astronome français du XVIIe siècle. Le télescope de Nasmyth constitua la base du système coudé moderne, où l'oculaire qui se trouve au-dessus de l'axe polaire, pivote pour prendre la position correcte. Le réglage en déclinaison s'effectue à l'aide d'un miroir plan tournant devant l'objectif.

nel. Cet appareil devait servir à forger un axe de transmission pour actionner les gigantesques roues à aubes du transatlantique *Great Britain.* Mais, finalement, Brunel changea d'avis et choisit une hélice à la place des roues à aubes.

Néanmoins, ce marteau-pilon à vapeur, conçu spécialement pour la fabrication de l'axe de transmission des roues à aubes, trouva rapidement des applications dans l'industrie lourde. Le marteau-pilon à vapeur pouvait, en effet, exercer une puissance énorme, avec un parfait contrôle.

Le catalogue de la Grande Exposition de 1851 en parlait en ces termes: ''Le marteau-pilon à vapeur est en mesure d'exercer une grande force d'une façon extrêmement remarquable. En dehors du développement d'une force motrice énorme, ce marteau pouvait être réglé de telle façon que le marteau s'abaissait avec une force qui suffisait pour casser une coquille d'oeuf''. Le marteau à vapeur fut également le précurseur de la sonnette pour enfoncer les pieux.

Durant les trente dernières années de sa vie, Nasmyth se consacra à sa grande passion, l'astronomie qui l'attirait déjà depuis longtemps, et

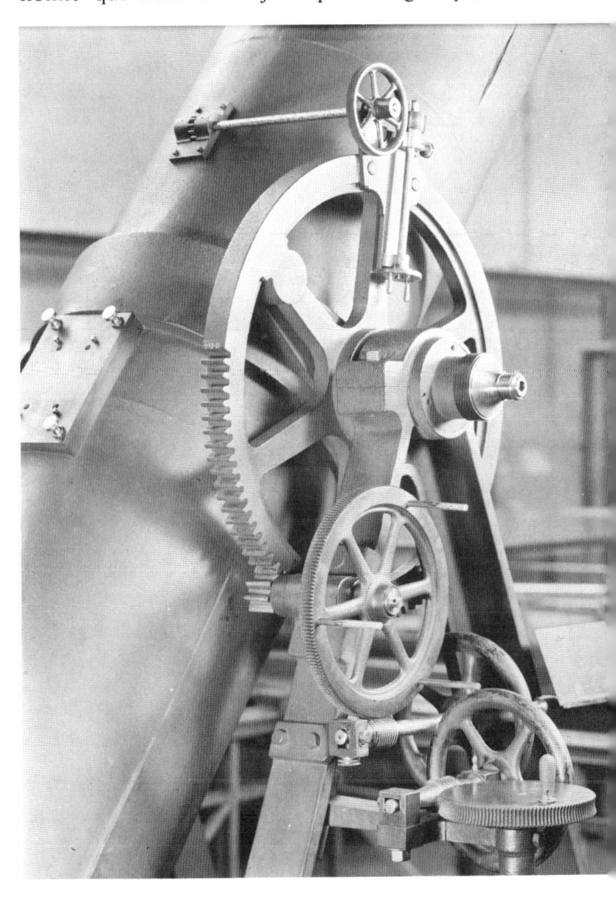

A droite: Une partie du télescope vingt pouces (51 cm) Cassegrain-Newton de Nasmyth, avec l'oculaire placé dans l'axe support.

pour laquelle il s'était retiré du monde des affaires.

Il apporta une importante contribution à l'établissement de cartes de la lune, grâce à un télescope qu'il avait construit lui-même à cet effet. En 1872, il écrivit un livre intitulé *The Moon considered as a Planet, a World and a Satellite* (La lune considérée comme une planète, un monde et un satellite). Cependant, son invention du marteau-pilon à vapeur fut son plus grand mérite.

Louis Braille

1809-1852

Le Français Louis Braille, qui était devenu aveugle très jeune, composa l'alphabet des aveugles, utilisé actuellement dans le monde entier. Il est formé d'un système de groupes de points, écrits en relief sur du papier. L'écriture Braille compte 63 signes (caractères) au total, que l'on tâte avec les doigts.

Braille était le fils d'un maroquinier. Il devint aveugle à l'âge de trois ans, en se blessant le visage avec un couteau, dans l'atelier de son père. Son intelligence l'aida à surmonter son infirmité. Musicien de talent, il jouait du violoncelle et de l'orgue avec la même facilité.
A l'âge de dix ans, il obtint une bourse pour l'Institut national des Enfants aveugles à Paris. Le fondateur de l'école, Valentin Haüy, avait inventé un système d'impression de lettres en relief sur le papier. Mais ce système de lecture semblait être très fastidieux et inefficace. De plus, cette méthode ne permettait pas aux aveugles d'apprendre à écrire.

GEDENKET DER BLINDEN
SCHWEIZ. ZENTRALVEREIN FÜR DAS BLINDENWESEN
1809 LOUIS BRAILLE-1852
ERFINDER DER BLINDENSCHRIFT

En 1819, le capitaine français, Charles Barbier, inventa un système qu'il appela l'écriture de la nuit.
Cette invention devait permettre de pouvoir lire et écrire des messages sur les champs de bataille pendant la nuit. Il se servit à cet effet d'un modèle élémentaire de douze points saillants, palpables sur le papier.
Louis Braille avait à peine quinze ans lorsqu'il entendit parler de la méthode de Barbier. Il l'adapta pour la rendre utilisable par les aveugles. Il ramena le groupe de douze points à six.
Ensuite, il élabora un alphabet et une série de composés pour accroître la vitesse de lecture.
Plus tard, il adaptera cette méthode à l'écriture de la musique. Le système Braille fut publié pour la première fois en 1829. Durant les huit années qui suivirent, il fut amélioré et étendu pour servir à l'usage interne de l'Institut National.

A droite: Avant l'invention de Braille, les aveugles vivaient souvent dans des institutions où ils gagnaient leur vie en faisant des travaux manuels.

Ci-dessous: La première bible pour aveugles, composée en 1840 par l'Ecossais James Alston.

ALPHABET BRAILLE

A B C D E F G H I J

K L M N O P Q R S T

U V X Y Z et pour de le avec

W — trait oblique — indication des nombres — signe poétique — signe d'élision (apocope) — trait d'union — tiret.

signes de ponctuation: , ; : . ! ( ) “ ? ”

Ci-dessus: L'alphabet Braille

A gauche: Timbre-poste, émis en souvenir de l'invention de Braille.

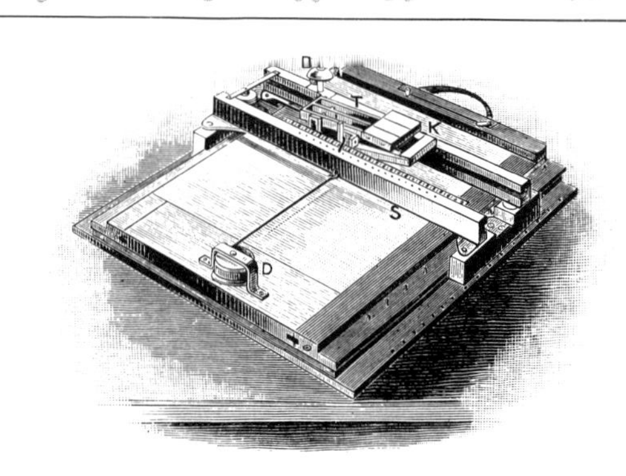

A droite: Machine à écrire Braille.

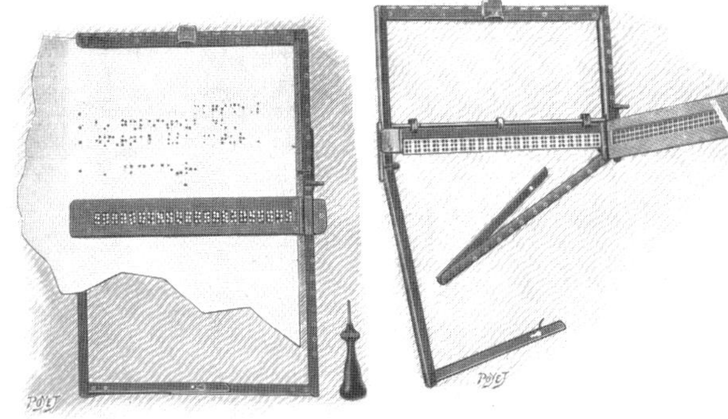

Ci-dessus: Instruments de Dussaud pour écrire le Braille.

Mais le jour de la mort de Braille - il mourut de tuberculose - la méthode n'avait pas encore été généralisée.
Entre-temps, différents autres systèmes de lecture pour aveugles avaient été expérimentés.
Vers 1860, on inventa en Amérique le "système de points de New York" et, dix ans plus tard, "le Braille américain". Ce dernier système était l'adaptation de l'écriture initiale de Braille, conçu par un professeur aveugle de Boston. Ces deux systèmes furent utilisés durant de longues années.
Finalement, on accorda la préférence au système de Braille en raison de sa clarté et de son efficacité.
Lors d'une conférence internationale, en 1932, on décida d'adopter le Braille comme système normalisé dans le monde anglophone. Depuis, le Braille a été introduit dans la plupart des langues du monde. Il est également utilisé dans la notation musicale et sous forme de sténo, en sciences et en mathématiques.
Il existe aussi différentes machines à écrire l'alphabet Braille.
La première fut inventée en 1892 et a servi de modèle aux autres machines. L'impression de textes en Braille est faite à l'aide de plaques en zinc qui pressent l'écriture braille dans le papier. Il est même possible d'obtenir un relief des deux côtés d'une feuille de papier.
Un lecteur Braille expérimenté est capable de lire un texte deux fois plus vite qu'un lecteur non aveugle lisant un texte normal.
Cependant, il y a un inconvénient majeur à l'écriture des aveugles: elle est très difficile à apprendre par les personnes qui sont devenues aveugles à un âge assez avancé.
C'est pourquoi on fait parfois appel à une autre écriture qui fut inventée en 1845 par l'Anglais William Moon. Elle est établie sur le contour des lettres normales et est très facile à apprendre. Et cette méthode est certainement suffisante lorsqu'il s'agit simplement de la lecture et non de l'écriture.

Ci-dessous: Ecriture Moon, inventée en 1845 pour les personnes âgées qui deviennent aveugles.

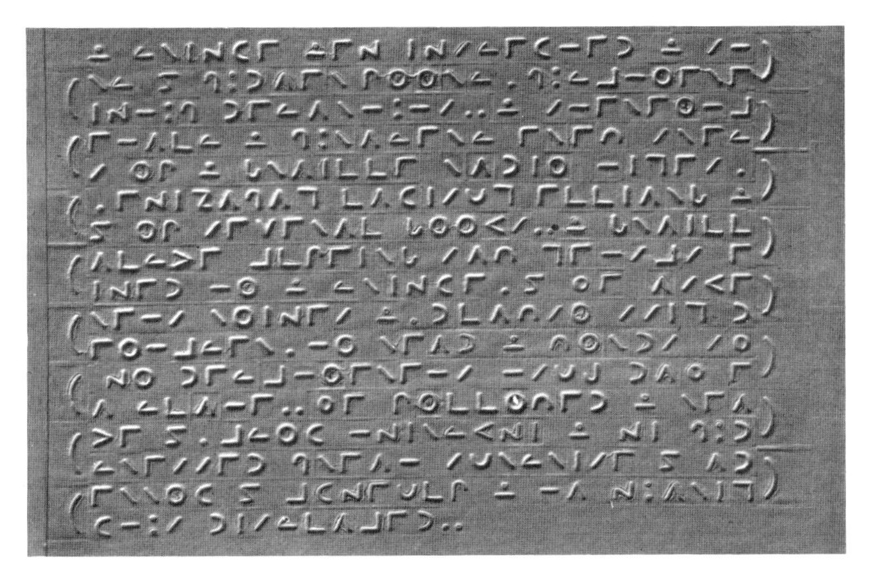

A gauche: Lecture d'un texte en Braille avec les doigts. Les caractères reproduits en relief sont perforés dans du papier de manille.

A droite: Modèle Braille d'une oeuvre sculptée de Picasso et d'une "plaza" à Chicago.

Charles Robert Darwin

1809-1882

Le naturaliste anglais Charles Darwin était l'auteur de l'ouvrage On the Origin of Species *(De l'origine des espèces par voie de sélection naturelle). Il y exposa la théorie de l'évolution, qui établit que toutes les espèces de plantes et d'animaux ont évolué à partir de formes antérieures. Cette théorie ne suscita pas seulement beaucoup de remous chez les physiciens, mais elle eut également des conséquences très importantes dans le monde de la philosophie et de la religion, car elle ouvrait la voie vers les sciences modernes de l'écologie, de l'anthropologie et de la théorie de l'hérédité.*

Darwin naquit à Shrewsbury dans le comté du Shropshire, où son père était médecin. Charles Darwin était l'écolier rêveur typique. Il fut puni plusieurs fois par le directeur de l'école, parce qu'il perdait un temps précieux à des activités apparemment futiles, par exemple collectionner des plantes, des oeufs d'oiseaux et des pierres. Son père ne réussit pas davantage à orienter son fils. Il tenta d'abord de l'intéresser à la médecine et, plus tard, à une carrière ecclésiatique, mais Charles n'y prêta aucune attention.

Au cours de ses études à l'Université d'Edimbourg, puis de Cambridge, il s'intéressa à l'histoire naturelle et, en 1831, il accepta l'invitation de participer en tant que naturaliste non rémunéré à un voyage autour du monde avec le navire de guerre, le *Beagle.*

Le *Beagle* navigua d'abord vers les îles du Cap-Vert, puis se dirigea vers l'Amérique du Sud. Au Brésil, Darwin parcourut la zone des forêts humides et, près de Bahia, il découvrit son premier fossile. Il s'agissait du crâne d'un paresseux géant préhistorique, le mégathérium. Le vaisseau navigua durant trois années pour rassembler des données sur les côtes d'Amérique du Sud. Darwin fit d'importantes observations et rassembla des spécimens de différentes espèces pour les examiner

Ci-dessus: Le Beagle *à l'ancre au port de Sidney, en Australie.*

A droite: Le squelette (ci-dessus) et la carapace osseuse (au milieu) du glyptodon, animal disparu, comparé au tatou (ci-dessous). Darwin trouva les restes fossiles du glyptodon en Amérique du Sud. Il conclut de la forte similitude avec le tatou que les deux animaux devaient être apparentés. Ce type de relations entre les espèces animales disparues et vivantes fut un des arguments plaidant en faveur d'un processus évolutionniste.

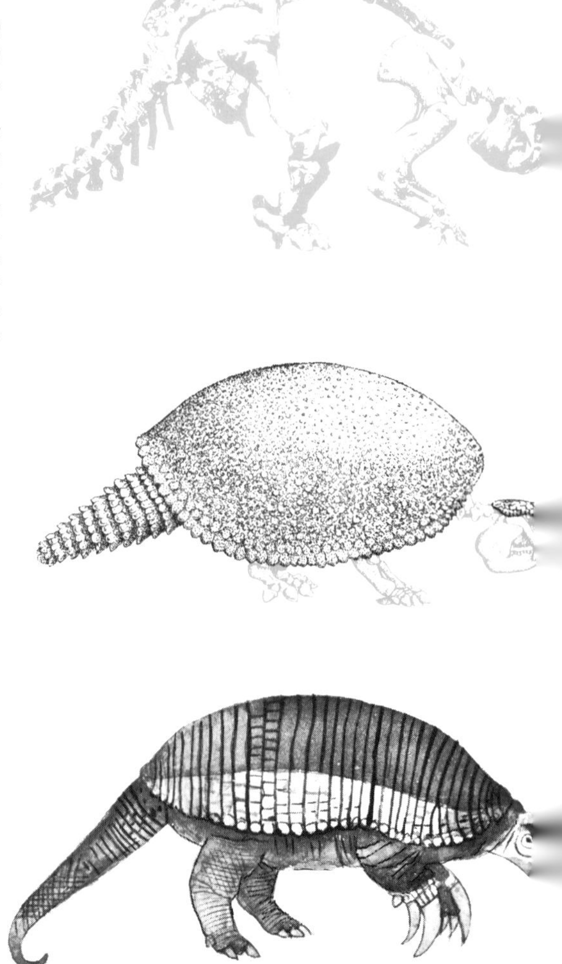

ultérieurement. En 1835, le *Beagle* relâcha aux îles Galápagos. Les quatre semaines qu'il y passa seront d'une grande importance pour Darwin. Il découvrit que près de quatorze espèces de pinsons vivaient sur ces îles, et que chaque espèce se nourrissait d'une façon différente. Les granivores avaient de puissants becs courbés, les insectivores, des becs plus petits et plus pointus.

Ces différences essentielles entre des espèces qui semblaient apparentées, faisaient apparaître la possibilité d'une même provenance et d'une seule espèce.

En octobre 1836, Darwin revint en Angleterre. Il élabora une théorie expliquant de quelle façon une espèce pouvait se développer et former une autre espèce. Darwin rassembla ses carnets de notes dans un ouvrage qu'il intitula *The Transmutations of the Species* (Les mutations des espèces).

Il y exposa que dans les régions qui étaient entièrement séparées du reste du monde, comme les îles Galápagos, par exemple, il existait des espèces apparentées mais totalement différentes les unes des autres. Les animaux des diverses régions du globe s'étaient adaptés au milieu d'une manière analogue.

De plus, les fossiles que Darwin avait recueillis, présentaient des concordances avec les espèces vivantes.

Darwin y voyait une preuve irréfutable de l'existence d'un processus, que l'on pouvait appeler l'évolution (développement progressif).

Il n'existait pas encore d'explication à l'origine de ce phénomène, mais Darwin trouva la solution. Il avait lu le célèbre ouvrage de l'économiste anglais Thomas Malthus *An Essay on the Principle of Population* (Essai sur le principe de la population). Malthus y prévoyait que la population mondiale croîtrait beaucoup trop par rapport aux ressources alimentaires, sauf si l'on envisageait une stricte limitation des naissances. L'argument principal du livre établissait que l'homme était en mesure d'augmenter ses ressources alimentaires, tandis que les plantes et les animaux n'en étaient pas capables.

Darwin raisonnait ainsi: les plantes et les animaux, qui possédaient les qualités leur permettant de se nourrir, auraient le plus de chances de rester en vie et de se reproduire. Les générations futures hériteraient de ces mêmes qualités. En d'autres termes: ils seraient soumis à une sélection naturelle.

Ci-dessous, à gauche: Trois des différentes espèces de palmiers que Darwin étudia lors de son voyage le long des côtes d'Amérique du Sud.

Ci-dessous, à droite: Le développement évolutionnaire de la main des primates. La main de A) opposum; B) musaraigne des bois ou toupaja; C) un galago; D) un tarsier; E) un babouin; F) un orang-outang; G) un homme. La capacité de saisir quelque chose - caractéristique typique des primates - est encore très faible chez les espèces peu évoluées (A, B, C, D) et se développe de plus en plus dans les espèces plus évoluées. Remarquez que l'homme a, en proportion, des doigts courts et un long pouce opposable aux autres doigts.

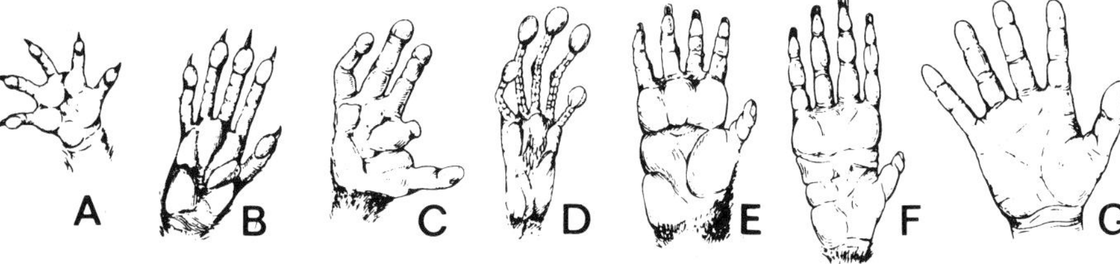

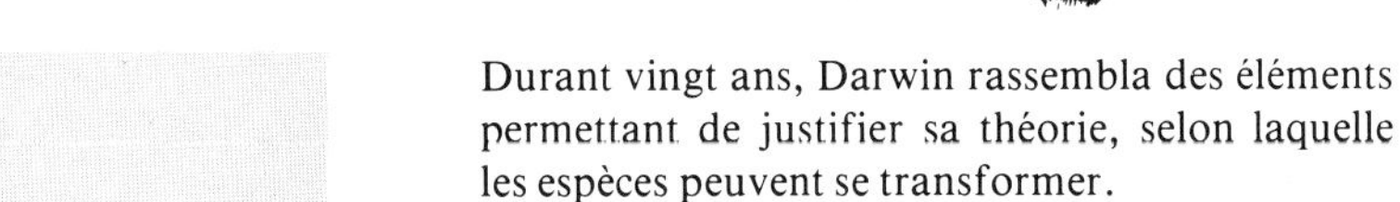

Durant vingt ans, Darwin rassembla des éléments permettant de justifier sa théorie, selon laquelle les espèces peuvent se transformer.

Cependant, il restait très prudent et ne publiait rien.

En 1858, il reçut de la Malaisie, une lettre du physicien Alfred Russell Wallace. A son grand étonnement, cette lettre exposait sa théorie avec une étonnante clarté. Darwin s'en inspira et écrivit finalement un livre.

Encouragé par Wallace, qui se remettait d'une grave maladie en Malaisie, il termina en une année son grand ouvrage, intitulé *On the Origin of Species by Means of Natural Selection* (De l'origine des espèces par voie de sélection naturelle). D'éminents savants, des hommes d'Etat et des personnalités religieuses de premier plan participèrent à des débats passionnés. A l'étranger également, on notait des divergences de vue quant au contenu de l'oeuvre de Darwin.

Entre-temps, Darwin continuait paisiblement son travail.

On l'accuse d'avoir tenté de démontrer que l'homme descendait du singe, et il fut confronté à de sérieuses difficultés à son époque. Il étudia les relations entre l'homme et d'autres animaux. En 1871, il publia *The Descent of Man* (De la descendance de l'homme).

Cet aspect de la théorie évolutionniste fut considéré par beaucoup comme un signe d'hérésie ou de stupidité, car Darwin avait été mal compris.

Néanmoins, sa théorie fut estimée à sa juste valeur par le monde scientifique, et Darwin fut honoré dans le monde entier. Il était donc parfaitement normal qu'il fût inhumé à côté de Newton à Westminster Abbey.

Cyrus Hall McCormick

1809-1884

Une des innovations les plus importantes qui apparut avec la mécanisation de l'agriculture fut la moissonneuse. L'utilisation de cette machine permit d'étendre largement la culture des terres en friche d'Amérique du Nord et d'Australie. L'inventeur de cette machine était le fils d'un paysan de Virginie, aux Etats-Unis, Cyrus McCormick.

La révolution industrielle ayant entraîné un accroissement considérable de la population urbaine, beaucoup de gens de la campagne émigrèrent vers les villes, attirés par le bien-être que leur procurait une mécanisation très poussée. Evidemment, toute cette population devait être nourrie. La mécanisation à la campagne n'était pas aussi rapide que dans les usines, à cause de la conception de vie traditionnelle et de l'esprit conservateur des paysans, partiellement responsables. Cependant, des techniques améliorées pour la cultu-

re des légumes permirent des récoltes plus vastes dans les pays d'Europe, mais aussi aux Etats-Unis d'Amérique. C'est surtout en Amérique du Nord que la mécanisation de l'agriculture s'imposait, en raison de la présence de nombreuses terres en friche, qui pouvaient servir à l'agriculture. D'autres types de charrues furent perfectionnés, qui répondaient aux exigences des paysans, et une batteuse fut également inventée. Mais c'était surtout à l'époque de la moisson, quand la demande de main-d'oeuvre était pressante pour moissonner les champs de céréales, que le besoin de mécanisation se faisait le plus nettement sentir.

Depuis la fin du XVIIIe siècle, plusieurs tentatives avaient été entreprises pour construire une

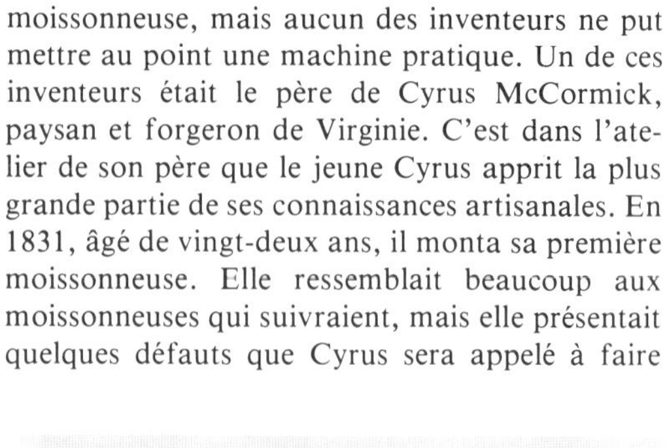

moissonneuse, mais aucun des inventeurs ne put mettre au point une machine pratique. Un de ces inventeurs était le père de Cyrus McCormick, paysan et forgeron de Virginie. C'est dans l'atelier de son père que le jeune Cyrus apprit la plus grande partie de ses connaissances artisanales. En 1831, âgé de vingt-deux ans, il monta sa première moissonneuse. Elle ressemblait beaucoup aux moissonneuses qui suivraient, mais elle présentait quelques défauts que Cyrus sera appelé à faire

A droite: La moisson dans les prairies, avec une moissonneuse McCormick, au milieu du XIXe siècle. Avant l'invention de la moissonneuse, les paysans cultivaient autant de blé qu'il leur était possible d'en moissonner à la faux. La quantité manquante devait être importée d'Europe. L'invention de McCormick permit de mettre en culture d'immenses prairies et fut un des facteurs importants de l'accroissement du bien-être aux Etats-Unis.

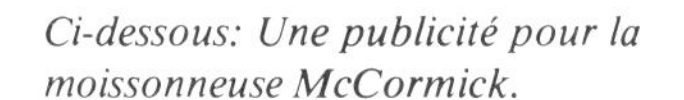

Ci-dessous: Une publicité pour la moissonneuse McCormick.

disparaître. Un de ses défauts était, par exemple, le bruit assourdissant de l'engin. McCormick introduisit une première demande de brevet pour la machine qu'il construisit en 1834.
Cyrus McCormick possédait donc un brevet et une moissonneuse, mais il fallut attendre 1837 - lorsque son exploitation familiale se trouva au bord de la ruine - pour qu'il tentât de rentabiliser son invention. Il y apporta différentes améliorations au cours des années qui suivirent, créa un

A droite: La moissonneuse de Obed Hussey, la première qui reçut un brevet (1833).

petit atelier et vendit très rapidement près de cinquante machines par an. En 1844, il comprit que l'avenir de la moissonneuse serait lié au défrichage des immenses prairies, où l'on cultiverait du blé.
Cyrus fit construire une usine à Chicago et vendit huit cents moissonneuses la première année. Mais, entre-temps, son brevet initial était arrivé à son terme, et quelques hommes d'affaires se groupèrent pour en empêcher le renouvellement. McCormick ne put rivaliser avec la puissance des hommes d'affaires et il perdit sa cause. Il s'ensuivit une période de concurrence sévère entre les deux sociétés rivales. McCormick était toujours à l'avant-garde avec ses puissantes techniques de vente. Il augmenta fortement ses méthodes de production massive en offrant un crédit à long terme aux acheteurs.
Il fit de la publicité partout, organisa des démonstrations avec ses moissonneuses et l'emporta très vite sur ses concurrents.
En 1851, à l'occasion de la *Great Exhibition* (la grande exposition) à Londres, la moissonneuse McCormick fit grande impression. En 1855, la machine reçut la médaille d'honneur, lors de l'Exposition Internationale de Paris. Vers la fin des années 1850, tous les paysans des pays à l'agriculture développée ou en cours de développement connaissaient la moissonneuse de McCormick. L'usine de Chicago en livra plus de quatre mille par an pour satisfaire à la demande. A la même époque, Chicago devint une ville commerciale importante et un noeud ferroviaire des nouveaux chemins de fer nationaux.
Durant les dernières années de sa vie, Cyrus McCormick reçut de nombreuses distinctions et décorations pour son travail, parmi lesquelles, la Légion d'honneur qui lui fut remise par Napoléon III en personne. McCormick était de ces hommes pour qui la richesse d'invention, un esprit commercial sain et le succès allaient de pair pour servir l'humanité.

Ci-dessous, à gauche: Essais en public avec la moissonneuse McCormick à Steele's Tavern, en Virginie; juin 1831.

Ci-dessous, à droite: Une moissonneuse-lieuse. Il fallait un grand attelage de chevaux pour la tirer. Cette machine colossale fut un développement ultérieur de la moissonneuse McCormick. Elle moissonnait les céréales et les liait en gerbes, simultanément.

Sir Isaac Pitman

1813-1897

L'homme a toujours ressenti le besoin d'écrire rapidement une note ou de recueillir intégralement une conversation. Des écritures dites abrégées ont été imaginées à cet effet, depuis l'antiquité. Il s'agissait de méthodes d'écritures où les mots et même des phrases entières étaient représentés par deux ou trois signes. Actuellement, nous appelons cette façon d'écrire sténographie, ou sténo, en abrégé. Ce fut Isaac Pitman qui créa le premier système sténographique, que l'on pouvait apprendre et écrire aisément.

Ci-dessus: L'alphabet de Tironius, conçu pour noter les discours au sénat de Rome. Chaque lettre était abrégée en un signe. Ensuite, les signes purent être reliés les uns aux autres.

L'histoire de la sténo a probablement débuté au IVe siècle avant J.-C., en Grèce, où Xénophon utilisa un système d'écriture rapide, en grec, pour noter ses pensées sur Socrate.

Il existait également un système latin, "les signes tironiques", qui fut inventé par un esclave libéré, Marcus Tullius Tironius. Le système latin de Tironius fut généralement utilisé dans les premiers temps de l'ère chrétienne.

Au XVIIe siècle, Samuel Pepys écrivit son journal devenu classique dans une écriture abrégée conçue par Thomas Shelton, le premier traducteur anglais du *Don Quichotte* de Cervantes. Le fait qu'on ignorait dans son entourage le système de Shelton permit à Pepys de noter et de divulguer par la suite des anecdotes amusantes et audacieuses de la Cour d'Angleterre, qui n'auraient jamais été conservées autrement. A la même époque, le système conçu par William Mason fut le premier utilisé pour noter les travaux du parlement anglais.

A droite: Un système d'écriture abrégée datant du début du XIXe siècle. De nombreux systèmes d'écriture abrégée furent conçus en Europe et aux Etats-Unis, dès la seconde moitié du XVIIIe siècle. La plupart d'entre eux étaient plus fastidieux que l'écriture courante qu'ils remplaçaient, et très peu furent utilisés longtemps.

Malheureusement, tous les systèmes sténographiques de cette époque comptaient un grand nombre de signes difficiles à apprendre.

Il fallait faire de nombreux exercices pour pouvoir écrire les signes aisément.

La vie économique devenant de plus en plus complexe après 1800, la nécessité d'un système sténographique facilement assimilable par les sténographes se fit pressante.

Un sténographe, Samuel Taylor, adapta un vieux système aux exigences de son époque.

Ce fut cette écriture abrégée qu'Isaac Pitman, instituteur à Trowbridge dans le Wiltshire, apprit d'abord. Pitman constata immédiatement les difficultés et les points faibles de l'écriture de Taylor.

Il commença par faire une étude scientifique des sons les plus couramment utilisés dans la langue parlée.

Ensuite, il chercha des signes phonétiques correspondant à ces consonances et mit au point un système permettant d'écrire seize voyelles, vingt-cinq consonnes simples et vingt-quatre doubles. Ainsi, le son final "-ing" pouvait être écrit avec un seul signe.

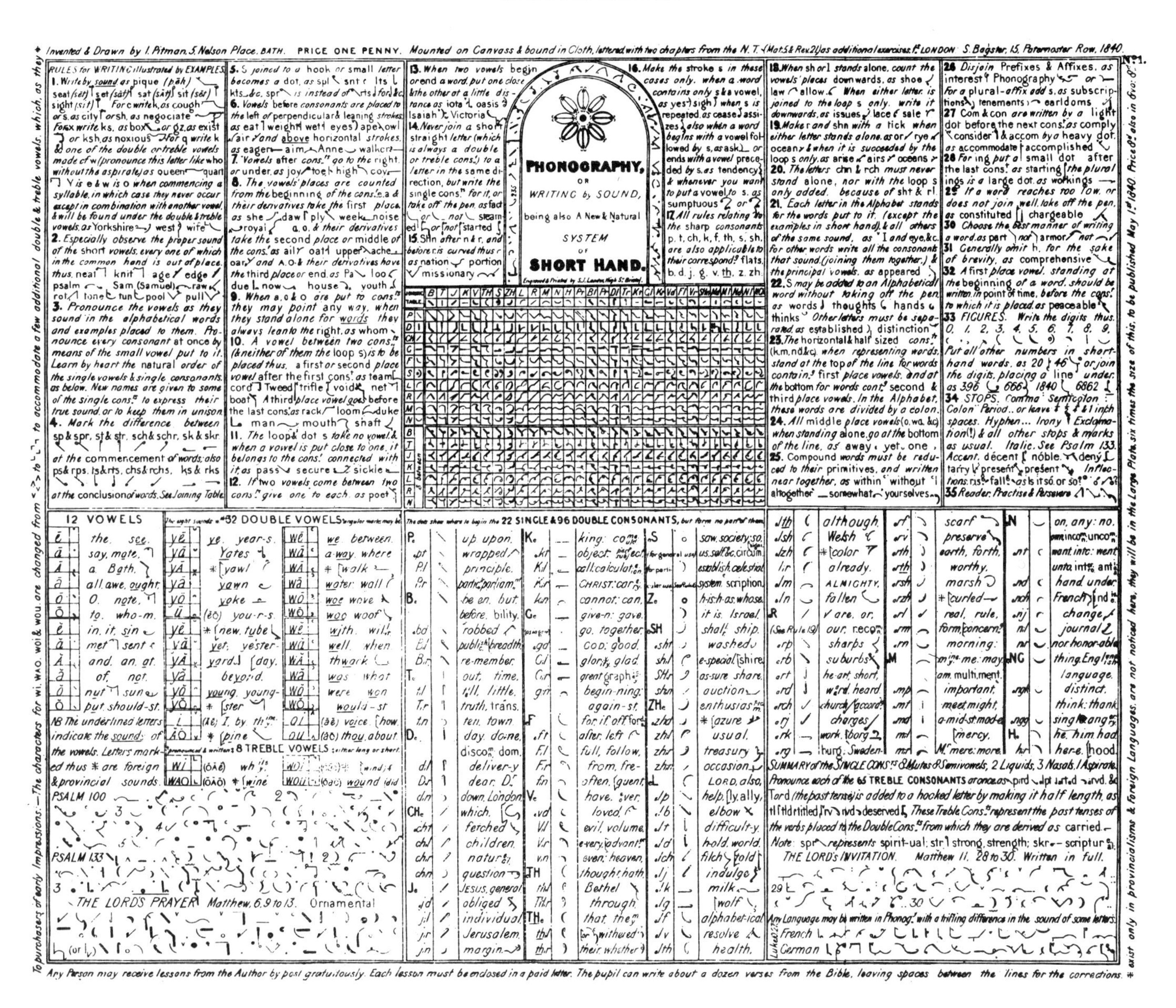

Invented & Drawn by I. Pitman, 5 Nelson Place, BATH. PRICE ONE PENNY. Mounted on Canvass & bound in Cloth, lettered with two chapters from the N. T. (Mat.5 & Rev.21) as additional exercises 1s. LONDON S. Bagster, 15, Paternoster Row, 1840. No. 1.

PHONOGRAPHY, OR WRITING by SOUND, being also A New & Natural SYSTEM of SHORT HAND.

Any Person may receive lessons from the Author by post gratuitously. Each lesson must be enclosed in a paid letter. The pupil can write about a dozen verses from the Bible, leaving spaces between the lines for the corrections.

Ci-dessus: Le "Penny Plate", deuxième édition de la "Phonography" de Pitman (sténographie phonétique), éditée en 1840. La publication eut lieu en même temps que l'émission d'un "penny stamp" (timbre-poste de 1 penny), que Pitman avait initialement présenté au ministère britannique des finances, pour expédier les lettres - et autres envois postaux - en port payé. Sur le Penny Plate, *toutes les notes en sténo étaient rassemblées en un format de 16,5 sur 20 cm. Il organisa également des cours de sténo par correspondance; c'était le premier cours écrit. Les élèves envoyaient des extraits de la Bible, en laissant suffisamment de place pour les corrections, à condition qu'ils fussent envoyés avec le* penny post.

A gauche: Une sténographe en 1922.

Les consonnes étaient formées de figures géométriques simples et de lignes droites et courbes. Les voyelles étaient écrites en plaçant des points ou des traits à des endroits bien définis par rapport aux signes utilisés pour les consonnes.

En 1837, parut le *Stenographic Sound Book* de Pitman (Manuel des sons sténographiques), le premier livre d'enseignement permettant d'étudier son système, qui fut rapidement utilisé dans de nombreux pays.

Par la suite, il fut adapté aux langues latines européennes et aux différentes langues orientales. Le seul système moderne qui rivalisa avec l'écriture abrégée de Pitman est celui de John Robert Gregg.

Cet Irlandais découvrit un système de signes courbes et angulaires, à la place des signes plus pointus de Pitman. Actuellement, le système de Gregg est très largement utilisé aux Etats-Unis.

Mais, malgré tout, l'invention de Sir Isaac Pitman reste très valable. Le système est facile à apprendre et on peut l'écrire avec beaucoup de facilité. Pitman fut anobli par la reine Victoria en remerciement pour ses travaux.

Sir Henry Bessemer

1813-1898

L'inventeur et ingénieur britannique Sir Henry Bessemer obtint un brevet pour la première méthode réussie de production intensive de l'acier. Les usines sidérurgiques parvinrent à répondre à la demande d'acier de qualité supérieure à bon marché, grâce au convertisseur de Bessemer.

L'art de convertir le fer en alliages plus durs et plus durables était connu depuis l'antiquité. Dans les premières années du XIXe siècle, les forgerons et les sidérurgistes étaient en mesure de produire de très nombreux alliages d'acier, pour diverses applications. Mais les quantités qui pouvaient être produites étaient encore très limitées.
En Amérique, dans la ville de Pittsburgh, le sidérurgiste William Kelly travaillait à la même invention que Bessemer.
La technique était fondée sur le principe suivant: un bain d'acier brut fondu dans des convertisseurs de fusion est oxydé par un puissant courant d'air. L'oxygène du courant d'air se lie aux petites particules de poussière dans le fer et forme une scorie facile à éliminer. Le carbone est brûlé et forme un oxyde de carbone (CO). La température du métal augmente fortement sous l'effet du puissant courant d'air, de sorte que le procédé est prolongé et intensifié.
Bessemer n'était pas au courant du travail de Kelly. Il fut confronté au problème, lorsqu'il découvrit un nouveau type de grenade. Celle-ci tournait très vite en rond comme une toupie et aurait été utilisée lors de la guerre de Crimée. Cependant, il apparaissait que les canons des fusils en fonte de l'époque n'étaient pas assez solides pour lancer des grenades de Bessemer sans se fissurer. Bessemer étudia alors une nouvelle manière d'obtenir une fonte plus solide. Ses essais et ses recherches conduisirent immédiatement au processus de production d'acier qui porte son nom (acier obtenu par décarburation). Le convertisseur Bessemer fournissait de l'acier tendre, dont l'utilisation était plus satisfaisante que le fer forgeable.
Les forgerons britanniques se montrèrent donc très satisfaits de ce nouveau type d'acier et acceptèrent immédiatement l'offre qu'on leur fit d'utiliser ce nouveau produit.
Mais les choses tournèrent mal pour Bessemer; en effet, on remarqua assez vite que le minerai employé contenait beaucoup de phosphore ou de soufre. En effet, le minerai utilisé en Europe et en Grande-Bretagne contenait justement beaucoup de phosphore et de soufre que le procédé de fabrication de l'époque n'éliminait pas.
Bessemer, n'ayant pas le choix face aux forgerons

Ci-dessous: Un convertisseur Bessemer, en fonctionnement durant le "soufflage" dans les Bessemer Steel Works *à Sheffield, à la fin du siècle dernier.*

déçus qui n'avaient plus confiance en lui, dût reprendre toutes les autorisations qu'il avait accordées. Il décida de construire sa propre usine sidérurgique, pour laquelle il importait de Suède du minerai sans phosphore.
C'est finalement le jeune métallurgiste britannique Sidney Gilchrist Thomas qui trouva un moyen pour éliminer du métal fondu le phosphore et le soufre en 1878. Il construisit un four de fusion intérieurement recouvert de pierre calcaire et de magnésium. Cette méthode s'appela plus tard procédé fondamental de Bessemer.

Ci-dessus: Bateau-salon à vapeur à stabilisation automatique de Bessemer.

A droite: William Kelly, contemporain de Bessemer, qui inventa également un convertisseur d'acier.

Ci-dessous: Un modèle de la machinerie de Bessemer. Du fer brut liquide est conduit dans le convertisseur (A), à travers une rigole (C), recouverte d'argile infusible.

Entre-temps, aux Etats-Unis d'Amérique, William Kelly s'occupait activement de sa version du procédé. Ce n'est qu'en 1857 qu'il introduisit une demande de brevet pour sa méthode, lorsqu'il entendit parler pour la première fois des travaux de Bessemer.
En 1862, Kelly construisit sa propre usine sidérurgique et, deux ans plus tard, son entreprise produisait déjà des quantités d'alliage procurant des bénéfices. En 1866, la *Kelly Pneumatic Process Company* collabora avec un ancien concurrent qui appliqua les brevets de Bessemer. A partir de ce moment, l'évolution de la production sidérurgique fut très rapide aux Etats-Unis.
La disponibilité d'acier économique de qualité supérieure eut des conséquences considérables. L'acier devint le matériau de construction qui détrôna le bois. Il fut utilisé pour la construction de ponts, de chemins de fer et de navires et dans l'architecture. Entre-temps, Bessemer, qui fut anobli en récompense de sa contribution au progrès, continuait à imaginer de nouvelles inventions. Cent quatorze inventions portaient son nom à la fin de sa vie.

Carl Zeiss

1816-1888

Carl Zeiss était un fabricant allemand, spécialiste des instruments d'optique. Dans la seconde moitié du XIXe siècle, il contribua, en collaboration avec le savant Ernst Abbe, aux développements les plus importants en matière de microscopes et de lentilles.

Carl Zeiss naquit en 1816, à Weimar, en Allemagne. En 1846, il construisit une usine d'instruments optiques. Il fut un des fabricants de microscopes et de lentilles les plus avancés à son époque. Il savait que la recherche scientifique était une condition nécessaire à l'amélioration de ses instruments et à la bonne réputation qu'il désirait acquérir. C'est pourquoi il prit avec enthousiasme Ernst Abbe, le physicien opticien, à son service; celui-ci devint très rapidement un spécialiste de premier plan dans ce domaine.
Abbe, qui était né à Eisenach, obtint un poste à l'Université de Iéna, où il devint professeur de physique et de mathématiques vers 1870.
Entre-temps, il avait accepté de collaborer avec Zeiss.
En 1866, il devint chef de la division "développement" de l'entreprise.
Après le travail de pionnier accompli par van Leeuwenhoek en Hollande, à la fin du XVIIe siècle, les progrès du microscope n'avaient pas beaucoup avancé. Les opticiens étaient constamment confrontés à la même difficulté de déviation chromatique (anneaux colorés).
Et les meilleurs polisseurs de lentilles ne pouvaient empêcher des déformations et des inégalités dans le verre qu'ils devaient travailler. Des lentilles dites achromatiques furent d'abord améliorées en Hollande, mais il y avait toujours des difficultés pour les agrandissements les plus forts. Un marchand de vins anglais, qui était amateur de microscopes, Joseph Jackson Lister, père du chirurgien Lister, trouva une solution. Il découvrit un procédé scientifique pour fabriquer des lentilles achromatiques. Il constata qu'il fallait mettre deux lentilles l'une au-dessus de l'autre pour obtenir une lentille correcte.
Ce procédé permettait, en effet, d'éliminer en grande partie la déviation chromatique et la déformation provoquée par la forme courbe de la lentille.
La science optique en était à ce point lorsque Ernst Abbe, le premier ingénieur opticien, commença ses recherches. Il ne tint pas compte des méthodes traditionnelles de fabrication d'instruments et introduisit dans l'usine Zeiss le principe selon lequel tous les instruments optiques de-

A droite: Ernst Abbe.

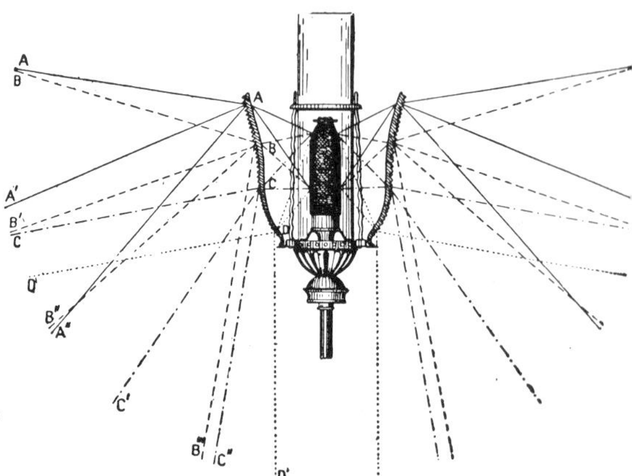

A droite: Coupe du calice dit holophane et du manteau de Welsbach, qui montre la répartition égale de la lumière.

vaient être dessinés sur papier avec la plus grande précision et travaillés sur des bleus. On tint compte également des connaissances scientifiques et expérimentales les plus récentes.
La collaboration d'Otto Schott, un chercheur en chimie, responsable de la section du verre de l'entreprise, contribua également au succès de la firme. Schott construisit une centaine de types de verre différents à usage optique, ainsi qu'un type de verre résistant à la chaleur.

Ci-dessous: Travailleurs dans les usines Zeiss à Iéna, prêts à retirer du four un récipient rempli de verre fondu. La masse de verre est ensuite refroidie lentement, de façon à pouvoir être travaillée pour obtenir le verre optique désiré

Ci-dessus, à gauche: Dr. Otto Schott.

Ci-dessous, à gauche: Les bureaux principaux des usines Zeiss avec l'observatoire astronomique.

Ci-dessous, à droite: Un exemple de verre optique moderne, le verre photochromique, dont la couleur devient plus sombre à mesure que la lumière devient plus forte.

Abbe occupait aussi une place importante dans le monde académique. En 1878, il devint directeur des observatoires astronomiques et météorologiques universitaires. Cependant, il continua à collaborer avec Zeiss.
Parmi les travaux d'Abbe, il faut citer l'étude sur la formation de l'image dans le microscope et la définition de la formule du pouvoir de résolution d'une lentille (pouvoir de rendre une image aussi nette que possible). Il inventa également la lentille avec immersion d'huile, dans laquelle une goutte d'huile entre l'objet et la lentille fournit une qualité meilleure et un agrandissement plus fort. Les premiers microscopes apochromatiques (microscopes dont les lentilles ne présentent aucune déformation de couleur) furent produits par la firme Zeiss.
A la mort de Zeiss, Abbe devint le propriétaire de la société, mais trois ans plus tard, il se retira en faveur de la Fondation Carl Zeiss, dont le but était la recherche scientifique et le progrès social. L'entreprise devint plus tard une coopérative fondée sur une répartition des bénéfices entre l'université, la direction et le personnel.
Après la Seconde Guerre mondiale, Iéna se trouva en Allemagne de l'Est, mais l'entreprise, l'équipe scientifique et la Fondation Carl Zeiss furent transférées en Allemagne de l'Ouest par les troupes d'occupation américaines. La société y reprit ses activités dès 1945.

James Prescott Joule

1818-1889

*Le physicien anglais James Joule a laissé dans l'histoire de la science, la réputation du savant le plus enthousiaste au travail. Certes, Joule ne provenait pas des milieux académiques. Il resta un amateur toute sa vie, mais ses recherches appliquées furent récompensées par la découverte extrêmement importante de la relation entre la force mécanique et la chaleur. Cette notion joue un rôle très important dans la thermodynamique actuelle (*thermo = *chaleur,* dynamica = *science du mouvement, en mécanique) et dans de nombreuses autres branches de la technique. Joule élabora également une théorie, qui fut utilisée ultérieurement pour atteindre des températures extrêmement basses, ouvrant ainsi la voie vers une nouvelle science, la cryogénie (science du comportement des corps à des températures très basses).*

Joule était le fils d'un très célèbre brasseur de Salford au nord de l'Angleterre. Son père étant

riche, Joule put se consacrer à sa plus grande passion, les expériences physiques.
Après avoir étudié quelque temps la chimie et la physique auprès de John Dalton à l'Université de Manchester, Joule continua seul ses études à partir de dix-sept ans. Il s'intéressa plus particulièrement à la thermologie, passion qui se changera vite en obsession.
Pendant de nombreuses années, Joule se consacra à la mesure des différences de températures provoquées par tous les procédés mécaniques imaginables.
Lors de ses essais avec l'eau, il utilisait des moulinets en bois, avec lesquels il agitait vivement l'eau, en ayant soin de noter la température de l'eau avant de l'agiter et après. En la laissant s'écouler par de petits trous, il pouvait la réchauffer par friction, et à chaque essai, il calculait la quantité de chaleur produite.
En 1843, il publia les résultats de ses expériences, par lesquels il établissait qu'une certaine quantité de travail produit chaque fois une certaine quantité de chaleur. Il appela "équivalent calorifique du travail" la quantité de travail nécessaire pour produire une unité de chaleur ou calorie. Il trouva que cette quantité valait 41 850 000 ergs (1 erg = travail effectué par une force d'une dyne dont le point d'application se déplace d'un cm dans la direction de la force).
C'était une découverte importante, mais, à la

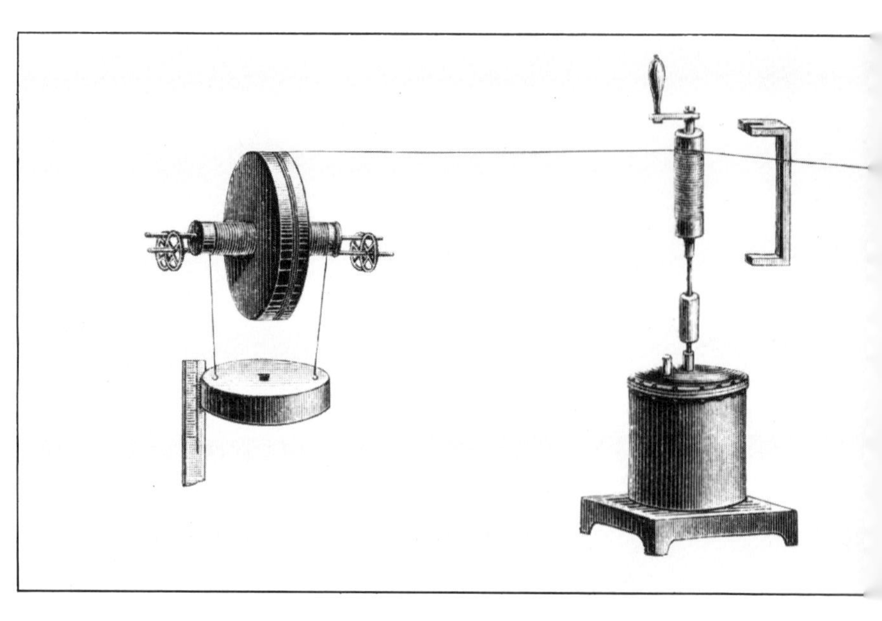

Ci-dessus: Appareils utilisés par Joule pour déterminer l'équivalent mécanique de la chaleur. Deux poids, accrochés de part et d'autre d'une balance, faisaient tourner une roue à aubes dans une cuve, ce qui permettait de mesurer l'élévation de la température.

A droite: Electro-aimant de Joule. Il s'en servit dans ses premières expériences sur l'équivalent mécanique de la chaleur, en le fixant, dans l'eau, entre les pôles d'un autre aimant. En mesurant la rotation de l'électro-aimant, le courant utilisé et le travail mécanique produit, il calculait la valeur équivalente.

grande déception de Joule, les physiciens n'y prêtèrent aucune attention. Sa publication fut même refusée par plusieurs grands journaux, et Joule dût faire connaître sa découverte à l'occasion d'une conférence publique, à Manchester, devant un public très restreint.
La raison de ce manque d'intérêt pour une découverte aussi importante s'explique par le fait que Joule était encore inconnu dans les milieux scientifiques. Il n'était qu'un amateur nanti. Pourtant, l'histoire des sciences est jalonnée de succès remportés par des hommes tels que lui. D'autre part, les savants de l'époque de Joule savaient à quel point il était difficile de mesurer avec précision les changements de chaleur.
Cependant, la chance tourna pour Joule, lorsqu'un jeune physicien, hautement coté, William Thomson, devenu plus tard Lord Kelvin, s'intéressa à son travail.
Il examina les méthodes et les résultats obtenus par Joule et fit savoir que, d'après lui, ils étaient impressionnants et parfaitement justifiés.
La situation évolua rapidement en faveur de Joule. Les physiciens commencèrent à le prendre au sérieux, et ses travaux furent rapidement acceptés. Une nouvelle unité, égale à dix millions d'ergs prit le nom de joule. L'équivalent mécanique de la chaleur vaut 4,185 joules.
L'intérêt que montra Thomson pour le travail de Joule l'amena à collaborer fructueusement avec lui.
Ils démontrèrent que lorsqu'un gaz peut se dilater librement, on note une baisse de la température.
Ce phénomène qui porte actuellement le nom d'effet Joule-Thomson, s'explique par la faible force d'attraction des molécules de gaz entre elles. Au moment de la dilatation, une petite perte d'énergie thermique est absorbée par les molécules qui s'éloignent les unes des autres et dominent par le fait même leur force d'attraction mutuelle.

Ci-dessous: Instrument utilisé par Joule pour établir la relation entre le travail et la chaleur. Il était constitué d'un axe à aubes, enfermé dans une cuve isolée contenant de l'eau. La chute d'un poids faisait tourner l'axe. La résistance de friction entre les aubes et l'eau provoquait une augmentation de la température de l'eau, que l'on mesurait. Le travail produit était égal à la quantité de chaleur produite.

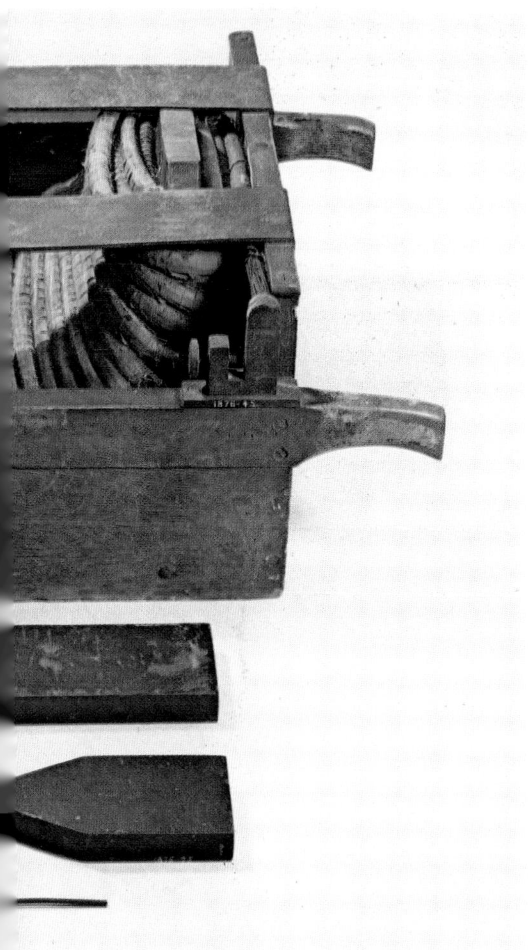

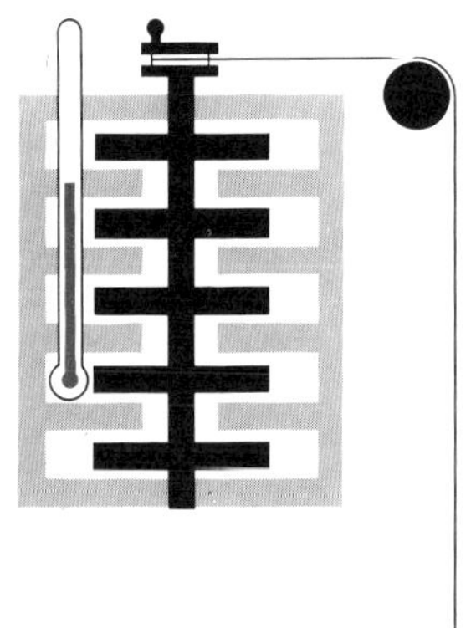

Ci-dessus, à droite: Un exemple de chaleur, provoquée par une réaction chimique. Des allumettes de sûreté contiennent le plus souvent du sulfure d'antimoine et différents corps oxydants, tels que du chlorate de potassium. Le frottoir spécial prévu sur la boîte contient du phosphore rouge.

Joule et Thomson publièrent leur découverte en 1852. Vers la fin du XIXe siècle, leurs découvertes servirent de base à la toute nouvelle technique du froid. Des gaz tels que l'hydrogène et l'hélium sont liquéfiés au moyen de l'effet Joule-Thomson.
Et la température extrêmement basse qu'il était possible d'atteindre fut le point de départ d'une toute nouvelle orientation scientifique sur le comportement des corps à très basse température, la science de la cryogénie (littéralement: qui rend froid).
Joule n'accepta jamais une chaire à l'Université. A la fin de sa vie, il fut élu membre de la *Royal Society* de Londres et président de l'Association pour le Progrès scientifique. Amateur enthousiaste, Joule fut satisfait d'avoir apporté une contribution plus importante à la physique que la plupart des physiciens venant d'un milieu scientifique. De plus, il fut admiré par les plus grands physiciens de son temps.

Elias Howe

1819-1867

La machine à coudre fut le premier appareil produit en grandes quantités aussi bien pour l'usage domestique qu'industriel. Elias Howe, ingénieur mécanicien américain, fut l'inventeur du premier modèle, conçu pour l'utilisation pratique.

Alors que la majeure partie du tissage et du filage avait déjà été mécanisée vers 1800, les vêtements étaient toujours cousus entièrement à la main. Un tailleur parisien, Barthélemy Thimonnier, fit une des premières tentatives de construction d'une machine à coudre pratique.

Il créa un modèle permettant de piquer avec un seul fil et, en 1830, il introduisit une demande de brevet pour cette machine. Après avoir signé un contrat avec l'armée pour la confection d'uniformes, il ouvrit un atelier, où fonctionnaient plusieurs machines. Mais, un groupe de tailleurs et de couturières, qui étaient inquiets pour leur gagne-pain, firent irruption chez lui et détruisirent toutes les machines.

Seize ans plus tard, un ingénieur d'une usine de coton des Etats-Unis, Elias Howe, présenta un ingénieux projet de machine. Elle fonctionnait avec deux fils et donnait un point de chaîne. Un des fils sortait d'une canette tandis que l'autre était fixé à une aiguille.

Il introduisit une demande de brevet, mais ne put persuader personne, dans le domaine de la confection, d'acquérir sa machine. C'est pourquoi il partit pour l'Angleterre avec sa famille, où il vendit sa patente pour 250 livres seulement, car il avait un besoin immédiat d'argent.

La période qui suivit fut dure pour Howe. Sa situation financière ne faisait qu'empirer, alors qu'il tentait sans cesse de perfectionner son invention. Finalement il renvoya sa famille aux Etats-Unis et, se trouvant au bord de la ruine, il la rejoignit un peu plus tard. A son arrivée, il apprit que sa femme était très malade et que son invention avait été maintes fois pillée durant son absence.

Il s'ensuivit pour Howe une période de procédures judiciaires, pour tenter de défendre ses droits.

A droite: En 1845, Howe participa à un concours avec cinq des meilleurs tailleurs de la Quincy Hall Manufacturing Company *(industrie du textile) à Boston. Howe avait terminé ses cinq ourlets le premier, et le travail fut jugé le meilleur. Mais la firme n'acheta pas sa machine.*

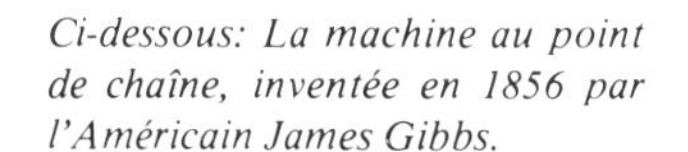

Ci-dessous: La machine au point de chaîne, inventée en 1856 par l'Américain James Gibbs.

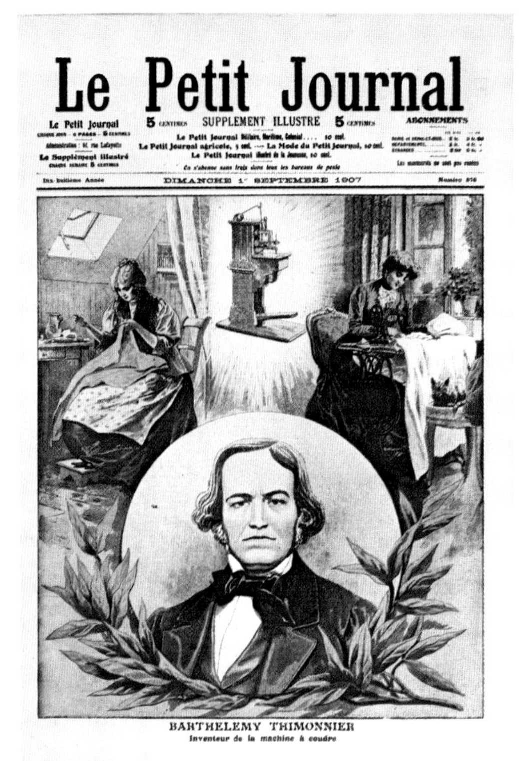

Le Petit Journal

5 CENTIMES SUPPLEMENT ILLUSTRE 5 CENTIMES

DIMANCHE 1er SEPTEMBRE 1907

BARTHELEMY THIMONNIER
Inventeur de la machine à coudre

Il intenta, parmi d'autres, un procès à Isaac Merrit Singer, dont le nom se trouve sur tant de machines à coudre de ménage.

L'ingénieur Singer conçut et vendit une version améliorée d'une machine à coudre, qui servit de modèle à tous les types ultérieurs. Le bras horizontal et la place réservée à l'aiguille firent de la couture une opération plus aisée. La surface sur laquelle on pouvait déposer les vêtements était plus grande, et la machine, munie d'une pédale, laissait les mains libres.

Dans sa forme finale, la machine Singer-Clark comptait une douzaine de nouveaux brevets et, vers 1860, l'entreprise était le plus grand fournisseur mondial de machines à coudre. Ce fut également la première société qui travailla avec un système de versements échelonnés, innovation qui entraîna de très grandes conséquences sur la technique moderne de vente.

Finalement, tout se termina bien pour Elias Howe. En 1854, il gagna le procès qu'il avait engagé contre Singer, qui avait utilisé son brevet. Mais ce dernier continua néanmoins à vendre ses machines. Toutefois, jusqu'à sa mort, en 1867, Howe reçut un pourcentage sur le prix de vente de toutes les machines à coudre vendues aux Etats-Unis.

Les conséquences sociales de la machine à coudre furent également considérables. Les tailleurs ou les couturières qui avaient travaillé jusqu'alors comme artisans avec quelques apprentis, montèrent des ateliers ou des usines. On pouvait engager des travailleurs plus ou moins qualifiés à la place de gens de métier.

C'est surtout aux Etats-Unis que l'industrie du vêtement fut soumise à des changements radicaux, et où les ouvriers commencèrent à se rassembler pour obtenir de meilleures conditions de salaire et de travail.

Ci-dessus, à gauche: La couverture du "Petit journal", dans lequel l'invention de la machine à coudre de Barthélemy Thimonnier fut annoncée à grand fracas. Cette machine fonctionnait avec un seul fil.

Ci-dessus, à droite: Première machine au point de chaîne réussie de Howe, construite en 1845. La machine était actionnée à la main, avec un balancier. L'aiguille se déplaçait horizontalement.

A droite: Couverture du guide d'emploi de la machine à coudre Singer. La pédale était une des innovations de Singer.

Ci-dessous: La première machine à coudre Singer en 1854. Contrairement à celle de Howe, l'aiguille allait de haut en bas. L'ouvrage pouvait être déplacé plus facilement, ce qui permettait de faire des coutures non rectilignes.

Jean-Bernard-Léon Foucault
1819-1868

Le physicien français Jean Foucault fut le premier à prouver expérimentalement que la Terre tourne autour de son axe. Il fit également les premières mesures à peu près exactes de la vitesse de la lumière. D'autre part, il démontra que la vitesse dépend de la matière que traverse la lumière. Il découvrit, par exemple, que la lumière se propage plus vite dans l'air que dans l'eau.

Jean Foucault grandit dans une famille aisée de Paris. Comme bien des jeunes de la classe bourgeoise de l'époque, il étudia la médecine. Dès la fin de ses études, il sympathisa avec le jeune physicien Armand Fizeau, qui lui communiqua sa passion contagieuse pour la physique, et cette amitié influencera la carrière de Foucault. Peu de temps après que Foucault eut rencontré Fizeau, vers 1840, il aida le jeune physicien dans ses expériences qui avaient pour but de mesurer la vitesse de la lumière. Si nous comparions les résultats de ces expériences avec ce que nous savons aujourd'hui sur ce sujet, ils nous apparaîtraient assez médiocres. Mais Foucault était à ce point enthousiasmé par les expériences de son ami qu'il

décida d'étudier une manière particulière de mesurer la vitesse de la lumière.

A l'époque de Foucault, il n'y avait pas de méthode pour déterminer la vitesse de la lumière sur de courtes distances, car la lumière se propage beaucoup trop vite. Ayant, malgré tout, l'intention de faire une expérience réalisable, Foucault eut l'idée d'utiliser deux miroirs, dont un restait fixe et l'autre pouvait tourner. D'après son plan, il voulait faire réfléchir un faisceau de lumière entre les deux miroirs pour simuler une longue distance. La méthode de travail de Foucault eut un succès retentissant. Il était parvenu à calculer la vitesse de la lumière à un pour cent près du chiffre le plus précis que nous connaissons actuellement.

Foucault poursuivit ses recherches et se servit de la même méthode pour calculer la vitesse de la lumière lorsqu'elle se propage à travers d'autres corps que l'air. Il découvrit ainsi que la vitesse de la lumière est moins grande dans l'eau que dans l'air. Cette découverte mettait fin aux controverses sur les qualités de la lumière. Le changement de vitesse de la lumière lorsqu'elle passait par des corps différents, était une preuve de la nature ondulatoire de la lumière. Cette affirmation portait un coup dur aux savants qui prétendaient, depuis Isaac Newton, que la lumière était un courant formé de petites particules lumineuses.

L'expérience la plus connue de Jean Foucault fut effectuée après 1851, lorsqu'il commença à préparer les découvertes qui l'ont rendu illustre. Il parvint à prouver, par une expérience célèbre, que la Terre tourne autour de son axe. De nombreux savants avaient étudié cette question, mais Foucault fut le premier à la résoudre.

Foucault ayant considéré des pendules simples, avait été frappé par le fait que, quel que fût l'endroit où l'on plaçait le point de suspension du pendule, ce dernier se déplaçait toujours dans un

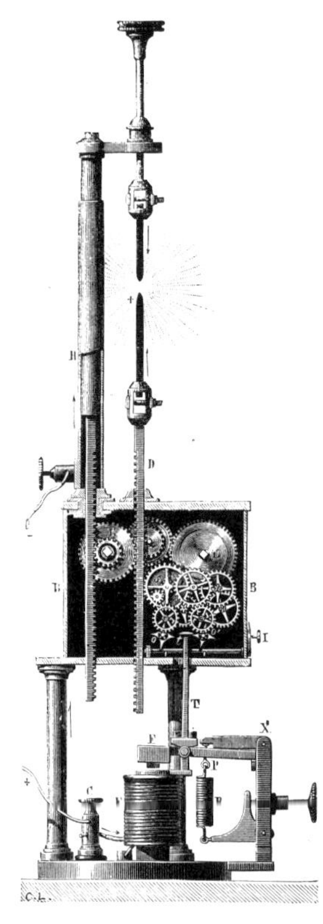

En haut, à droite: Le Panthéon à Paris.

Ci-dessus: Le régulateur de Foucault. Cet instrument permit de remplacer le gaz par l'électricité pour l'éclairage.

A gauche: Le pendule utilisé par Foucault en 1851 pour démontrer que la Terre tourne autour de son axe. Il pèse 5 kg et a été suspendu par un fin câble d'acier de soixante mètres de long.

A droite: Télescope de Foucault. En 1857, Foucault introduisit la technique moderne qui consiste à argenter le verre servant à fabriquer les miroirs des télescopes. Les miroirs argentés se révélèrent meilleurs que les anciens miroirs métalliques, et ils étaient plus faciles à fabriquer. De plus, la surface pouvait être réargentée lorsqu'elle était endommagée ou ternie.

Ci-dessous: La couverture du "Petit Parisien", qui représente l'expérience du pendule de Foucault au Panthéon.

même plan pour revenir au point de départ. Avec une intelligence étonnante, Foucault imagina que, si un énorme pendule était mis en mouvement, le plan du mouvement resterait en place, tandis que la Terre tournerait au-dessous. Si la Terre tournait véritablement, les spectateurs qui regarderaient le pendule devraient naturellement se déplacer avec la Terre. Seul le plan du mouvement

du pendule resterait fixe dans l'espace. En théorie, par conséquent, les spectateurs verraient le plan figuré par le mouvement du pendule changer lentement d'orientation.

Mais, en réalité, ils observeraient seulement le mouvement de la Terre, tandis que le plan du pendule resterait fixe. Foucault avait eu une idée géniale, qui reçut des applications fructueuses dans le gyroscope.

Il ne perdit pas un seul instant et se mit immédiatement au travail. Il fit fabriquer une boule métallique pesante, qu'il suspendit par un fin câble d'acier mince de 60 m au sommet de la coupole de l'église Sainte-Geneviève (aujourd'hui le Panthéon). Sous la boule, était fixée une aiguille à pointe fine. Puis, il fit recouvrir le sol d'une couronne de sable fin. A chaque changement dans le plan d'oscillation du pendule, l'aiguille marquerait une trace dans le sable. Un grand nombre de spectateurs se pressaient pour assister à cette expérience impressionnante. Une heure avant le début de l'expérience, ils étaient silencieux et immobiles pour ne pas créer des perturbations et des déplacements d'air dans le mouvement. Foucault libéra enfin le pendule, qui se mit en mouvement. Pendant quelque temps, on ne remarqua aucun changement dans le plan d'oscillation. Mais, au bout d'un moment, le public remarqua que des nouvelles traces s'inscrivaient dans le sable. On pouvait voir nettement que le plan du mouvement apparent du pendule était en train de tourner.

L'essai était donc concluant. Pour la première fois dans l'histoire, on "vit" la Terre tourner autour de son axe. En 1865, Foucault entra à l'Académie des Sciences.

Christopher Latham Sholes

1819-1890

L'invention de la machine à écrire provoqua une véritable révolution dans les bureaux et les entreprises. On a même prétendu que la machine à écrire avait ouvert les portes du monde des affaires aux femmes. La première machine à écrire efficace et rentable fut conçue par l'imprimeur et rédacteur américain Christopher Latham Sholes.

Nous savons qu'un brevet a été sollicité en Grande-Bretagne en 1714 pour une première tentative de fabrication d'une machine à écrire. Malheureusement, nous ne possèdons aucune information sur la façon dont la machine fonctionnait. Au cours des cent cinquante années qui suivirent, des personnes, de plus en plus nombreuses, tentèrent de fabriquer une machine à écrire. Mais les résultats étaient, chaque fois, lents et maladroits. Cependant, tout changea avec l'invention de Sholes en 1867: une machine présentant un intérêt pratique.
Christopher Latham Sholes devint imprimeur dès la fin de ses études. Il alla s'installer dans l'Etat du Wisconsin au nord des Etats-Unis et devint rédacteur au journal *Wisconsin Enquirer.* Après quelque temps, il accepta un poste de fonctionnaire du port dans la ville de Milwaukee sur le Lac Michigan. Il occupait ses loisirs à bricoler des inventions. L'une d'entre elles était un numéroteur automatique, appareil permettant de numéroter des objets en ordre successif.

Avec un ami, Samuel W. Soulé, il introduisit une demande de brevet en 1864 pour ce numéroteur. Un autre inventeur, Carlos Glidden, lui proposa d'appliquer le système du numéroteur sur une machine à écrire.
Glidden lui fit lire un article scientifique dans la revue *Scientific American.* Il s'agissait d'une description de machine à écrire qui avait été récemment construite par l'inventeur anglais John Pratt.

A droite: Une machine à écrire Burt de 1830. Austin Burt fut le premier Américain à obtenir un brevet pour une machine à écrire. Dans sa ''typographer'', les lettres étaient montées sur des broches, fixées au moyen de petits ressorts sur un chariot circulaire, tourné à la main, et qui imprimait le papier.

Sholes décida d'améliorer le projet. Il se mit au travail et construisit une machine qui était assez petite, efficace et facile à employer. Il sollicita un premier brevet pour une machine à écrire en 1868, une année après le modèle initial.
Il avait mis au point une machine qui permettait d'écrire plus vite qu'à la main. Durant les cinq années qui suivirent, il apporta des perfectionnements et ajouta des pièces supplémentaires à son premier projet, pour lequel il demanda alors deux autres brevets. Lorsque Sholes décida qu'il était temps de mettre sa machine sur le marché, il ne parvint pas à rassembler les fonds nécessaires et, en 1873, il vendit ses brevets à la firme *Remington & Sons,* armuriers de l'Etat de New York.
C'est ainsi que la première machine à écrire qui fut mise en vente porta le nom ''Remington'', qui deviendra familier à de nombreuses générations de dactylos.
La machine présentait de nombreuses caractéristiques que l'on retrouve sur la machine à écrire moderne.
L'emplacement des touches est resté à peu près le même au cours des années, avec des variantes selon les langues.
Les leviers étaient actionnés par des touches. Les caractères portés par les leviers, frappaient sur un ruban encré et imprimaient ensuite le papier. La machine à écrire permettait d'écrire en lignes droites et de garder un espace entre les mots. Le papier était maintenu en place sur un rouleau. Le gros inconvénient de la machine était l'absence d'un dispositif de réglage. De plus, les premières machines Remington ne comportaient que des majuscules, et, autre inconvénient, les touches frappaient contre la partie inférieure du rouleau.
Il était donc impossible de vérifier la ligne que l'on venait de taper, sans soulever le chariot. Malgré ces défauts, la machine à écrire de Sholes fut une invention fort rentable, ce qui s'expliquait en partie par une vie économique très florissante à la fin du XIXe siècle. Les écrivains eux-mêmes étaient intéressés par cette machine.
Sholes continua à apporter des améliorations à son invention.
Une machine pourvue de touches pour les majuscules et pour les minuscules permit d'écrire avec les deux types de caractères.
Un autre inconvénient fut supprimé en 1878 par l'invention de la touche de réglage. Cette touche permit également de créer la dactylographie à l'aveugle, qui consiste à taper sans regarder le clavier.
Vers 1890, un autre inventeur américain John N. Williams inventa une machine avec laquelle il était possible de lire le texte pendant la frappe. Grâce à ces améliorations, la machine à écrire parut parfaite à tous points de vue.

Ci-dessus: Quelques machines à écrire. A gauche: Lambert, *1900; au milieu:* Columbia *1886; à droite:* Blickensderfer, *1893-1910. La* Columbia *avait un disque de lettres à la place du clavier et un espace approprié entre les lettres pour les caractères de largeur différente.*

Page de gauche, en haut: L'élégante machine à écrire Sholes et Glidden. Le clavier fonctionnait de la même façon que les touches de piano.

Page de gauche, en bas: Une des premières machines Sholes de 1868.

Gregor Johann Mendel

1822-1884

Entre 1858 et 1866, un moine d'un couvent autrichien observa la culture des petits pois dans un potager. Ce moine s'appelait Gregor Mendel. Les résultats de ses recherches constituèrent la base de la science de l'hérédité: science qui étudie comment certaines propriétés se transmettent de génération en génération. Gregor Mendel est le fondateur de la génétique.

Gregor Mendel naquit sous le nom de Johann Mendel. Il était le fils d'un paysan de Heinzendorf, village situé en Silésie, appartenant à l'Autriche à cette époque.
Déjà, durant sa jeunesse, il montrait beaucoup d'intérêt pour les sciences naturelles, mais il savait que ses parents ne pourraient jamais payer ses études.
Ce fut une des raisons pour lesquelles il se fit moi-

ne. En entrant dans l'ordre des Augustins, il adopta le nom de Gregor. Comme les moines augustins étaient instituteurs, il dut également s'initier à cette profession.
Mendel ne réussit jamais à obtenir son diplôme d'instituteur; cependant, il se rendit plus tard à l'Université de Vienne pour y poursuivre ses études. Il étudia surtout les sciences naturelles, les mathématiques et la physique.
En 1854, il retourna au couvent de Brunn en Moravie (l'actuelle Brno en Tchécoslovaquie). Deux ans après, en 1856, Mendel commença, discrètement, des recherches systématiques sur l'hérédité. Il lui fallut huit ans pour terminer ses recherches dans le potager du couvent. Il s'intéressait principalement au croisement des plantes et savait que, lors des nombreuses expériences effectuées par les savants, aucun n'avait pu rassembler suffisamment de données susceptibles d'être étudiées statistiquement.
Comme sujet d'expériences, il choisit le petit pois cultivé, dont il décrivit sept formes dérivées, qui apparaîtraient vraisemblablement après croisement. Parmi ces formes dérivées, citons, par

Au milieu: La deuxième loi de Mendel sur l'hérédité indépendante, illustrée par des facteurs héréditaires pour des graines rouges (R), plissées (r), jaunes (Y) et vertes (y).

Ci-dessous: Le mélange des propriétés naît de dominances incomplètes.

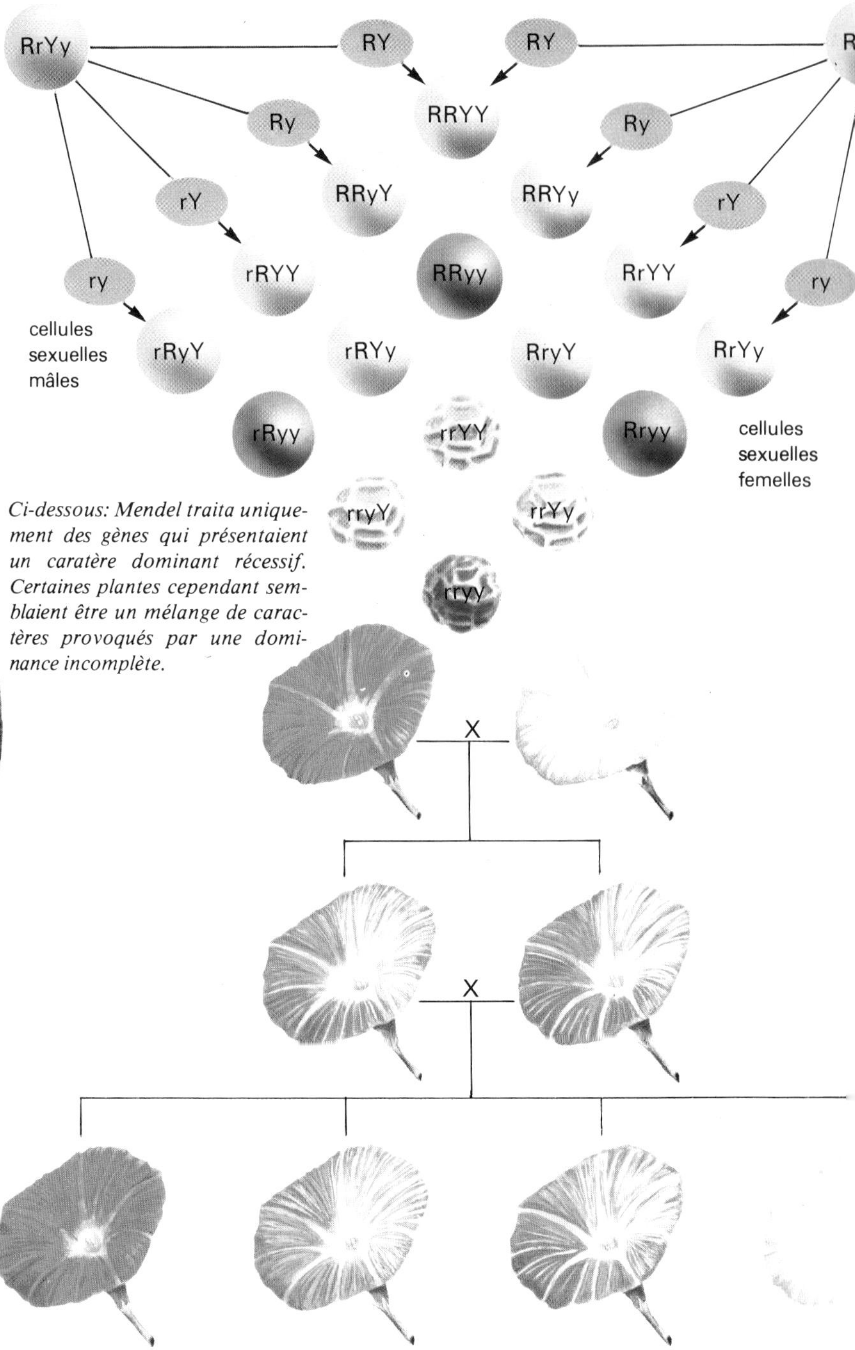

Ci-dessous: Mendel traita uniquement des gènes qui présentaient un caratère dominant récessif. Certaines plantes cependant semblaient être un mélange de caractères provoqués par une dominance incomplète.

exemple, la couleur du pois (vert ou jaune), la cosse (lisse ou plissée), et la longueur de la tige (longue ou courte).

Mendel, qui faisait ses expériences avec soin, recueillait lui-même le pollen pour féconder les fleurs et veillait toujours à empêcher une fécondation croisée accidentelle.

Il transcrivait très soigneusement les résultats de ses recherches. On savait déjà depuis le XVIIe siècle que les plantes pouvaient se reproduire génétiquement. On pensait qu'en croisant différentes espèces, il apparaîtrait des propriétés se situant précisément entre celles des parents. Or, Mendel prouva rapidement que ce n'était pas le cas, puisque en croisant un pois à longue tige avec un pois à courte tige, la première génération n'aurait pas une tige moyenne, mais uniquement une longue tige.

Dans ce cas - pour utiliser les mots de Mendel - la propriété "longue tige" était dominante et la propriété "courte tige" était récessive. En croisant entre elles les plantes obtenues par croisement, appelé par Mendel la génération F1, les propriétés récessives réapparaissent.

C'est ainsi que naissait une autre génération, dont les trois quarts étaient à tige longue et un quart à tige courte.

Mendel découvrit que la proportion d'un tiers allait toujours en progressant. Les rapports entre les propriétés devaient être calculés à l'avance pour plusieurs générations, pour permettre une simplification.

Avec ce que l'on pourrait appeler une "compréhension innée", Mendel établit une théorie, suivant laquelle chaque propriété était déterminée par deux particules jointes de chaque parent. Au moment du croisement, l'une de ces particules est cédée par la cellule mâle (pollen) et une particule par la cellule femelle (germe). Cette théorie est actuellement connue sous le nom de "première loi de Mendel". Ces parties jointes ou facteurs héréditaires sont les gardiens des bleus des propriétés héréditaires.

En 1909, ils furent appelés "gènes" (du grec "donner naissance à") par le biologiste danois Wilhelm Ludvig Johannsen. Nous pouvons considérer les gènes (en abrégé: gen) comme les porteurs des propriétés héréditaires, telles que la couleur des cheveux, la forme du nez, etc.

Ci-dessus: Le résultat attendu de la reproduction sélective chez l'homme.

A gauche: Polyploïdie (apparition d'un nombre de chromosomes supérieur à la normale) de plants de tomates. 1. normal, feuille diploïde à 24 chromosomes; 2. feuille triploïde à 36 chromosomes; 3. feuille tétraploïde à 48 chromosomes. Les feuilles polyploïdes sont en général plus grandes et plus fortes que les plantes diploïdes normales.

En 1866, Mendel divulgua les résultats de ses recherches dans deux ouvrages scientifiques. Personne n'y prêta la moindre attention. Toutefois, sa découverte des principes de la génétique héréditaire était aussi importante que celle de Charles Darwin sur la sélection naturelle. Il paraît que Mendel ignorait tout des travaux de Darwin lorsqu'il commença ses expériences.

En 1869, Mendel fut élu abbé de son couvent. Le restant de sa vie fut consacré à des tâches administratives et officielles.

Ses années scientifiques furent oubliées jusqu'en 1900, lorsque des botanistes d'Allemagne, d'Autriche et des Pays-Bas, eurent ses traités entre les mains. Les trois savants faisaient, indépendamment les uns des autres, des expériences sur la croissance des plantes. Aussi furent-ils fort surpris lorsqu'ils découvrirent que leurs résultats avaient déjà été imprimés trente ans avant eux par un moine autrichien. L'exactitude impressionnante du travail de Mendel fut prouvée et rétablie. Et l'on découvrit que ces règles étaient également valables pour les propriétés héréditaires du monde animal.

Louis Pasteur

1822-1895

Le chimiste français Louis Pasteur a apporté une énorme contribution, aussi bien à la science qu'à l'humanité. Son travail de pionnier fit de lui le fondateur de la microbiologie, partie de la science qui s'occupe de l'étude des plus petites formes de vie connues: les bactéries et les virus. Mais Pasteur a certainement acquis sa célébrité en découvrant le moyen de guérir une des maladies les plus effrayantes que nous connaissons, la rage.

Louis Pasteur naquit à Dole, dans le Jura. Son père était tanneur à Arbois. La famille Pasteur n'était pas très riche et le père devait travailler dur pour maintenir sa petite entreprise en activité. A l'école, Louis se montra un élève très appliqué, sans rien d'exceptionnel, mais il était très bon en dessin et en croquis. En 1843, Pasteur se rendit à Paris pour y étudier la physique et la chimie à l'Ecole Normale Supérieure. Lorsqu'il dut choisir un sujet pour son mémoire, il décida de traiter de la cristallographie, science qui étudie les cristaux. Pasteur, excellent dessinateur, fut attiré par la beauté et la structure des cristaux.

Lorsque Louis Pasteur eut présenté son mémoire en 1847, il fut nommé professeur de physique dans une faculté. Cependant, il s'intéressait davantage à l'étude de la cristallographie et plus particulièrement au fonctionnement de deux corps: l'un d'entre eux était l'acide tartrique, qui se développe durant le processus de fermentation du vin et l'autre était un acide racémique, produit dérivé que l'on rencontrait dans les usines. L'acide tartrique et l'acide racémique étaient identiques quant à leur composition et structure chimi-

Ci-dessus: Un cristal de tartrate de sodium. Ces cristaux sont exclusivement dextrogyres et optiquement actifs.

Ci-dessous: Les appareils dont se servit Pasteur pour démontrer que des microbes flottant dans l'air peuvent provoquer la décomposition. Du bouillon stérile dans des bouteilles en col de cygne, dont les cols recourbés gardaient les bactéries, pourrissait dès l'arrivée de microbes. Plus tard, Pasteur découvrit que les bactéries qui provoquaient la décomposition du vin, pouvaient être détruites en chauffant le vin à une température de 55 à 60 °C.

ques, mais on notait une différence particulière lorsqu'ils étaient dissous dans l'eau. Lorsqu'un faisceau de lumière polarisée passait dans l'acide tartrique, il était dévié. Ce n'était pas le cas avec l'acide racémique. (Polariser signifie: rendre les rayons lumineux incapables d'être réfléchis ou réfractés dans une certaine direction). Louis Pasteur constata que la différence entre les deux corps était provoquée par leur structure cristalline. Les cristaux de l'acide tartrique étaient tous

A gauche: Pasteur au travail dans son laboratoire.

des cristaux dextrogyres, tandis que l'acide racémique contenait aussi bien des cristaux dextrogyres que sinistrogyres. Les cristaux de l'acide racémique étaient symétriques comme des images inversées ou stéréo-isomères, selon l'appellation actuelle. Les recherches de Pasteur sur les stéréoisomères le confirmèrent comme savant scientifique. A la demande d'un distillateur qui rencontrait des difficultés pour distiller de l'alcool à partir de betteraves sucrières, Pasteur étudia les processus de fermentation et de pourriture.

A cette époque, on ne connaissait pas l'origine de la fermentation. On faisait seulement une distinction entre la "bonne" fermentation, lorsqu'il s'agissait de la fabrication de vin ou de bière, et la "mauvaise" fermentation, lorsque le lait tournait. Pasteur découvrit qu'en cas de "bonne" fermentation, on n'observait que des cellules de fermentation. Tandis qu'en cas de mauvaise fermentation, on observait également la présence de corpuscules allongés en plus des cellules de fermentation. Ces différentes espèces déterminaient les processus différents dans la fermentation. La découverte de Pasteur eut différentes conséquences importantes. En chauffant le liquide - vin, bière ou lait - à une température suffisamment élevée, les corpuscules responsables de la fermentation étaient détruits et le produit pouvait être mieux conservé. Cette méthode porte actuellement le nom de pasteurisation. Pasteur découvrit des vaccins contre le bacille charbonneux et le vibrion du choléra chez les poules, mais c'est surtout son vaccin contre la rage qui le rendit célèbre dans le monde entier en 1886. Il était persuadé que le vaccin ferait de l'effet, même si la maladie s'était déjà déclarée. Pasteur prouva qu'il avait raison, en guérissant Joseph Meister, un garçon de neuf ans qui avait été mordu quatorze fois par un chien enragé. Soixante heures après que le garçon eut été mordu, Pasteur lui injecta la moelle épinière pulvérisée d'un lapin qui avait succombé à la rage. Le garçon se rétablit après plusieurs injections.

La foi qu'il avait en ses vaccins l'amena à appliquer sa méthode personnelle et non le traitement traditionnel, qui consistait à soigner la blessure au phénol. Ce "remède de cheval" donnait parfois un certain résultat, mais c'était une expérience particulièrement pénible pour le patient. Les travaux de Louis Pasteur furent l'objet de nombreuses critiques de son vivant. Son travail de pionnier, surtout dans le domaine de la microbiologie, fut sévèrement jugé par les savants traditionalistes, qui estimaient que leurs théories étaient irréfutables. Pasteur était capable de défendre ses résultats, parce qu'il prétendait que chaque fait scientifique devait se fonder sur l'observation, et non sur des suppositions ou des idées préconçues. Louis Pasteur reçut de nombreuses distinctions honorifiques, mais ne bénéficia d'aucun soutien financier. Sa plus grande récompense fut probablement la construction de l'Institut Pasteur en 1888, qu'il dirigea jusqu'à sa mort.

Ci-dessous: Pasteur (assis, au milieu), avec son équipe d'infirmières et quelques-uns des enfants qu'il avait vaccinés avec succès contre la rage.

Etienne Lenoir

1822-1900

L'ingénieur français Etienne Lenoir construisit le moteur à combustion interne. De plus, on prétend qu'il fut le premier à construire un véhicule propulsé par un tel moteur à combustion. Il est donc le précurseur de l'automobile moderne.

A cette époque, l'Angleterre était techniquement la plus avancée dans le domaine des véhicules ''automobiles''. Mais l'ironie du sort voulait que ce fût précisément dans ce pays que le progrès était le plus lent. Ce fait s'expliquait surtout par la loi relative à la circulation des locomotives sur les routes, introduite en 1865, et mieux connue sous le nom de ''Loi du Drapeau rouge''. A l'époque où cette loi était en vigueur - elle ne fut supprimée qu'en 1896 - chaque véhicule à propulsion

autonome circulant sur une route anglaise, devait transporter obligatoirement trois personnes. L'une d'elles devait précéder le véhicule avec un drapeau rouge pour avertir le reste de la circulation - essentiellement des chevaux et des voitures - de l'arrivée du véhicule. La vitesse maximale était d'environ 3 km à l'heure dans les agglomérations et environ 6,5 km à l'heure sur les routes.
La première véritable automobile fut la locomotive de route à trois roues, inventée en France en 1769 par l'ingénieur d'artillerie Nicholas-Joseph Cugnot. Ce véhicule pouvait atteindre une vitesse de 3,5 km environ à l'heure. Mais, à cause de la faible dimension de la chaudière de la machine à vapeur, il fallait s'arrêter régulièrement pour renouveler l'eau. La construction de machines à vapeur plus légères et meilleures permit une utilisation plus pratique de ce moyen de locomotion.
Les difficultés du chauffage de la machine à vapeur dues à l'enchevêtrement des tuyaux, des cylindres et des chaudières encouragea les futurs inventeurs à construire un moteur pouvant consommer directement le combustible. Dans un tel type

Ci-dessus: Le ''Highways Act'' de 1865. Conformément à la loi, un homme portant un drapeau rouge devait précéder l'automobile pour avertir les cochers et les autres usagers de la route de son arrivée. La loi resta appliquée en Angleterre durant trente et un ans et empêcha dans une large mesure le développement de l'automobile dans ce pays.

de moteur, le combustible ne serait pas brûlé séparément, comme c'était le cas avec la machine à vapeur, mais brûlerait dans le cylindre du moteur. En d'autres termes, la combustion serait interne. Le combustible devait être amené au moteur sous forme de gaz ou de vapeur, ce qui provoquerait une combustion explosive, capable d'actionner le piston dans le cylindre. Un brevet fut accordé pour un véhicule construit par l'ingénieur anglais Samuel Brown et actionné par un mélange d'air et d'hydrogène. Ce véhicule fut probablement expérimenté vers 1820, sur une colline des environs de Londres. Vers la même époque, le physicien

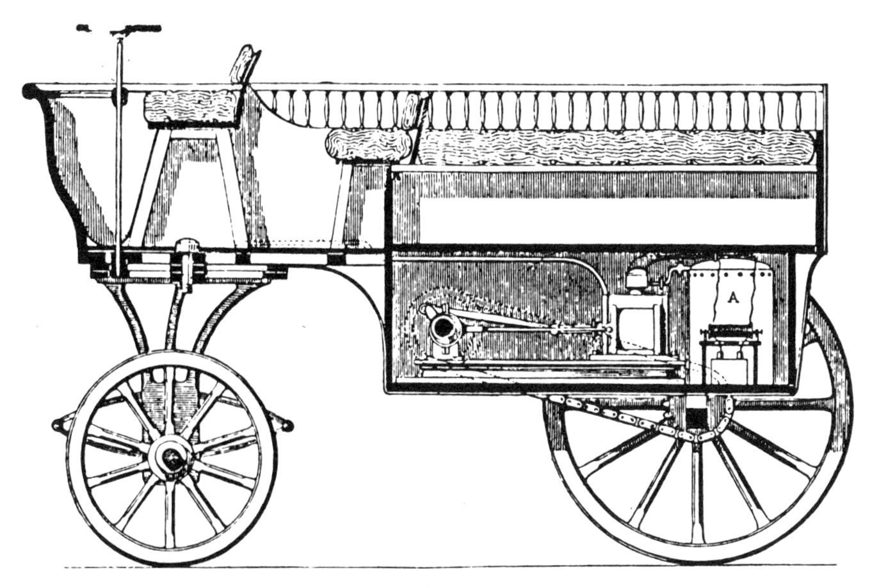

Ci-dessus: Premier moteur à gaz ou à essence de Lenoir, construit entre 1860 et 1863.
Ci-dessous: Les pièces internes du premier moteur à gaz de Lenoir (1860). Il développait peu d'énergie et avait un rendement thermique de quatre pour cent seulement.

français Sadi Carnot écrivit un ouvrage important intitulé *Réflexions sur la force motrice de la chaleur,* paru en 1824. Il y exposait la théorie fondamentale du moteur à combustion. Le premier précurseur de l'automobile moderne fut certainement la voiture construite en 1862, en France, par Etienne Lenoir.
Lenoir, inventeur fécond, naquit à Mussy-la-Ville en Belgique. Il fut le premier à construire avec succès un moteur fonctionnant selon le principe de la combustion interne. En réalité, le moteur de Lenoir était une conversion de la machine à vapeur. Il s'agissait d'un moteur à deux temps. Un mélange d'air et de gaz de houille était aspiré à l'intérieur par le recul d'un piston, actionné par un volant. Lorsque le piston était partiellement retiré, l'arrivée de gaz était coupée et le mélange de combustible était mis à feu par une étincelle électrique. L'explosion qui suivait permettait au piston de terminer sa course. Ensuite, le piston revenait de nouveau à sa première position par le mouvement du volant. Des soupapes à tige placées des deux côtés du piston laissaient passer le mélange air-combustible et permettaient aux gaz de combustion de s'échapper.
Le moteur fut surtout vendu pour servir à de simples travaux. Plus tard, Lenoir l'adapta pour fonctionner avec un combustible liquide - comme l'essence de térébenthine - et il le monta sur une voiture. Ce véhicule devait rouler environ trois heures pour parcourir la distance de 10 km, qui séparait Paris de Joinville-le-Pont.
Lenoir ne semble pas avoir imaginé l'avenir de sa propre invention. Cependant, il transforma son moteur un peu plus tard pour l'utiliser sur des bateaux.

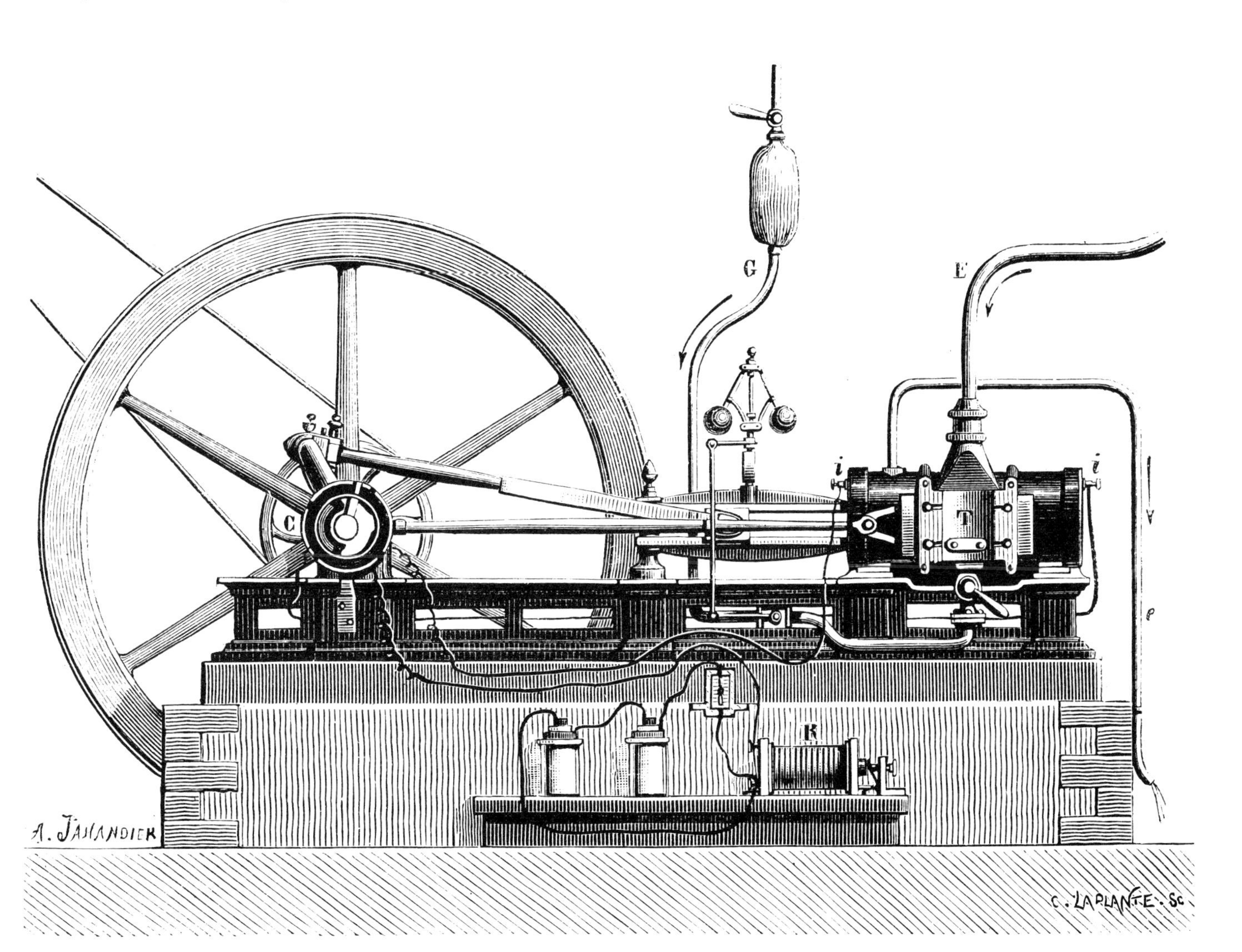

Sir William Siemens

1823-1883

L'ingénieur Sir William Siemens, né en Allemagne, fut l'auteur de la méthode de fabrication d'acier à four ouvert, appelée méthode Siemens-Martin. Le procédé fonctionnait mieux que celui de Bessemer, parce qu'il était plus pratique et fournissait un acier de meilleure qualité. Ce fut la méthode la plus importante de fabrication d'acier dans la deuxième moitié du XIXe siècle et au début du XXe siècle.

William Siemens, de son vrai nom Karl Wilhelm Siemens, naquit à Lenthe près de Hanovre. Il était le deuxième de quatre frères, qui furent des scientifiques et des inventeurs de premier plan.
Son frère Werner était ingénieur dans l'artillerie prussienne et spécialiste en télégraphie. Il introduisit l'usage de la gutta-percha (matière caoutchouteuse) pour isoler les câbles ordinaires et les câbles sous-marins.
Il construisit également la première ligne télégraphique en Allemagne, de Berlin à Francfort-sur-le-Main (1848-1849).
Les parents de Wilhelm avaient d'abord voulu lui

donner une formation commerciale. Mais Werner pensa qu'il serait plus intéressé par la technique et le fit envoyer dans une école technique à Magdebourg. A la fin de ses études, en 1843, Wilhelm se rendit à Londres, pour tenter d'y vendre un procédé de galvanisation, inventé par Werner. Ayant réussi dans son entreprise, il décida de rester en Angleterre et de tenter sa chance comme inventeur.
Il s'ensuivit une période de grandes difficultés

A droite: Four de fusion électrique de Siemens à Londres. Ce four était composé d'un creuset en carbone, relié d'un côté à une conduite en cuivre conduisant à une source de courant, qui passait par une électrode métallique refroidie à l'eau. Le courant électrique qui traversait un matériel peu compact, à résistance élevée et conductibilité réduite, provoquait une température suffisamment élevée pour fondre une livre de fer en une heure.

A droite: Un four ouvert Siemens-Martin dans le Martinstahlwerk III en Allemagne.

financières, qui dura jusqu'en 1851, lorsqu'il inventa un hygromètre, qui se vendit bien et lui rapporta un peu d'argent.
En 1847, son plus jeune frère, Friedrich, étant arrivé en Angleterre, ils se mirent à rechercher ensemble des applications du principe dit de régénération, qui consistait à récupérer et à utiliser dans les processus de production la chaleur provenant des gaz d'échappement. Les gaz brûlants sortant du four étaient dirigés dans un foyer ouvert. Cette

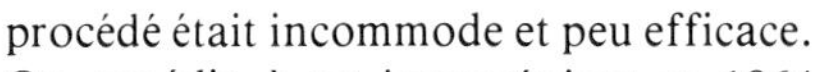

méthode apporta une amélioration considérable dans le fonctionnement des fours, grâce à la forte augmentation de température qu'elle provoquait.
En 1856, Bessemer introduisit une demande de brevet pour son procédé d'exploitation de l'acier, et les frères Siemens sollicitèrent leur premier brevet pour l'exploitation du métal au moyen d'une chambre de régénération.
Deux ans plus tard, ils appliquèrent ce principe au four ouvert pour la fabrication de l'acier, pour laquelle William avait obtenu un brevet. Le nom de four ouvert vient du fait qu'il était ouvert sous les flammes. Le métal fondu se trouvait au-dessous, sur la sole du foyer.
Ce processus devait servir de base à la méthode la plus utilisée de production d'acier, bien qu'il présentât quelques défauts à cette époque. Le système était formé de tuyaux, qui transportaient des gaz très chauds entre le four, alimenté en combustible lourd, et le régénérateur. Ensuite, ces tuyaux renvoyaient de l'air chaud dans le four. Ce procédé était incommode et peu efficace.

Ci-dessous: Train électrique de Siemens de 1879. Les voitures ouvertes étaient tractées par une locomotive équipée d'un petit moteur électrique. Le courant était fourni par un rail central isolé, le retour se faisant par deux rails extérieurs non isolés. Sans chaudière à vapeur et donc sans flamme ni combustible, on évitait tout risque d'incendie dans les voitures. Lorsque le train déraillait, il s'arrêtait immédiatement, par rupture de courant.

On remédia à cet inconvénient en 1864, lorsque l'ingénieur français Pierre-Emile Martin convertit le four pour l'utilisation du gaz et disposa plusieurs chambres Siemens des deux côtés du four.
Une des deux chambres réchauffait l'air et l'autre le gaz.
Cette méthode faisait monter la chaleur du four à une température permettant de fondre de la limaille.
Le système de Bessemer fut peu à peu supplanté par la méthode Siemens-Martin dans l'industrie.
Cette méthode était plus économique, fournissait une meilleure qualité d'acier et pouvait également transformer de grandes quantités de limaille, provenant de l'industrie sidérurgique en pleine croissance.
William Siemens devint citoyen anglais en 1859, l'année de son mariage.
A partir de 1850, il dirigea la section anglaise de Siemens et Halske, société qui avait été créée par son frère Werner à Berlin. La société, qui était spécialisée en électricité et en télégraphie, acquit une réputation mondiale.
Cette société posa le premier câble transatlantique en 1875.
En 1878, William fut le premier à utiliser un four à arc électrique pour fondre de l'acier.
Mais il faudra attendre 1899 pour que le premier four électrique soit lancé sur le marché.
L'année de sa mort, Siemens fut anobli en Angleterre, et ce fut le sommet des nombreux témoignages d'honneur qu'il avait reçus de tous les coins du monde.

A droite: Les turbines de la ligne de tramways électrifiée de Portrush, première ligne alimentée par l'hydro-électricité. La ligne fut terminée en 1883, et tous les travaux électriques furent exécutés sous le contrôle de Siemens. Les turbines hydrauliques actionnaient une dynamo Siemens, qui alimentait en courant le moteur du tramway.

Gustav Kirchhoff

1824-1887

Le physicien allemand Gustav Kirchhoff fut le fondateur de la spectroscopie moderne. Son invention du spectroscope et son explication de la signification du spectre à raies qu'il permettait d'observer, furent à la base d'une toute nouvelle technique d'analyse des liaisons chimiques. Kirchhoff démontra également que la technique pouvait servir à étudier la lumière des étoiles, ce qui permit aux astronomes de déterminer les éléments composant les étoiles.

Kirchhoff naquit à Königsberg, actuellement en Allemagne de l'Est et fut un des meilleurs étudiants de l'Université de sa ville.
Peu avant l'obtention de son diplôme, il apporta sa première contribution importante au monde de la physique, en démontrant que les impulsions électriques d'un circuit ont la même vitesse que la lumière. La réputation qu'il acquit lui assura une rapide et brillante carrière académique.
En 1854, âgé de trente ans, il fut nommé professeur de physique à la célèbre Université de Heidelberg.

Il s'intéressait tout particulièrement aux réactions des corps parvenus au point d'incandescence.
Assisté de l'excellent chimiste Robert Bunsen, Kirchhoff commença une série d'essais importants, en analysant la lumière émise par des corps chimiques chauffés. Kirchhoff avait l'intention de décomposer la lumière en un spectre au moyen d'un prisme en verre. La technique n'était pas nouvelle - deux cents ans plus tôt, Isaac Newton avait déjà appliqué le même principe -, mais Kirchhoff fut le premier à décider de faire passer la lumière par une fente étroite, pour montrer que le spectre était formé d'un grand nombre de raies de couleurs différentes, faciles à reconnaître, par leur longueur d'onde propre.
La technique simple de Kirchhoff permit l'utilisation du premier spectroscope pratique et constitua la base de nouvelles découvertes.
Bunsen apporta sa contribution à la science, en 1857, en inventant le célèbre brûleur qui porte toujours son nom.
C'est un des instruments les plus élémentaires de tout laboratoire chimique.
Ce brûleur présentait une qualité importante aux yeux de Kirchhoff. La flamme du brûleur ne donnait que peu de lumière, mais c'était un instrument efficace pour chauffer les corps. La faible lumière de la flamme ne pouvait pas troubler le spectre de raies, provenant de la lumière des produits chimiques en incandescence.
Kirchhoff découvrit rapidement que chaque corps chimique qu'il examinait avec son spectroscope présentait un type propre de raies colorées. Le sodium par exemple, avait une double ligne jaune, et chaque liaison chimique contenant du sodium présentait un spectre avec des raies identiques. Kirchhoff comprit alors qu'il venait de trouver une nouvelle méthode importante pour déterminer la composition de corps inconnus. En exami-

Ci-dessous: Un très ancien spectroscope, formé d'un collimateur (tube pourvu d'une fente qui laisse passer des rayons lumineux parallèles), d'une lunette et d'une échelle micrométrique pour mesurer les raies spectrales.

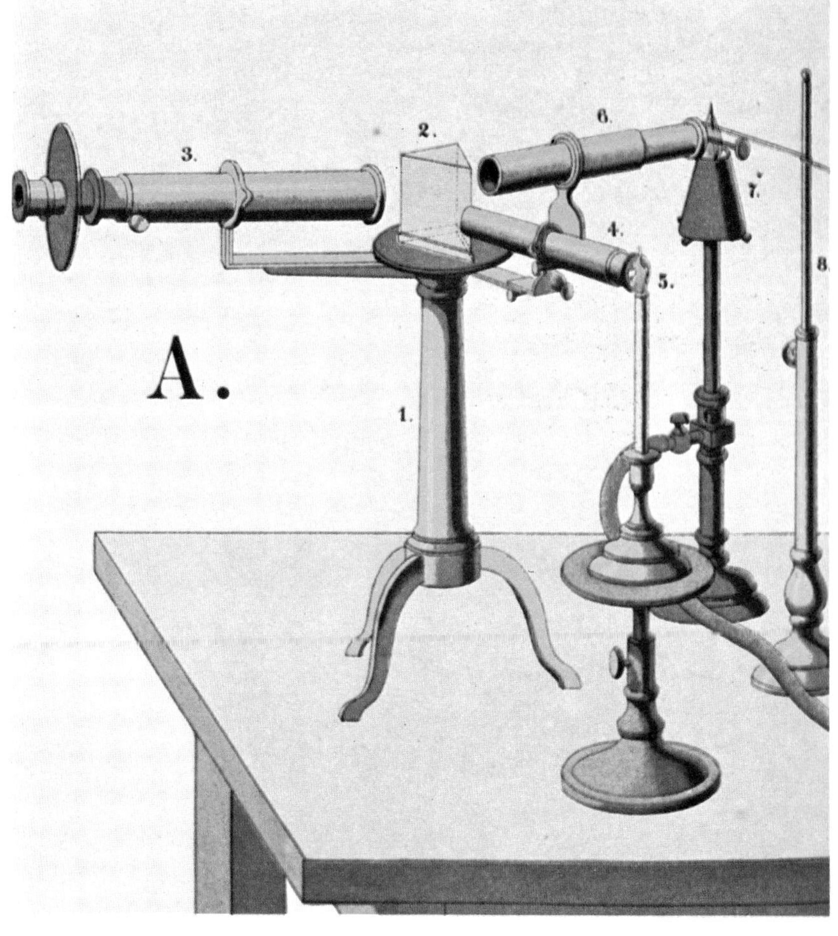

nant simplement les spectres qui apparaissaient par chauffage, il était possible de déterminer les éléments qui composaient les corps.
Kirchhoff était en train de perfectionner sa méthode, lorsqu'il découvrit, par le plus grand des hasards, la présence d'un minerai dont le spectre différait totalement des éléments connus jusqu'alors. C'était un élément entièrement nouveau, le premier qui fut découvert au moyen du spectroscope.

Ci-dessous: Spectroscope de Kirchhoff et Bunsen de 1860.
En bas, à gauche: Une partie d'un spectroscope C2, avec la présentation de la source lumineuse et du prisme. Les spectroscopes modernes sont devenus des instruments extrêmement raffinés, avec un modèle spécial pour les différentes formes de rayons.
En bas, à droite: Robert Bunsen.

Kirchhoff fit connaître sa découverte en 1860 et appela le nouvel élément ''caesium'', mot latin signifiant bleu ciel, couleur de la raie dominante du spectre.
Peu de temps après, il découvrit un autre nouvel élément, qu'il appela ''rubidium'', du mot latin signifiant rouge. Kirchhoff fit à nouveau preuve d'une compréhension remarquable. En effet, il se demanda si sa technique ne pourrait pas servir à étudier la lumière des étoiles. Il s'intéressa à cet effet, à l'oeuvre de Joseph von Fraunhofer, qui avait répertorié les spectres solaires et stellaires. Fraunhofer n'en avait pas compris la signification, mais Kirchhoff se rendit compte que les raies étaient exactement les mêmes que celles des spectres des éléments que son spectroscope avait fournis.
Cela signifiait que les moyens qu'il avait utilisés dans son laboratoire pour analyser la composition des corps chimiques, pourraient aussi servir à étudier la composition des étoiles.
Kirchhoff se mit au travail et étudia le spectre solaire avec beaucoup de précision. Ainsi, il reconnut rapidement un certain nombre d'éléments, dont le plus intéressant était l'or.
La méthode de Kirchhoff devint une technique fondamentale de la chimie analytique.
De plus, les astronomes étaient à présent en mesure de connaître la composition des étoiles et des galaxies lointaines.
Une des découvertes les plus frappantes de ces derniers temps fut celle des spectres de

quelques molécules organiques composées, qui constituent les eléments essentiels de la vie.
Elles flottent dans des nuages de gaz incandescents, qui forment des nébuleuses.
Le spectroscope nous a permis de franchir une étape supplémentaire vers la solution d'une des énigmes les plus passionnantes de l'univers:
Y a-t-il une vie en dehors de la Terre?

William Thomson, Lord Kelvin

1824-1907

William Thomson, remarquable génie scientifique, fut anobli en 1892. Cette distinction lui fut attribuée, en raison de ses nombreuses contributions à la science et à la technique. Sa découverte la plus connue est l'établissement d'une échelle de température, dont le zéro absolu est à -273 °C. L'échelle de Kelvin permit à de nombreux scientifiques de faire des progrès étonnants dans l'étude de la chaleur et de mieux comprendre les phénomènes physiques correspondant à des températures très basses.

Thomson naquit à Belfast, en Irlande du Nord. Durant sa jeunesse, il fut influencé par un père brillant mais dominateur, excellent mathématicien et auteur de manuels à succès. Thomson hérita les qualités intellectuelles de son père et montra très rapidement de grandes dispositions pour les mathématiques. Il était si bien doué que, lorsque sa famille alla s'installer en Ecosse, il entra à l'Université de Glasgow, à l'âge de dix ans. Alors qu'il n'était encore qu'un enfant, il termina ses études avec distinction et se rendit immédiatement en France pour y faire des expériences scientifiques.

En 1846, à peine âgé de vingt-deux ans, il fut nommé professeur de mathématiques à l'Université de Glasgow, à laquelle il restera attaché jusqu'à la fin de sa carrière.

La curiosité opiniâtre de Thomson l'amena à étudier les branches les plus diverses de la science et des techniques. Il apporta de nouveaux éléments à la géologie par de nouvelles mesures concernant l'âge de la Terre. Sa grande passion pour la voile lui permit de découvrir de nombreux instruments pour la navigation, tels que de nouveaux compas, des manomètres de niveau d'eau et des instruments pour l'étude des marées. Il fut anobli en récompense de ses travaux sur les câbles sous-marins qui comportaient également un brevet sur la télégraphie sous-marine. Cependant, ses découvertes les plus importantes concernaient la chaleur et la température.

Thomson fut un des premiers savants à comprendre l'intérêt du travail de James Joule: le calcul de la valeur de la chaleur exprimée en unités mécaniques. En fait, le mérite de Thomson est d'avoir fait reconnaître Joule par les physiciens. Au cours des années qui suivirent, l'intérêt de Thomson pour les caractéristiques de la chaleur fut encore aiguisé par sa collaboration avec Joule. Il découvrit que l'on pouvait refroidir les gaz en les laissant se dilater dans un espace sans air. Ce phénomène, qui porte actuellement le nom d'effet Joule-Thomson, permit très rapidement de liquéfier des gaz, tels que l'hydrogène et l'hélium. Thomson s'intéressait tout particulièrement à une

Ci-dessous: Pose du premier câble transatlantique, en 1866, par le Great Eastern. *Kelvin a beaucoup contribué à la télégraphie par câble transmarin. Il dirigea la section électronique de ce projet. En haut: Soudure du câble après la première rupture. En bas: Filage du câble.*

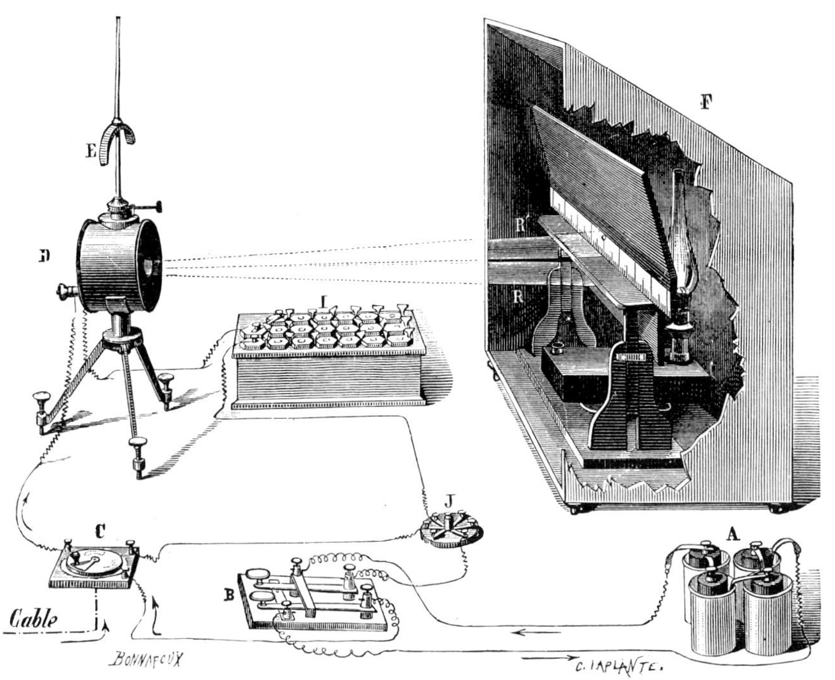

Ci-dessus: Dans le port de Brest, récepteur de Kelvin, qui permettait la télégraphie à longue distance. L'appareil était principalement constitué par un galvanomètre à miroir composé d'un petit aimant fixé à la partie arrière d'un miroir convexe et suspendu dans une bobine de fil extrêmement fin. Le miroir recevait d'une lampe un rayon lumineux, qui se réfléchissait sur une échelle graduée. Le spot lumineux se déplaçait sur l'échelle lorsque le courant électrique de la bobine faisait tourner l'aimant. Le message télégraphique, en code morse, pouvait alors s'enregistrer. Plus tard, ce système fera place au récepteur dit siphon-recorder de Kelvin, dans lequel le câble lui-même enregistrait le message.

loi établie en 1787 par le physicien français Jacques Charles. Charles avait découvert que lorsqu'un gaz se refroidissait, son volume dimimuait de 1/273, mesuré à une température de 0 °C, pour chaque perte d'un degré. Durant des années, les physiciens avaient tenté d'examiner les conséquences de cette loi. Cela signifiait-il que le gaz n'avait plus de volume à -273 °C? Il semblait que cette théorie n'était pas très intéressante, mais, malgré tout, la loi de Charles était un fait que l'on ne pouvait pas négliger. En 1848, Thomson trouva la solution en affirmant que ce n'était pas le volume, mais l'énergie du mouvement des molécules de gaz qui atteignait le point zéro à -273 °C. Thomson déclara également que ce phénomène était valable dans tous les cas, parce que le mouvement des molécules était à l'origine de la température d'un corps.

Lorsque les molécules cessent de se mouvoir, on ne peut plus constater un nouvel abaissement de température. C'est pourquoi il établit que -273 °C correspondait au ''zéro absolu'' des températures.

A partir de cette nouvelle constatation, il établit une échelle de température fixant son origine au point du zéro absolu, tout en conservant les degrés égaux à ceux de l'échelle courante de Celsius. La nouvelle échelle porta le nom d'échelle absolue ou échelle de Kelvin.

Les températures calculées d'après cette échelle, sont désignées par la lettre ''K'' et sont mesurées en degrés Kelvin.

La théorie de l'échelle de température absolue signifiait une progression remarquable pour l'étude de la chaleur.

Elle procura au mathématicien écossais James Clerk Maxwell la base de la formule de la théorie cinétique des gaz. D'autre part, on se servit également de la théorie de Kelvin pour décrire les caractéristiques et même les caractères généraux des molécules en mouvement dans les corps.

Les travaux de Thomson le rendirent mondialement célèbre. Cependant, malgré la valeur de son oeuvre, il refusa durant ses dernières années le changement et le progrès. Vers les années quatre-vingts du XIXe siècle, il pensait, comme certains, que les fondements de la physique avaient été entièrement découverts et qu'il n'y avait plus beaucoup de nouveautés à en attendre. Son travail de pionnier dans le domaine de la radioactivité au début de ce siècle, et qui promettait une nouvelle période scientifique, ne parvint pas à faire fléchir cet esprit intransigeant.

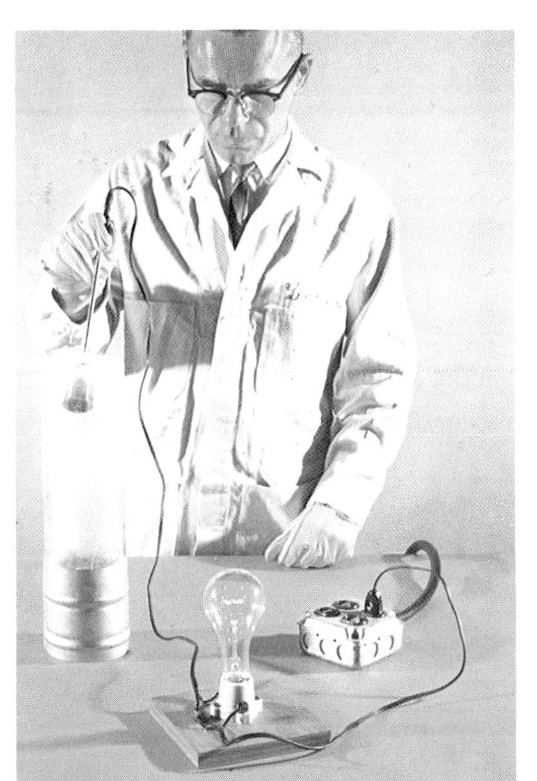

Pouvoir de conduction supérieur, une découverte faite grâce à l'échelle de température absolue de Kelvin.

A gauche: A température ambiante, la résistance électrique de ce solénoïde est élevée.

A droite: La bobine est déposée dans une bouteille contenant de l'azote liquide et refroidie au-dessous de 100 °K. La résistance électrique disparaît, et un courant beaucoup plus élevé passe dans le circuit, portant la lampe au rouge.

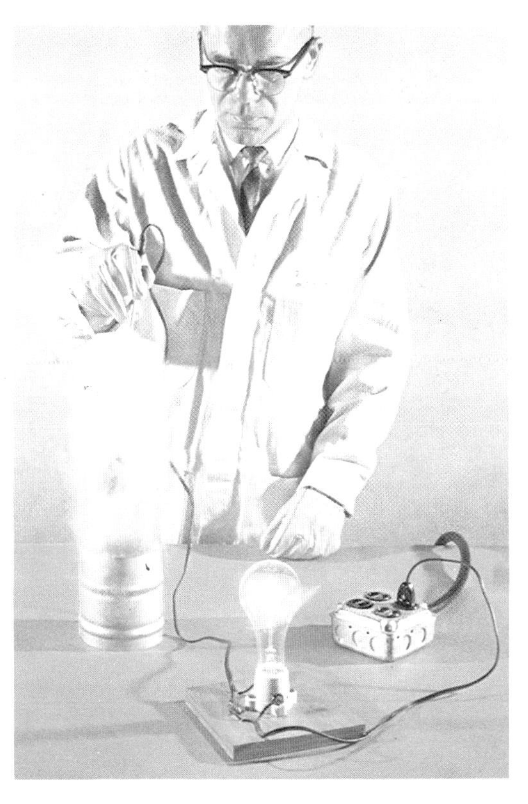

Joseph Lister
1827-1912

Le chirurgien britannique Joseph Lister accomplit un travail de pionnier dans le domaine de l'antisepsie, ce qui représenta un grand progrès dans l'art de guérir. A cette époque, il était toujours très risqué de se faire opérer, car on pouvait facilement y laisser sa vie. Mais l'antisepsie permit d'obvier à ce danger.

Joseph Lister naquit dans l'Essex; il était le fils d'un quaker, Joseph Jackson Lister, distillateur de vin, mais aussi amateur de recherches microscopiques et inventeur du microscope achromatique, qui ne provoque aucune déformation dans les couleurs. A l'âge de seize ans, Joseph Lister, déjà très habile en zootomie et bon observateur au microscope, avait décidé d'étudier la chirurgie.
En 1848, il s'inscrivit à l'Académie de Londres pour y étudier la médecine. Excellent étudiant, il obtint son diplôme en 1852 et devint collaborateur à l'Académie royale de Chirurgie. L'année suivante, il s'installa à Edimbourg.
La carrière de Lister comme chirurgien évolua rapidement. En 1861, il fut nommé chirurgien à l'Hôpital royal de Glasgow. Dans cette fonction, il parut désireux de progrès, et introduisit beaucoup de nouvelles méthodes, qui améliorèrent les techniques opératoires. Il était surtout insatisfait du grand nombre d'infections et de cas de gangrène consécutifs aux opérations. A cette époque, le taux de mortalité après une opération était très élevé. Les plaies guérissaient rarement sans infection. Elles suppuraient généralement, provoquant la gangrène ou la septicémie. C'est pourquoi on ne faisait que des opérations simples. Bien que chaque chirurgien eût sa méthode favorite pour tenter de combattre l'infection dans la mesure du possible, très peu établissaient une relation entre infection et hygiène.
Cependant, l'accoucheur austro-hongrois Ignaz Semmelweis, que l'on appelait "le sauveur des mères" était une exception remarquable à la règle. Semmelweis expliqua les nombreux cas de fièvre puerpérale dans son service par le manque

A droite: Sculpture allemande sur bois de 1528, représentant une blessure que l'on fermait au feu. Avant Lister, le taux de mortalité lors d'une opération était très élevé. Le manque d'antisepsie et d'hygiène entraînait irrémédiablement la gangrène.

A droite: Lister donne des indications pour l'utilisation d'un vaporisateur de phénol. Ce fut la première règle antiseptique appliquée de façon généralisée.

d'hygiène parmi les médecins et les étudiants, qui faisaient très souvent des dissections sur les cadavres, le matin. En 1846, il introduisit la règle d'un lavage très soigné des mains à l'eau de chlore avant toute opération. Le nombre de cas de fièvre puerpérale diminua alors de façon étonnante. Malheureusement, les observations de Semmelweis à l'égard des médecins qui ne respectaient pas les prescriptions lui firent de nombreux ennemis. Semmelweis mourut dans un établissement hospitalier et, par ironie du sort, des suites d'une septicémie.

Lister pensa pour la première fois à l'antisepsie en 1865, lorsqu'il lut les ouvrages de Louis Pasteur, le célèbre chimiste et microbiologiste français. Lister s'était déjà demandé depuis longtemps pourquoi les *fractures simples* (où, seul, l'os était atteint) guérissaient toujours vite, alors que les *fractures compliquées* (qui s'accompagnent de plaies), finissaient invariablement par suppurer. Pasteur avait démontré que la fermentation était provoquée par la présence de microbes dans l'air. Lister pensa que la fermentation et la pourriture étaient des phénomènes analogues à la suppuration des blessures. Il n'y avait par conséquent qu'une solution possible: recouvrir la blessure et éliminer le plus possible les microbes dans l'air.

Lister choisit à cet effet des solutions a base de phénol, qui donnaient de bons résultats pour la désinfection des points de suture. En août 1865, il fit la première opération antiseptique. Tout ce qui entrait en contact avec la blessure était stérilisé au phénol. Les prescriptions s'adressaient à toute l'équipe de chirurgiens dont Lister avait la direction et concernaient également le nettoyage et le pansement des blessures. Le nombre d'ulcères, de septicémies et de gangrènes diminua considérablement. Lister publia ses résultats en 1867. Cet ouvrage, qui comportait quelques observations en matière de guérison des blessures et des tissus, montra à quel point une des sections hospitalières les moins hygiéniques de toute l'Angleterre devint la plus sûre.

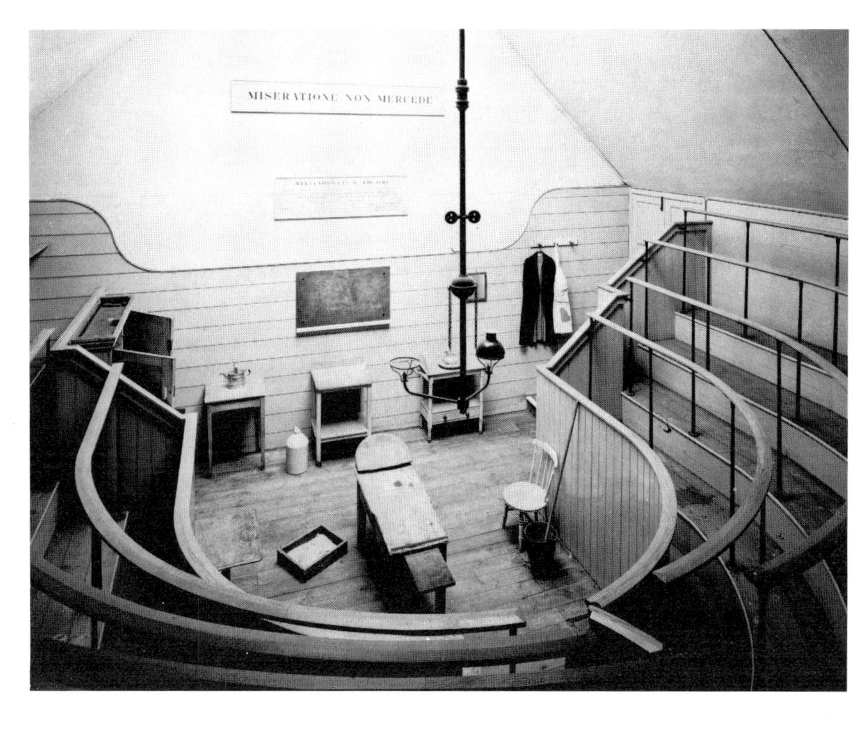

Ci-dessus: Une salle d'opération au St. Thomas' Hospital *de Londres au début du XIXe siècle. Les chirurgiens portaient un habit pour la circonstance, et un public d'étudiants en médecine les observait.*

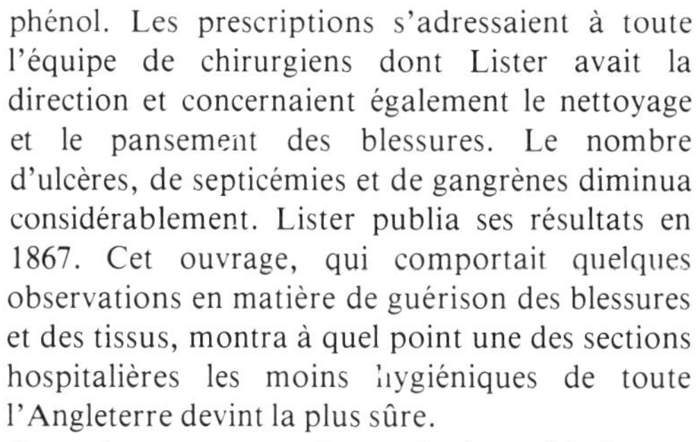

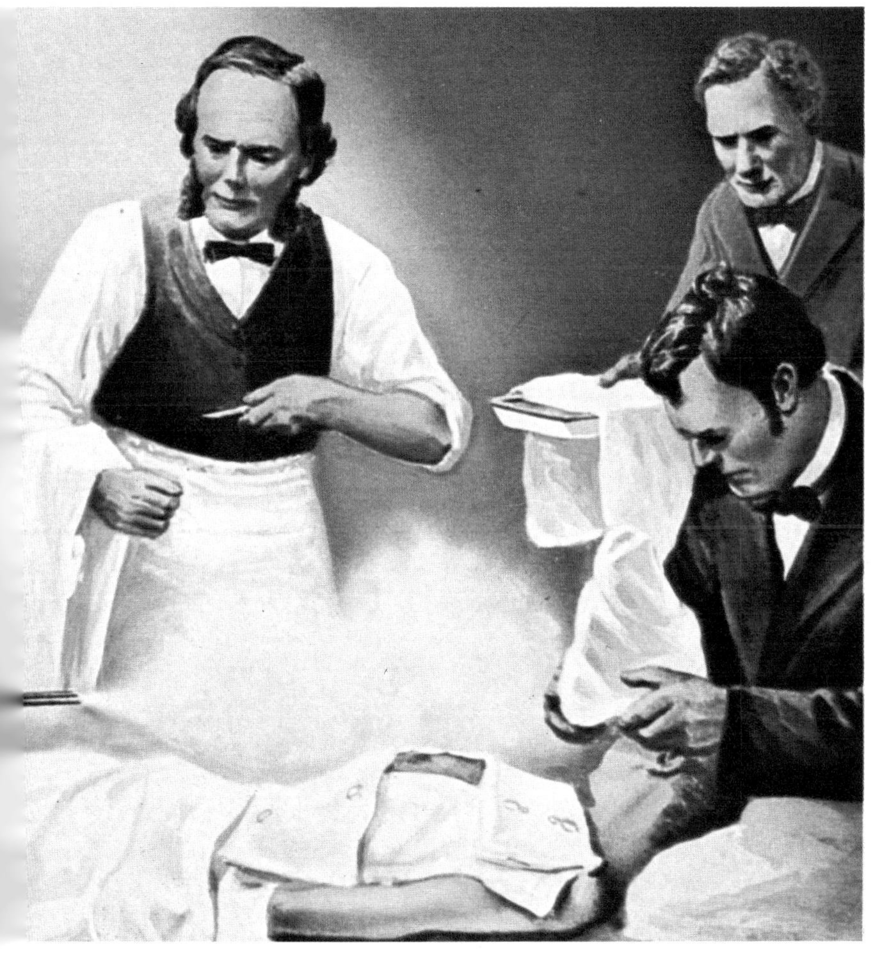

Cependant, une grande partie des médecins ne furent pas convaincus. De nombreux chirurgiens trouvaient la méthode de Lister trop fastidieuse, tandis que les infirmières étaient indignées qu'on portât atteinte à leur méthode de travail. De plus, tous n'étaient pas persuadés que l'infection fût provoquée par des bacilles. Ils considéraient que les ulcères étaient une conséquence du contact avec des émanations malignes, appelées miasmes. Malheureusement, l'acide phénique provoque l'irritation, surtout dans les proportions que Lister utilisait.

Cependant, il tint bon. Il organisa des conférences sur sa méthode de travail, en Angleterre et à l'étranger, où il exposait simultanément les théories de Pasteur, dont il devint un excellent ami. En 1877, on offrit à Lister une chaire au service de chirurgie clinique à l'Hôpital royal académique de Londres, et il eut la chance exceptionnelle de faire une démonstration impressionnante de sa méthode. Il fit publiquement une opération de *fracture compliquée,* au cours de laquelle il cousit, avec un fil, les chairs déchirées autour d'une fracture de la rotule, ce qui aurait dû, normalement, provoquer une infection.

Mais grâce à la méthode antiseptique de Lister, la blessure guérit sans s'infecter. On décerna de nombreuses distinctions à Lister pour son travail et, en 1883, il fut anobli.

Sir Joseph Wilson Swan

1828-1914

Le chimiste britannique Sir Joseph Wilson Swan apporta une importante contribution au progrès de la photographie. Il découvrit notamment la plaque "sèche" et le papier au bromure. Il accéléra également le procédé de fabrication de fibres synthétiques pour l'industrie textile. Mais il fut surtout connu pour le rôle qu'il joua dans le perfectionnement des lampes à incandescence, telles que nous les utilisons actuellement.

La diffusion de générateurs conçus au milieu du XIXe siècle pour produire de l'électricité eut comme conséquence l'étude des différentes manières d'utiliser l'énergie électrique. A cette époque, on ne l'utilisait pas encore comme source lumineuse. La lampe à arc électrique avec électrodes en charbon existait déjà, mais étant donné sa brève durée, une main experte devait régulièrement la munir d'un nouveau fil à incandescence. Swan na-

quit en 1828 à Sunderland, au nord de l'Angleterre. Il commença sa carrière comme apprenti chez un pharmacien. Puis, il entra dans une firme qui fabriquait des films et des plaques photographiques.

Sa première tentative de fabrication d'une lampe à incandescence durable et donnant une bonne lumière, date de 1860. Il utilisa du carbone pour le fil à incandescence. Il prit un morceau de papier revêtu de carbone et le plaça entre deux électrodes dans une sphère en verre où il avait fait le vide. Le vide était prévu pour empêcher le papier carbone de brûler rapidement et de devenir de la cendre. Mais Swan rencontra alors des difficultés dont la plus grande était d'éliminer tout l'air de la boule en verre.

De plus, aucune source d'énergie électrique ne pouvait toujours se maintenir au même niveau.

C'est pourquoi la lampe n'avait jamais une vie très longue.

Mais en dépit de ces difficultés, Swan poursuivit son expérience.

A droite: Lampe électrique de Swan, composée d'un fil à incandescence en fibres de coton revêtu de carbone (fil de carbone) dans une ampoule en verre sans air.

Ci-dessous: Maison particulière, éclairée avec le système de Swan. A gauche: la bibliothèque, au milieu, la galerie en encorbellement de la bibliothèque et, à droite, la cage d'escalier.

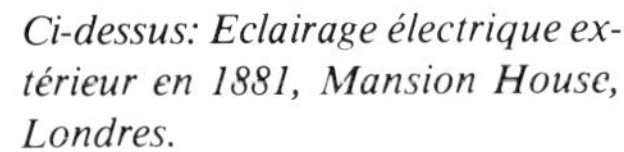

Ci-dessus: Eclairage électrique extérieur en 1881, Mansion House, Londres.

Ci-dessous, à droite: L'imprimerie de "Paris Match", magazine imprimé à l'aide de presses typographiques rotatives extrêmement rapides. Par ce procédé, la planche est gravée à l'acide dans des cylindres en cuivre, puis est imprégnée d'encre, tandis que les cylindres tournent. L'encre imprime l'image sur une bande de papier qui reste constamment en mouvement. Le papier reçoit les impressions de quatre cylindres successifs, chaque cylindre apportant une couleur différente. Le procédé "rotoprint" qui est particulièrement conçu pour l'impression de revues à grand tirage, richement illustrées doit sa diffusion à une autre invention de Swan: le film de carbone. Une couche de gélatine, rendue sensible à la lumière, est mélangée à du noir de fumée et exposée à la lumière, qui impressionne l'épreuve positive de l'image à imprimer. La gélatine durcit aux endroits atteints par la lumière. Ensuite, cette couche peut être enroulée autour d'un cylindre. La gélatine non exposée est rincée à l'eau chaude, et le modèle de gravure peut alors y être appliqué.

Les progrès qu'il réalisa concordèrent avec ceux de Thomas Alva Edison en Amérique, qui fit brûler avec succès sa première lampe à incandescence le 21 octobre 1879. Contrairement à Edison, Swan n'était pas du tout pressé de fabriquer une lampe dans un dessein bien précis.
Les lampes électriques à incandescence moderne, telles que nous les connaissons, trouvent leur origine dans les lampes inventées par Swan et Edison.
Les inventeurs qui leur succédèrent remplacèrent les fils de carbone par du wolfram (tungstène), un métal rare et incombustible, remplirent les ampoules d'azote au lieu de les vider d'air et leur donnèrent la forme actuelle.
En recherchant un meilleur fil à incandescence, l'attention de Swan se porta sur la nitrocellulose, corps solide étudié en 1840 et qui constitua rapidement le principe des poudres sans fumée.
Il était possible d'obtenir des fils à partir de ce produit, mais ils étaient extrêmement combustibles. Swan inventa une méthode permettant de percer de petits trous dans cette matière et d'en faire des fils.
Ces fils de nitrocellulose furent traités chimiquement et convertis en cellulose pure, pour n'être plus si combustibles.
Swan avait ainsi élaboré une fibre artificielle très pratique, ce qui lui permit d'inventer encore de nombreuses autres choses dans son usine. Il ne s'en servit pas ultérieurement, mais les fibres artificielles qu'il inventa furent très largement utilisées plus tard dans l'industrie textile, pour le tissage.
Swan fit également une autre invention importante dans le domaine de la photographie, lorsqu'il suivit les expériences de William Fox Talbot, qui travaillait avec la méthode, connue à cette époque, des plaques photographiques humides. Swan découvrit que, lorsqu'on chauffait une solution de bromure d'argent, la sensibilité à la lumière de ce corps augmentait. En 1871, Swan réussit à fabriquer la première plaque photographique "sèche", marquant ainsi le début d'une nouvelle ère pour la photographie. En 1878, Swan reçut un brevet pour son invention du papier à bromure. Ce papier est encore utilisé universellement pour l'impression de photographies à partir d'un négatif.

Friedrich Kekule von Stradonitz

1829-1896

Le chimiste allemand Friedrich Kekule von Stradonitz est le fondateur de la formule moderne des structures, qui constitue la base de la chimie organique. Sa découverte la plus célèbre est celle de la structure unique des molécules de benzène. Le benzène, une des liaisons les plus importantes dans l'industrie de la peinture synthétique, est généralement utilisé en chimie pour composer d'autres liaisons plus complexes.

Kekule naquit à Darmstadt. Enfant, il était très passionné par toutes les structures. Il s'intéressait aux bâtiments et forma le dessein de devenir architecte. Il rencontra par hasard le jeune chimiste de valeur, Justus von Liebig, et ils devinrent d'excellents amis. Justus von Liebig parvint à convaincre Kekule d'étudier la chimie. La décision de Kekule de renoncer à l'architecture fut un tournant dans sa vie, mais aussi dans l'histoire de la chimie.

Après avoir obtenu son doctorat en 1852, Kekule parcourut toute la France et l'Angleterre pour y rencontrer des savants et étudier les découvertes chimiques les plus récentes.

Lorsqu'il retourna en Allemagne en 1856, il enseigna à la célèbre Université de Heidelberg. Il installa également un laboratoire privé. Ses voyages et ses entretiens avaient éveillé en lui un intérêt pour la notion de "valence". C'est la manière dont les molécules se rassemblent, pour constituer des combinaisons chimiques.

A droite: Justus von Liebig dans son laboratoire. Liebig, un des fondateurs de la chimie organique moderne, persuada Kekule von Stradonitz d'abandonner ses études d'architecte pour se consacrer à la chimie.

Jusque vers 1850, les chimistes avaient indiqué la composition des molécules en inscrivant simplement le nombre d'atomes de chaque élément selon un certain ordre conventionnel. C'est ainsi que l'eau était représentée par H_2O, ce qui signifie que deux atomes d'hydrogène (H) sont reliés à un seul atome d'oxygène (O).

Mais Kekule se demanda si cette combinaison permanente d'atomes ne serait pas mieux représentée au moyen de schémas reprenant les atomes reliés entre eux. Un tel schéma donnerait dans la mesure du possible, de plus amples informations aux chimistes sur une molécule déterminée.

Il permettrait également de désigner la manière dont les molécules s'assemblent pour former une autre combinaison.

Pour expérimenter son idée, Kekule se mit à étu-

Ci-dessous: Le serpent mordant sa propre queue inspira Kekule pour la formule de la structure annulaire du benzène. Comme il le dit lui-même: "Je tournai la chaise vers le feu ouvert et je m'endormais. Les atomes passaient devant moi ... en se tortillant et en se roulant comme des serpents. Mais... que vis-je? Un des serpents mordit sa queue et cette image dansait ironiquement devant moi. Comme si j'avais été éveillé par un éclair, je me mis à réfléchir. Je passai le reste de la nuit à étudier les conséquences de mon idée." Kekule termina son récit en adressant une recommandation à ses collègues scientifiques: "Apprenons à rêver, Messieurs, cela nous aidera peut-être à trouver la vérité."

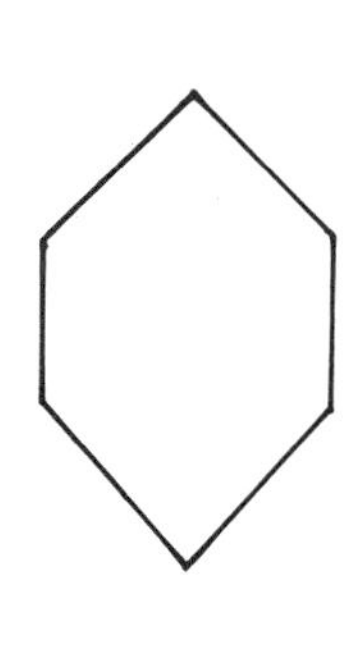

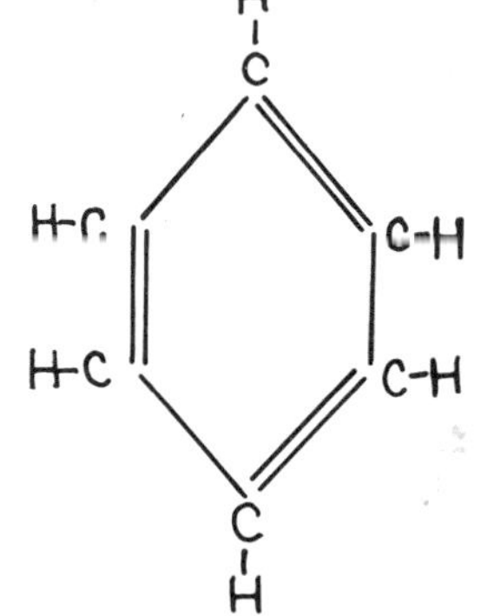

dier la composition chimique du carbone. En 1858, il publia son ouvrage d'importance historique, qui décrivait la valence de l'atome de carbone. Il expliqua que c'était un tétravalent ou un atome à quatre valeurs, ce qui signifie qu'un atome de carbone peut former des combinaisons avec quatre autres atomes de carbone. De plus, il mit en évidence un mécanisme bien plus important: trois des quatre liaisons d'atomes de carbone pouvaient à leur tour s'ajouter à d'autres atomes de

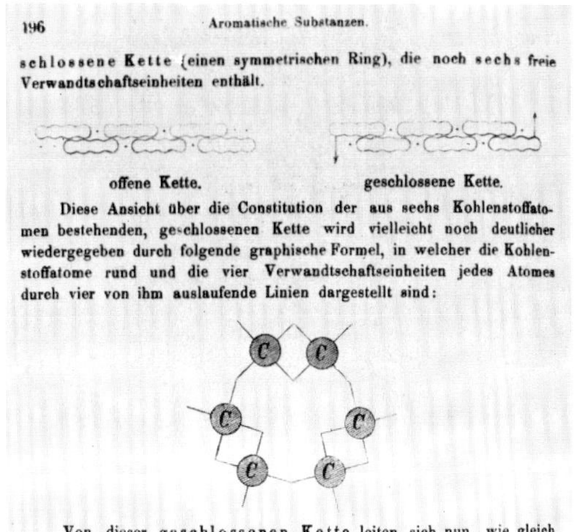
196 Aromatische Substanzen.

schlossene Kette (einen symmetrischen Ring), die noch sechs freie Verwandtschaftseinheiten enthält.

offene Kette. geschlossene Kette.

Diese Ansicht über die Constitution der aus sechs Kohlenstoffatomen bestehenden, geschlossenen Kette wird vielleicht noch deutlicher wiedergegeben durch folgende graphische Formel, in welcher die Kohlenstoffatome rund und die vier Verwandtschaftseinheiten jedes Atomes durch vier von ihm auslaufende Linien dargestellt sind:

Von dieser geschlossenen Kette leiten sich nun, wie gleich ausführlicher gezeigt werden wird, alle die Verbindungen ab, die man gewöhnlich als aromatische Substanzen bezeichnet. Die offene Kette ist vielleicht im Chinon, im Chloranil und den wenigen Körpern anzunehmen, die zu beiden in näherer Beziehung stehen. Auch diese Körper können indess auf die geschlossene Kette bezogen und von ihr abgeleitet werden, wie dies später noch erörtert werden soll.

A gauche: Un dessin de la molécule de benzène, extrait du Traité de chimie organique *de Kekule datant de 1861.*

carbone, ce qui permettait de former de longues chaînes d'atomes. Le chimiste écossais, Archibald Scott Couper, admirateur de Kekule, précisa que les liaisons pourraient même être indiquées au moyen de petits traits. La conception de Kekule sur les structures fut immédiatement acceptée par les chimistes.

A partir de ce moment, on put facilement représenter la structure d'une liaison. L'eau, par exemple, dont la formule H_20 n'était pas très significative, fut représentée schématiquement par une seule liaison entre chacun des deux atomes d'hydrogène avec un seul atome d'oxygène. Une molécule d'eau est désignée par H-O-H.

D'après Kekule, les structures plus complexes pouvaient être représentées par des liaisons doubles et triples (au moyen de traits doubles ou triples) afin de faire ressortir plus nettement la structure. Prenons, par exemple, l'acide acétique, ($C_2H_4O_2$). Seulement deux des quatre liaisons de carbone, provenant d'un seul atome de carbone,

```
    H   O
    |   ||
H — C — C — O — H
    |
    H
```

sont utilisées en liaison simple, de sorte que cet atome possède également une double liaison (ce qui correspond, au total, à quatre liaisons disponibles). La structure de l'acide acétique devient donc: CH_3COOH.

En dépit des énormes progrès obtenus grâce à la structure de Kekule, il restait encore un cas important à résoudre. La structure d'un important hydrocarbure, le benzène, préoccupait les chimistes. C'était un obstacle à vaincre d'urgence pour le développement de la peinture synthétique. Les chimistes savaient que la formule du benzène était C_6H_6, mais ne connaissaient pas la manière dont les douze atomes étaient reliés entre eux.

Kekule trouva la réponse dans une intuition spontanée. Un beau jour de 1865, il était en train de prendre un peu de repos quand il rêva d'atomes qui rampaient comme des serpents. Un des serpents mordit sa propre queue et forma ainsi un anneau. Lorsque Kekule se réveilla, il connaissait la solution pour la molécule de benzène: un an-

```
        H
        |
        C
      //  \
H — C        C — H
    |        ||
H — C        C — H
      \\  /
        C
        |
        H
```

neau de six atomes de carbone, chacun relié à un seul atome d'hydrogène. Kekule désigna la molécule de benzène par la formule C_6H_6.

Depuis la publication des idées de Kekule, de nombreuses théories très étudiées sur les valences furent mises au point. Il existe des formules mathématiques très compliquées pour expliquer les traits simples des formules de structures de Kekule. Néanmoins, les chimistes modernes utilisent toujours la méthode de Kekule, parce que c'est une manière simple mais pratique de décrire les molécules.

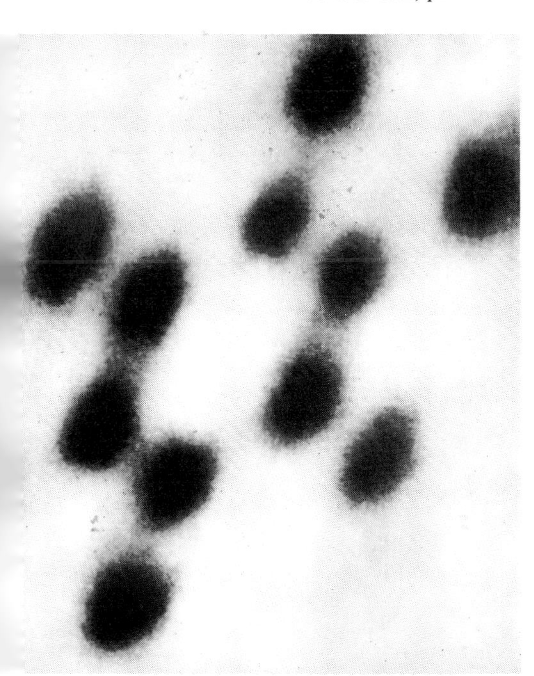

Ci-dessous: Structure hexagonale du benzène, telle qu'elle fut révélée par les techniques modernes. C'est une radiographie de benzène hexaméthylène, constitué de six atomes de carbone qui se sont combinés en un anneau hexagonal; un atome de carbone est relié à chaque atome de carbone, relié lui-même à un atome d'hydrogène, évidemment trop petit pour apparaître sur la photographie.

James Clerk Maxwell

1831-1879

Malgré sa réputation de grand mathématicien, James Clerk Maxwell a surtout acquis sa principale renommée par la contribution qu'il apporta à la physique. Il obtint un de ses plus grands succès par la formulation des champs électriques et magnétiques, qui conduisit directement à la théorie moderne de l'électromagnétisme. Il apporta aussi une large contribution à la théorie cinétique des gaz, notamment en démontrant qu'elle peut s'appuyer sur des valeurs statistiques de mouvements arbitraires et constants de molécules de gaz isolées.

Le père de Maxwell hérita un grand domaine près d'Edimbourg en Ecosse, où naquit James Clerk Maxwell le 13 Juin 1831. Bien que Maxwell eut fait ses études en ville, il passa la plus grande partie de sa jeunesse à la campagne. Ses compagnons de classe, tous citadins, se moquaient sans pitié de lui à cause de ses vêtements campagnards et de sa gaucherie. Ils l'avaient même affublé d'un surnom: "l'idiot", mais n'auraient rien pu trouver de moins conforme, car Maxwell était non seulement un brillant élève, mais un véritable génie en mathématiques.

Ci-dessous: Dessin de lignes de force dans un champ perturbé, extrait du Treatise on Electricity and Magnetism *de Maxwell (Traité d'électricité et de magnétisme). Maxwell démontra que les vibrations d'une onde lumineuse peuvent constituer des champs électriques et magnétiques. Un champ électrique (charge électrique en mouvement) et un champ magnétique (intensité variable du champ magnétique) sont liés indissolublement l'un à l'autre et ne peuvent exister séparément. Les champs magnétiques et électriques présentent des pointes d'intensité minimale et maximale, comme les sommets et les creux des vagues sur l'eau, mais ils ne présentent pas de mouvement vertical. La théorie de Maxwell rejeta la conception selon laquelle une onde lumineuse vibrerait en raison du déplacement de particules dans l'éther.*

Il avait à peine quinze ans, lorsqu'il fit un premier exposé à la *Royal Society* d'Edimbourg.

Cependant, les cruautés de ses compagnons de classe laissèrent des traces dans son caractère, car il resta timide et renfermé durant toute sa vie.

Maxwell étudia les mathématiques à l'Université de Cambridge où il obtint les meilleures notes à tous ses examens. Lors d'une épreuve, il répondit très rapidement à toutes les questions et consacra le reste de temps qui lui était attribué à traduire l'énoncé de l'examen en latin, pour le simple plaisir de l'esprit.

Sa réputation de grand mathématicien lui procura rapidement plusieurs postes comme professeur, d'abord à l'Université d'Aberdeen, ensuite à l'Académie royale de Londres.

Maxwell était arrivé au sommet de ses connaissances, bien qu'il fût encore fort jeune. Au cours des dix années qui suivirent sa nomination à Aberdeen, en 1856, il apporta une très large contribution dans le domaine de la physique.

Il s'intéressa d'abord à la théorie des gaz. On savait depuis longtemps que les gaz étaient composés de petites particules - atomes ou molécules - constamment en mouvement. Maxwell supposa que ces mouvements étaient arbitraires et utilisa des méthodes statistiques sûres pour confirmer son opinion.

Il élabora ainsi une nouvelle comparaison, devenue célèbre, qui décrivait la répartition de la vitesse des différentes particules, et démontra la possibilité de déterminer la vitesse moyenne du gaz dans son ensemble. Maxwell expliqua qu'une

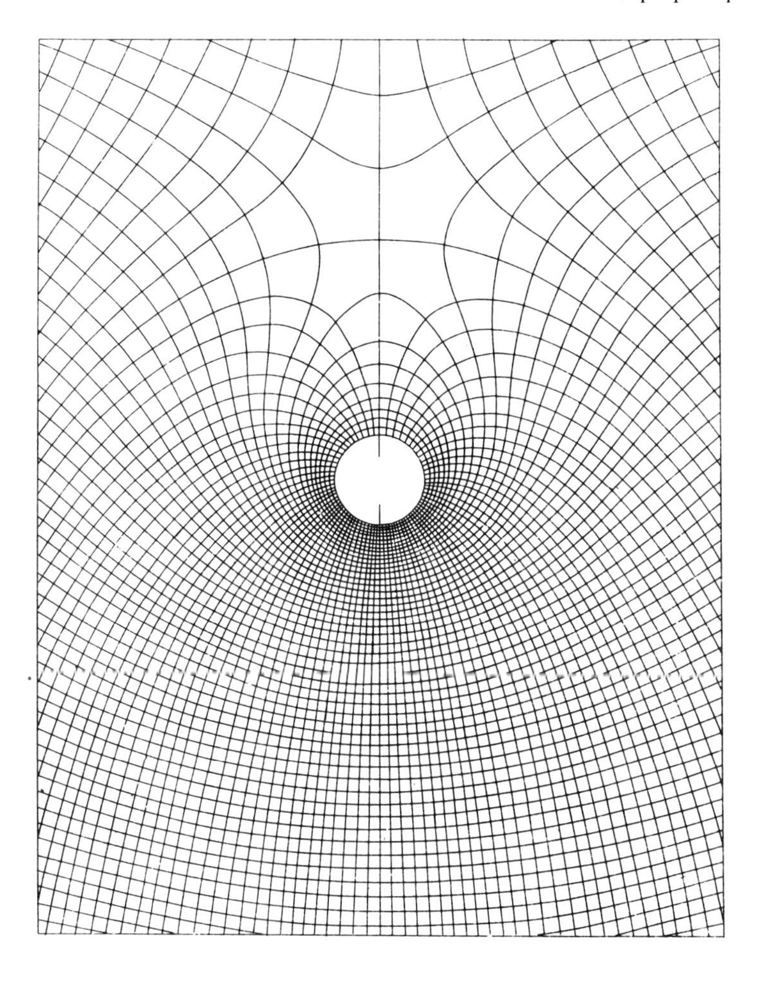

augmentation de la température pouvait correspondre à un accroissement de cette vitesse moyenne, et inversement.
Enfin, Maxwell mit un terme à la vieille conception affirmant que la chaleur était un liquide. Il établit sur des bases solides, la théorie cinétique des molécules en mouvement.
Mais son travail eut également des conséquences philosophiques.
Maxwell avait prouvé que l'action d'un gaz était déterminée par la valeur statistique des parcours de ses molécules. A partir de ses statistiques basées sur des calculs des probabilités, Maxwell avait en réalité prouvé que les lois et les idées généralement admises sur le transfert de chaleur dans les gaz n'étaient pas rigoureuses.
Mais la probabilité de leur abandon était vraiment faible.
On passerait ainsi de la conception fermée de la physique classique à des notions faisant appel au calcul des probabilités, devenu un des fondements de la physique moderne. Peu de temps après, Maxwell traduisit en termes mathématiques la théorie du physicien Michael Faraday. Maxwell, qui pensait, comme Faraday, que l'espace entourant un corps chargé électriquement, est entièrement parcouru par des lignes de force, découvrit un rapport entre cette conception et l'existence du champ magnétique. Après avoir établi un certain nombre de comparaisons, fondées sur cette théorie des champs, Maxwell imagina une forme mathématique valable pour tous les phénomènes d'électricité et de magnétisme.
C'est ici que nous retrouvons l'origine du terme électromagnétisme.
En faisant des comparaisons, Maxwell démontra que la vibration d'une charge électrique provoque un champ électromagnétique qui émet des rayons à partir de la source, à une vitesse constante. Il démontra que cette vitesse d'environ 300 000 km à l'heure était la vitesse de la lumière. Maxwell prétendait donc que la lumière devait être une sorte de rayonnement magnétique, et que la lumière visible ne représentait qu'une partie infime d'un spectre électromagnétique beaucoup plus important. On sait que le travail remarquable de Maxwell a été confirmé par l'utilisation généralisée du spectre qu'il décrivit. Depuis les ondes longues d'un radar ou d'une radio jusqu'aux ondes ultracourtes des rayons X, les lois du rayonnement furent définies avec une extrême simplicité, grâce aux comparaisons de Maxwell sur le champ électromagnétique.

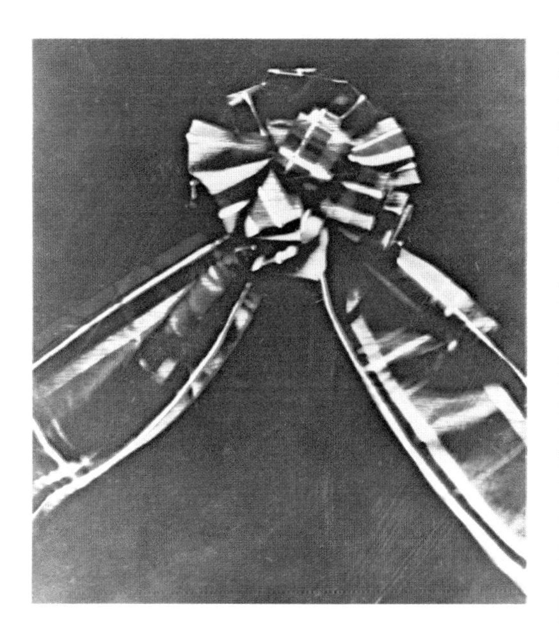

Ci-dessus: Double réfraction dans un spath double (forme de calcite) d'Islande qui prouve de toute évidence la théorie établissant que la lumière vibre dans des champs différents.
A gauche: Première photo en couleurs faite par Maxwell, en 1861, pour illustrer la théorie du pouvoir visuel trichromatique (rouge, bleu et vert).

Ci-dessus: Photo d'un paysage anglais, prise à la lumière infrarouge, qui fait partie du large spectre de rayons électromagnétiques selon l'hypothèse initiale de Maxwell. Utilisés en photographie aérienne, les rayons infrarouges peuvent traverser les nuages et le brouillard, faire la distinction entre des céréales saines et malades et détecter des corps dissimulés. La lumière infrarouge n'est pas décelable par l'oeil humain.

Quelques années avant sa mort tragique et prématurée, le 5 novembre 1879, Maxwell fut invité à devenir le premier professeur de physique à Cambridge.
Il participa à la fondation du laboratoire Cavendish devenu célèbre dans le monde entier. Bien que très respecté de son vivant, ce n'est qu'après sa mort qu'il fut jugé à sa juste valeur. Des découvertes et des améliorations ultérieures prouvèrent à quel point ses calculs avaient été précis. Actuellement, il est considéré comme l'un des plus grands physiciens, après Newton et Einstein.

Nikolaus Otto

1832-1891

Le premier moteur à explosion à quatre temps, qui servit de modèle pour les futurs moteurs automobiles, fut construit par l'ingénieur allemand Nikolaus Otto sous le nom de ''moteur Otto''.

Dans un moteur à explosion à quatre temps, le combustible qui actionne le moteur brûle à l'intérieur, c'est-à-dire dans le moteur, contrairement à la machine à vapeur, dont la combustion est externe. Dans la machine à vapeur, la combustion a lieu dans une partie séparée, appelée la boîte à feu. La machine à vapeur fut rapidement supplantée par le moteur à explosion, plus petit et plus compact.

Le moteur à quatre temps s'appelle ainsi parce que le piston parcourt un cycle en quatre mouvements, contrairement au moteur à deux temps, construit par Etienne Lenoir. Au début du circuit, le piston, poussé vers le haut, aspire un mélange d'air et de gaz dans le cylindre. Au mouvement suivant, le piston redescend, en comprimant le gaz dans le cylindre. Au moment où le gaz est entièrement comprimé, une étincelle électrique provoque une explosion, qui repousse le piston vers le haut. Ensuite, il reprend sa position initiale, re-

Ci-dessous: Le moteur à gaz à deux temps d'Otto et Langen. Un mélange de gaz et d'air était aspiré dans un cylindre vertical lorsque le piston montait. Ensuite, le mélange était enflammé, ce qui obligeait le piston à terminer sa course ascendante.

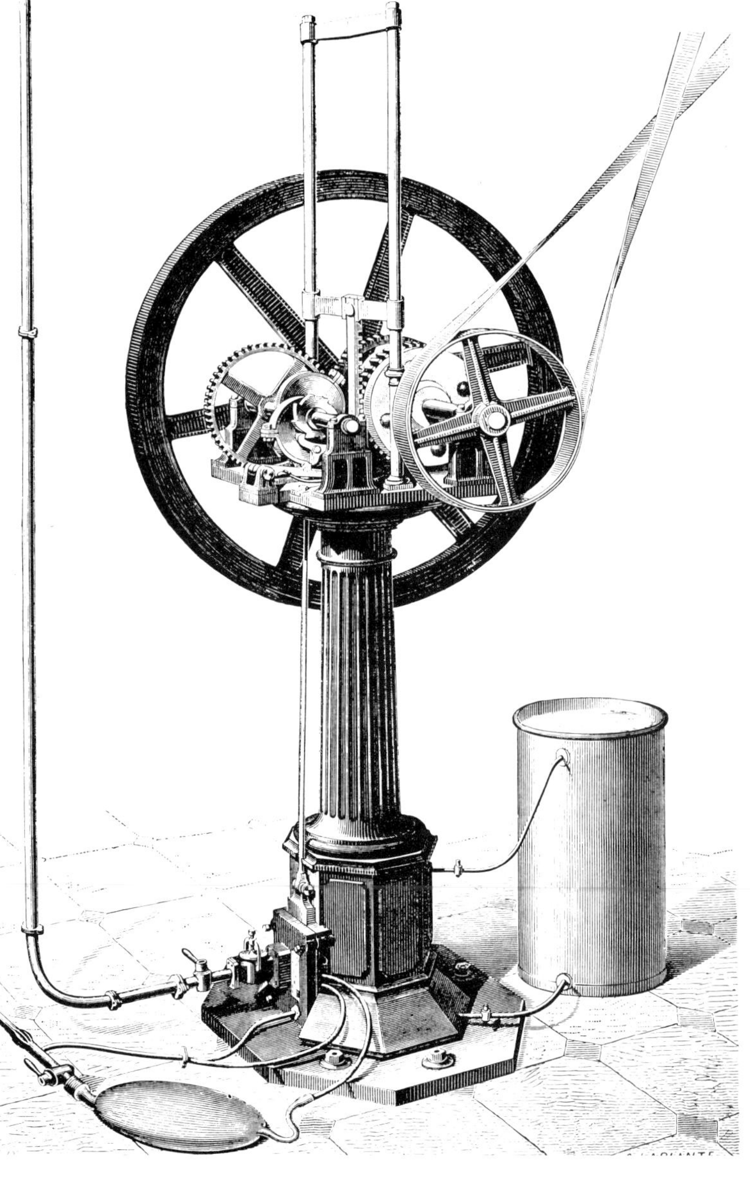

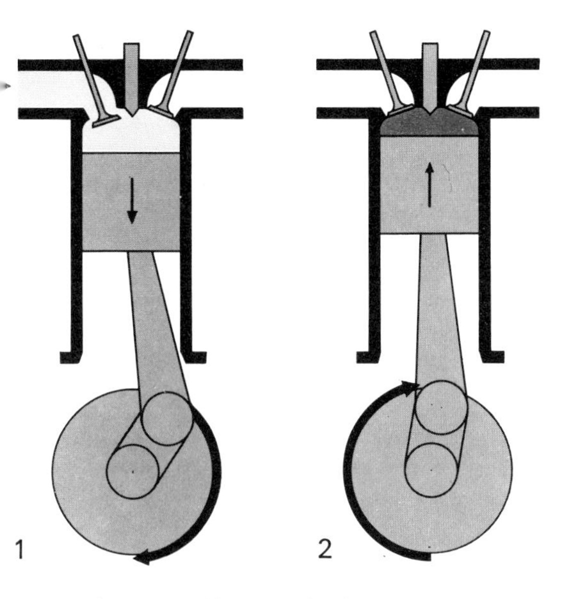

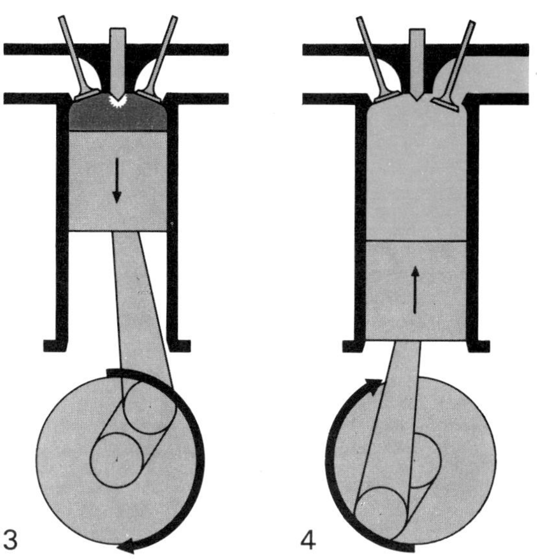

foule les gaz brûlés vers l'échappement, et un nouveau cycle recommence.
Le principe du moteur à quatre temps fut décrit pour la première fois par l'ingénieur français Alphonse-Eugène Beau de Rochas, conscient que la technique de compression d'un combustible était nécessaire pour permettre un fonctionnement correct. En fait, il ne construisit jamais aucun moteur lui-même, bien qu'il introduisît plusieurs demandes de brevet. Il semble que Nikolaus Otto ait commencé ses expériences tout à fait indépendamment, après avoir effectué des études et des recherches personnelles. Il était le fils d'un hôtelier de Holzhausen en Allemagne.
En 1861, il construisit un simple moteur à gaz à deux temps.
Il y apporta plusieurs perfectionnements au cours des années qui suivirent. En 1867, il présenta un moteur à l'Exposition de Paris où il obtint une médaille d'or.
Il supplanta ainsi Lenoir, qui occupait la deuxième place avec son moteur.
Quatre ans plus tard, en 1871, Otto construisit à Deutz une usine pour moteurs à gaz, en collaboration avec un ami ingénieur, Eugen Langen. Langen sera le premier à émettre l'idée d'un monorail suspendu.
Ils engagèrent un autre ingénieur, Gottlieb Daimler, comme responsable technique. Otto et Langen s'intéressèrent à l'application du moteur à quatre temps.
Le premier moteur à quatre temps "Otto" fut construit en 1876 et le brevet allemand enregistré un an plus tard. Bien que ce moteur, comparé aux modèles actuels, fût assez bruyant et consommât beaucoup de combustible, il fit très rapidement valoir sa qualité. En dix-sept ans, près de 50 000 moteurs Otto furent vendus. Ils étaient surtout utilisés dans les petites usines pour la propulsion de machines légères. On y apporta évidemment de nombreux perfectionnements.
Le nombre de cylindres fut accru, pour réduire le bruit du moteur.
Ensuite, on fit des essais pour le faire tourner au gasoil au lieu d'essence.
Entre-temps, Beau de Rochas intenta un procès pour défendre ses brevets. En 1886, le Haut Tribunal allemand décida que le brevet d'Otto devait devenir propriété nationale. Les possibilités du moteur à quatre temps s'ouvraient ainsi pour les autres constructeurs également.
L'application du moteur à la voiture n'était plus qu'une question de temps. Le principe de fonctionnement du moteur Otto fut à la base du moteur automobile dans presque tous ses détails. Le premier qui profita de la chance offerte fut Daimler, lorsqu'il eut cessé sa collaboration avec Otto et Langen.

Ci-dessus: Le cycle complet d'un moteur Diesel. 1. aspiration: le piston aspire de l'air dans le cylindre par l'ouverture de la soupape d'admission; dès que le piston atteint le fond du cylindre, la soupape d'admission est refermée. 2. la pression augmente dans le cylindre et le repousse vers le haut, de sorte que l'air est comprimé et donc chauffé. 3. explosion: à compression optimale, le combustible est injecté et le mélange enflammé, par autoallumage, et les gaz refoulent le piston vers le bas. 4. échappement: dès que le piston a de nouveau atteint le fond du cylindre, la soupape d'échappement est ouverte, et les gaz brûlés sont évacués par le piston, qui remonte de nouveau.

A gauche: Une Duryea, automobile ancienne avec un moteur à quatre temps de 1893. Ce moteur 4 ch n'avait qu'un seul cylindre, et un embrayage à friction.

Sir William Crookes
1832-1919

Le tube de Crookes, du nom de l'inventeur Sir William Crookes, est plus connu sous le nom de tube à rayons cathodiques; il fut à la base de la découverte des rayons X et des électrons. Ce chimiste et physicien anglais découvrit également le thallium et le radiomètre, qu'il perfectionna et nomma othéoscope.

William Crookes naquit à Londres; il était le fils d'un maître tailleur et l'aîné de seize enfants. Il étudia au Collège royal de Chimie d'August Wilhelm Hofmann et accepta d'être son assistant. En plus de son travail, il participait également à des réunions à l'Institut royal où il rencontra le physicien anglais Michael Faraday, qui le persuada de s'orienter vers d'autres études: de la chimie traditionnelle à la physico-chimie.
En 1854, Crookes fut nommé surveillant principal de la section météorologique du *Radcliffe Observatorium* à Oxford. Il hérita deux ans plus tard, une importante fortune de son père et revint à Londres, y installa un laboratoire privé et s'établit comme conseiller en chimie. Suivant les conseils de Faraday, Crookes se spécialisa dans la recherche sur les composés du sélénium et sur les minéraux. Il découvrit ainsi un nouvel élément en 1861, le thallium, un métal ressemblant au plomb et concentra ses études sur les caractéristiques de cet élément.
Ses recherches lui permirent d'autre part de découvrir le radiomètre. C'est un instrument sensible, qui pouvait être utilisé pour montrer le

A droite: Thallium et quelques sels de thallium.

Ci-dessous: Radiomètre de Crookes. Il était formé d'un moulinet avec des ailes en mica, blanchies d'un côté et noircies de l'autre. Cet ensemble était placé dans une sphère en verre sous pression atmosphérique très basse. Les radiations d'un corps chaud faisaient tourner le moulinet et les tâches noires s'éloignaient des rayons.

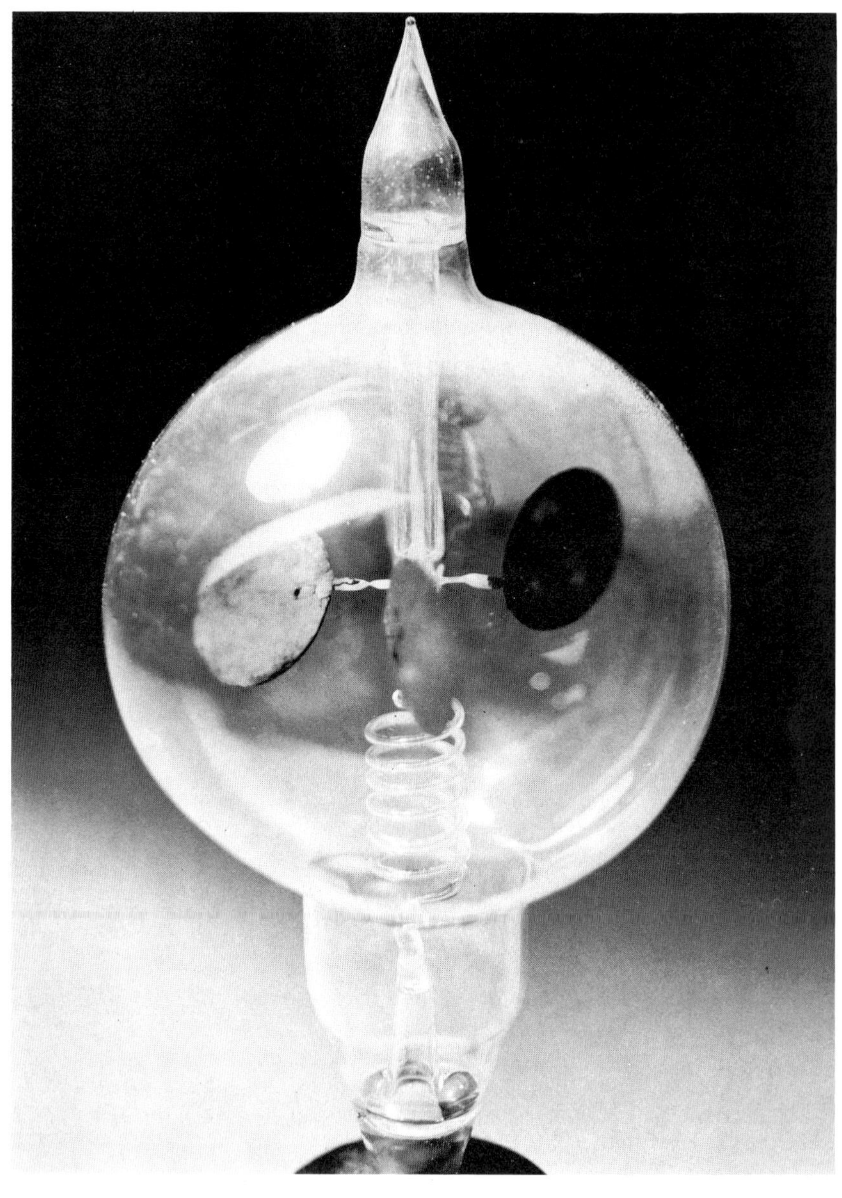

rayonnement de la lumière et de la chaleur ou pour mesurer l'intensité des rayons.
Mais l'invention la plus importante de Crookes fut le tube à rayons cathodiques.
En 1885, il commença à étudier les propriétés de l'électricité produite par deux électrodes dans un tube en verre vide d'air.
A cet effet, il conçut le tube dit de Crookes, tube allongé en verre, dont l'air avait été aspiré. Il y disposa deux plaques métalliques, appelées élec-

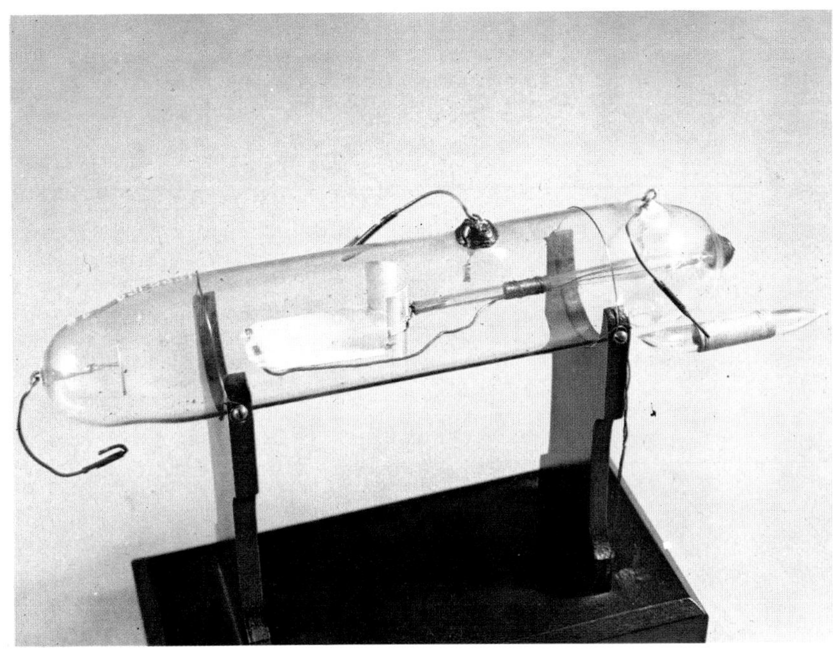

Ci-dessus: Tube de focalisation de Crookes. Une cathode creuse focalisait le rayonnement des électrons en un point.

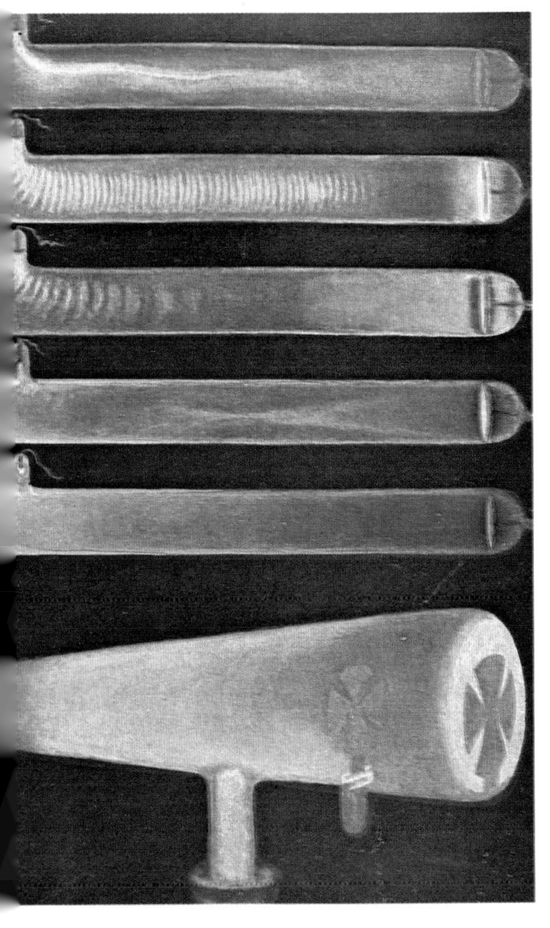

A gauche: Lorsque la pression du gaz d'un tube de Crookes diminue, la couleur du gaz éclairant change, alors qu'on constate l'incandescence de deux bandes séparées l'une de l'autre. La croix métallique dans le tube inférieur retient les rayons cathodiques, ce qui fait apparaître une ombre sur la croix. Lorsqu'on aspire l'air du tube, l'incandescence disparaît (1) et laisse un espace sombre (2). Une ailette (3), touchée par les particules venant de la cathode, se met à tourner en rond (4).

trodes, à chaque extrémité. Lorsque ces deux plaques étaient reliées à une batterie à haute tension, on constatait une décharge électrique, qui passait de l'électrode négative, la cathode, à l'électrode positive, l'anode.
La seule chose que l'on pouvait observer, était le passage au vert de la cathode chauffée, au moment de la décharge.
L'étude de la décharge dans les gaz raréfiés (tube de Geissler: contenant du gaz raréfié dans lequel le passage de la décharge électrique produit des effets lumineux particuliers) permit à Röntgen de découvrir les rayons X dans son laboratoire de Würzburg en Bavière (1895). Les rayons X ont la propriété de traverser certains corps réputés jadis opaques. Dans le tube de Crookes, le vide d'air était plus parfait que dans celui de Geissler.
Crookes se servit de ses résultats pour définir un quatrième état de la matière: ni solide, ni liquide, mais ultra-gazeuse. Cet élément apparaît dans un espace vidé de son air. En 1897, le physicien britannique J.J. Thomson annonça que ces particu-

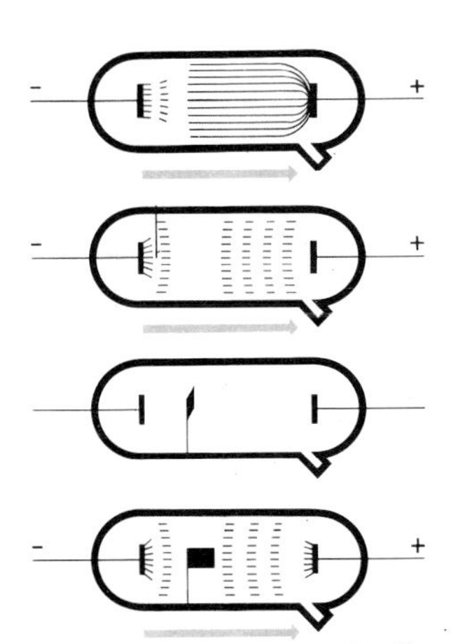

Ci-dessus: En vidant le tube électrisé, l'incandescence (1) disparaît et laisse un espace sombre (2). Quand les particules de l'électrode négative sont en mouvement, l'ailette dans l'espace commence à bouger (3, 4).

les étaient des électrons, particules minuscules qui représentaient un dix-huit centième du poids d'un atome d'hydrogène.
Les essais de Crookes sur les rayons cathodiques et la conception de son tube ont été ses plus grandes contributions à la science, mais son travail était en réalité beaucoup plus diversifié. Crookes fut apprécié par un très large public comme un brillant chercheur expérimental, même lorsque son travail devint de plus en plus théorique à la fin de sa carrière.
Il est regrettable que Crookes ait consacré une part de son activité à sa passion pour le spiritisme. Il donnait, en effet, beaucoup de son temps à l'étude des médiums et aux manifestations occultes. Il devint également membre de l'Institut de la Recherche physique et du Mouvement théosophique.
Lorsqu'il mourut en 1919, il était déjà devenu un personnage légendaire, et certains des instruments qu'il conçut sont encore utilisés de nos jours.
Le tube de Crookes fut notamment le point de départ du tube de télévision.
Il eut une influence indiscutable sur l'évolution de l'électronique. Lors d'une des expériences les plus importantes de toute l'histoire de la physique, Joseph John Thomson démontra qu'un aimant placé perpendiculairement sur le trajet d'un rayon lumineux fait dévier ce rayon.
Thomson avait déjà étudié de tels rayons antérieurement, en plaçant entre le pôle et la partie lumineuse du tube, un obstacle muni d'un trou.
La découverte qu'il fit avec l'aimant lui permit de conclure que: ''les rayons cathodiques sont des particules négatives chargées d'électricité.'' On appela ces particules ''électrons''.
Ce ne fut pas seulement le point de départ de l'électronique, mais aussi de la recherche atomique. Et c'est Sir William Crookes avec son tube à rayons cathodiques qui est le fondateur de toutes ces découvertes révolutionnaires.
Sir William Crookes reçut le Prix Nobel de chimie en 1907.

Gottlieb Daimler

1834-1900

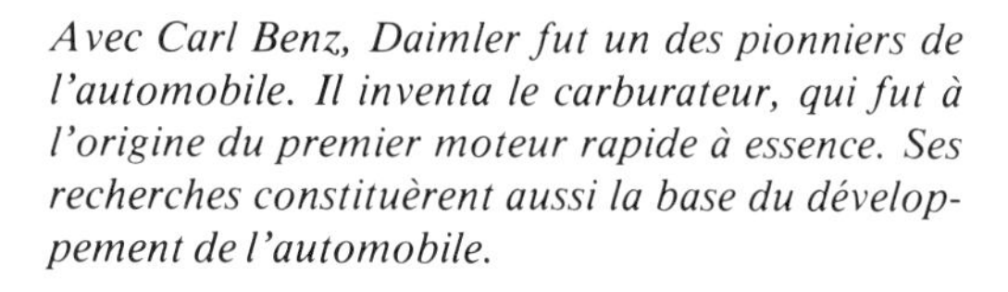

Avec Carl Benz, Daimler fut un des pionniers de l'automobile. Il inventa le carburateur, qui fut à l'origine du premier moteur rapide à essence. Ses recherches constituèrent aussi la base du développement de l'automobile.

Gottlieb Daimler naquit à Schorndorf en Allemagne. Ayant décidé de devenir ingénieur après avoir suivi une formation d'armurier, il voyagea pour étudier en Angleterre, en France et en Belgique.

A trente-huit ans, il fut nommé directeur technique de l'usine de moteurs que fonda Nikolaus Otto à Deutz. Un de ses assistants dans la recherche était Wilhelm Maybach. Daimler et Maybach pressentirent tous deux les grandes possibilités du moteur à combustion interne.

Mais Otto hésitait à poursuivre ses recherches dans ce sens.

Leur divergence de vue les obligea à se séparer en 1882. Daimler et Maybach démissionnèrent, et Otto déclara qu'on ne pouvait rien faire d'utile avec un homme aussi ''présomptueux'' que Daimler.

Daimler et Maybach ouvrirent leur propre atelier à Bad Cannstatt et concentrèrent leurs efforts sur le premier moteur léger à essence capable de tourner à une vitesse ''élevée'', selon le principe du moteur à ''quatre temps'' d'Otto. Le moteur à essence que Daimler avait construit antérieurement pour Otto, n'atteignait que des vitesses de 130 tours à la minute. Le nouveau moteur, avec son système d'allumage et un carburateur de surface, conçu pour vaporiser l'essence et la mélanger à l'air, atteignit des vitesses de 900 tours à la minute.

En 1885, année où Carl Benz fit sa course historique avec son véhicule à trois roues, ils montèrent le nouveau moteur sur un vélocipède en bois et l'essayèrent.

Ci-dessus: Atelier de Daimler et Maybach à Bad Cannstatt en Allemagne.

En automne de la même année, Daimler et Maybach montèrent un moteur sur un carrosse et en firent l'essai sur la route de Bad Cannstatt à Esslingen.

C'était la première automobile de Daimler. En roulant à une vitesse de 17,5 km à l'heure, ils provoquèrent un grand intérêt, parce qu'ils roulaient dans un ''carrosse sans chevaux''.

Le modèle Daimler 1889 était la première automobile à quatre roues. Ce modèle présentait également quelques nouveautés: un nouveau mécanisme de commande des roues, une sorte de ''levier'' pour la conduite et une boîte à quatre vites-

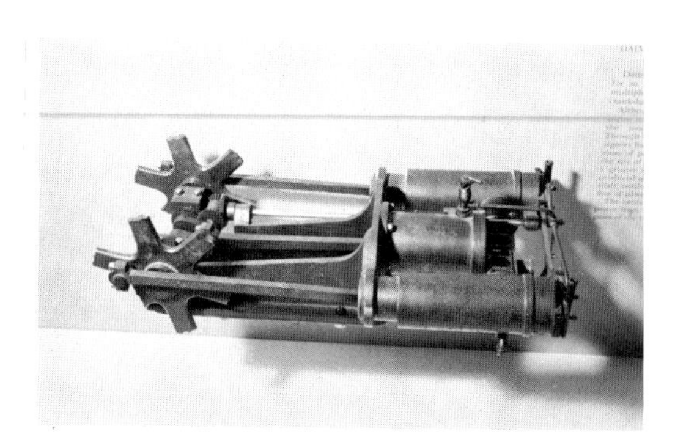

A droite: Le moteur à essence de Daimler construit en 1879 dans l'usine des moteurs à gaz d'Otto.

ses. De plus, l'automobile était montée sur un châssis en tubes d'acier.
L'automobile était entrée dans le circuit commercial, il devint possible de produire cette nouvelle invention pour la lancer sur le marché. C'est dans cette optique que Daimler et Maybach construisirent l'usine des Moteurs Daimler en 1890. La qualité et le prix peu élevé de leur produit leur donnèrent rapidement la renommée. En 1894, on organisa pour la première fois une course internatio-

Ci-dessus: Daimler et Maybach dans la première Daimler à quatre roues.

A droite: Les usines automobiles Daimler à Bad Cannstatt.

Ci-dessous: Une Daimler de 1899.

nale pour les "véhicules sans chevaux" sur route, entre Paris et Rouen. Des 102 voitures partantes, quinze seulement se trouvaient à l'arrivée. Il était très significatif de constater que les quinze voitures qui terminèrent la course étaient toutes actionnées par un moteur Daimler. Les moteurs Daimler furent également choisis par le comte von Zeppelin pour ses expériences sur les aérostats vers 1890. En 1896, les usines Daimler fabriquèrent le premier camion, mais leur entreprise connut son plus grand succès en 1900, année de la mort de Daimler, avec la production de ce que l'on considère comme la première vraie voiture moderne: la Mercedes.
Le modèle était magnifique et avait un moteur de 24 chevaux-vapeur.
Cette auto fut appelée "Mercedes", du nom de la fille du fabricant.
Les usines de Daimler octroyèrent des licences à diverses sociétés filiales à l'étranger. En 1926, elles fusionnèrent avec les usines Benz, et la marque prit le nom de Mercedes-Benz.
Le vélomoteur de 1885 fut tout aussi populaire, malgré un départ assez lent.
Sa popularité fut telle que, du début à la fin de la Première Guerre mondiale, le faible prix et les frais limités firent du vélomoteur un sérieux concurrent de l'automobile.

Dimitri Mendeleïev

1834-1907

Le chimiste russe Mendeleïev découvrit une relation entre les éléments chimiques, fondée sur leur poids atomique. Il formula sa découverte dans un système périodique d'éléments, que l'on considère encore aujourd'hui comme l'épine dorsale de la chimie moderne. Il étudia également la compressibilité des gaz et notamment les résultats expérimentaux. Il participa aussi à la mise au point d'une poudre sans fumée à base de pyrocollodion.

Mendeleïev était le plus jeune de dix-sept enfants. Il grandit à Tobolsk en Sibérie. Son père, qui était instituteur, devint aveugle, alors que Dimitri était encore très jeune. La plus grande partie de sa jeunesse fut donc marquée par les difficultés financières que connaissait sa famille. Ensuite, sa mère pourvut aux besoins du ménage. Mais, en 1849, alors que Mendeleïev terminait ses études, le destin le frappa doublement. Son père mourut et le petit commerce de sa mère fut détruit par les flammes. Lorsque les aînés furent devenus assez grands pour se tirer d'affaire, madame Mendeleïev accorda toute son attention à l'éducation de son plus jeune fils. Son courage admirable fut récompensé quand elle parvint, quelques semaines avant sa mort, à faire inscrire son fils dans la section des Sciences de l'Université de Saint-Petersbourg.

Etudiant brillant et travailleur, il termina son année à la place de premier et alla poursuivre ses études en France et en Allemagne. Déjà chimiste reconnu, il retourna en Russie, en 1866, et y devint professeur à son ancienne université. Non satisfait par les ouvrages existants, il décida d'écrire lui-même un volume qu'il intitula *Traité de chimie.* Il fut publié en 1870.

Ci-dessus: Les alchimistes utilisaient du mercure dans leurs tentatives de fabrication de l'or. Leur symbole du mercure est représenté sur la bouteille. Avant que la notion d'atome - particule indivisible - ne fît son apparition, on croyait qu'un corps pouvait être transformé en un autre corps, par la magie et la mystique. La recherche de la ''pierre philosophale'' qui permettrait de transmuter en or des corps comme le mercure, occupa les alchimistes pendant plus de six cents ans.

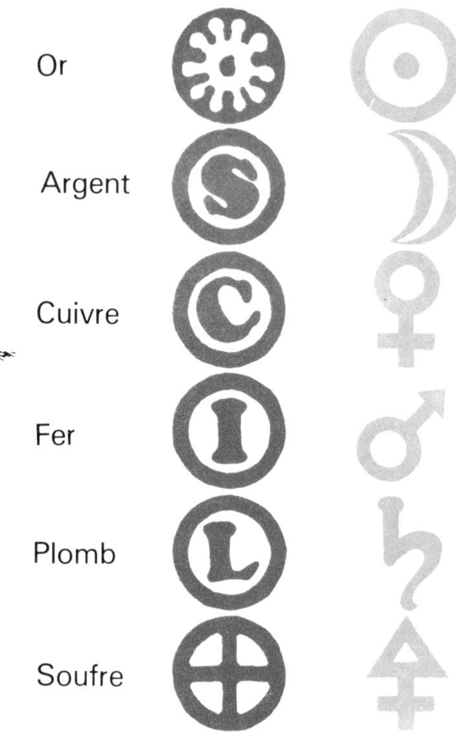

Ci-dessus, à droite: Les alchimistes représentaient sous la forme de dessins symboliques les corps qu'ils considéraient comme des éléments (à droite). Ces symboles, empruntés à l'astrologie, représentent les planètes. Ils constituaient une partie des connaissances secrètes des alchimistes, dont seuls les adeptes étaient informés. Plus tard, John Dalton, conçut des symboles (à gauche) lorsqu'il présenta sa théorie des atomes. Mais même ces symboles-là semblaient difficiles à utiliser et ils furent remplacés dans la notation chimique par les lettres que nous connaissons actuellement.

Pendant qu'il faisait des recherches pour son ouvrage, il examina la relation entre les différents éléments chimiques et tenta de trouver une méthode unique pour présenter leurs caractéristiques. D'autres chimistes s'étaient intéressés à la question avant lui et, depuis que l'Anglais John Dalton avait défendu la théorie du poids atomique, beaucoup d'entre eux avaient cherché des équivalences mathématiques entre les poids des atomes des éléments, afin de découvrir une relation essentielle . Mais ce fut Mendeleïev qui découvrit la solution et élabora la ''classification périodique des éléments''.

En classant sur une liste les 63 éléments connus en fonction de leur poids atomique, Mendeleïev ne fit rien de neuf par rapport à ses prédécesseurs. Mais l'intérêt historique de sa méthode s'explique par le fait que les données de la liste lui firent comprendre que certaines caractéristiques des éléments revenaient périodiquement. Il insista particulièrement sur le fait qu'il y avait une diminution ou une augmentation régulière dans les valences des éléments.

Et il considéra ce fait comme un critère de leur pouvoir de former des liaisons chimiques avec d'autres éléments.

Il découvrit que, lorsqu'il mettait en colonnes des éléments de la même valence, ils présentaient des

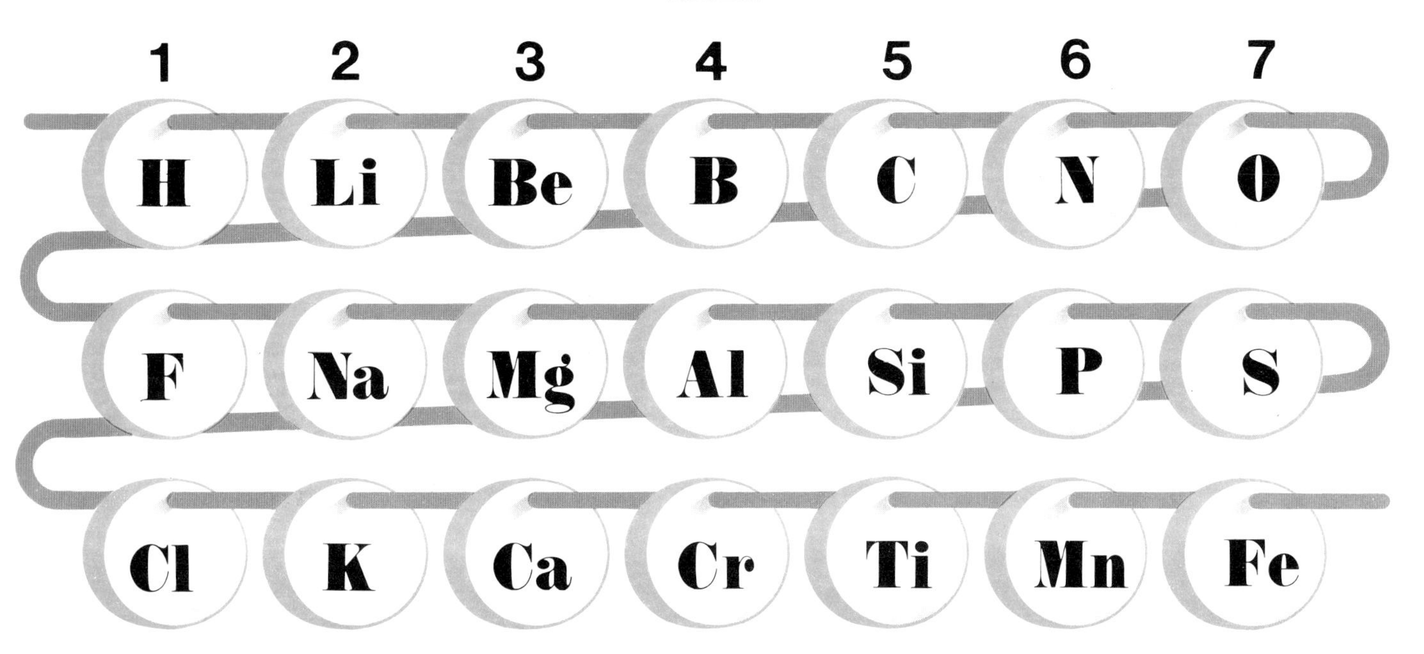

concordances dans différents caractères chimiques. En raison de la périodicité avec laquelle ces caractéristiques apparaissaient, Mendeleïev appela cette répartition ''classification périodique des éléments''.

Malgré la réputation de Mendeleïev dans les milieux académiques, sa classification fut accueillie avec une certaine réserve. Beaucoup trop de scientifiques avant lui avaient déjà annoncé avoir découvert vraisemblablement la classification des éléments.

Mais, en 1871, Mendeleïev apporta la preuve irréfutable, grâce à laquelle son travail fut accepté partout.

Dans un article historique destiné à la Revue de l'Association russe de Chimie, il laissa des blancs dans la classification périodique, en affirmant qu'il s'agissait là d'éléments qui n'avaient pas encore été découverts mais qui existaient. Il poursuivit en expliquant que ces places vides signifiaient que les nouveaux éléments auraient les mêmes caractéristiques que celles de leurs voisins dans la classification.

De fait, on découvrit, quatre ans plus tard, le gallium et les autres éléments suivirent très rapidement. Les prévisions de Mendeleïev semblaient donc exactes. La classification périodique avait satisfait à l'examen que doit passer toute nouvelle théorie scientifique, c'est-à-dire prévoir avec exactitude de nouveaux phénomènes contrôlables.

Mendeleïev devint soudain un homme connu et fêté dans le monde entier. Il mourut quelques années avant la révolution russe. Son travail permit aux chimistes de détecter des ''familles'' d'éléments ayant les mêmes caractéristiques chimiques et physiques. L'importance considérable du poids atomique, qui découlait des recherches de Mendeleïev, apporta aux physiciens une nouvelle conception de la structure des noyaux atomiques et fit apparaître l'intérêt de telles structures pour l'analyse des propriétés et des caractéristiques de la matière.

Ci-dessus: La ''Loi des octaves'' établie en 1865 par le chimiste britannique J. A. R. Newlands. Lorsque les éléments étaient classés dans un tableau en fonction de leur poids atomique, en ordre croissant, et en groupes de huit, les éléments ayant des caractéristiques identiques se plaçaient les uns au-dessous des autres.

Ci-dessous, à gauche: Une reproduction du tableau de Mendeleïev, dans lequel les éléments sont classés d'après leur poids atomique. Les éléments placés l'un à côté de l'autre dans les colonnes ont des propriétés identiques. Les points d'interrogation représentent les éléments qui n'avaient pas encore été découverts.

			Ti = 50	Zr = 90	? = 180.
			V = 51	Nb = 94	Ta = 182.
			Cr = 52	Mo = 96	W = 186.
			Mn = 55	Rh = 104,4	Pt = 197,4
			Fe = 56	Bu = 104,4	Ir = 198.
			Ni - Co = 59	Pl = 106,6	Os = 199.
H = 1			Cu = 63,4	Ag = 108	Hg = 200.
	Be = 9,4	Mg = 24	Zn = 65,2	Cd = 112	
	B = 11	Al = 27,4	? = 68	Ur = 116	Au = 197?
	C = 12	Si = 28	? = 70	Sn = 118	
	N = 14	P = 31	As = 75	Sb = 122	Bi = 210
	O = 16	S = 32	Se = 79,4	Te = 128?	
	F = 19	Cl = 35,5	Br = 80	I = 127	
Li = 7	Na = 23	K = 39	Rb = 85,4	Cs = 133	Tl = 204
		Ca = 40	Sr = 87,6	Ba = 137	Pb = 207.
		? = 45	Ce = 92		
		?Er = 56	La = 94		
		?Yt = 60	Di = 95		
		?In = 75,6	Th = 118?		

Eka-Silicon	Es	Germanium	Ge
prévu par Mendeleïev en 1871)		(découvert en 1886)	
poids atomique	72	poids atomique	72,3
masse atomique	13	masse atomique	13,2
densité	5,5	densité	5,47
élément gris sale, qui forme un oxyde blanc	EsO_2	élément gris-blanc, qui forme un oxyde blanc	GeO_2

Ci-dessus, à droite: Les caractéristiques du germanium, découvert en 1886, comparé aux caractéristiques prévues par Mendeleïev pour ce qu'il appela l'eka-silicon.

A droite: Cristaux de phosphate de gallium. Le gallium est un élément argenté, le premier des éléments ''manquants'' qui fut découvert, en 1875. Les caractéristiques prévues par Mendeleïev étaient exactes.

Johannes Diederik van der Waals
1837-1923

Le physicien néerlandais Johannes Diederik van der Waals, qui s'est formé par l'étude personnelle, reçut le Prix Nobel de physique en 1910. Il reçut cette haute distinction pour son étude sur les propriétés des gaz.
En faisant des recherches précises sur la réaction des gaz lorsqu'ils sont sous pression, sur leur composition et leur température, il fut le premier à donner un aperçu détaillé des propriétés des gaz dans différentes circonstances. Son invention est appliquée actuellement dans tous les procédés d'usine pour lesquels on utilise des gaz et dans tous les domaines qui utilisent la technique du froid. L'exemple le plus connu est la réfrigération et la surgélation des aliments et les procédés de l'industrie pétrochimique.
De plus, les travaux de van der Waals permirent pour la première fois de liquéfier des gaz tels que l'hydrogène et l'hélium.

Ci-dessous, à gauche: Johannes van der Waals (à droite) et Heike Kamerlingh Onnes (à gauche), assis.
A droite: La planète Jupiter. L'équation de van der Waals peut s'appliquer pour déterminer la composition physique des gaz sur de grandes planètes telles que Jupiter.

Van der Waals naquit à Leyde en 1837 dans une famille pauvre.
Cela signifiait qu'il ne pouvait compter que sur lui-même pour son éducation.
Sans aucune aide, il consacra un grand nombre d'heures à l'étude des mathématiques, de la physique et de la chimie et travailla si bien qu'il fut autorisé à entrer à l'Université de Leyde en 1862.
Les recherches qu'il consacra après ses études aux caractéristiques des gaz et à leur liquéfaction, connut un certain succès grâce à ses exposés originaux. C'était un avant-goût de la grande découverte qui rendra van der Waals très célèbre par la suite.
Tout ce que l'on connaissait à l'époque sur les propriétés des gaz était fondé sur la loi de Boyle, qui avait fait figurer les variations de pression, de volume et de température sous un seul et même dénominateur.
En 1662, le physicien britannique Robert Boyle

avait formulé cette loi qu'il était possible d'appliquer dans la plupart des cas. Pour des gaz simples, tels que l'hydrogène et l'azote, la loi donnait une bonne approximation, mais pas de résultats précis.
Les savants, tenus par les limites d'application de la loi de Boyle, déclarèrent que cette loi ne pouvait s'appliquer avec exactitude que pour un ''gaz idéal''. Mais ils oubliaient qu'un tel gaz n'existe pas.

Ci-dessous: Graphite en feuilles. Les couches d'atomes de carbone ne sont maintenues ensemble que par les faibles forces d'adhérence de van der Waals, ce qui explique pourquoi le graphite s'écaille si facilement et donne une sensation de gras au toucher.

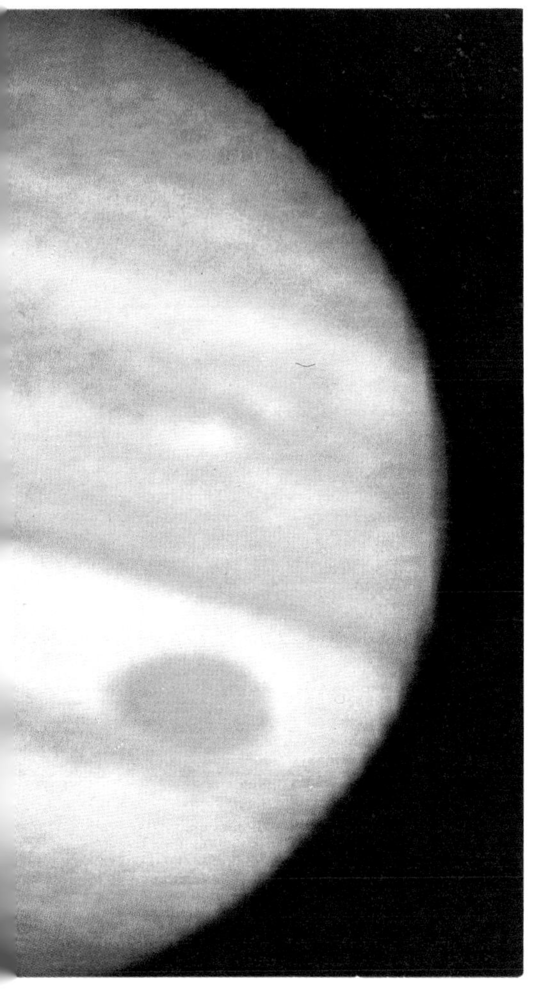

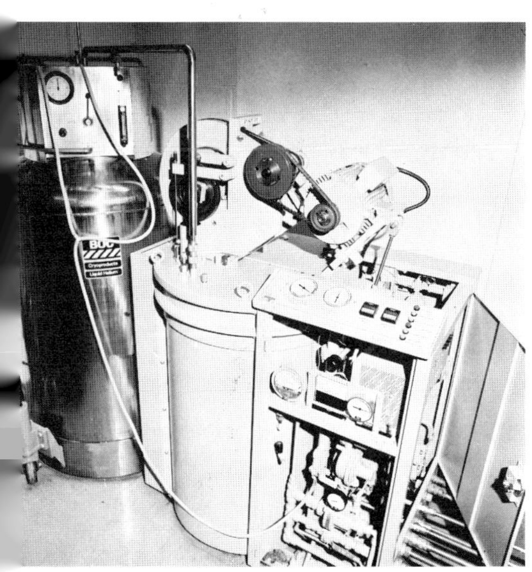

Ci-dessous, à gauche: Un condenseur d'hélium (qui liquéfie l'hélium) au laboratoire Cavendish de Cambridge. Kamerlingh Onnes utilisa l'équation de van der Waals pour calculer les éléments nécessaires à liquéfier des gaz dits permanents (hydrogène et hélium). Il établit les fondements des sciences de la physique à des températures extrêmement basses (cryogénie). La technique du froid qui en est le résultat ne fut pas seulement appliquée aux réfrigérateurs et aux surgélateurs ménagers, mais aussi en chirurgie, dans la lutte contre la pollution, la détection de radiations et l'approvisionnement en énergie.

A droite: Le lancement de la fusée Apollo II, *l'hydrogène liquide servant de combustible. La technologie de l'espace dépend beaucoup des sciences cryogéniques. De l'oxygène et de l'hydrogène liquides, utilisés en combinaison comme moyen de propulsion pour les fusées, donnent une force beaucoup plus grande que les combustibles solides et prennent moins de place. Dans les systèmes utilisés pour maintenir un astronaute dans l'espace, par exemple, il est possible de se servir d'hydrogène liquide pour récupérer l'oxygène provenant du dioxyde de carbone expiré.*

Van der Waals tenta de savoir, pourquoi cette ''loi du gaz parfait'', comme on l'appela, ne pouvait pas servir pour les autres gaz. Il savait que la base théorique la plus importante de la loi était la théorie du mouvemcnt dcs gaz qui supposait deux choses.
Selon la première: il n'y a pas de force d'attraction entre les molécules du gaz; et, selon la deuxième: les molécules du gaz n'ont pas une dimension déterminée.
Mais ces suppositions, d'après van der Waals du moins, n'avaient pas beaucoup de sens. En effet, il savait qu'il existait une force d'attraction minime entre les molécules de gaz et que les molécules, bien que très petites, avaient une dimension déterminée.
Après plusieurs années de recherches opiniâtres, van der Waals put enfin établir, en 1873, l'équation mathématique définissant les propriétés des gaz, appelée ''équation de van der Waals''.
Le travail de pionnier de van der Waals eut comme conséquence immédiate la découverte d'un physicien néerlandais, le professeur Heike Kamerlingh Onnes (Prix Nobel 1913).
En effet, il découvrit que le gaz hydrogène et l'hélium ne pouvaient pas être liquéfiés au moyen de l'effet Joule-Thomson. Kamerlingh Onnes établit que les gaz se refroidissent lorsqu'ils ont la possibilité de se dilater complètement, après avoir été d'abord refroidis jusqu'à une certaine température d'une autre manière.
Cette découverte permit aux savants de rendre l'hydrogène et l'hélium liquides, en atteignant des températures voisines du zéro absolu.

Sir William Henry Perkin

1838-1907

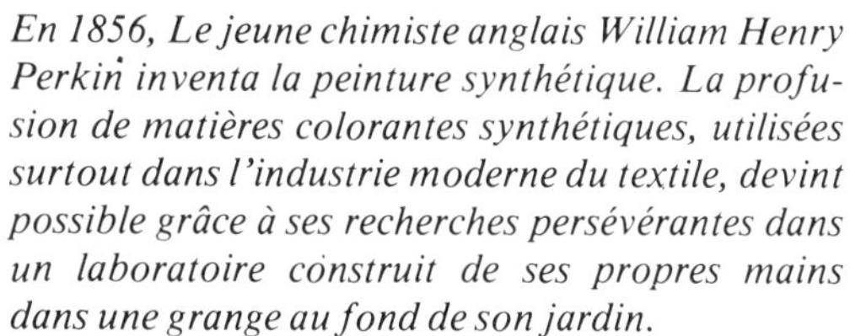

En 1856, Le jeune chimiste anglais William Henry Perkin inventa la peinture synthétique. La profusion de matières colorantes synthétiques, utilisées surtout dans l'industrie moderne du textile, devint possible grâce à ses recherches persévérantes dans un laboratoire construit de ses propres mains dans une grange au fond de son jardin.

Lors de la fondation du Collège royal de Chimie à Londres, en 1845, le premier président fut August Wilhelm von Hofmann, spécialiste de la chimie organique. Hofmann fut un des premiers à comprendre l'importance du goudron (sous-produit de l'industrie du gaz en pleine croissance) comme source de très nombreux corps chimiques importants. Il s'agissait en particulier du benzène, de l'aniline et de l'allyltoluène.

En 1855, William Perkin, étudiant enthousiaste de dix-sept ans, entra au Collège royal de Chimie. Hofmann voyait déjà en lui le brillant chercheur de l'avenir. Il le nomma assistant dans son laboratoire et, l'année suivante, Perkin élaborait un programme de recherches. Il tenta de fabriquer de la quinine en oxydant de l'allyltoluène et en y ajoutant de l'acide sulfurique et du potassium (qui ferait apparaître l'oxygène nécessaire). Malheureusement, il ne tint pas compte dans ses essais de la notion de structure chimique, encore inconnue à l'époque. Tout ce que Perkin put obtenir était un dépôt brun-rouge. Plus tard, il tenta l'expérience avec de l'aniline impure et obtint une pâte noire. Mais lorsque cette pâte était bouillie dans l'eau, il se formait des cristaux pourpre dus à la présence d'impuretés.

Perkin ne perdit pas une seconde. Il envoya un

A droite: Les premiers colorants préparés par Perkin. A gauche, une bouteille contenant de l'alizarine, qui remplaça le colorant rouge obtenu à partir d'une racine de garance. Au milieu, de la mauvéïne, première couleur fabriquée par l'homme. A droite, du fil teinté de mauvéïne.

A droite: Production de bleu d'aniline en 1870. La découverte de la mauvéïne par Perkin en 1856 permit à d'autres chimistes d'examiner l'aniline de plus près. De nouveaux progrès en chimie organique permirent de découvrir de nouveaux colorants, qui constituèrent à leur tour la base d'une nouvelle industrie chimique.

échantillon à une usine de peinture pour qu'on l'essayât comme produit colorant. Dès que l'usine lui eut envoyé un rapport positif, il tenta d'obtenir un brevet, et il y parvint bien qu'il n'eût que dix-huit ans et que les brevets ne pussent être attribués à des mineurs. Il parvint à convaincre son père de lui fournir les fonds nécessaires pour ouvrir une usine de peinture près de Harrow, où il fabriqua des produits dérivés de l'aniline avec son frère Thomas.
L'enthousiasme avec lequel les produits furent accueillis en France donna rapidement une grande extension à l'entreprise. On appela ''mauve'' (du latin *malva)* la couleur de Perkin, qui fit sensation dans le monde de la mode.
A l'âge de trente-cinq ans, Perkin avait déjà gagné tellement d'argent avec son produit colorant qu'il put se retirer des affaires pour se consacrer à d'autres travaux.
Il avait ouvert la voie à des recherches passionnantes et lucratives et fut suivi par de nombreux autres chercheurs. Même Hofmann, qui l'avait désapprouvé au départ, mit au point la rosaniline, appelée aussi ''violet d'Hofmann''.
Cependant, l'application industrielle des recherches chimiques était toujours considérée avec méfiance par les entreprises industrielles conservatrices, et l'Allemagne devint le centre de recherche de la peinture chimique. Un grand nombre d'industries chimiques gigantesques existant actuellement en Allemagne furent créées grâce aux résultats des recherches de Perkin.
Dans sa précipitation pour produire de l'alizarine artificielle - une couleur rouge qui était faite précédemment à partir de garance (racine) - Perkin perdit de peu face à l'Allemand Heinrich Caro. Après une année complètement consacrée à la recherche, il lança un produit aromatique qui devint célèbre pour son odeur agréable de foin fraîchement coupé. Cette découverte fut le point de départ de l'industrie synthétique des parfums. En Europe, on poursuivit les travaux entrepris par Perkin.
Il fut nommé chevalier en 1906, un an avant sa mort et à l'occasion du cinquantième anniversaire de sa première découverte.
Comme il arrive souvent aux chercheurs qui travaillent corps et âme à leurs expériences, Perkin se distingua également par de nombreuses autres études.
C'est ainsi qu'il découvrit une méthode permettant de modifier la structure atomique de certaines compositions organiques. Le résultat de cette recherche prit le nom d' ''effet Perkin''. Les 3 500 colorants synthétiques qui sont utilisés actuellement dans le monde entier, sont la récompense de l'esprit d'entreprise et de persévérance de Sir William Henry Perkin.

Ci-dessous: Ce détail d'une tapisserie due à l'artiste Jean Lurçat (1961) montra à quel point il est possible d'obtenir de fines nuances à partir des colorants fabriqués par l'homme.

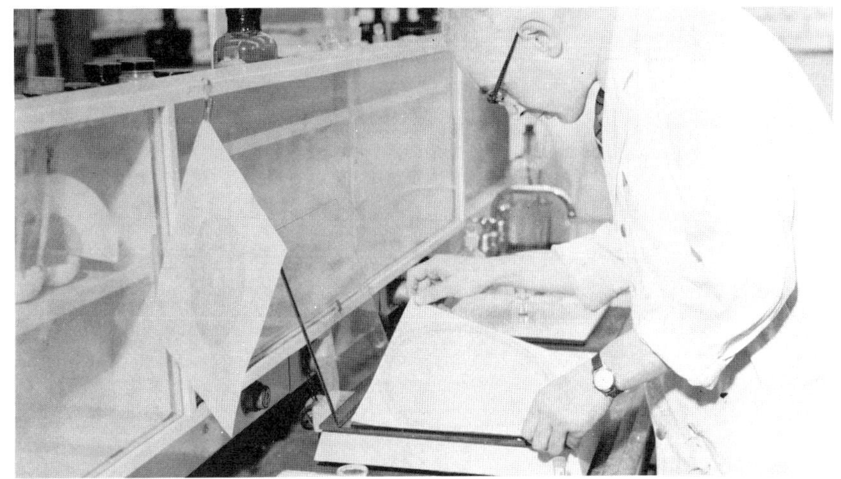

Ci-dessus: Analyse d'un mélange de colorants à l'aide de la chromatographie du papier. Lorsqu'on y ajoute un dissolvant spécial, les différents colorants se dispersent à des vitesses différentes.

Ernst Mach

1838-1916

Le physicien et psychologue Ernst Mach, né à Turas en Tchécoslovaquie, fut un pionnier en matière d'aérodynamique. Ses travaux eurent d'importantes conséquences pour l'aviation et l'avion supersonique. Mais il apporta sa plus grande contribution à la science, en faisant revivre l'école philosophique que l'on appelle le positivisme scientifique. Il mit en évidence le rôle de la vitesse du son en aérodynamique. Il tenta de décrire la totalité de l'expérience par des sensations et des fonctions (lois) qui les relient. Il nia la dualité du psychique et du physique, et leur opposition. L'idéalisme subjectif de cette doctrine fut mis en question par Lénine dans Matérialisme et empiriocritisme, *paru en 1909. Il critiqua fortement les principes de la mécanique de Newton et influença de ce fait considérablement la pensée d'Albert Einstein.*

Mach naquit à Turas, en Tchécoslovaquie actuelle. Il devint professeur de mathématiques à l'Université de Graz en 1864.
Trois ans plus tard, il se rendit à Prague comme professeur de physique, et y restera vingt-huit ans. Son ouvrage le plus influent, intitulé: *Die Mechanik in ihrer Entwicklung* (La science de la mécanique; rapport critique et historique de son développement), fut publié en 1883. Il y exposait les arguments prouvant que les fondements de la mécanique n'avaient de valeur que s'ils étaient vérifiés par des expériences.
Le fait d'accepter des motifs fantaisistes ou dérivant de suppositions était, pour Mach, une preuve de décadence.
Il développa son argumentation dans un autre ouvrage *Analyse der Empfindungen* (Contributions à l'analyse des sensations), publié en 1886. Il y affirmait que les données obtenues par l'expérience, et à partir desquelles nous élaborons nos conceptions et nos théories, sont en réalité neutres.

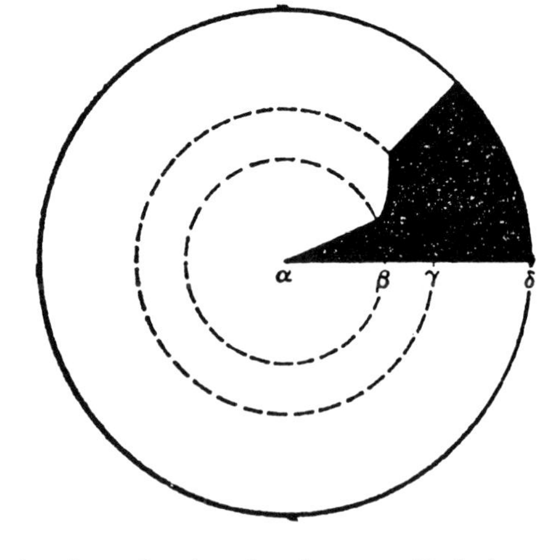

Ci-dessus, à droite: Lorsque Mach faisait tourner un disque blanc à rainure irrégulière, on voyait apparaître deux bandes de couleur. Il établit que l'apparition de ces ''bandes de Mach'' était provoquée par des impressions neurologiques chez le spectateur et non par des phénomènes physiques, parce qu'elles ne pouvaient pas être observées avec des instruments photométriques. Elles étaient donc subjectives au lieu d'être objectives.

Ci-dessous: Photos de Mach des ondes de choc. A gauche, un morceau de carton; à droite, une balle.

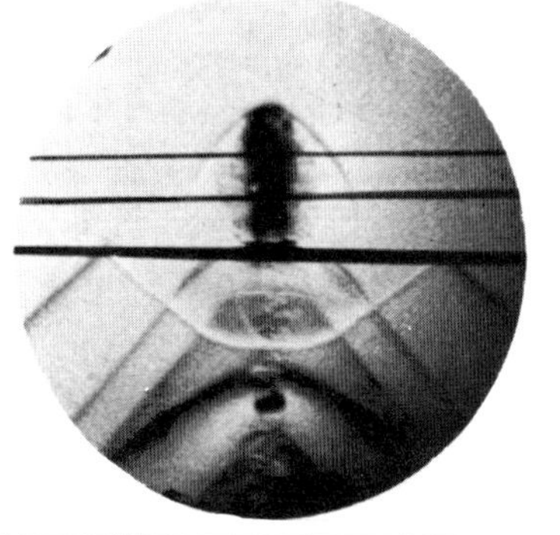

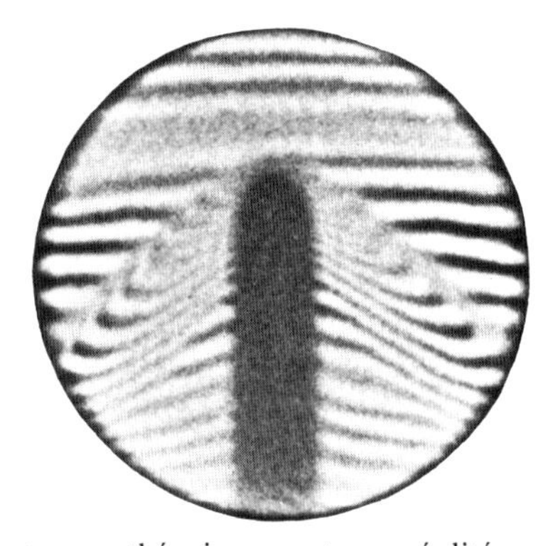

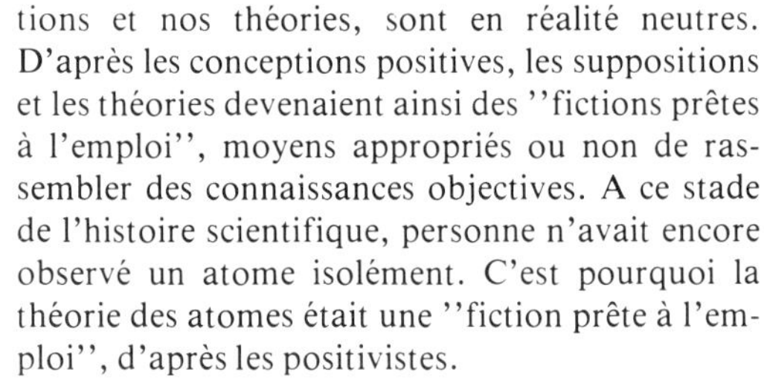

D'après les conceptions positives, les suppositions et les théories devenaient ainsi des ''fictions prêtes à l'emploi'', moyens appropriés ou non de rassembler des connaissances objectives. A ce stade de l'histoire scientifique, personne n'avait encore observé un atome isolément. C'est pourquoi la théorie des atomes était une ''fiction prête à l'emploi'', d'après les positivistes.

Mach fut même un des antagonistes les plus convaincus de la théorie qui tenait compte de la structure atomique de la matière. D'après lui, il fallait nier l'existence de la structure des atomes, jusqu'à ce que l'expérience fournît la preuve de leur existence effective. Pour les mêmes raisons, il rejeta les fondements de la physique tels qu'ils furent établis par Newton, qui affirmait que le temps et l'espace ne changeaient pas.
Le fait que Mach avait sur l'espace et le temps une conception différente de celle de Newton, influença positivement la pensée du jeune savant Albert Einstein, qui élaborait à cette époque la théorie de la relativité. La réputation scientifique de Mach et sa position critique à l'égard de toutes les théories firent de lui une figure importante

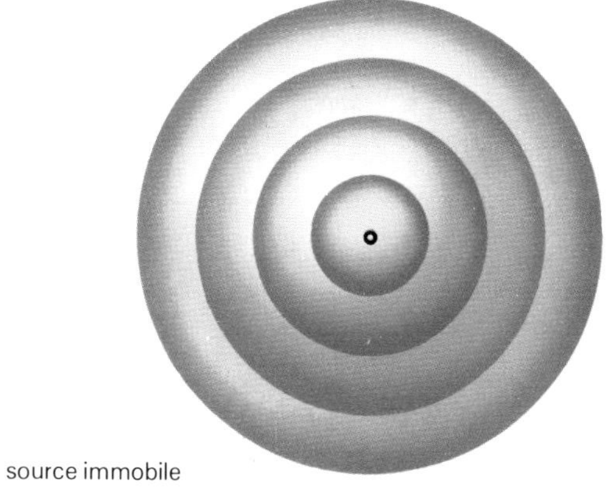

source immobile

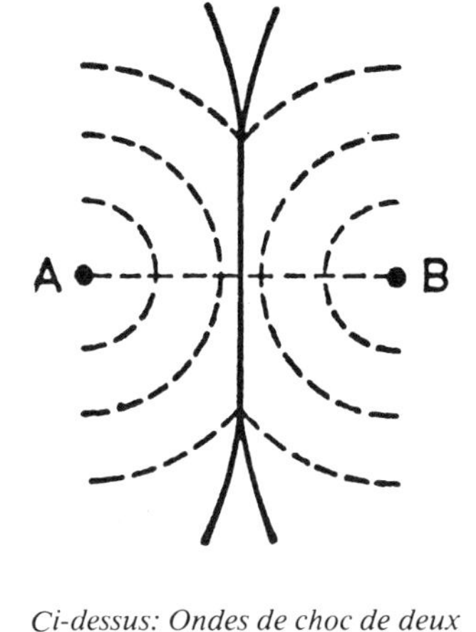

dans le développement de la pensée scientifique moderne. Les futurs progrès de la physique et la philosophie moderne lui doivent beaucoup.
L'expression ''nombre de Mach'' fut adoptée en reconnaissance pour le travail de pionnier qu'il accomplit avec l'étude de la réaction des objets dans des tunnels aérodynamiques. Il calcula la relation entre la vitesse du son et la vitesse d'un corps dans l'air statique.
Le nombre de Mach est utilisé dans l'aviation moderne pour indiquer la vitesse d'un mobile (avion ou projectile) par rapport à la vitesse du son dans l'atmosphère où le mobile se déplace. Mach 1 est la vitesse à laquelle le son se propage à une altitude et à une température données. Toute vitesse supérieure est dite supersonique. Mach 2 donne la vitesse correspondant à deux fois la vitesse du son, etc. Le typique ''bang'' est une onomatopée servant à désigner le bruit violent d'un avion qui franchit la vitesse du son.

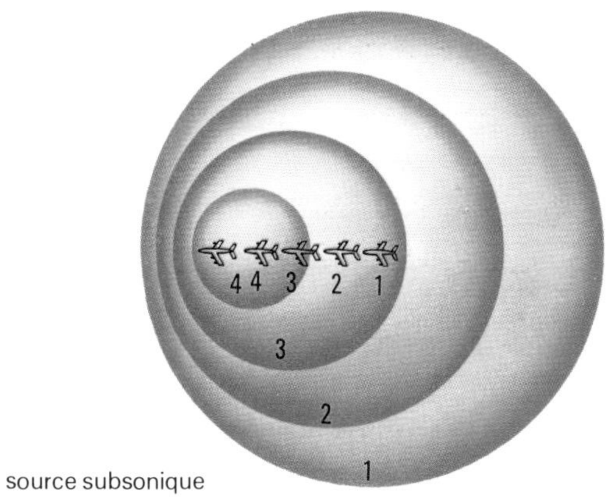

source subsonique

Ci-dessus: Ondes de choc de deux étincelles électriques (A, B), ayant explosé simultanément.

A gauche: Une source immobile émet des ondes sonores formant des cercles concentriques. La source subsonique émet des sphères successives qui se déplacent autour de la source du mouvement. Le dessin montre un avion qui, volant à une vitesse Mach 0,8, ne pourra donc jamais rattraper une de ses surfaces sphériques. Au contraire, la source supersonique dépasse toutes ses sphères.

A droite: Une photo montage d'ondes produites par un avion.

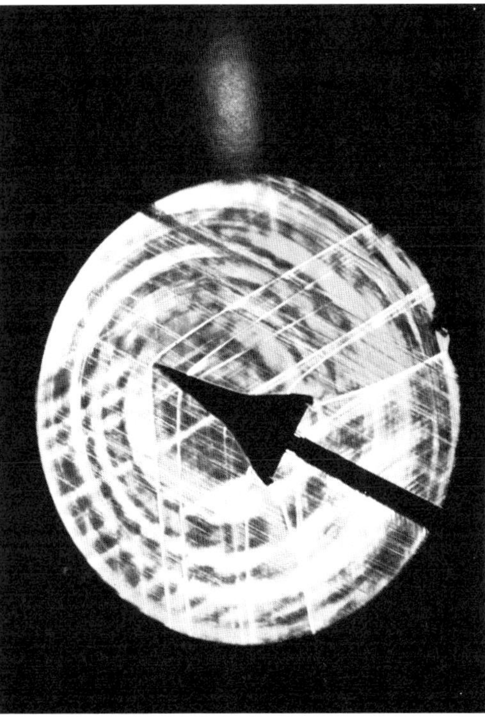

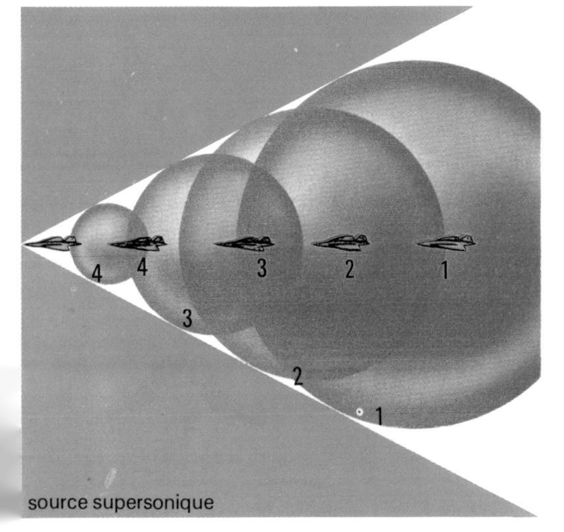

source supersonique

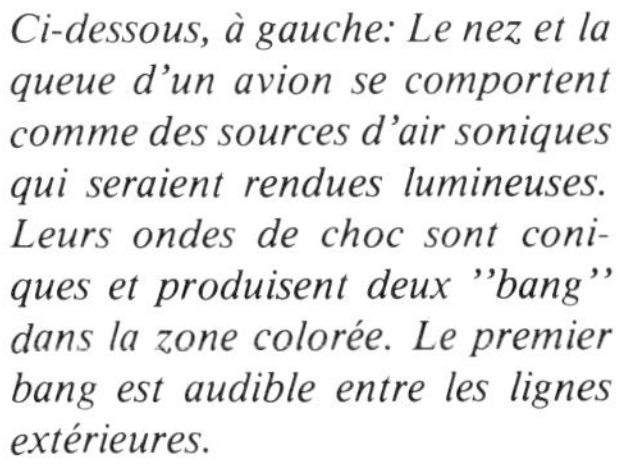

Ci-dessous, à gauche: Le nez et la queue d'un avion se comportent comme des sources d'air soniques qui seraient rendues lumineuses. Leurs ondes de choc sont coniques et produisent deux ''bang'' dans la zone colorée. Le premier bang est audible entre les lignes extérieures.

Ci-dessous, à droite: Epreuve aérodynamique d'un avion dans un tunnel aérodynamique.

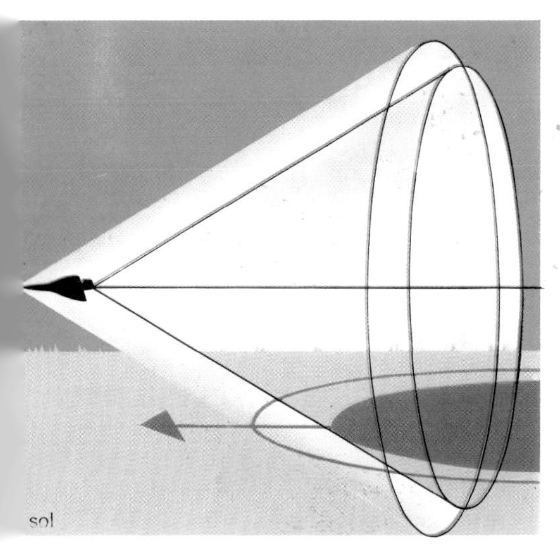

sol

Ferdinand Comte von Zeppelin

1838-1917

Le dirigeable à fuselage métallique fut en grande partie le fils spirituel du comte von Zeppelin, ancien officier de l'armée allemande, originaire de Constance.
Son invention fit du dirigeable un moyen de transport pratique, permettant d'emporter des passagers sur de longues distances.

Le principe selon lequel certains gaz sont plus légers que l'air permit aux frères Montgolfier et à J.A.C. Charles dans les années quatre-vingt du XVIIIe siècle d'accroître la construction des ballons; plus tard, on chercha pendant longtemps une forme permettant de diriger un ballon. Un des projets les plus hardis fut conçu par un ingénieur français, le général Jean-Baptiste-Marie Meusnier.
Ce projet présentait déjà les caractéristiques principales d'un ballon dirigeable: la forme ellipsoïdale, la nacelle suspendue dessous par de simples suspentes et un gouvernail aérien.
La seule chose qui manquait était un moteur pour le propulser.
En 1850, un horloger français fit une démonstration à Paris avec un modèle de ballon dirigeable propulsé par plusieurs hélices, mues par un mouvement d'horlogerie. Mais le premier aérostat à commande qui fut construit et qui monta réellement dans le ciel fut celui de l'ingénieur français Henri Giffard. Pour régulariser le mouvement de l'hélice, il équilibra les pièces motrices et adopta une machine à vapeur légère fonctionnant au charbon. Ce dirigeable décolla le 25 septembre 1852 à Paris et fit un voyage de 27 kilomètres à l'extérieur de Paris. Il atterrit sans difficulté à Trappes.
Cependant le dirigeable de Giffard nc pouvait naviguer que par temps très calme. Il semblait nécessaire d'inventer un moteur plus puissant et plus léger qu'une machine à vapeur, qui permettrait de faire des progrès.
Peu après 1880, Gottlieb Daimler inventa le moteur à essence à quatre temps, ce qui permit d'effectuer de nombreuses expériences pratiques sur différents types de dirigeables. L'ingénieur en aéronautique, Alberto Santos-Dumont, de nationalité brésilienne, donna la préférence à un dirigeable construit sans fuselage métallique. Il construisit un dirigeable relativement petit et obtint un franc succès. En octobre 1901, il gagna un prix de 100 000 F avec sa machine n° 6, car il fut le premier aviateur à décoller du terrain du Club français d'aviation à Saint-Cloud. Il vola vers la tour Eiffel, en fit le tour et revint à Saint-Cloud en trente minutes.
Cependant, l'avenir était aux grands dirigeables à

Ci-dessous: Caricature française de 1908, en réaction contre le développement de la force aérienne allemande. Elle disait: "Guillaume II sur son nouveau cheval de bataille ..., notre avenir est en l'air!" (Gare à toi la lune !).

fuselage métallique. En effet, on disposait à cette époque de plus grandes quantités d'aluminium qu'auparavant pour la construction de ce fuselage, ce qui étendit ses possibilités. Le fuselage était recouvert d'un tissu léger.
Le gaz était logé dans des cellules isolées ou des compartiments séparés.
Ces compartiments étaient en matière caoutchouteuse et gonflés à l'intérieur du fuselage. Zeppelin s'était rendu aux Etats-Unis au moment de la guerre civile et avait remarqué qu'on y utilisait des ballons pour la reconnaissance des territoires ennemis. En 1898, il sollicita un brevet pour son premier projet de dirigeable. Au cours des deux années qui suivirent, il construisit le premier dirigeable Zeppelin dans un hangar flottant sur le lac de Constance. Son nom devint rapidement un synonyme de ce type de dirigeable. Le premier vol,

A gauche: Le Deutschland, *un des premiers zeppelins.*

Ci-dessous, à gauche: ''Lieutenant Warneford's Great Exploit'' (Le grand exploit du lieutenant Warneford), une peinture de 1915 du premier zeppelin abattu par les avions des Alliés. Il fallut six bombes pour enflammer ce dirigeable, qui s'écrasa en Belgique.

A droite, au milieu: Le Graf Zeppelin.
Ci-dessous, à droite: Un ''blimp'' (petit dirigeable) publicitaire pour Goodyear.

le 2 juillet 1900, fut un événement historique. Mais il fallait encore surmonter de très nombreuses difficultés.
La Première Guerre mondiale accéléra le progrès des zeppelins. On en construisit une centaine. La plupart d'entre eux servirent à bombarder l'est de l'Angleterre, et certains atteignirent Londres. Ils causèrent de nombreux dégâts, mais on déplora relativement peu de victimes. Après quelque temps, ils semblèrent trop vulnérables, en raison de la progression extrêmement rapide de la défense antiaérienne.
L'inventeur Zeppelin était déjà décédé, au moment de la signature de la paix.
Il ne participa donc plus à la construction de nombreux dirigeables et à leur utilisation sur les services réguliers de passagers, après 1918.

Le *Graf Zeppelin* fut le plus célèbre des grands dirigeables pour passagers entre 1918 et 1938. Il assura 144 traversées au-dessus de l'Atlantique et parcourut près de deux millions de kilomètres. Il n'y eut aucun accident durant cette période, comme ce fut malheureusement le cas avec d'autres appareils. Au cours de ces mêmes années, douze dirigeables disparurent ou coulèrent en mer. La catastrophe la plus impressionnante fut celle du *Hindenburg,* le plus grand dirigeable jamais construit.
Il avait 240 mètres de longueur et pouvait transporter soixante-dix passagers et de grandes quantités de fret. Il brûla en mai 1937 après un an de service seulement. Trente-cinq personnes périrent dans cet accident.
Ce fut la fin de l'ère du dirigeable.

John Boyd Dunlop
1840-1921

Le vétérinaire John Boyd Dunlop, né en Ecosse, fut l'inventeur de la chambre à air en caoutchouc. Cette invention eut de très grandes conséquences sur le plan social, car, après sa création, la bicyclette devint rapidement un excellent moyen de transport et de loisir, ainsi que les véhicules à moteur.

C'est en Amérique du Sud que les Européens firent pour la première fois connaissance avec l'utilisation du caoutchouc. Les conquérants espagnols avaient découvert que les Indiens du bassin de l'Amazone faisaient des entailles dans le tronc d'un certain arbre particulier. Le latex qui en coulait servait à différentes fins. Les Indiens le pétrissaient en petites boules qui rebondissaient, ou en enduisaient leurs vêtements. Le latex était également travaillé pour la confection des chaussures. Le nom savant de l'arbre était *Hevea brasiliensis,* ou arbre à caoutchouc. En Europe, on découvrit tres rapidement d'autres modes d'utilisation de ce latex ou caoutchouc.
L'usage de cette matière se répandit de plus en plus.
Cependant, le caoutchouc était un produit capricieux. Dans les régions plus froides, il avait tendance à durcir et à s'effriter. Au contraire, quand il faisait chaud, il devenait doux et collant. Charles Goodyear, de New Haven dans le Connecticut, s'intéressa à cette matière. Il se mit au travail sans idée préconçue, car il n'avait bénéficié d'aucune formation scientifique, ce qui ne l'empêcha pas de poursuivre ses expériences avec acharnement. Ses essais avec l'acide nitrique ne donnèrent aucun résultat. Sa découverte fut le fait du hasard. En 1839, il travaillait dans son atelier derrière le magasin de son père. Par malchance, un mélange de soufre et de caoutchouc tomba sur un poêle très chaud. Il gratta en toute hâte le mélange collé au poêle. A son grand étonnement, le caoutchouc n'était plus collant. Il fit alors des essais avec le morceau de caoutchouc en l'exposant à la chaleur et au froid: il ne devint ni collant, ni dur, ni cassant.

Ci-dessus: Goodyear laisse tomber par mégarde un morceau de caoutchouc traité au soufre sur un poêle et découvre que la viscosité a disparu. Goodyear n'avait reçu aucune formation scientifique. La plupart de ses expériences furent faites au hasard et grâce à sa persévérance opiniâtre. Il était fermement convaincu que le caoutchouc constituerait la base de presque tous les produits. C'est pourquoi il fut à plusieurs reprises au bord de la ruine.

Le procédé d'adjonction de soufre au caoutchouc, adopté pendant le chauffage, fut appelé ''vulcanisation''. Ce terme est dérivé de Vulcain, le dieu romain du feu. Le produit fut appelé vulcanite ou ébonite. Il marqua le début de l'industrie moderne du caoutchouc. En 1844, Goodyear prit un brevet pour son invention.
Sa méthode est restée inchangée jusqu'à nos jours. Elle permet de fabriquer différentes espèces de caoutchouc, du plus solide et du plus raide au plus doux et plus élastique. L'invention de Goodyear fut rapidement utilisée pour monter des ''bandages'' sur les premières bicyclettes. Déjà, en 1845, Goodyear présenta une demande de bre-

vet pour un pneu gonflé à l'air pour permettre aux bicyclettes de rouler sur une sorte de ''coussin'' destiné à éviter les secousses sur les routes cahoteuses. Cependant, cette chambre à air ne fut jamais fabriquée par l'intéressé. Mais John Dunlop y parvint en 1887. Il fabriqua des chambres à air pour la bicyclette de son fils. Il les perfectionna et demanda un brevet. C'était un pneu solide extérieurement, qui contenait un pneu intérieur souple et gonflable, qu'on appela chambre à air et

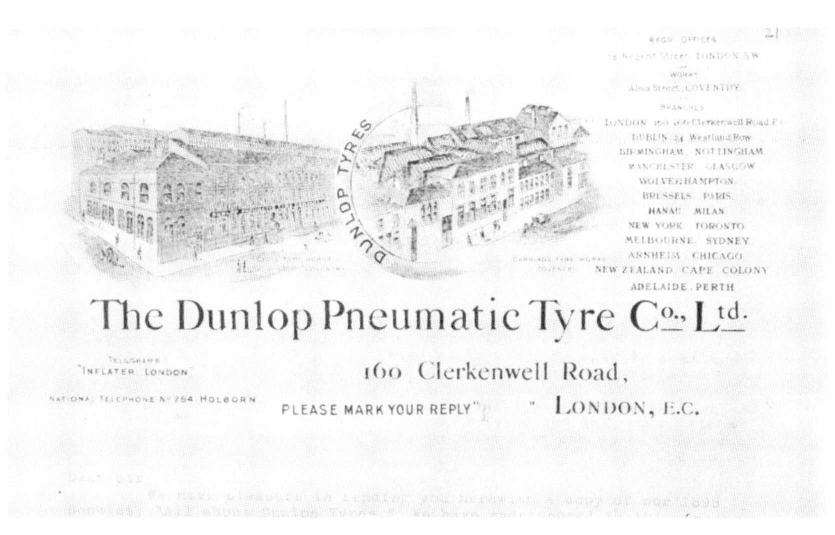
DUNLOP TYRES

WORKS
Alma Street, COVENTRY

BRANCHES
DUBLIN 24 Westland Row
BIRMINGHAM. NOTTINGHAM.
MANCHESTER. GLASGOW
WOLVERHAMPTON.
BRUSSELS. PARIS.
HANAU. MILAN.
NEW YORK. TORONTO.
MELBOURNE. SYDNEY.
ARNHEIM. CHICAGO.
NEW ZEALAND. CAPE COLONY
ADELAIDE. PERTH

The Dunlop Pneumatic Tyre Co., Ltd.

"INFLATER LONDON"

NATIONAL TELEPHONE No 754 HOLBORN

160 Clerkenwell Road,

PLEASE MARK YOUR REPLY"

LONDON, E.C.

Ci-dessus: Une publicité pour les pneus Dunlop en 1898. La chambre à air devint rapidement un accessoire courant de l'automobile.

A droite: Dunlop et sa bicyclette sur chambres à air.

qui rendit la bicyclette extrêmement populaire. Une nouvelle forme de bicyclette fut conçue avec des roues avant et arrière de même diamètre, comme dans le modèle devenu courant. Les frères Michelin, en France entrevirent peu de temps après la possibilité d'adapter ces chambres à air à l'automobile nouvellement inventée. Le pneu eut de nombreuses ''maladies d'enfance'', comme la crevaison fréquente, par exemple. Mais on inventa très rapidement la roue de secours. Le nombre d'automobiles s'accrut, grâce à l'utilisation des chambres à air. Il était donc très urgent d'aménager un nouveau réseau routier avec un meilleur revêtement. Les progrès dans le domaine de l'automobile sont dus dans une très large mesure à l'invention de Dunlop. La *Dunlop Rubber Company* devint une des usines de caoutchouc les plus célèbres au monde.

A gauche: Pose d'un pneu sur la jante d'une roue de motocyclette, en 1910.

Robert Koch

1843-1910

Le médecin allemand Robert Koch fut le premier à déclarer que les maladies infectieuses n'étaient pas provoquées par des forces invisibles, mais par des parasites extrêmement petits, les bactéries. Koch apporta une très large contribution au développement de la bactériologie. Grâce aux méthodes très précises qu'il élabora au cours de ses expériences, il réussit à détecter un certain nombre des maladies les plus dévastatrices.

Koch naquit à Klaustahl (région de Hanovre), dans une famille de onze enfants. Son père était contremaître dans une mine. Il communiqua au jeune Robert sa passion des voyages, qui le poursuivra toute sa vie. Sa mère lui apprit à aimer et à respecter la nature.

Koch étudia la médecine à l'Université de Göttingen. A cette époque, la faculté de médecine n'enseignait pas encore la bactériologie, malgré le vif intérêt qu'avaient suscité les découvertes de Pasteur.

Après avoir obtenu son diplôme, il ouvrit un cabinet qui fut vite célèbre, puis devint chirurgien à Wollstein, où il acheta un équipement de petit laboratoire.

Il commença alors des recherches, qui devaient transformer totalement les sciences médicales. Koch fut attiré par le ''charbon'' (fièvre charbonneuse). Cette maladie faisait chaque année de nombreuses victimes parmi les moutons et le reste du bétail.

Peu de temps auparavant, on avait déjà démontré que cette fièvre était vraisemblablement causée par la présence d'organismes microscopiques en forme de bâtonnets. Mais il subsistait toujours un mystère sur les raisons pour lesquelles cette maladie n'apparaissait qu'à certains moments de l'année et se déclarait subitement.

Koch cultiva ces organismes et les étudia au microscope. Il découvrit que les bacilles de la fièvre charbonneuse laissaient des traces qui pouvaient rester en vie durant de nombreuses années dans les prairies inoccupées et pouvaient contaminer du bétail en train de paître. Il infecta des souris avec le sang des moutons atteints de la fièvre charbonneuse et avec une sécrétion de la bactérie qu'il avait cultivée. Il transféra l'infection plu-

A droite: Le laboratoire de Robert Koch à l'Institut des Maladies infectieuses de Berlin.

Ci-dessous, à droite: Si ces moutons paissent sur un sol contaminé par les bacilles de la fièvre charbonneuse, il mourront en quelques jours. Le bacille se reproduit très rapidement dans le sang des moutons contaminés et forme des traces. Lorsqu'un cadavre contaminé est enterré, ces traces peuvent rester en vie durant des années et contaminer encore d'autres bêtes. C'est pourquoi la manière la plus sûre de les éliminer consiste à brûler les cadavres.

sieurs fois d'une souris à l'autre et put prouver ainsi que les organismes en forme de bâtonnets étaient chaque fois présents dans le sang des souris contaminées.
En 1876, il publia ses résultats, qui furent connus sous le nom de ''Thèses de Koch''.
Il établit aussi la relation entre les éruptions de fièvre charbonneuse et l'évolution de la bactéridie charbonneuse. Le monde médical fut fort impressionné.

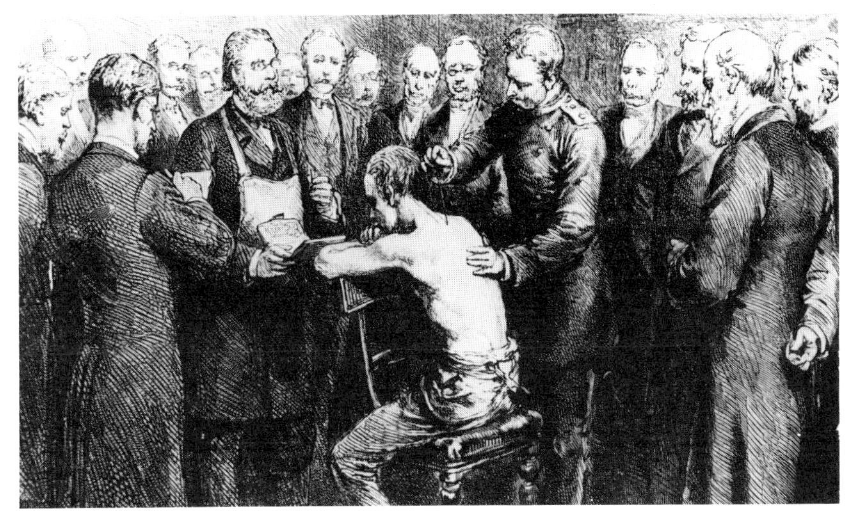

Ci-dessus: Koch contrôle les vaccinations contre la tuberculose. Il découvrit en 1882 le bacille de la tuberculose. On lui décerna le Prix Nobel de médecine en 1905, pour les travaux qu'il effectua dans ce domaine bien particulier.

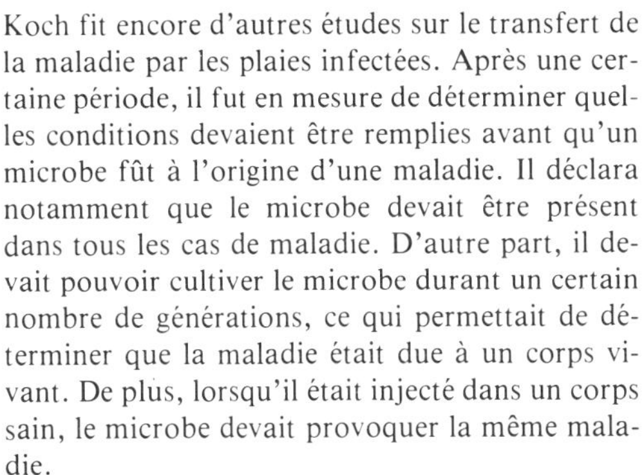

Koch fit encore d'autres études sur le transfert de la maladie par les plaies infectées. Après une certaine période, il fut en mesure de déterminer quelles conditions devaient être remplies avant qu'un microbe fût à l'origine d'une maladie. Il déclara notamment que le microbe devait être présent dans tous les cas de maladie. D'autre part, il devait pouvoir cultiver le microbe durant un certain nombre de générations, ce qui permettait de déterminer que la maladie était due à un corps vivant. De plus, lorsqu'il était injecté dans un corps sain, le microbe devait provoquer la même maladie.
Koch fut très célèbre. Il occupa très rapidement un poste à l'Office allemand de santé. Il installa un laboratoire à Berlin, où il se faisait assister par son épouse et ses filles. Il fut le pionnier de nombreuses techniques microbiologiques, qui comportaient notamment des méthodes pour la stérilisation des instruments par la vapeur, ainsi que des méthodes de culture microbienne. Il découvrit également le bacille de la tuberculose, appelé depuis bacille de Koch.
Les découvertes de Koch se répandirent à l'étranger. Il fut invité par les gouvernements de nombreux pays pour les aider à combattre les épidémies qui régnaient. Et il put ainsi réaliser son grand rêve: voyager. En Egypte, il découvrit la cause de la dysenterie, provoquée par les amibes.
Et il réussit à déterminer l'origine bactérienne du choléra en Inde, ainsi que la transmission et les sources de la maladie.

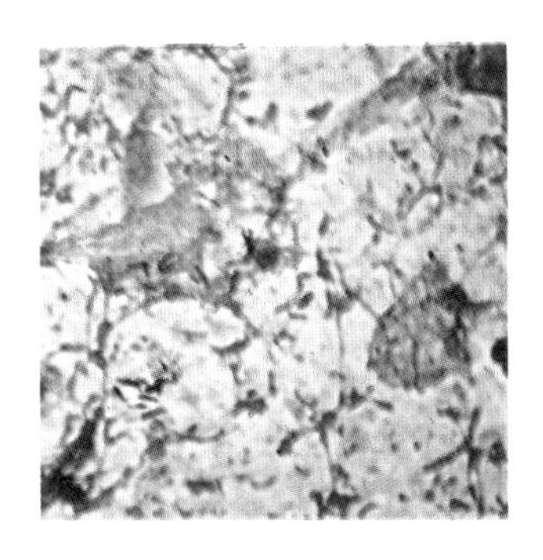

Ci-dessus: Microphoto du bacille de la tuberculose.

A droite: Koch lors d'une expédition médicale en Afrique en 1907. Il dissèque un crocodile, dont le sang contient l'antipoison contre la maladie du sommeil.

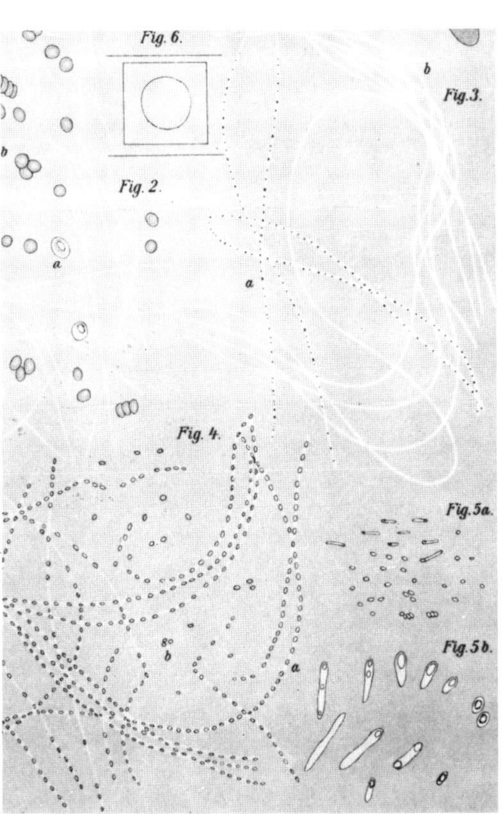

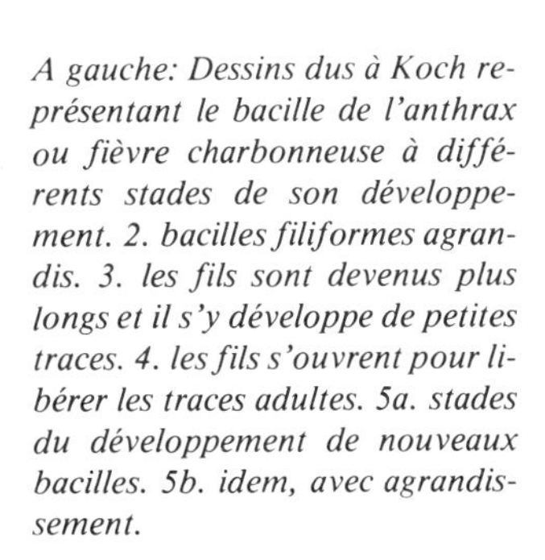

A gauche: Dessins dus à Koch représentant le bacille de l'anthrax ou fièvre charbonneuse à différents stades de son développement. 2. bacilles filiformes agrandis. 3. les fils sont devenus plus longs et il s'y développe de petites traces. 4. les fils s'ouvrent pour libérer les traces adultes. 5a. stades du développement de nouveaux bacilles. 5b. idem, avec agrandissement.

Carl Benz
1844-1929

Le mécanicien allemand Carl Benz construisit la première automobile, véhicule à trois roues, qui fit son premier trajet, couronné de succès, en 1885.

Benz naquit à Karlsruhe. Il était le fils d'un des premiers mécaniciens d'Allemagne.
Il étudia à l'Ecole polytechnique de sa ville natale et travailla ensuite comme auteur de projets techniques. Il était poursuivi par l'idée que l'avenir serait aux véhicules automobiles et au moteur à combustion.

A droite: Le premier véhicule à trois roues, construit par Benz en 1885.

Ci-dessous: Benz sur le premier véhicule à quatre roues.

En 1883, il commença à fabriquer dans son usine de Mannheim des moteurs à gaz à deux temps, qu'il concevait lui-même. Avec beaucoup de conviction, il étudia une méthode permettant à sa machine de faire mouvoir un véhicule et de se convertir en un moteur à essence. Il tint bon, en dépit des violentes critiques d'autres hommes et en dépit du fait que son acharnement au travail l'avait mené au bord de la faillite. Le véhicule qu'il construisit finalement était équipé d'un châssis en

fer à cheval, fixé sur deux grandes roues actionnées par des chaînes.
La partie avant était munie d'une petite roue directrice.
Au début de l'année 1885, il fit sortir son véhicule pour la première fois. La voiture démarra sur le chemin couvert d'escarbilles qui contournait l'usine. Applaudi par sa femme et un groupes d'ouvriers, Benz fit quatre tours complets. Mais une des chaînes cassa, et la voiture s'arrêta. Dans le grand duché de Baden, dans lequel se trouvait Mannheim, il y avait une prescription qui interdisait aux ''véhicules, propulsés par une énergie artificielle'' de circuler sur les routes. Benz dut convaincre les autorités de lui accorder l'autorisation d'aller sur la route avec son invention.
Lorsqu'il obtint finalement cette autorisation, il fit sensation en parcourant la ville à une vitesse de 15 km/h.
A cette époque, il n'était pas au courant des expériences de Gottlieb Daimler à Bad Cannstatt, qui, lui non plus, n'était pas informé des travaux de Benz, jusqu'à ce qu'il vît une voiture Benz à Paris en 1885.
Durant les années qui suivirent, les deux hommes rivalisèrent entre eux pour savoir qui était l'inven-

teur de l'automobile. Cependant, les deux entreprises fusionnèrent en 1926 et produisirent des autos Mercedes-Benz.
En fait, Daimler était parti d'une sorte de véhicule motorisé tandis que Benz avait conçu un véhicule entièrement nouveau. D'autre part, ce fut le moteur de Daimler qui permit l'utilisation pratique de l'automobile. En général, on prétend que les deux hommes avaient en fait raison pour ce qui les concernait chacun. La première automobile Benz fut vendue à Paris en 1887. L'année suivante, l'usine de Benz comptait plus de cinquante personnes, qui travaillèrent à la construction d'un tricycle. Le premier modèle à quatre roues fut construit en 1893.
Dans les années quatre-vingts et quatre-vingt-dix du siècle précédent, une grande partie des grands noms de l'histoire de l'automobile était déjà connue de toute l'Europe. En 1879, une demande de brevet pour une automobile avait déjà été introduite aux Etats-Unis. Mais la réponse ne fut pas favorable parce que l'intéressé, l'avocat et inventeur George Baldwin Seddon, n'avait encore jamais construit de voiture. La première voiture marchant à l'essence construite en Amérique fut sans doute celle des frères Charles Edgar et James Frank Duryea. En 1893, ils pourcoururent les rues de Springfield, dans le Massachusetts, avec leur modèle.

Ci-dessus: Le premier véhicule à quatre roues de Benz, construit en 1893.

Ci-dessous, à droite: Première page de la publication française "La Locomotion automobile" de 1896. De gauche à droite, un tricycle à propulsion électrique, une automobile à quatre roues avec moteur à essence et un véhicule à quatre roues avec une cheminée, pour le transport des passagers.

Le Numéro : 50 centimes — 31 Décembre 1896

LA LOCOMOTION Automobile

REVUE des VOITURES et VÉHICULES MÉCANIQUES, publiée sous le Haut Patronage du TOURING-CLUB de FRANCE

Paraissant TOUS LES HUIT JOURS

L. BEGUIN

Emmanuel AIMÉ — Raoul VUILLEMOT

Abonnements : France, Un An : 15 fr.; Étranger : 20 fr.
ADMINISTRATION & RÉDACTION
PARIS — PLACE DE LA MADELEINE, RUE CHAUVEAU-LAGARDE, 4

Ci-dessous: Une auto à quatre roues avec une femme au volant.

Wilhelm Röntgen

1845-1923

La découverte des rayons X par le physicien allemand Wilhelm Röntgen entraîna une véritable révolution dans le domaine du traitement médical et de l'établissement du diagnostic. Les rayons qui portent son nom devinrent également un instrument important dans de nombreuses disciplines de la science et de l'industrie.
Cette découverte lui a valu le premier Prix Nobel de physique en 1901.

Röntgen naquit à Lennep, en Allemagne. Sa seule ambition était de devenir un homme de science. Il pensait que l'application de la science dans la vie quotidienne serait un bienfait pour tous les peuples, et restait convaincu que les résultats des découvertes scientifiques devaient servir à l'humanité tout entière.
L'instruction de Röntgen fut interrompue, car il fut renvoyé de l'école. Il lui était par conséquent impossible d'être admis à l'Université. C'est pourquoi il alla étudier à l'Ecole polytechnique de Zürich, où il obtint un diplôme de mécanique. Il eut d'abord l'intention de devenir ingénieur, mais il abandonna bien vite ce projet, lorsque le célèbre physicien allemand August Kundt lui demanda de devenir son assistant. Röntgen, entré en contact avec de nombreuses branches de la physique, décida que son avenir était dans les sciences exactes et non dans les sciences appliquées. Après quelque temps, il obtint un poste à l'Université de Würzburg en Bavière, où, en 1895, il devint doyen de la faculté de physique.

C'est alors qu'il fit sa remarquable découverte. Il était en train d'examiner les propriétés des rayons cathodiques, produits par l'électrode négative d'un tube de décharge, en cas de haute tension entre les deux électrodes. Röntgen était particulièrement intéressé par la vague lueur que provoquaient ces rayons dans certaines substances chimiques. Pour permettre une meilleure observation de cette lueur, il assombrit son laboratoire et entoura le tube aux rayons cathodiques d'un carton noir. Lorsqu'il alluma le tube, il découvrit, à son grand étonnement, qu'un certain nombre de traces d'une substance chimique, appelée platino-cyanure de baryum commençait à rougir de l'autre côté de la pièce. On savait que cette matière passait au rouge lorsqu'elle était exposée à des rayons cathodiques. Mais, d'après Röntgen, ces rayons ne pouvaient pas traverser l'enveloppe en carton.
Il fit d'autres essais et découvrit que, même s'il amenait le platino-cyanure de baryum dans le laboratoire contigu, il continuait à rougir lorsque le tube était allumé.
Röntgen comprit que, en plus des rayons cathodi-

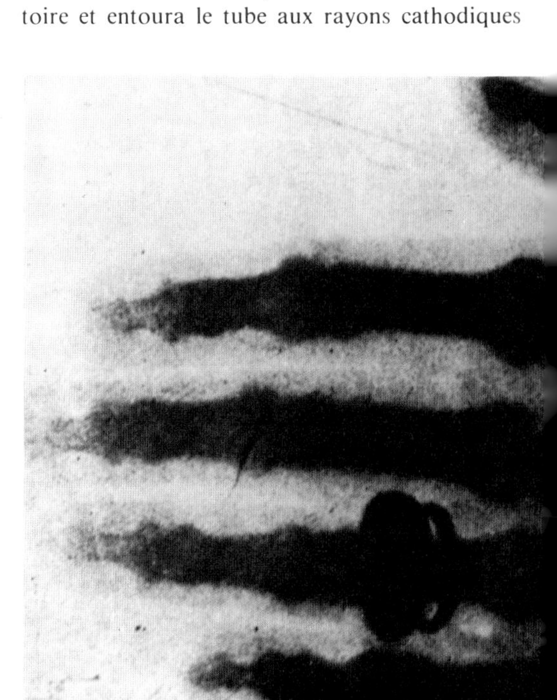

A droite: Une des toutes premières radiographies de la main de la femme de Röntgen. Les rayons traversent la peau, mais ils sont retenus par les os et les anneaux métalliques. Les radiogrammes de Röntgen furent les précurseurs d'une des applications les plus importantes des rayons X: la recherche médicale. En quelques mois, on utilisa les rayons X en dentisterie pour vérifier l'état intérieur des dents. On les utilisa aussi pour détecter la présence d'objets dans le corps - par exemple des balles. En faisant absorber au patient un liquide impénétrable aux rayons X, il devint possible de faire des radiographies de l'estomac et des intestins. Les radiographies permirent également de détecter la présence de tumeurs.

Ci-dessous: Les rayons X attisèrent l'imagination du public. Carte postale allemande de la fin du XIXe siècle, représentant une plage et les baigneurs sous forme de squelettes. On attribua aux rayons X de nombreuses forces magiques, telles que la possibilité de transformer des métaux non précieux en or, ou de représenter les dessins d'un manuel dans le cerveau d'un étudiant, pour l'aider à mieux étudier.

ques émis par le tube de décharge, il y avait encore une autre forme de radiation, dont la première caractéristique semblait être une très grande possibilité de pénétration. Cependant, ces rayons restaient invisibles.
En faisant des essais, il conclut que les rayons mystérieux pouvaient pénétrer à travers le carton épais et même à travers de fines plaques métalliques. Il les appela rayons X, parce qu'il ne pouvait pas en détecter l'origine.

Ci-dessus: Orthoradiogramme de Röntgen de 1903, permettant d'utiliser des rayons X parallèles.

A droite: Premier appareil radiographique de Röntgen.

On les appelle aussi rayons de Röntgen. Röntgen découvrit que les rayons avaient le pouvoir de présenter une sorte de reproduction photographique prodigieuse. Cette caractéristique fut le point de départ de sa première conférence publique sur les rayons X. Cet événement se passait en 1896. Après qu'il eut écrit ses expériences, il demanda un volontaire et, devant un public stupéfait, il fit une ''radiographie'' de la main de l'homme.
Lorsqu'elle fut développée, elle présentait une image parfaite des os de la main. Les rayons X qui avaient pénétré la chair tendre de la main, étaient absorbés par la masse plus compacte des os, de sorte qu'on pouvait en obtenir une représentation photographique.
En peu de temps, on s'aperçut que ces rayons X n'avaient pas seulement un intérêt pour la médecine. Des savants étudièrent le comportement des rayons, ce qui les mena à la découverte de la radioactivité.
Les travaux de Röntgen ne contribuèrent donc pas uniquement à la création d'une nouvelle technique médicale importante, mais ses efforts contribuèrent également à dévoiler les mystères de l'atome et du noyau atomique. Le ''röntgen'' est l'unité de dose radioactive.

Ci-dessus: Un soldat allemand est examiné aux rayons X pendant la Seconde Guerre mondiale.

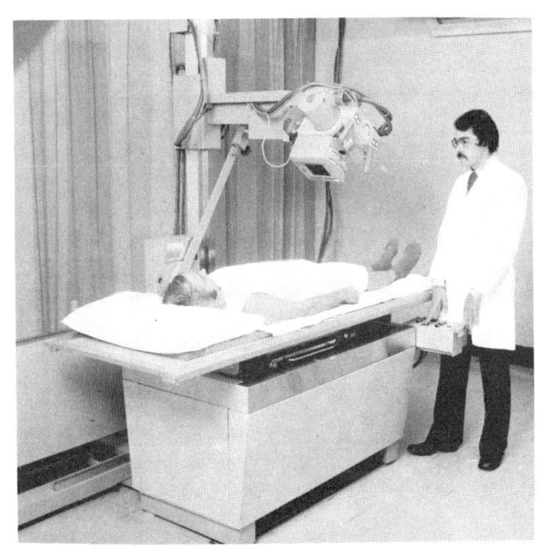

A droite: Tomographie, procédé radiographique dans lequel l'appareil est conçu de telle sorte que le radiologue peut prendre des clichés du patient sur un seul plan du volume observé, avec effacement des autres plans.

Alexander Graham Bell

1847-1922

Alexander Graham Bell fut un inventeur comblé, qui réalisa un nombre impressionnant d'inventions tout au long de sa vie. Il est surtout célèbre pour la conception et le perfectionnement du téléphone. C'est sûrement l'appareil le plus révolutionnaire dans le domaine de la communication.

Alexander Bell (on ne lui donna le nom de Graham que plus tard) naquit à Edimbourg. Son père, Alexander Melville Bell, était l'auteur des ouvrages *Standard Elocutionist* (Manuel pour conférenciers) et *Visible Speech* (Le discours visible). Ce dernier ouvrage était une méthode pour apprendre aux sourds à parler. Le jeune Alexander et ses deux frères furent élevés dans l'esprit traditionnel de la famille. Mais ses frères moururent très jeunes de la tuberculose. Alexander père décida d'émigrer en Amérique du Nord en 1870. La famille s'installa dans la région de Brantford, dans l'Ontario. Le jeune Alexander semblait avoir un don remarquable pour apprendre aux sourds à parler, en se servant de la méthode de son père. A l'âge de vingt-cinq ans, il ouvrit sa propre école à Boston, dans le Massachusetts. Il apprit à des enseignants à travailler avec des enfants sourds, et un an plus tard, il fut nommé professeur de la physiologie du langage à l'Université de Boston.

Il semblait aller de soi que l'intérêt de Bell pour le langage et la communication l'amènerait à trouver une méthode pour transmettre la voix humaine sur de grandes distances.

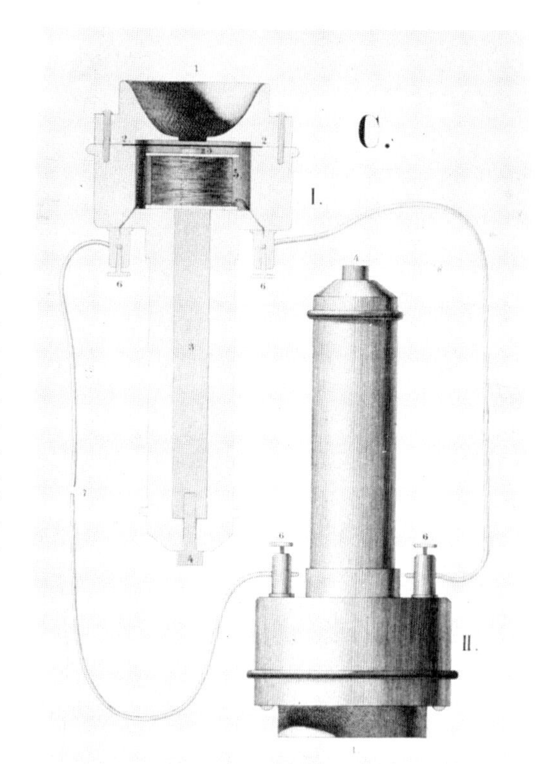

A droite: Réalisation commerciale du téléphone de Bell. En 1877, il remplaça la membrane en parchemin de l'écouteur et du microphone par une plaque métallique. Son assistant Thomas Watson apporta une autre amélioration lorsqu'il découvrit qu'on recevait beaucoup mieux les vibrations de la plaque avec un aimant permanent qu'avec le système électromagnétique. Cet ensemble fut enfermé dans un tuyau en caoutchouc dur et donna ainsi la forme à l'écouteur, ancêtre des modèles plus récents.

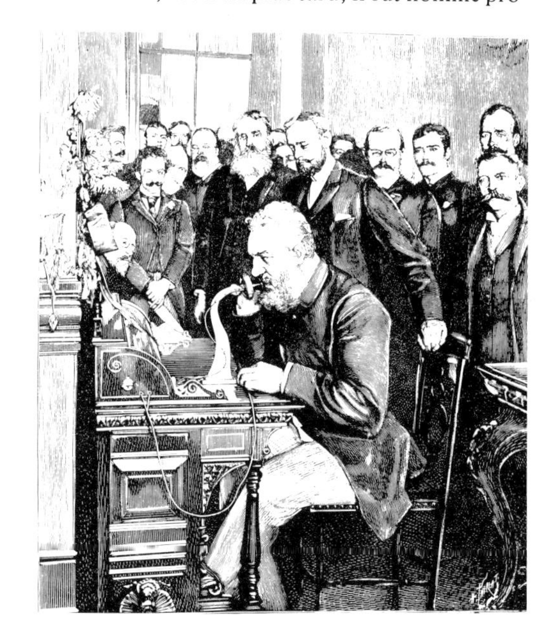

Ci-dessous, à gauche: Bell inspectant la liaison téléphonique New York-Chicago en 1892.

Ci-dessus: Essai d'un téléphone Bell. L'écouteur et le microphone étaient de construction à peu près identique.

Il n'était pas le seul à effectuer des recherches dans ce domaine. Un des premiers fut l'inventeur allemand Philipp Reis, qui construisit un émetteur et un récepteur.

Il y avait également Elisha Gray, dont les travaux évoluèrent parallèlement à ceux de Bell. Les appareils techniques présentaient de telles analogies qu'il y eut des divergences de vues pour le droit au brevet. Bell et Gray eurent tous deux l'idée de concevoir un téléphone, car ils tentaient simultanément d'envoyer des messages sur la même ligne télégraphique. Mais les systèmes qu'ils élaborèrent ne semblaient pas fonctionner dans la pratique. Cependant, on découvrit qu'il était possible d'émettre plus de hauteurs de sons sur un fil télégraphique, ce qui semblait indiquer que l'on

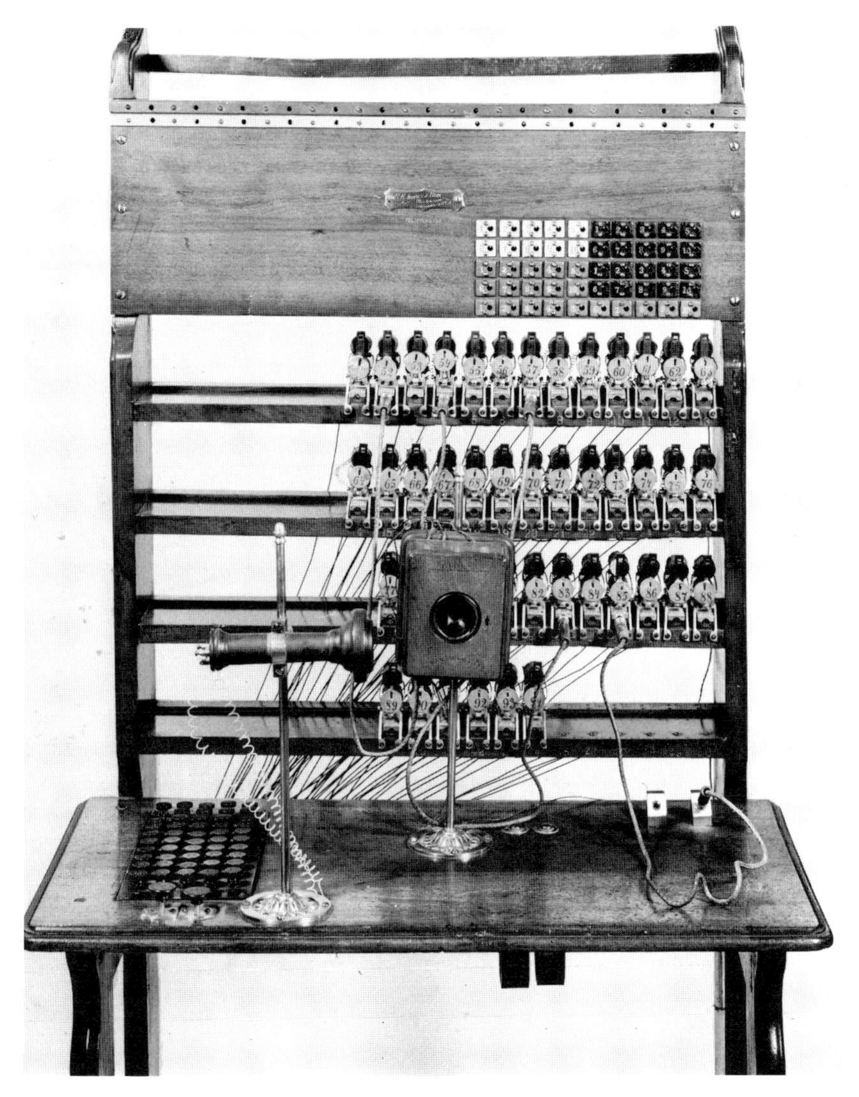

7 mars 1876. Et trois jours plus tard, Bell était en mesure d'envoyer le premier message téléphonique à son assistant. Il dit deux courtes phrases: 'Watson, viens immédiatement. J'ai besoin de toi'. Il avait répandu de l'acide d'une batterie sur son pantalon!
Le 14 février 1876, Elisha Gray avait également déposé son invention auprès du bureau des brevets. Par un aspect de son projet, Gray avait franchi une étape de plus que Bell, car il utilisait une membrane métallique, qui semblait donner de meilleurs résultats. Cependant, Bell était davantage conscient des possibilités qu'offrait un système téléphonique efficace et de sa valeur commerciale. Après quelques mois de travail, Bell et Watson avaient tellement progressé qu'ils décidèrent d'exploiter leur invention. Entre-temps, ils avaient remplacé la membrane initiale par une membrane en fer. Seul l'émetteur créait encore quelques difficultés, qui furent finalement supprimées par l'application du microphone à carbone inventé par Thomas Alva Edison.
Bell fut obligé de défendre ses brevets. Il s'en prit même à la puissante *Western Union Telegraph Company*. En 1893, les brevets de Bell furent confirmés par le tribunal américain. A cette époque, le téléphone était un moyen de communication déjà utilisé par de nombreux pays. Mais Bell avait plus d'une flèche à son arc. Par son esprit riche et inventif, il apporta une contribution à l'étude de la lumière, à la construction de grands cerfs-volants carrés et à la fondation de l' 'Association pour des Expériences sur l'Air' aux Etats-Unis. Il construisit un bateau à hélice, qui battit, en 1918, le record mondial de vitesse sur l'eau. Il inventa aussi le grammophone, le premier appareil qui 'fixait' le son. Mais, au cours de toutes ces années

pourrait envisager d'utiliser la voix humaine. Dans le magasin où Bell avait l'habitude d'acheter son matériel électrique, il rencontra un jeune électricien très brillant, Thomas Watson. Les deux hommes s'associèrent, Bell restant davantage un spécialiste de l'acoustique que de la mécanique électrique.
La grande difficulté consistait à convertir les vibrations de la voix humaine en signaux électriques.
Ensuite, ces signaux devraient être transmis d'un émetteur à un récepteur au moyen d'un fil. Et là, les signaux devaient à nouveau être convertis en vibrations sonores.
Bell et Watson firent des essais avec une membrane vibrante en peau, au milieu de laquelle était fixé un petit morceau de fer. Des ondes sonores faisaient vibrer la membrane ainsi que le bout de fer, ce qui provoquait un courant électrique dans une bobine magnétique. Un électro-aimant placé dans le récepteur faisait vibrer la membrane de la même façon, de sorte que l'on pouvait reproduire ainsi le son initial.
Tout d'abord, ils n'eurent pas beaucoup de succès, mais ils étaient persuadés d'être sur la bonne voie. Au début de l'année 1876, Bell suffisamment sûr de lui, fit un croquis pour un brevet qu'il sollicita le 14 février. Le brevet lui fut accordé le

En haut, à gauche: Un ancien standard téléphonique, système primitif qui ne réunit que très peu de liaisons.

Ci-dessus: L'amour au téléphone: une des applications prévisibles de l'appareil.

couronnées de succès, c'est son travail avec les sourds qui resta le plus important à ses yeux. Il déclara un jour qu'il préférait être commémoré comme professeur des sourds et non comme l'inventeur du téléphone. Mais son nom reste attaché à une des plus puissantes sociétés dans le domaine des télécommunications: la *Bell Telephone Company*, qu'il fonda en 1878.

Thomas Alva Edison

1847-1931

Le nom de Thomas Alva Edison peut être assimilé à la signification du terme ''inventer''. Jusqu'à la fin de sa vie, Edison accumula 1 093 brevets sous son nom. Citons celui de la lampe à incandescence électrique, le microphone de carbone, le kinétoscope et la première caméra cinématographique. Il fut le premier à construire une installation pour l'exploitation des inventions, le premier laboratoire industriel de recherches.

Edison naquit en 1847 à Milan dans l'Ohio. Plus tard, sa famille vint s'installer à Port Huron dans le Michigan. Il y fit sa plus courte expérience comme écolier. En effet, pendant toute sa vie, Edison n'est allé que trois mois à l'école car, par la suite, sa mère se chargea de son éducation. Elle réussit à éveiller en lui une grande curiosité, qui sera plus tard une partie très importante de sa personnalité. Il construisit son premier laboratoire dans la cave de la maison maternelle, alors qu'il n'avait encore que dix ans. Il s'initia lui-même aux principes de la chimie et de l'électricité, et, à l'âge de seize ans, étudia seul la technique du télégraphe, travaillant durant plusieurs années, comme télégraphiste, partout où il trouvait un emploi. Entre-temps, il profitait de chaque occasion pour faire des recherches et pour être au courant des inventions techniques les plus récentes. Il possédait le don exceptionnel de réparer tous les instruments en panne. En 1869, il se rendit à la Bourse de Wall Street à New York pour y voir fonctionner le dernier appareil télégraphique servant à transmettre les cours de l'or. Mais l'appareil tomba en panne.
Edison se mit immédiatement au travail et parvint à le réparer. La compagnie télégraphique *Western Union* lui demanda aussitôt de fabriquer un appareil capable de transmettre les cours des valeurs boursières. Il conçut alors sa première invention importante, adaptée à ce genre d'opération. La *Western Union* le garda à son service, ce qui lui permit d'ajouter plusieurs inventions destinées à perfectionner la technique de la télégraphie.

A droite: Lampe à vide d'Edison de 1879. Il lui fallut quatorze années d'expérience avant de fabriquer une lampe à incandescence utilisable. La conception d'une pompe à vide spéciale était tout aussi importante que la fiabilité du fil à incandescence. Sinon, il brûlerait. La fabrication d'interconnexions étanches au vide vers l'extérieur de la lampe rencontra également des difficultés.

En 1876, Edison eut la possibilité de fonder son propre laboratoire de recherches.
Il l'appela 'une usine pour la fabrication d'inventions'. Il put s'y consacrer à des expériences personnelles ou faire des recherches aux frais des commanditaires. Son laboratoire était situé à Menlo Park (New Jersey).
Ce ne fut pas seulement le premier laboratoire de recherches dans le monde, mais aussi l'endroit où Edison fit ses plus grandes et ses plus célèbres inventions. La première datait de 1876, et concernait le microphone à résistance à charbon. Ce microphone permit d'améliorer considérablement la transmission d'un son par un fil électrique. Il fut appliqué au téléphone inventé par Graham Bell.
En 1877, Edison inventa le premier 'phonographe' dont le principe avait été trouvé l'année précédente par Charles Cros. Le son était enregistré et reproduit par une aiguille en acier sur un rouleau en étain entourant un cylindre rotatif en

acier. Ensuite, Edison s'attacha à perfectionner la lampe électrique à incandescence. L'inventeur britannique Sir Joseph Swan s'était déjà lancé dans cette recherche, vingt ans auparavant. Pendant une année entière, Edison fit des expériences pour trouver un fil pratique qui ne brûlerait pas rapidement.

Swan fut le premier à faire brûler une lampe à incandescence, mais ce fut Edison qui comprit la nécessité d'un circuit à double face, conçu pour

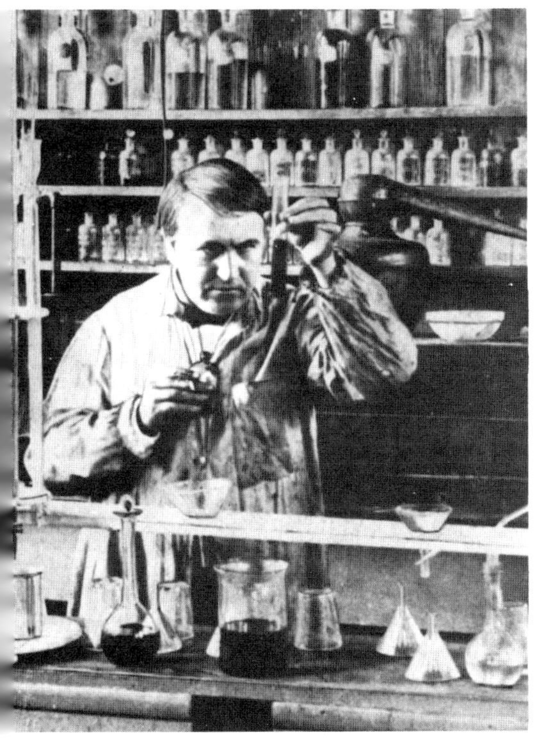

Ci-dessus, à droite: Centrale électrique de Pearl Street à New York en 1884.

A gauche: Edison au travail.

Ci-dessous: Le phonographe d'Edison. L'appareil pouvait tout aussi bien servir à l'enregistrement des sons qu'à leur reproduction.

que le circuit électrique ne fût pas interrompu lorsque la lampe était éteinte. De plus, il estima nécessaire de prévoir un approvisionnement électrique étendu. Lorsque la première centrale électrique au monde fut construite à New York, tout son mécanisme avait pour base les inventions d'Edison.

En 1887, il construisit l'*Edison Laboratorium* à Orange dans le New Jersey. Cet important centre technologique, dix fois plus grand que le laboratoire de Menlo Park, lui permit d'améliorer les inventions antérieures et d'en concevoir de nouvelles. Il construisit notamment la première caméra pour images en mouvement, le kinétoscope, pour lequel il demanda un brevet en 1891. Il se servait d'un film souple en celluloïd, conçu par George Eastman. Le film était tourné à l'horizontale par la caméra et pouvait être présenté plus tard. Mais le kinétoscope fut rapidement supplanté par l'invention du projecteur de films des frères Lumière, le cinématographe.

Durant toute sa vie, Edison gagna et perdit des sommes considérables. Il ouvrit de nombreuses sociétés filiales dans le dessein d'y vendre ses propres inventions et celles des autres. Dans certains cas, il fut même accusé d'avoir perfectionné les inventions d'autres chercheurs, puis d'avoir demandé un brevet à son nom.

En réalité, Edison était un inventeur extraordinairement doué, qui avait la réputation d'obtenir des résultats intéressants. Bien qu'il détestât les théories scientifiques, une importante invention scientifique porte son nom, 'l'effet Edison'. C'est un phénomène qui apparaît lorsqu'un courant électrique passe dans une lampe à incandescence entre deux électrodes. Une seule électrode est chauffée. Il constituera la base de l'invention du 'tube électronique'.

Ivan Petrovitch Pavlov

1849-1936

Le physiologiste russe Ivan Petrovitch Pavlov fit de nombreuses découvertes intéressantes pour les sciences médicales. Il s'est surtout penché sur l'étude des glandes digestives. Il fut très célèbre par sa découverte du réflexe 'conditionné' et 'acquis'. Il expérimenta les conditions de formation et de disparition du réflexe, en établit les lois et donna une interprétation physiologique de ce phénomène. Pavlov étendit alors ses recherches à la psychologie humaine en affirmant qu'elle était régie par les mêmes lois que le psychologie animale. En fait, il existe, chez l'homme, un second système de signalisation (langage et concepts) qui se superpose au système de signalisation sensoriel. Les travaux de Pavlov ont très fortement influencé l'étude du 'comportement' et de 'l'habitude'.

Pavlov naquit en 1849 à Riazan, village de la Russie centrale. Sa famille désirait qu'il devînt pope, comme son père. C'est pourquoi Pavlov se rendit au séminaire. Cependant, ses centres d'intérêt étaient davantage ceux d'un savant que d'un religieux. Et, en 1870, il abandonna le séminaire pour l'Université de Saint-Petersbourg (l'actuelle Leningrad).
Pavlov étudia la chimie et la physiologie à Saint-Petersbourg, jusqu'en 1879. Ensuite, il étudia deux ans en Allemagne, où il s'intéressait tout particulièrement à la digestion, à la circulation du sang et, plus spécialement, à la façon dont la digestion et la circulation sont réglées par le cerveau. Dès son retour en Russie, Pavlov commença ses propres expériences sur le coeur et le système vasculaire. Ses travaux suscitèrent beaucoup d'intérêt et, en 1890, il fut nommé professeur de physiologie à l'Académie impériale de Médecine de Moscou. Il y effectua sur les chiens des expériences restées célèbres. Il fixa des tubes dans l'oesophage et l'estomac des chiens. Lorsqu'ils étaient nourris et que la nourriture pas-

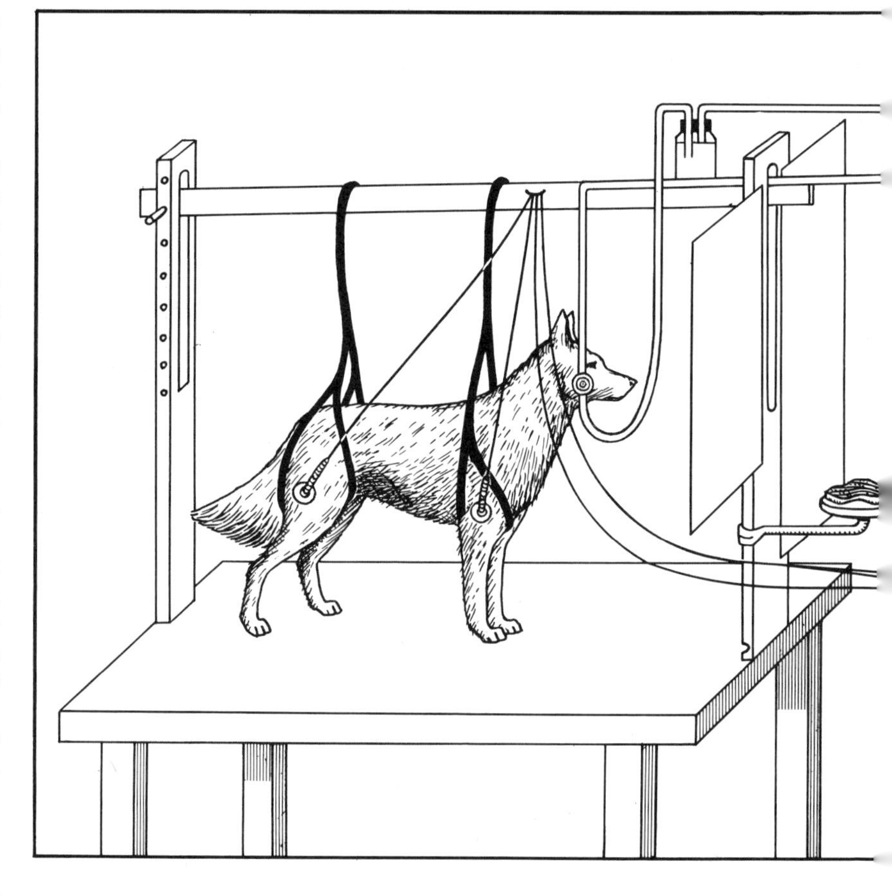

sait dans l'oesophage par le tube, l'estomac sécrétait alors des sucs gastriques, qui passaient dans l'autre tube fixé dans l'estomac du chien. La nourriture qui était introduite dans l'estomac du chien sans qu'il s'en rendît compte mettait beaucoup plus de temps à être digérée que la nour-

Ci-dessous: Pavlov (au milieu) avec ses assistants de laboratoire et le chien.

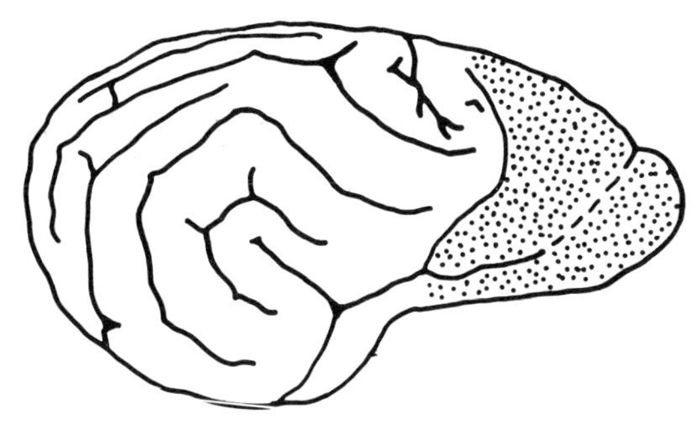

A gauche: Pavlov se servit du réflexe salivaire conditionné pour représenter sous forme de carte les zones du cerveau ayant une activité nerveuse plus importante. Après écartement des pôles frontaux (partie hachurée), les réflexes conditionnés par des stimulants tactiles (toucher) disparaissent complètement et ne pouvaient être rétablis. Mais les réflexes qui avaient été conditionnés par des stimulants visuels et audibles revenaient peu de temps après l'opération, et l'on pouvait même observer l'apparition de nouveaux réflexes.

A gauche: Présentation expérimentale de Pavlov pour mesurer la quantité de salive produite durant le réflexe conditionné. La présentation comportait deux parties: le moment où le réflexe apparaissait et la période d'observation où la salive du chien était aspirée, recueillie et mesurée.

A droite: La solitude et le désespoir d'un patient souffrant de dépression mentale. Pavlov pensait que les psychoses étaient une conséquence de l'isolement du monde assimilé à des expériences pénibles, ayant provoqué une tension nerveuse dans le passé. Le système russe de traitement des patients psychiatriques, appuyé sur des circonstances stimulantes et sans aucune excitation extérieure, était fondé sur les idées de Pavlov.

Ci-dessous: Pavlov à la fin de sa vie, lorsqu'il était en conflit avec le gouvernement des Soviets.

riture qui était administrée par la voie normale. Pavlov, intrigué par la façon dont se faisait la digestion, était curieux de déterminer le fonctionnement des glandes salivaires. Il fit donc ses premières études sur le système nerveux des chiens.

Il découvrit que lorsqu'on donnait à manger à un chien et que l'on agitait une cloche au même moment, le chien réagissait au son de la cloche, même lorsqu'il n'y avait pas de nourriture...

Le système nerveux de l'animal avait appris à établir une relation entre le son de la cloche et la présentation de sa nourriture. Pavlov appela ce comportement le 'réflexe conditionné'. Il appela le processus d'apprentissage 'la condition'. Un chien qui salive, lorsqu'il voit de la viande, a un réflexe. Il ne salive que lorsqu'il voit la viande.

Cependant quand le chien sécrète de la salive à la vue de la viande, il s'agit d'un réflexe volontaire ou conditionné. Pavlov démontra qu'un chien qui avait été élevé sans recevoir de viande, n'avait aucune réaction à la vue de la viande, parce qu'il n'établissait pas une relation avec la nourriture.

En poursuivant ses recherches, il détermina que l'apprentissage du réflexe, le 'conditionnement', était entravé par des interruptions dans le processus d'apprentissage. Ces 'inhibitions de l'extérieur', comme on les appelle actuellement, doivent être comparées à la nécessité de repos et de calme durant l'étude. Pavlov découvrit que les mêmes phénomènes d'inhibition de l'extérieur se présentaient lorsque certaines modifications étaient apportées à un réflexe conditionné déjà appris, par exemple la réaction à la sonnette, si l'on ne présentait plus de viande en même temps. Dans ce cas, les chiens finissaient par ne plus sécréter de salive. Le réflexe n'était pas 'oublié', mais 'réprimé'. Une des découvertes les plus importantes de Pavlov dans ce domaine fut que la partie du cerveau qui est responsable de cette réaction n'existait que chez les animaux les plus évolués. Pavlov tenta de prouver ainsi certains comportements de l'homme dans des circonstances psychiques et nerveuses déterminées.

Pavlov poursuivit ses essais en laboratoire jusqu'à sa mort. Il n'était pas tellement apprécié en Russie, parce qu'il était hostile au régime soviétique. Cependant, Pavlov reçut toutes sortes de distinctions scientifiques. En 1904, on lui avait déjà décerné le Prix Nobel de médecine.

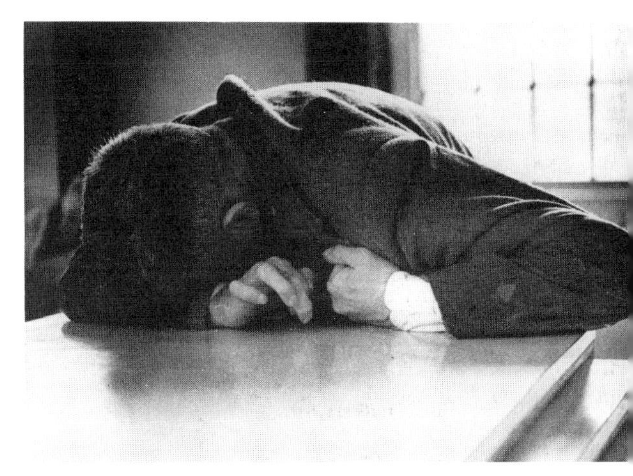

Antoine Henri Becquerel

1852-1908

Le physicien français Henri Becquerel joua un rôle très important en découvrant le phénomène remarquable, que nous appelons 'radioactivité'. Ses expériences historiques, pour lesquelles il utilisait des mélanges d'uranium, constituèrent les premiers avertissements à l'humanité sur l'incroyable quantité d'énergie que peut contenir un atome. La découverte de la radioactivité par Becquerel, marqua le début de la conception moderne sur la structure des atomes.

Becquerel naquit à Paris en 1852, dans une famille qui s'était entièrement consacrée à la recherche scientifique. Son grand-père était un physicien célèbre du temps de Napoléon, et son père avait continué la tradition familiale. Il s'était notamment préoccupé du phénomène de la fluorescence (caractéristique de certains corps, capables d'émettre eux-mêmes de la lumière d'une autre couleur sous l'effet d'une forte lumière). Il trouvait ce phénomène très étonnant, car la fluorescence - tout comme la lumière solaire - pouvait être provoquée par des réactions chimiques. Il n'était donc pas étonnant que l'avenir du jeune Antoine Becquerel fût déjà décidé dès sa naissance. Lorsqu'il eut terminé ses études, il effectua des recherches personnelles sur la fluorescence.

En 1896, Becquerel fut confronté à une question en relation avec d'autres très importantes pour l'avenir de l'humanité. Quelques années auparavant, le physicien allemand Wilhelm Röntgen avait découvert un nouveau type de rayons, qui avaient la possibilité de traverser des corps tels que le carton, la chair et le métal. N'étant pas en mesure de trouver un nom approprié pour ce phénomène étonnant, Röntgen avait appelé ces rayons, les rayons X.

Intéressé par l'invention de Röntgen, Becquerel se demanda si la fluorescence qu'il était en train d'étudier, comportait également des rayons X. A cette époque, il utilisait une quantité d'uranium que l'on appelait 'sulfate de potassium uranyle'. Pour l'examiner, Becquerel en exposa une partie à la

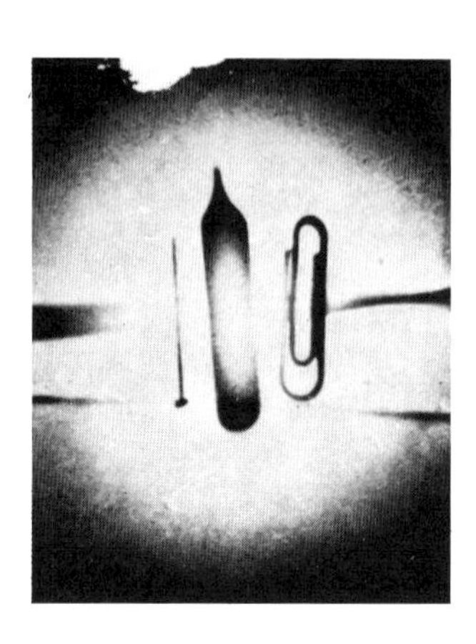

Ci-dessus: Ombre photographique, obtenue par les rayons de Becquerel, émis par du radium. Les parties plus claires sont celles où la radiation était la plus forte.

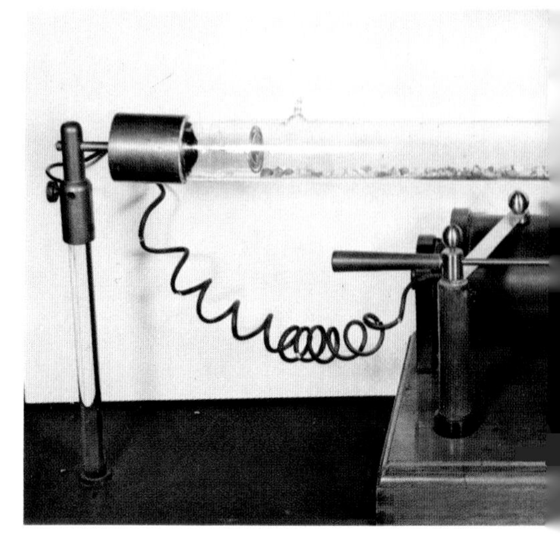

En haut, à droite: Expérience avec un tube à pression gazeuse, faite en 1857 par le père de Becquerel, lui-même physicien, qui effectua de nombreuses recherches sur la fluorescence. Une tension électrique était placée entre les électrodes aux extrémités du tube, tension suffisamment élevée pour ioniser le gaz dans le tube. Lorsque la pression gazeuse se réduisait dans le tube, le gaz commençait à chauffer. Les tubes à fluorescence, tels que les lampes au néon et les lampes à vapeur de mercure, sont des exemples modernes des tubes à pression gazeuse.

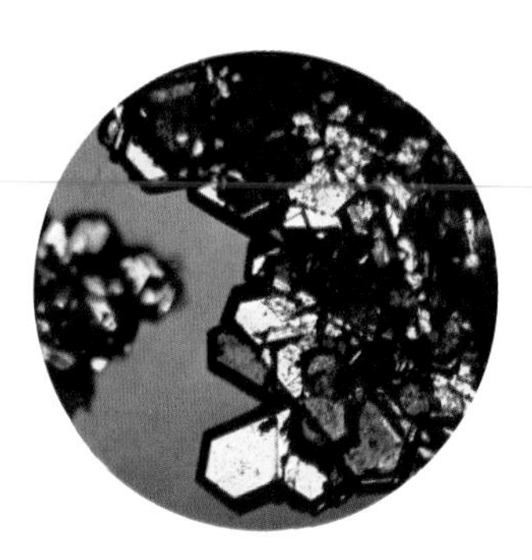

Ci-dessous: Cristaux de sulfate uranyle de potassium.

lumière du soleil. Puis, il l'entoura d'une pellicule métallique qu'il disposa dans une chambre noire près d'une plaque photographique non exposée. Il voulait savoir si les rayons traversaient la pellicule métallique. Dans l'affirmative, on devait pouvoir l'observer sur la plaque photographique. A la grande satisfaction de Becquerel, la plaque photograhique, après développement, était effectivement impressionnée. Très excité, il prépara tout pour répéter son expérience, afin de confirmer sa

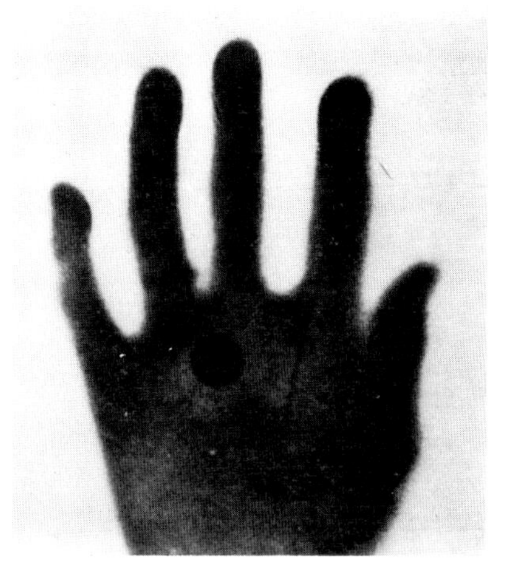

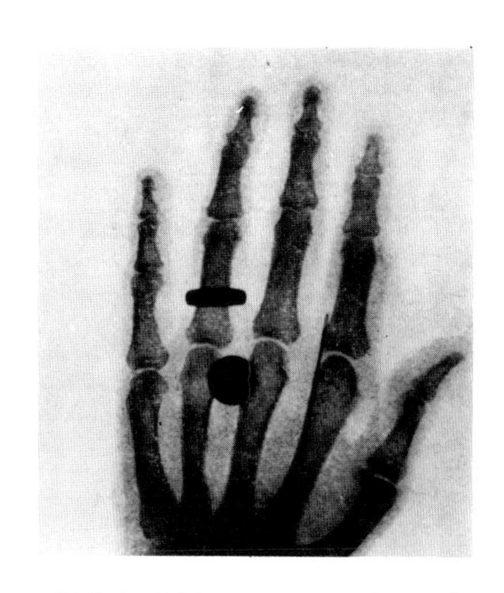

Ci-dessus: Radiographie de la main. La photo de gauche fut faite avec les rayons gamma de Becquerel et l'autre, à droite, avec les rayons X. Au début on pensait pouvoir utiliser des rayons gamma à la place des rayons X pour étudier la structure interne du corps. Il ne fallait qu'une petite quantité de radium pour obtenir les rayons gamma, alors que les rayons X supposaient l'utilisation d'appareils compliqués. Mais il apparut, comme le montrent ces photos, que les rayons de Becquerel traversaient tout aussi facilement les os que la chair.

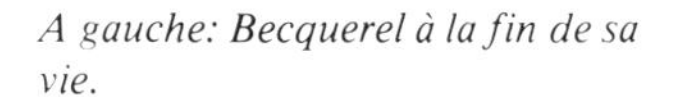

A gauche: Becquerel à la fin de sa vie.

Ci-dessous: Déviation des rayons de radium par un aimant. A: les rayons s'échappent par les deux ouvertures du tube de radium. Il n'y a pas d'aimant. B: image produite lorsque le tube est sur une surface électromagnétique.
C: avec un aimant puissant.

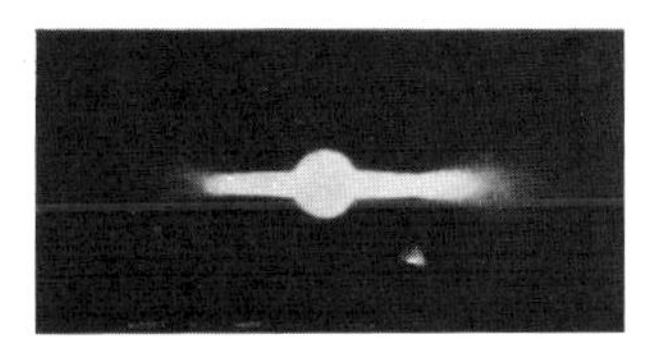

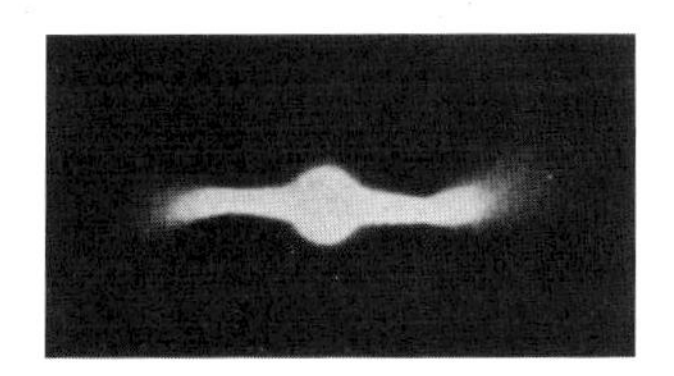

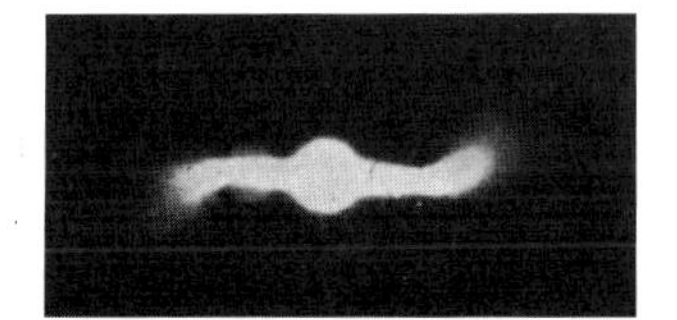

découverte. Mais le ciel étant nuageux durant les jours qui suivirent, il ne put pas exposer le corps rayonnant à la lumière solaire. Très impatient, Becquerel décida de recommencer l'essai sans éclairage solaire préalable. A son grand étonnement, il semblait que la plaque avait été exposée de la même façon que lors de l'essai précédent. Bien qu'il n'osât pas encore tirer de conclusion, Becquerel plaça une partie de la substance contenant de l'uranium dans une boîte scellée, de sorte qu'aucun rayon de lumière ne pouvait venir influencer la radiation. Après avoir disposé une nouvelle fois la boîte dans une pièce obscure, près d'une plaque photographique non exposée, la plaque semblait avoir à nouveau été exposée. Becquerel put ainsi se rendre compte que le rayonnement avait eu lieu chaque fois. Une expérience ultérieure démontra que seules les substances uranifères émettaient de tels rayons.

En 1899, Becquerel prouva que ces rayons pouvaient être déviés par un champ magnétique. Cette propriété impliquait que ces rayons devaient au moins être composés de particules chargées. Donc, la radiation n'était pas identique à celle que Röntgen avait découverte avec ses rayons X. Au cours des années qui suivirent, on découvrit encore d'autres corps qui émettaient ces rayons mystérieux. La substance la plus importante fut le 'radium', découvert en 1898 par Marie et Pierre Curie. On doit à Marie Curie le nom de 'radioactivité' donné aux rayons découverts par Becquerel.

Lorsqu'il fut établi une fois pour toutes que les rayons découverts par Becquerel n'étaient pas des rayons X, les physiciens - et Becquerel également - s'appliquèrent à déterminer ce que représentaient ces rayons. On découvrit assez rapidement que ces radiations contenaient deux espèces de particules chargées, ainsi qu'une radiation électromagnétique. Les rayons ressemblaient bien un peu aux rayons X, mais ils étaient beaucoup plus puissants. Actuellement, on les appelle les 'rayons gamma'.

Cette découverte signifiait que les atomes des substances radioactives constituaient la source même de l'énergie émise. Par conséquent, les atomes devaient avoir une structure interne déterminée. C'était le maillon le plus important dans la chaîne du progrès scientifique, qui évolue encore de nos jours.

Albert Abraham Michelson

1852-1931

Le physicien américain Albert Michelson, né en Allemagne, apporta une contribution fondamentale au monde de la physique moderne, en effectuant des mesures précises de la vitesse de la lumière. Il démontra d'autre part que la théorie en vogue à son époque, affirmant que les ondes sonores se reproduisaient dans l'espace par 'l'éther', n'était pas exacte. En 1887, il fit, en collaboration avec Edward W. Morley, une expérience devenue très célèbre dans le monde scientifique. Il établit ainsi la base de la théorie de la relativité formulée plus tard par Albert Einstein.

Ci-dessus: A.A. Michelson.

En 1854, alors que Michelson n'avait encore que deux ans, sa famille décida de quitter Strelno (en Prusse) et d'émigrer aux Etats-Unis. A l'âge de dix-sept ans, Michelson entrait à l'Ecole navale *(Naval Academy)* d'Annapolis aux Etats-Unis. Il se montra très brillant en mathématiques et en sciences physiques. Mais il ne semblait pas montrer beaucoup de dispositions pour la navigation. C'est pourquoi il resta à l'Ecole navale comme professeur de physique. Durant cette période, il s'était pris de passion pour les essais destinés à mesurer la vitesse de la lumière.

En 1893, il décida de quitter la marine et de se spécialiser dans l'étude des théories les plus récentes sur l'optique.

Il fit ses premières expériences en 1882. Il semblait déjà très doué pour la précision de ses mesures. Il trouva ainsi pour la vitesse de la lumière 299 760 km par seconde, valeur qui resta la meilleure estimation durant cinquante ans. Et Michelson, seul, était en mesure d'y apporter des améliorations.

Pour faire ses expériences, Michelson construisit un instrument, appelé interféromètre. Cet appareil séparait un faisceau lumineux en deux, envoyait les deux parties dans des directions opposées et les réunissait ensuite. Michelson pensait que lorsque les deux parties du faisceau parcouraient des distances différentes, à la même vitesse, leurs structures seraient devenues différentes lorsqu'elles se retrouvaient. En ce cas, elles présenteraient une série de raies claires et foncées. C'est ce qu'on appela un modèle de discontinuité. Un tel modèle pourrait également être obtenu, si les deux parties du faisceau parcouraient la même distance à des vitesses différentes. Michelson décida de se fonder sur cette idée pour mesurer la vi-

A gauche: Edward Morley, chimiste et physicien américain, qui collabora avec Michelson dans son expérience sur le mouvement de la Terre.

A droite: Michelson (deuxième à gauche) et Albert Einstein (à droite). Einstein déclara qu'il devait beaucoup à Michelson, dont l'expérience influença considérablement la formulation d'Einstein dans sa théorie de la relativité.

tesse de la Terre comparée à l'éther. On désignait sous le nom d''éther' la substance invisible qui, pensait-on, remplissait tout l'espace. On croyait que cet éther était 'stable' et que la lumière était une vibration dans l'éther.
Michelson pensait que, s'il envoyait une partie du faisceau lumineux dans la direction du mouvement de la Terre et l'autre partie perpendiculairement à ce mouvement, l'une des parties aurait une vitesse plus élevée que l'autre. Ensuite, s'il rassemblait le faisceau, après un parcours équivalent des deux parties, le nombre de degrés, indiquant qu'elles sont en dehors de leur cadre, serait visible dans le modèle de discontinuité ainsi formé, ce qui permettrait de mesurer la vitesse de la Terre dans l'éther.
Les premiers essais de Michelson ne présentaient pas de modèle de discontinuité. Après avoir essuyé quelques échecs, il collabora avec son collègue et ami Edward Morley. Ils prirent des mesures strictes pour éviter toute erreur au cours des essais. Mais, à nouveau, ils n'obtinrent pas de modèle de discontinuité, et ne purent en comprendre la raison. Michelson dut constater l'échec de ses efforts. Cependant, cette expérience ratée prouva qu'un résultat négatif peut parfois entraîner une conséquence positive. Des savants déclarèrent très rapidement que l'explication la plus plausible de l'échec de la mesure de la relation entre la vitesse de la Terre et l'éther devait être la non-existence de l'éther. Mais cette position radicale fit apparaître d'autres difficultés. La lumière était considérée comme une vibration dans l'éther. Pouvait-il y avoir vibration sans qu'elle fût produite dans 'quelque chose'? Michelson avait provoqué une réaction en chaîne de suppositions sur la nature de la lumière et de l'espace. Elle aboutit à la théorie de la relativité d'Einstein, dix-huit ans plus tard.
Au cours des années qui suivirent sa célèbre expérience, Michelson élabora des méthodes encore plus précises pour mesurer la vitesse de la lumière. Malheureusement, son état de santé déclina et il mourut avant de pouvoir terminer son expérience capitale.
Ses assistants continuèrent ses travaux et firent connaître leurs résultats en 1933. D'après eux, la vitesse de la lumière était égale à 299 645 km à la seconde, soit environ 18 km de moins que la meilleure estimation actuelle.

Ci-dessus: Si la Terre se déplaçait dans l'éther suivant un mouvement circulaire, il devrait y avoir un point où la lumière se déplacerait avec l'éther, et à un certain moment, dans un sens opposé à l'éther. On devait alors pouvoir observer cette différence entre les vitesses de la lumière comme une espèce de glissement dans le modèle d'interférence. Lorsque Michelson ne put découvrir ce glissement, il pensa d'abord que son essai n'était pas assez précis.

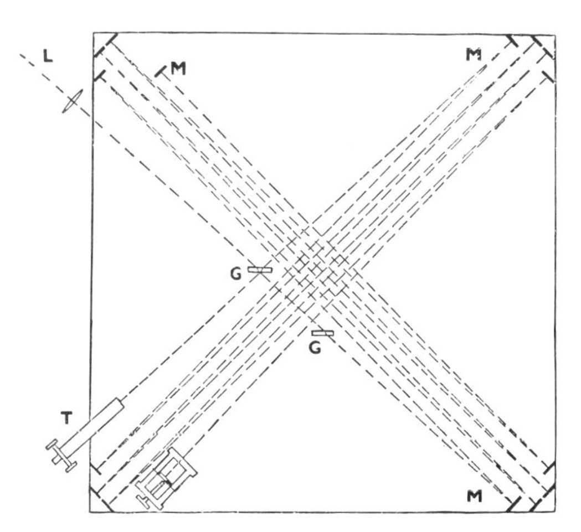

En haut, à droite: Dessin montrant comment la lumière est réfléchie partiellement à partir de L sur plusieurs miroirs (M et G) et comment elle est partiellement transmise, dans deux directions. Des observations avec T prouvèrent qu'on ne pouvait pas remarquer de changement de la vitesse de la lumière, dans quelque direction que ce fût.

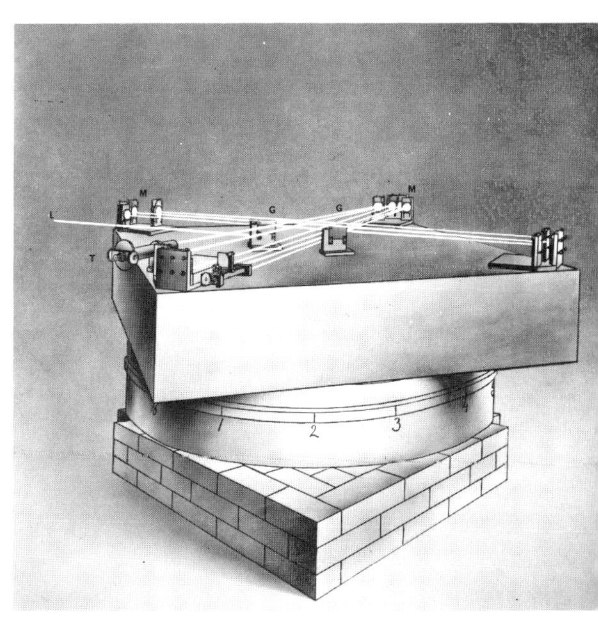

En bas, à droite: Dessin d'une table rotative avec miroirs, élaborée par Michelson et Morley pour prouver que la vitesse de la lumière ne peut pas être influencée, dans l'ensemble, par le mouvement de la terre.

Alphonse Bertillon

1853-1914

Le Français Alphonse Bertillon, directeur du Laboratoire scientifique de la Police, fut l'inventeur de la méthode systématique d'identification criminelle, utilisée dans le monde entier. Cette méthode, fondée sur des principes scientifiques, entraîna une véritable révolution dans les méthodes de police inadaptées, peu exactes et souvent incertaines.

Alphonse Bertillon, fils de médecin, naquit à Paris. Son père avait d'abord voulu être ingénieur et sa passion pour ce métier se reflétait dans son travail de médecin. Il acheta et conçut de nombreux instruments pour faire des mesures précises du corps humain.

Au début, ses parents ne mirent pas beaucoup d'espoir dans le jeune Bertillon. Elève difficile, il fut renvoyé de différentes écoles et termina ses études chez ses parents.

Le seul intérêt qu'il manifesta au cours de ses études concernait sa collection rassemblée avec passion de tous les objets ayant trait à l'histoire naturelle.

En 1879, n'ayant toujours pas reçu une formation spécialisée, il accepta le seul poste qu'il put décrocher, employé à la Préfecture de Police. Son travail consistait à remplir et à transcrire des formulaires. A cette époque, il n'existait pas encore de méthode systématique pour rechercher les délits ou pour identifier les personnes.

En général, les termes 'normal' et 'moyen' servaient à décrire la taille et la corpulence. Certes, on se servait de la photographie pour identifier les malfaiteurs, mais la qualité des photos était très mauvaise et l'on ne tenait pas compte de déguisements ou d'importantes modifications du visage.

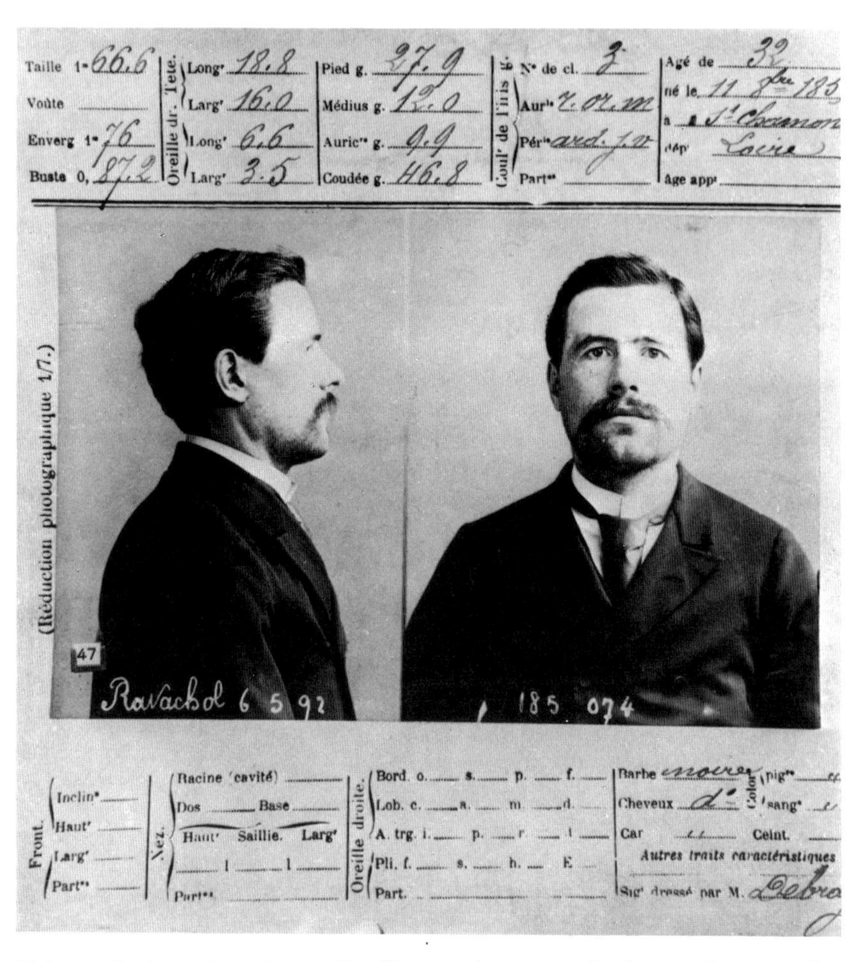
Taille 1m 66.6 — Voûte — Enverg 1m 76 — Buste 0,872
Tête: Long' 18.8 — Larg' 16.0
Oreille dr.: Long' 6.6 — Larg' 3.5
Pied g. 27.9 — Médius g. 12.0 — Auric'' g. 9.9 — Coudée g. 46.8
Coul' de l'iris: N° de cl. 3 — Aur'' — Pér'' — Part''
Agé de 32 — né le 11 8bre 185 — à — dép Loire — âge app'
(Réduction photographique 1/7.)
47
Ravachol 6 5 92 — 185 074
Front.: Inclin' — Haut' — Larg' — Part''
Nez.: Racine (cavité) — Dos — Base — Haut' — Saillie. — Larg' — Part''
Oreille droite.: Bord. o. s. p. f. — Lob. c. a. m. d. — A. trg. i. p. r. l. — Pli. f. s. h. E — Part.
Barbe noire — Cheveux d° — Car — Color: pig'' — sang' — Ceint.
Autres traits caractéristiques
Sig' dressé par M.

Ci-dessus: Le 'portrait parlant'. Bertillon introduisit la photo de profil, pour surmonter la difficulté qui apparaissait lorsque les suspects déformaient leurs traits.

A gauche: Bertillon, entouré d'une vaste collection de pièces justificatives rassemblées par lui, à l'occasion d'une conférence sur son système anthropométrique.

Bertillon avait une profonde aversion pour les méthodes peu scientifiques utilisées. Elles étaient en contradiction avec tout ce que son père et son grand-père lui avaient appris.

Il commença à élaborer une méthode bien à lui, pour laquelle il se servit de toutes ses connaissances en matière de mesures et de statistiques.

Il découvrit que lorsqu'on prenait une série de onze mesures différentes, il n'y avait qu'une chance sur 4 194 304 pour trouver une ressemblance entre deux personnes. Les mesures choisies par Bertillon furent la hauteur et la largeur de la tête ainsi que de l'oreille droite, la longueur allant du coude au médium, la taille du pied gauche, la longueur du médium et de l'auriculaire, la longueur du corps, la hauteur du buste et la distance entre les extrémités des médiums, bras tendus.

Bertillon ajouta encore le 'portrait parlant' à ces mesures. Il s'agissait de deux photos, une de face et une de profil, avec des annotations sur certaines particularités, comme la couleur des yeux, la couleur des cheveux et le type de cheveux. Il était important de faire une photo du profil, car elle était moins faussée par certaines expressions du visage.

Au bout d'un certain temps, Bertillon eut l'occasion de prouver l'utilité de sa méthode. En effet, il avait conçu un système d'archives qui permettait de retrouver rapidement les rapports de police, ce qui lui fit réussir sa première identification en février 1883. On lui amena un homme, du nom de Dupont, pour qu'il l'interrogeât. Bertillon découvrit que l'homme ressemblait parfaitement à un certain Martin, déjà condamné pour un vol de bouteilles vides. L'anthropométrie, ou le 'bertillonnage' comme on l'appelait déjà, fut très rapidement répandue dans toute l'Europe et aux Etats-Unis. En 1888, on fonda le service de l'Identité judiciaire, dont Bertillon devint le directeur.

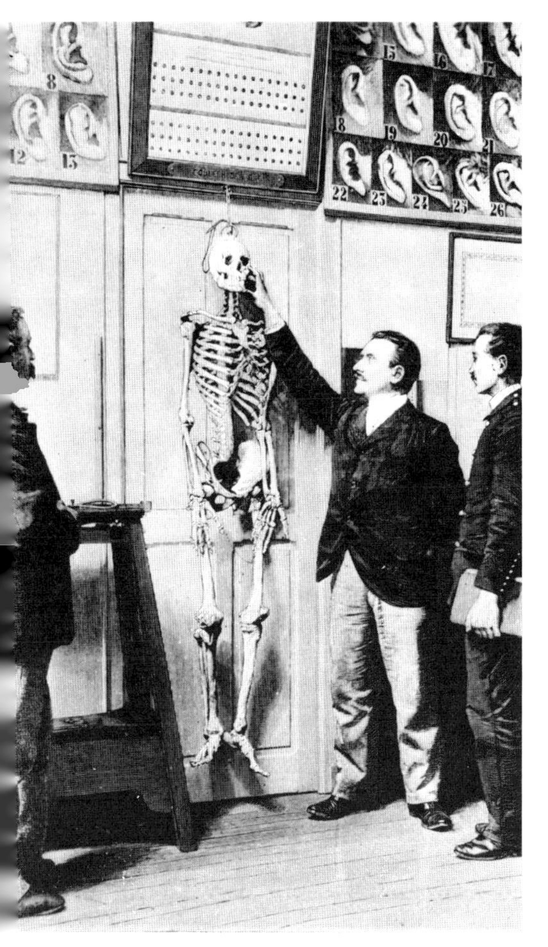

A gauche: Une leçon d'anthropométrie au bureau principal de la police à Paris.

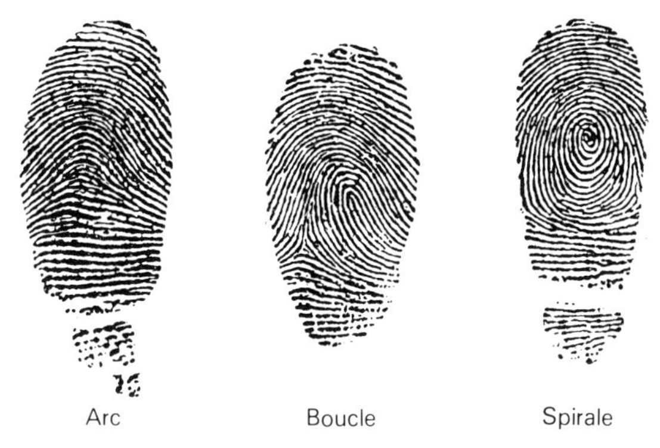

A droite: Les empreintes digitales sont classées en fonction de la forme des arcs, des boucles et des spirales. Le système fut introduit par l'Anglais Sir Francis Galton.

Il fut un pionnier dans l'utilisation des méthodes scientifiques, remplaçant les suppositions, pour dénouer les enquêtes et retrouver les malfaiteurs.

Il développa l'usage de la photographie métrique pour déterminer le lieu du délit. En plaçant des décamètres à ruban à des endroits bien choisis, en mesurant les distances entre les cadavres, en relevant les empreintes de pas, les tâches de sang et d'autres éléments, on pouvait obtenir des indications très précieuses. Antérieurement, on se servait uniquement de croquis.

Bertillon introduisit également l'utilisation de la photographie de contact pour analyser des documents. Une plaque photographique était posée sur le document, ces deux pièces étaient exposées à la lumière d'une lampe à gaz pendant quelques secondes.

La plaque une fois développée, il était possible d'observer les parties qui avaient été effacées ou changées sur le papier.

Le système anthropométrique de Bertillon fut finalement remplacé par l'identification au moyen des empreintes digitales.

Cette méthode avait été inventée par Sir William Herschel, du Service civil britannique en Inde, quatorze ans avant la découverte de l'anthropométrie.

Mais les mesures anthropométriques furent jugées trop fastidieuses. Pourtant, après l'essai d'un système de classification leur utilisation fut généralisée.

Bertillon n'a jamais très bien admis la méthode des empreintes digitales.

Il s'opposa au fait qu'elle pût remplacer sa propre méthode.

Mais il faut noter qu'il accepta de faire figurer ses empreintes digitales dans son portrait parlant.

Néanmoins, il fut le premier policier d'Europe qui parvint à faire condamner un suspect à partir d'une identification scientifique.

Ci-dessous: Un expert en empreintes digitales de la police de Düsseldorf. Le système des empreintes digitales semblait être plus sûr et moins fastidieux que l'anthropométrie. C'est pourquoi elle fut supplantée par ce système pour l'identification des criminels.

Ottmar Mergenthaler

1854-1899

La linotype fut l'invention du technicien germano-américain Ottmar Mergenthaler. C'était la première machine à composer automatique. Son introduction représenta une révolution pour les imprimeries et les maisons d'édition.

La mécanisation la plus importante introduite dans le procédé de l'impression fut réalisée par l'application de la presse à imprimer propulsée à la vapeur. Cette découverte fut faite au début du XIXe siècle par König. Cependant, la composition restait un travail essentiellement manuel. En 1822, William Church, un imprimeur de Boston, sollicita un brevet pour une machine conçue par lui, munie d'un clavier de commande et pouvant mettre en page. L'appareil choisissait les lettres séparées et les plaçait dans l'ordre successif. Les lignes devaient encore être composées à la main.
Avant de pouvoir construire la composeuse entièrement automatique, il fallut encore vaincre différents obstacles pratiques. D'abord, la machine devait être en mesure de former des lettres séparément. Ensuite, il fallait disposer les lignes de la composeuse, qui devaient être 'remplies' en respectant la largeur de la colonne. Les mots devaient également être placés à la même distance l'un de l'autre sur une même ligne.
Finalement, la machine à composer devait fonctionner beaucoup plus rapidement que le système manuel, pour prétendre à une certaine valeur commerciale.
Ottmar Mergenthaler naquit à Hachtel dans le Wurtemberg. Durant sa jeunesse, il entra en apprentissage chez un horloger, tandis qu'il étudiait

A droite: Mergenthaler démontre le fonctionnement du clavier de commande de la composeuse dans les bâtiments du 'New York Tribune'. L'année où la composeuse fut inventée, parut une caricature dans une revue britannique pour imprimeurs, représentant un robot effectuant le travail du composeur. De nombreux imprimeurs craignirent que la composeuse ne leur enlevât leur gagne-pain. Actuellement, la composition par ordinateurs représente la même menace.

A droite: Ligne de composition prête à l'emploi.

la mécanique dans une école du soir. A dix-huit ans, il émigra aux Etats-Unis et alla travailler dans une usine de machines que possédait un membre de sa famille à Baltimore, dans le Maryland. Il fut passionné par la construction d'une composeuse automatique et, en 1886, il produisit la *line of types* ou machine linotype.

Cette machine permettait de composer chaque ligne en unité indépendante. Le linotypiste actionnait le clavier qui ressemblait fort à celui d'une machine à écrire. La machine choisissait les lettres séparées en cuivre, c'est-à-dire les matrices, dans l'ordre voulu. Lorsqu'on arrivait à la fin d'une ligne, un système réglait la distance entre les mots, de sorte que la ligne correspondait à la largeur de la colonne. Cette mise en page se présentait comme un moule. La ligne mise en page était coulée à l'aide d'un alliage de plomb à refroidissement rapide. Puis, les lettres en cuivre se détachaient et reprenaient leur place dans le magasin,

A droite: Une composeuse de 1911, avec quatre magasins ou emplacements pour les matrices des différents caractères de différentes dimensions.

Ci-dessous: Non seulement la composition automatique entraîna des changements dans les imprimeries, mais elle eut des conséquences sociales. Pour la première fois il était possible d'obtenir des journaux à grand tirage.

pour être réutilisées. L'invention de Mergenthaler eut des conséquences immédiates. Il fut possible de produire 5 000 caractères à l'heure alors que la méthode traditionnelle à la main n'en produisait que 1 500. La seule véritable concurrence vint de la machine monotype, inventée par l'Américain Tolbert Lanston, qui ne combinait pas clavier et fondeuse.

Dans la monotype, chaque lettre est coulée séparément. Ensuite, chaque ligne est remplie à l'aide d'un rouleau ou tambour, qui calcule automatiquement la distance entre les lettres en fonction du nombre de caractères par ligne. Celui qui fait fonctionner le clavier fait une composition sur papier, qui passe ensuite dans une machine à couler la composition. La monotype était en mesure de produire 10 000 caractères à l'heure. Etant donné leur grande possibilité d'adaptation, ces deux systèmes 'à métal chaud' furent utilisés tous deux jusqu'à la moitié du XXe siècle, où apparut une nouvelle technique de composition, qui fait un très large appel aux programmes d'ordinateurs et aux appareils électroniques, la composition par ordinateurs.

Paul Ehrlich

1854-1915

Le bactériologiste allemand Paul Ehrlich fut un des pionniers de l'application de la 'chimiothérapie' (traitement médical des infections au moyen de substances préparées chimiquement). En découvrant que certains tissus étaient attirés par des corps chimiques déterminés, il pensa que des germes pathogènes mortels pouvaient être détruits au moyen de certaines substances à composition chimique. Après de nombreuses expériences, il prépara de l'arsphénamine - une liaison à base d'arsenic -, le premier médicament artificiel qui était très indiqué pour la guérison de la syphilis (une des maladies vénériennes les plus graves).

Paul Ehrlich naquit en 1854; son père gérait un bureau de loterie à Strehlen en Prusse Orientale (Pologne actuelle). Au moment d'entrer en faculté, il choisit d'étudier la médecine. Lorsqu'il termina ses études en 1878, à l'Université de Leipzig, il avait déjà commencé des recherches concernant la réaction des corps chimiques sur les cellules de l'organisme.

Il avait été prouvé que les cellules d'organes atteintes par une intoxication saturnine absorbaient également du plomb provenant de solutions ajoutées dans une éprouvette.

En d'autres termes: certaines cellules organiques semblaient être sensibles à certaines matières inorganiques.

Lorsque Paul Ehrlich eut terminé ses études, il fut nommé médecin-directeur de l'Hôpital de la Charité à Berlin.

Il y poursuivit ses études bactériologiques, en plus de son travail en clinique.

Le microbiologiste allemand réputé Robert Koch fut fortement impressionné par ses travaux et il lui offrit un poste à son Institut de Recherches des Maladies infectieuses.

Paul Ehrlich, qui put disposer d'un laboratoire privé, s'intéressa plus particulièrement à la lutte contre la diphtérie.

Un autre médecin allemand, Emil von Behring, avait découvert que le poison sécrété par certaines bactéries pathogènes dans un corps malade, incitent les cellules atteintes à fabriquer des anticorps pour éliminer l'action nocive du poison. Von Behring en avait fait l'expérience par des tests sur la tétanie (ou trisme) et la diphtérie. Cette expérience permit de fabriquer une grande quantité d'anticorps chez les animaux. Ces anticorps pouvaient ensuite être utilisés comme sérum pour combattre la maladie.

Ehrlich collabora à ces recherches et fut un des pionniers du développement de la fabrication de grandes quantités de sérum antidiphtériques à partir des chevaux.

Ehrlich pensa que, si une certaine substance organique pouvait servir d'antitoxine (contre-poison pour certaines maladies), il devait également être possible de fabriquer une substance chimique ayant le même effet.

Ce serait plus particulièrement le cas si le microbe

Ci-dessous, à droite: Une microphoto du 'Treponema pallidum' (tréponème pâle) qui provoque la syphilis. Dans un stade ultérieur de la maladie, des abcès apparaissent dans différentes parties du corps et repoussent les tissus sains. Les valvules cardiaques peuvent présenter des irrégularités, qui empêchent un bon fonctionnement du coeur. Le système nerveux peut être atteint à un point tel que le contrôle des muscles diparaît et que la personnalité accuse des changements. Cet agent pathogène peut également atteindre le foetus si la mère est contaminée.

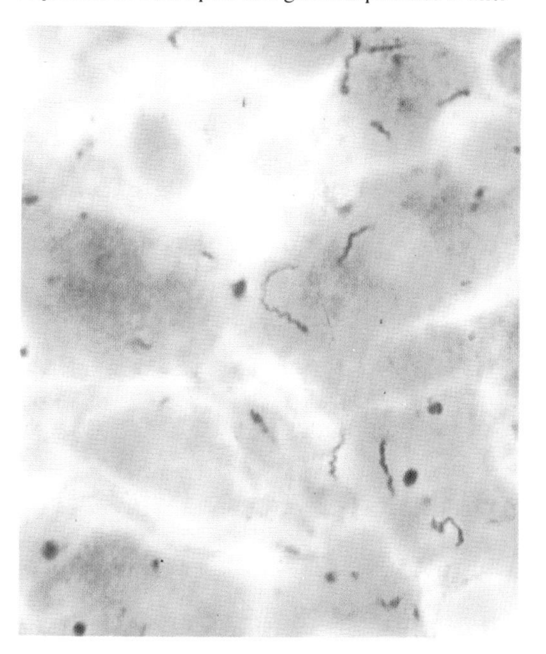

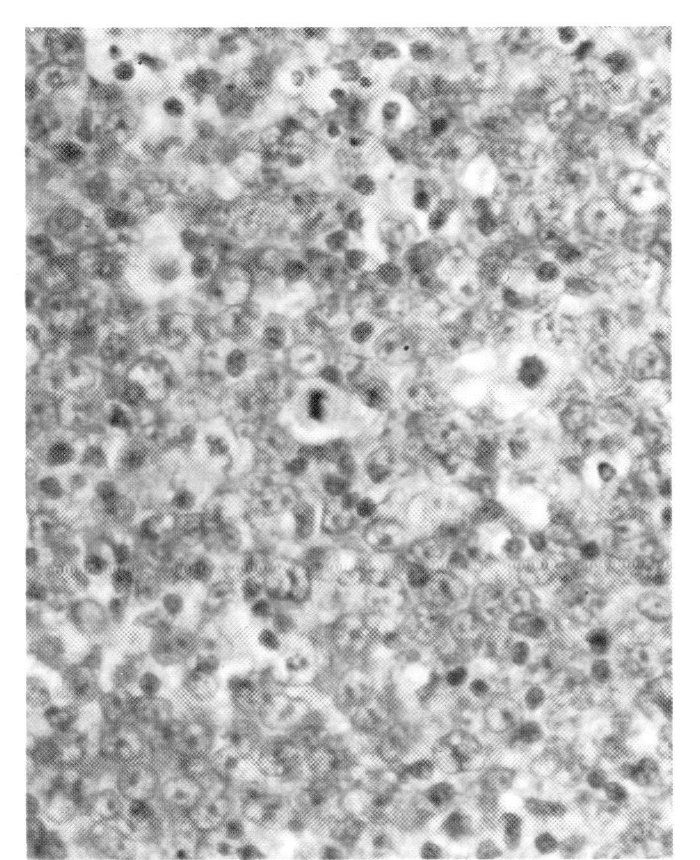

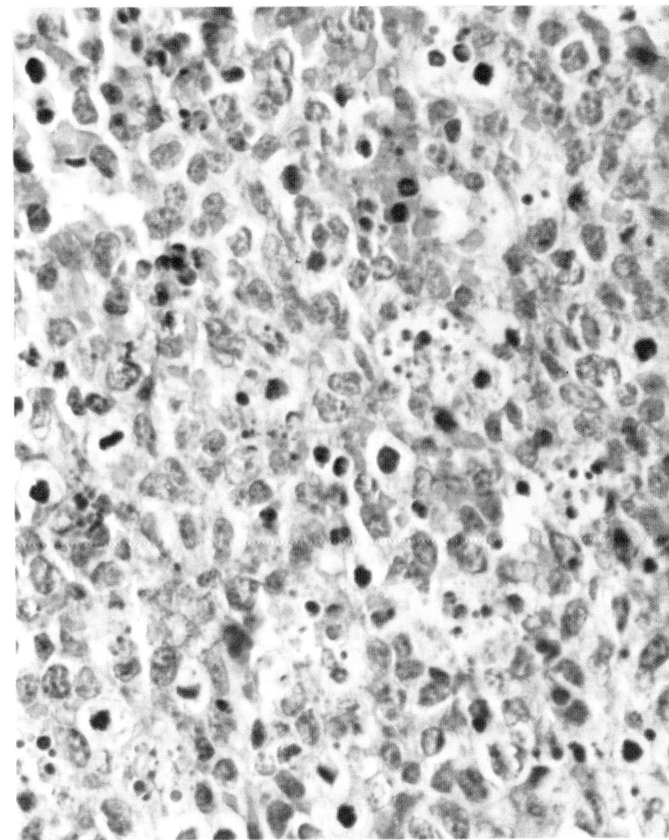

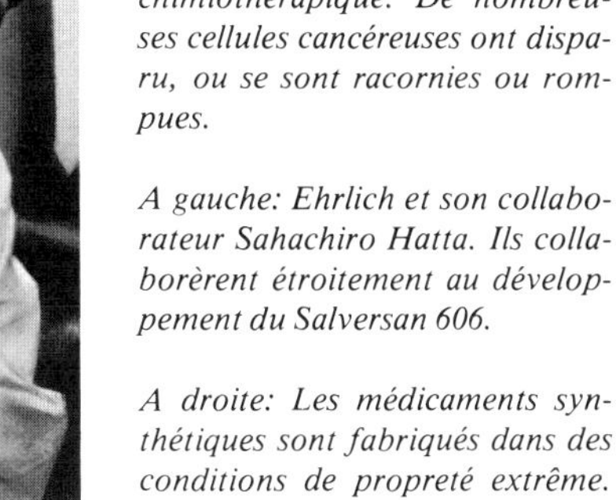

Ci-dessus: Application de la chimiothérapie dans le traitement du cancer. La microphoto de gauche montre les cellules d'une tumeur cancéreuse des follicules lymphatiques avant traitement. A droite, une reproduction des cellules de la même tumeur après traitement chimiothérapique. De nombreuses cellules cancéreuses ont disparu, ou se sont racornies ou rompues.

A gauche: Ehrlich et son collaborateur Sahachiro Hatta. Ils collaborèrent étroitement au développement du Salversan 606.

A droite: Les médicaments synthétiques sont fabriqués dans des conditions de propreté extrême. Ici, des médicaments sont emballés dans la chambre stérile d'une grande entreprise moderne de produits pharmaceutiques, où l'on prend toutes les précautions requises pour éviter la contamination par micro-organismes.

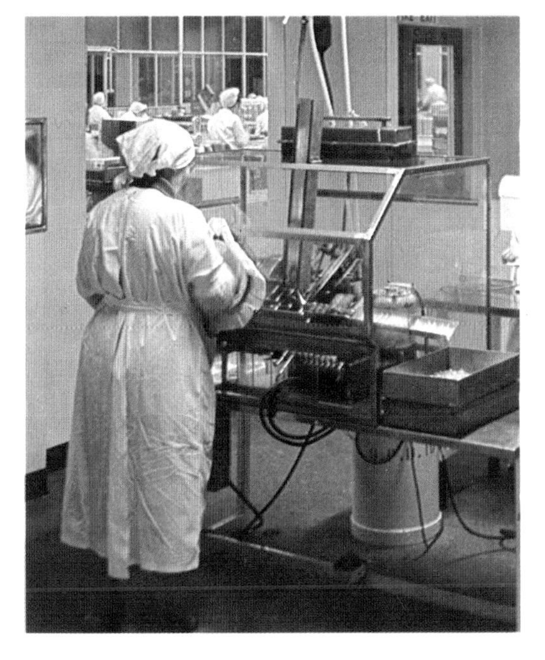

en question était sensible à cette substance chimique.
Il fit donc des recherches pour fabriquer une substance guérissant la syphilis, maladie très répandue à l'époque.
Ehrlich lut des rapports sur l'utilisation réussie de substances arsénicales contre la maladie du sommeil en Afrique. Cette maladie était provoquée par un organisme apparenté à l'agent pathogène de la syphilis, un microbe en forme de spirale, appelé 'spirochète' ou tréponème de la syphilis. Les corps à base d'arsenic étant mortels pour l'homme, Ehrlich chercha une liaison qui ne serait pas nuisible à l'homme, mais mortelle pour le spirochète.
En 1910 - après avoir examiné six cents arséniures différents - il en trouva un satisfaisant aux exigences. C'était l' 'arsphénamine', qui connut immédiatement un vaste succès. Il fut vendu dans le monde entier sous la dénomination de 'Salversan'.
Deux ans avant qu'Ehrlich ne découvrît le Salversan, en 1908, on lui décerna le Prix Nobel de médecine pour ses travaux.

Sir Charles Algernon Parsons

1854-1931

Sir Charles Parsons est considéré comme le dernier grand mécanicien du XIXe siècle. Il était un de ces hommes capables de concilier leur faculté imaginative et leur sens pratique. Parsons naquit en 1854 dans une famille aristocratique irlandaise, qui comptait de célèbres chercheurs scientifiques amateurs. Son père était William Parsons, troisième comte van Rosse, qui construisit le plus grand télescope du monde en 1885.

Charles Parsons fit ses études au *Trinity College* de Dublin et à l'Université de Cambridge, où il étudia les mathématiques. Il obtint son diplôme en 1877, puis entra en apprentissage dans une usine de machines où il resta quatre ans. En 1885, il alla travailler dans une entreprise, à Gateshead dans le nord de l'Angleterre, comme jeune directeur.

L'entreprise s'occupait uniquement de la construction de dynamos, qui étaient encore propulsées au moyen d'une courroie d'entraînement, passant par le volant d'une machine à vapeur.

Parsons comprit qu'une telle dynamo aurait un rendement beaucoup plus efficace, si la force produite par la vapeur pouvait être directement utilisée dans la dynamo. Il décida de fabriquer une machine qui fonctionnerait d'après le principe d'une turbine. Il s'agissait d'une machine actionnée par une vapeur 'en mouvement', comme un moulin à eau, par exemple, ou un moulin à vent. Dans la machine de Parsons, la 'vapeur' servirait de force motrice. Le principe de la turbine était déjà très ancien et datait de l'an 200 après J.-C. environ, grâce à la découverte de Héron d'Alexandrie. Cependant, la construction d'une telle turbine à vapeur ne fut possible que vers la fin du XIXe siècle, lorsqu'on était parvenu à améliorer la composition de l'acier pour qu'il pût résister à la chaleur élevée de la vapeur.

La turbine à vapeur de Parsons fut construite en 1884. Elle était composée d'un rotor (axe rotatif) sur lequel étaient montées un certain nombre d'ailettes. A son arrivée dans la turbine, la vapeur se dilatait et faisait alors tourner les ailettes. Afin de pouvoir utiliser au maximum l'énergie de la vapeur, un certain nombre d'ailettes fixes étaient disposées en face des ailettes rotatives, de sorte que le flux de vapeur les repoussait en entraînant un mouvement de rotation du rotor. Comme la vapeur se dilatait en passant dans la turbine, les

A droite: La première turbine à impulsion, inventée en 1629 par l'Italien Giovanni Branca. Elle fut conçue pour renforcer un vérin, au moyen d'un système d'engrenages en bois. La chaleur du feu sous la chaudière sphérique produisait un courant de vapeur qui sortait de la conduite traversant un bouchon de remplissage sculpté. En laissant la vapeur se détendre dans la tuyère montée dans le bouchon, elle atteignait une vitesse très élevée. Le jet de vapeur était dirigé sur les aubages d'une roue. Lorsque ces aubages étaient atteints, la vitesse du jet diminuait soudain, ce qui donnait une impulsion aux aubages et les faisait tourner.

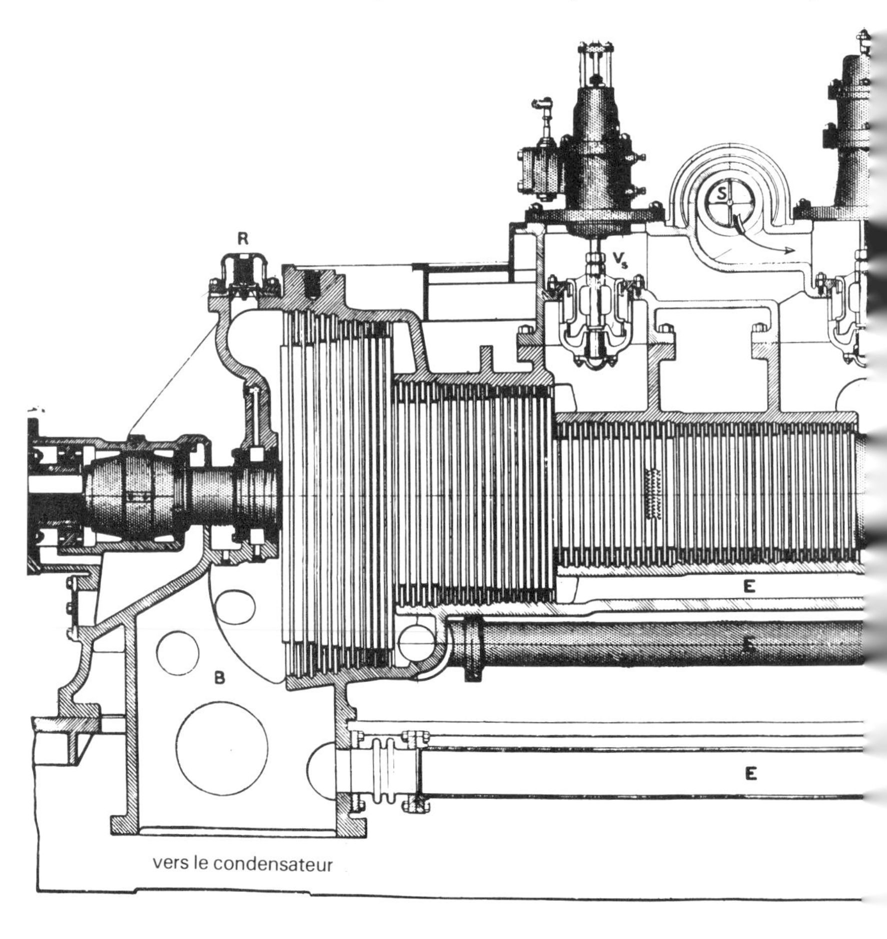

étages successifs du rotor avaient un diamètre de plus en plus grand pour compenser la diminution de vitesse de la vapeur.
La turbine à vapeur tournait à 18 000 tours-minute et produisait 7,5 kilowatts pour une tension de 100 volts.
Parsons était convaincu de l'efficacité de sa machine. Il fonda sa propre entreprise en 1889 à Newcastle, le long de la rivière Tyne, dans l'intention de suivre de très près les futurs progrès.

Deux turbogénérateurs Parsons furent placés dans la centrale électrique de Forth Banks à Newcastle. Ce fut la première centrale électrique du monde, où la turbine à vapeur fut utilisée largement pour produire de l'électricité. Ces machines furent exploitées jusqu'en 1900. Le service municipal de l'électricité mit de plus en plus de turbogénérateurs Parsons en service pour la distribution électrique. Des turbines à vapeur plus grandes, plus solides et plus efficaces furent construites par Parsons.

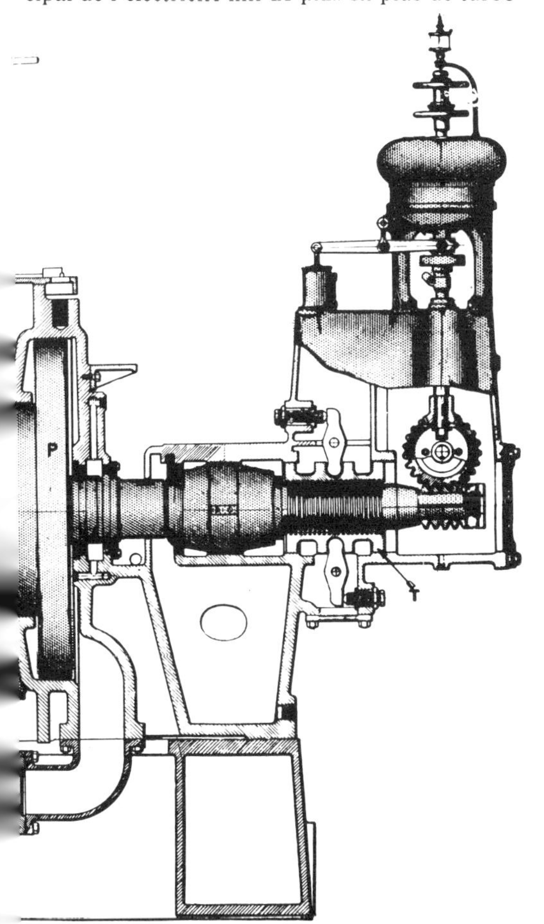

Ci-dessus, à gauche: Le Turbinia, *le bateau le plus rapide du monde à l'époque, grâce à ses turbines à vapeur.*

Ci-dessus, à droite: Un des quatre turbogénérateurs en construction dans une nouvelle centrale nucléaire. Les turbogénérateurs sont actuellement, en cette ère de l'électricité, les machines possédant la plus grande puissance énergétique.

A gauche: Le turboréacteur Westinghouse-Parsons. S: admission de vapeur - B: échappement - P: piston d'équilibrage - T: plateau réglable - R: soupape de surpression - V: soupape primaire d'admission - Vs:soupape secondaire d'admission.

Elles furent utilisées dans le monde entier pour la production d'énergie électrique. Depuis le début, Parsons était convaincu que la turbine à vapeur pouvait également servir à la propulsion des navires. Il fonda une société à Wallsend pour étudier ce type de turbine et fit construire à cet effet le *Turbinia,* un bateau d'essai de 30 mètres de longueur.
Après avoir surmonté de nombreuses difficultés et après plusieurs essais, Parsons trouva le bon assemblage d'axes filetés, qui pouvaient être directement actionnés par la turbine à vapeur.
A l'occasion de la revue navale organisée en 1887 près de Spithead pour célébrer le jubilé de la reine Victoria, Parsons fit une démonstration publique de son *Turbinia.*
Le bateau put atteindre une vitesse de 30 milles marins, six de plus que n'importe quel autre navire de cette époque.
Parsons obtint plus de 300 brevets pour des inventions personnelles. Il s'intéressait également aux lentilles optiques et créa des entreprises spécialisées dans le polissage des lentilles pour les instruments scientifiques.
Mais la turbine à vapeur est et reste sa plus grande contribution dans le monde de l'industrie et de la navigation.

George Eastman

1854-1932

Ci-dessus: George Eastman (à gauche) et Edison en 1928. Edison utilisa le film souple d'Eastman pour sa caméra à images en mouvement (caméra à film).

En inventant le film à rouleau souple et l'appareil photographique Kodak, le fabricant américain George Eastman mit la photographie à la portée du public. Le film en celluloïd fut également primordial pour l'évolution des films.

Jeune homme, George Eastman travailla d'abord dans le monde des banques et des assurances. En 1880, il entra dans une entreprise qui fabriquait et vendait des plaques photographiques sèches. A cette époque, où la photographie était encore réservée à quelques privilégiés, le photographe devait avoir une grande expérience et disposer d'un vaste matériel pour développer ses plaques et faire ses propres reproductions. Mais Eastman pensa qu'il pourrait rendre la photographie accessible à tous, si le développement des plaques et le tirage des épreuves pouvaient être organisés comme des services.
Il franchit une première étape dans cette direction en fabriquant le film souple, la pellicule.
Au début, ce n'était qu'un rouleau de papier recouvert d'une couche de gélatine photosensible. Les pellicules sensibilisées étaient enroulées autour d'une bobine, placée dans un appareil photographique permettant de prendre toute une série de photos.
'Vous poussez le bouton et nous nous chargeons du reste'; tel était le slogan publicitaire de la 'Société Eastman des Plaques sèches et du Film', lorsque Eastman présenta sa première boîte-caméra Kodak en 1888. Cette simple caméra était

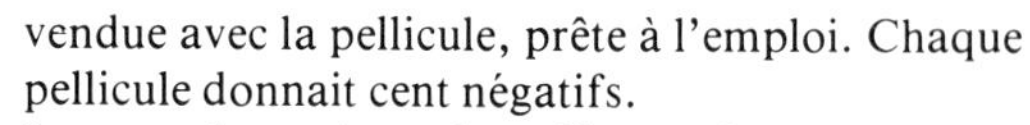

vendue avec la pellicule, prête à l'emploi. Chaque pellicule donnait cent négatifs.
Lorsque le rouleau de pellicules était complètement utilisé, il était envoyé avec l'appareil photographique chez Kodak.
A l'usine, le rouleau était retiré de l'appareil et développé. Ensuite, les négatifs en gélatine étaient détachés du papier et posés sur un fond transparent; la reproduction pouvait commencer. Un an plus tard, Kodak mit dans le commerce une forme

A droite: Une vieille publicité pour un appareil Kodak, avec la 'Kodak Girl' (la fille Kodak).

Ci-dessous: Le Kodak n° 1, première caméra d'Eastman.

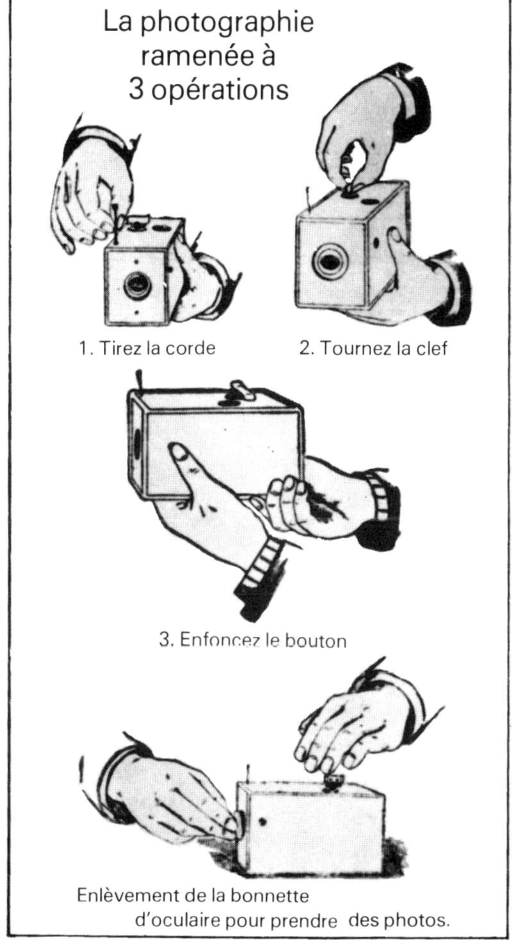

La photographie
ramenée à
3 opérations
1. Tirez la corde
2. Tournez la clef
3. Enfoncez le bouton
Enlèvement de la bonnette
d'oculaire pour prendre des photos.

Ci-dessus: Photo prise avec le premier appareil de photo Kodak en 1888. Vous remarquerez l'ombre du photographe, au bas de l'image.

A gauche: Partie d'une annonce publicitaire, donnant des indications pour l'emploi d'un Kodak, en 1889.

Ci-dessous: Tables en verre de soixante mètres de longueur et d'un mètre de largeur, servant à la fabrication de films en nitrocellulose.

améliorée de son matériel. La bande de papier était remplacée par une couche de celluloïd transparente; il n'était donc plus nécessaire de poser préalablement les négatifs sur un fond fixe (transparent). Prendre des photos était à la portée de tout le monde. Le développement de la pellicule par Eastman marquait le début du 'siècle de la photographie'. Son usine s'étendit très rapidement pour répondre à la demande croissante. Dans la mesure du possible, Eastman utilisait les systèmes de production en grande série pour la fabrication de ses pellicules. Il précéda même Henry Ford dans la production à la chaîne.

Lorsque le 'kinétoscope', premier film à images en mouvement fut développé par Edison, le film souple conçu par Eastman permit de l'utiliser. Eastman apporta ainsi une large contribution à l'histoire des premiers cinématographes. La société Eastman-Kodak, telle qu'elle fut rebaptisée en 1892, resta un des fournisseurs les plus importants de pellicules. Kodak devint aussi une des usines les plus importantes d'appareils photographiques et d'autres pièces de matériel servant à la photographie. La 'boîte' Brownie fut lancée sur le marché en 1900 et utilisée très longtemps dans de nombreux pays. Ses clichés remplirent les albums de famille.

Après sa mort - il se suicida à l'âge de soixante-dix-sept ans - son habitation, la *Eastman House* à Rochester, devint un musée de la photographie et des archives de films. Le film en nitrocellulose de Kodak fut employé jusqu'en 1951 pour les films de cinéma. Mais il est actuellement très difficile de les maintenir en bon état, car ils se dégradent rapidement.

De plus, ils constituent un danger permanent par leur grande combustibilité. La meilleure façon de conserver ces films est de les reporter sur des films modernes incombustibles.

Les pellicules en couleurs d'Eastman sont actuellement les plus utilisées pour la photographie en couleur.

Elles furent mises au point en 1952 dans les laboratoires Eastman-Kodak.

Nikola Tesla
1856-1943

L'ingénieur en électronique Nikola Tesla, né en Croatie, étendit nos connaissances sur le magnétisme et l'électricité. Inventeur aux idées très riches, il acquit une grande réputation par l'invention du 'moteur à induction', grâce à sa découverte du champ magnétique rotatif.

Tesla naquit en 1856 à Smiljan en Yougoslavie. Il était le fils d'un prêtre orthodoxe.
Sa mère, bien qu'illettrée, était une femme intelligente, qui inventa plusieurs appareils ménagers et agricoles.
Dès son plus jeune âge, Tesla se sentit attiré vers les sciences et étudia la mécanique à l'Université technique de Graz en Autriche. Il n'avait pas encore terminé ses études, lorsqu'il vit la 'dynamo Gramme' en fonctionnement. On avait déjà découvert antérieurement que cette dynamo pouvait, inversement, fonctionner comme moteur électrique. Cette propriété fit réfléchir Tesla, qui voulut fabriquer un moteur électrique amélioré.
Tesla entrevit les possibilités d'un 'courant alternatif', courant électrique qui change régulièrement de sens, ce qui ferait apparaître un champ magnétique rotatif et mettrait un moteur en mouvement.
A cette époque, on considérait que le courant alternatif était incertain, avec une tension élevée. D'autre part, Tesla entrevoyait les développements fantastiques que l'application du courant alternatif entraînerait dans l'industrie électrique. Il y voyait plus de possibilités d'utilisation qu'avec le traditionnel courant continu.
En 1882, Tesla se rendit à Paris comme ingénieur de la société *Continental Edison*. L'année suivante, alors qu'il travaillait à un projet à Strasbourg, il construisit son premier moteur à induction, qui

A droite: Tesla lit à la lumière d'un éclair produit artificiellement.

Ci-dessous: Démonstration de la 'Lumière de l'avenir' de Tesla à Berlin en 1885, en présence de la cour. La gravure représente le prince Heinrich fermant un circuit électrique, pour allumer les tubes de Geissler qu'il tient en mains.

marquait le début du système du courant alternatif, incluant les générateurs, les dynamos et les transformateurs. Ces derniers servaient à diminuer la tension, sans modifier la fréquence du courant alternatif.
En 1884, Tesla partit pour les Etats-Unis. Il n'avait, paraît-il, que quelques centimes en poche, la connaissance d'une douzaine de langues et une lettre de recommandation pour Edison, qui offrit à Tesla une place d'assistant dans son laboratoire

Ci-dessus: Un moteur à induction Tesla expérimental. Contrairement au moteur à courant continu, il n'y a pas de liaison électrique avec l'induit (le rotor). Le courant alternatif produit un champ magnétique rotatif, dans le stator, qui induit du courant dans le rotor.

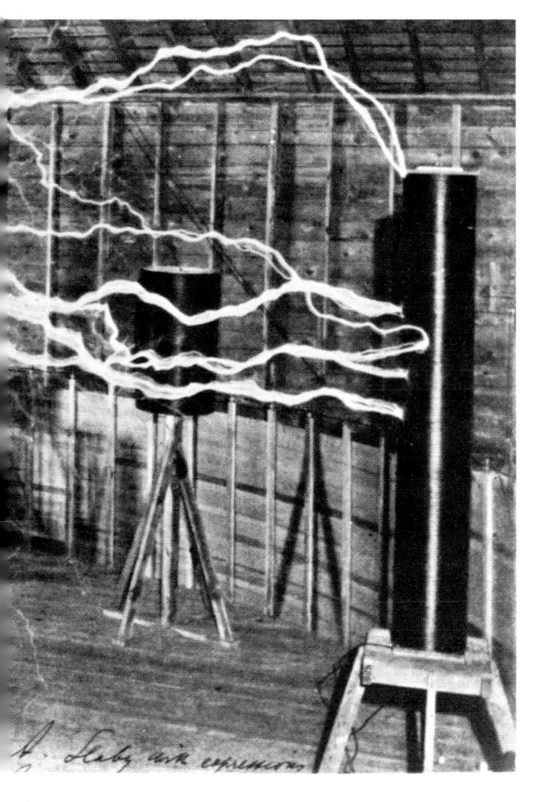

de recherches industrielles. Tesla n'y resta pas longtemps. Edison était un partisan convaincu du courant continu.
En conséquence, Tesla vendit tout son système de courant alternatif au fabricant américain George Westinghouse, ce qui provoqua une violente dispute entre Edison et Westinghouse, car ils défendaient tous les deux farouchement leur propre système de courant.
La supériorité du courant alternatif Tesla-Westinghouse pour produire de l'énergie électrique en grande quantité, fut prouvée en 1933. On utilisait alors des générateurs à courant alternatif pour éclairer le terrain et les bâtiments de l'Exposition mondiale de Chicago.
Ce système de courant alternatif fut ensuite placé dans la centrale de force motrice près des chutes du Niagara.
Tesla installa son laboratoire privé, qui lui permettait de faire les recherches qu'il voulait. Parmi ses inventions, il faut citer un bateau télécommandé, un système d'éclairage à l'arc et une 'bobine Tesla', bobine d'induction à haute fréquence, encore utilisée de nos jours pour émettre des programmes radio sur de longues distances et pour l'émission de programmes télévisés.
Cependant, tous les projets de Tesla ne purent être menés à bonne fin. Son plus vaste projet, qui consistait à construire un système de liaison étendu au monde entier permettant d'émettre son et image ne fut jamais terminé, car les bailleurs de fond ne voulaient plus le financer. Tesla gagna très peu d'argent avec ses inventions et, dans certains cas, il estima qu'il ne valait même pas la peine d'introduire une demande de brevet.
On qualifia de 'science-fiction' plusieurs de ses inventions.
En 1917, Tesla fut décoré de la médaille Edison pour ses travaux, la plus haute distinction américaine dans le domaine des recherches électriques. Il sera toujours considéré comme un esprit très ouvert sur l'avenir et possédant une très grande connaissance de la physique. Les savants consultent toujours ses notes pour y puiser des idées de nouvelles inventions.

Ci-dessous: Un moteur à induction linéaire moderne, qui constitue la source motrice d'un compresseur portatif. Son principe est tout à fait analogue à celui du projet initial de Tesla.

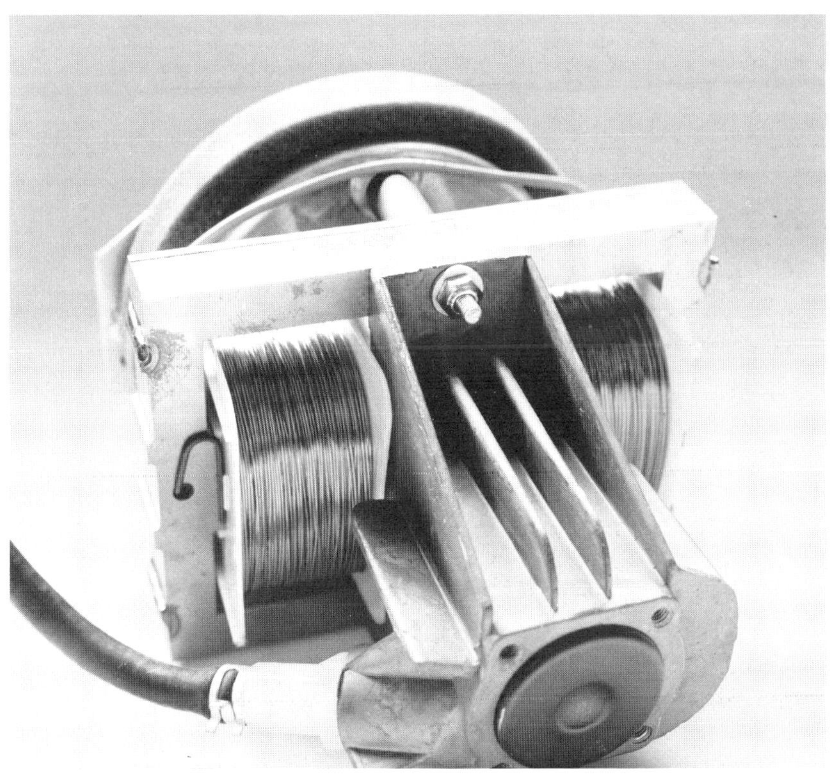

Sir Joseph John Thomson

1856-1940

Le physicien anglais J.J. Thomson découvrit l'électron et bouscula ainsi les notions traditionnelles d'électricité et d'atomes. L'unité de base du courant électrique, l'électron, joue également un rôle important dans la structure de l'atome et dans les caractéristiques de tous les corps.

J.J. Thomson, fils d'un libraire, naquit à Cheetham Hill près de Manchester. A l'âge de quatorze ans, il se rendit à l'école secondaire de la ville, dans l'intention de devenir ingénieur. Mais il s'intéressa très rapidement à la physique expérimentale. En 1876, Il obtint une bourse d'études pour l'Université de Cambridge, où il restera jusqu'à la fin de sa vie. En dehors de sa passion pour les mathématiques et la physique, Thomson avait également un extraordinaire don de direction. A Cambridge, il fit une carrière éclair. A peine âgé de

vingt-sept ans, il succéda au brillant physicien John Raleigh comme professeur de physique, et fut aussi chargé de la direction du célèbre laboratoire Cavendish.

Le point de départ de la découverte de Thomson fut son intérêt pour les rayons cathodiques. On savait déjà depuis quelque temps que, lorsqu'un courant électrique passait entre deux électrodes dans un tube en verre pratiquement vide d'air, un rayon mystérieux se produisait près de la cathode (électrode négative). Thomson supposa que, contrairement à la lumière ou aux rayons X, ces rayons n'étaient pas provoqués par l'électromagnétisme. Il commença une longue série d'expériences pour en déterminer la nature. Les rayons étaient orientés par des champs magnétiques, dont les forces étaient connues. On mesura la déviation des rayons qui en résultait. En 1897, Thomson déclara que les rayons cathodiques étaient en réalité des courants de très petites particules chargées négativement, qu'il appela 'corpuscules'. Plus tard, on les appellera des électrons.

En mesurant le rapport de leur charge électrique à leur masse, Thomson démontra qu'un électron était beaucoup plus petit qu'un atome. Si les électrons étaient plus petits que les atomes, d'après le raisonnement de Thomson, ils pourraient constituer des parties d'atomes. Partant de cette idée, il

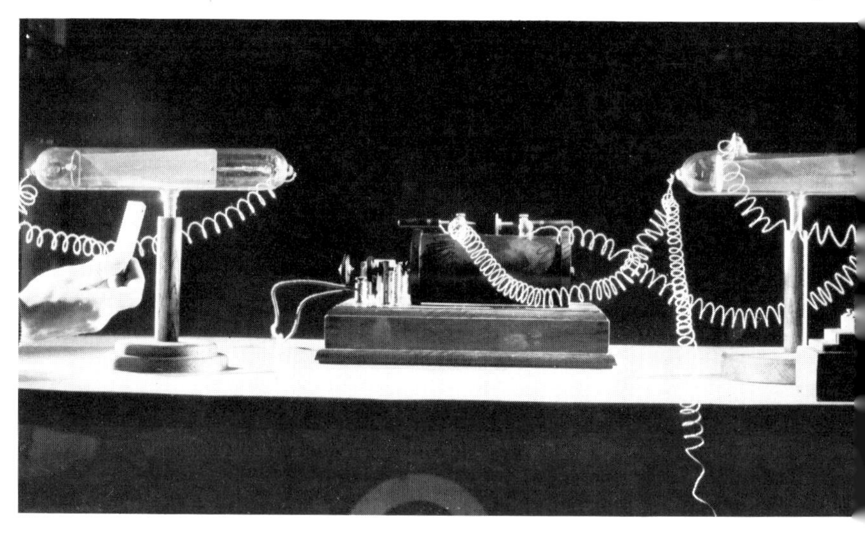

Ci-dessus: Un tube de décharge gazeuse conçu par Thomson, dans lequel les rayons cathodiques sont dirigés le long de plaques chargées électriquement. Les rayons cathodiques étant déviés par les champs électriques et magnétiques, Thomson eut la conviction que ces rayons étaient composés de particules, que nous appelons maintenant 'électrons'.

A droite: Coordonnées polaires au cours d'un test d'émission télévisée. Les travaux de Thomson sur la diffraction des rayons cathodiques a permis d'innombrables applications modernes du tube cathodique, par exemple en télévision, sur l'écran radar et sur la formation d'images par ordinateur.

conclut que l'atome était formé d'une masse d'électricité positive, présentant un grand nombre d'électrons dans sa masse. L'atome de Thomson ressemblait à un petit pain, les électrons étaient les raisins placés dans une masse de pâte positive. Son modèle fut rapidement remplacé par un modèle de système solaire plus précis, tel qu'il fut défini par Ernest Rutherford. En fait, la théorie de Thomson fut la première théorie moderne tentant de présenter les atomes sous forme d'électricité positive et négative. Cette conception fut considérée comme le point de départ des théories mathématiques compliquées d'aujourd'hui.

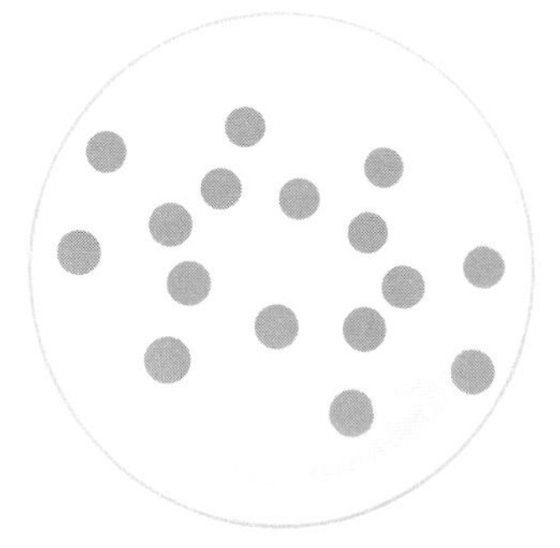

Ses recherches furent couronnées en 1906, par l'attribution du Prix Nobel de physique. Quelques années plus tard, on fit, sur l'électron et son rôle dans la structure des atomes, une découverte passionnante, qui confirma les idées de Thomson. Le chimiste allemand Eugen Goldstein démontra que le tube vide d'air, dans lequel on faisait passer de l'électricité, présentait, en plus des rayons cathodiques, d'autres rayons qui se déplaçaient en sens inverse. Il les appela les rayons canaux, d'après les instruments qu'il avait utilisés dans son expérience pour les découvrir.

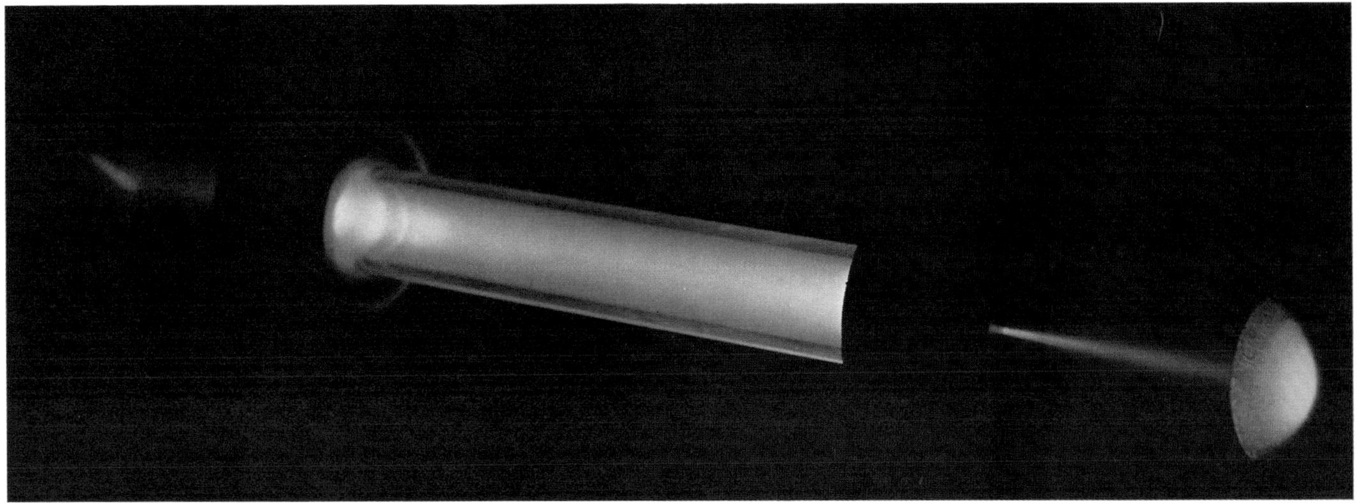

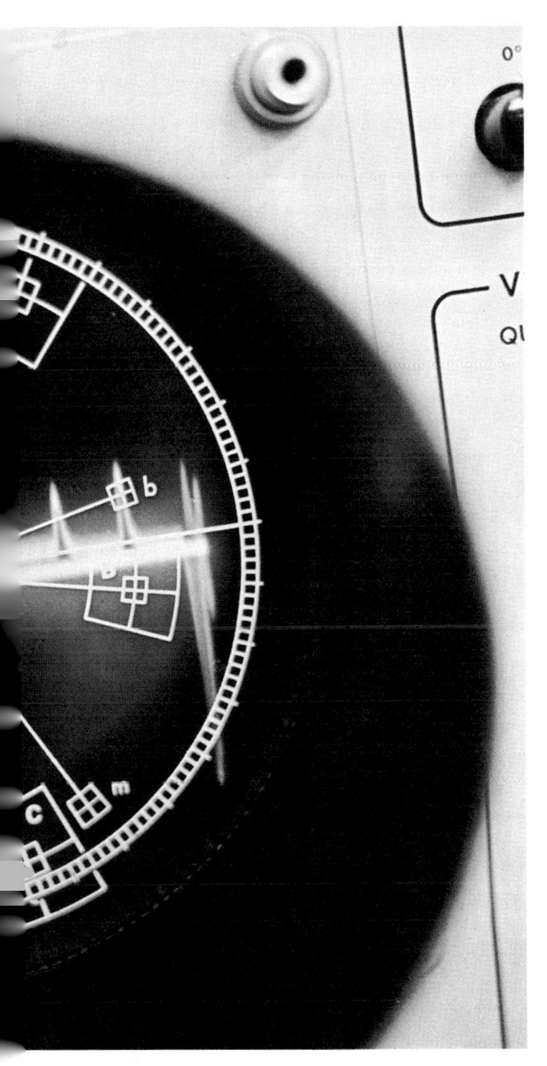

En haut: Un atome de Thomson, présenté comme un corpuscule avec une charge négative (électron) au centre d'une charge positive de forme sphérique.

Ci-dessus: Intérieur d'un tube de décharge électrique à travers des gaz. La décharge la plus claire est formée par le courant des électrons, qui va de la cathode à l'anode. En 1886, Eugen Goldstein découvrit que, lorsqu'il utilisait une cathode avec une fente, il y passait un rayon qui faisait une tache lumineuse sur un écran placé derrière la cathode. La direction de ces rayons était donc opposée à celle des rayons cathodiques. Il les appela les rayons canaux. Plus tard, il apparut qu'il s'agissait des atomes à charge positive des gaz initialement présents dans le tube: atomes qui s'étaient dégagés de leurs électrons.

A droite: Thomson (à gauche) et Sir Ernest Rutherford, physicien originaire de Nouvelle-Zélande, qui scinda l'atome. Rutherford avait été un des élèves de Thomson au laboratoire Cavendish.

On sut prouver très rapidement que ces rayons étaient composés de petites particules atomiques à charge positive, c'est-à-dire déchargées de leurs électrons. Cette idée confirma la conception de Thomas sur l'électron constituant seulement une partie de l'atome.

Les mérites scientifiques de Thomson ne sont pas seulement dus à ses propres recherches, mais aussi à son influence sur les autres chercheurs. Il était un excellent maître de cours et rassembla quelques 'grosses têtes' autour de lui dans le laboratoire de Cavendish. La plupart de ceux qui travaillèrent avec lui devinrent professeurs dans les plus grandes universités du monde. Sept d'entre eux reçurent le Prix Nobel. Malgré ses cours et ses tâches d'administrateur, Thomson avait encore le temps de s'intéresser à la lecture, à la politique et au sport. Ce grand savant anglais mourut en 1940.

Heinrich Rudolph Hertz

1857-1894

Durant sa courte vie tragique, le physicien et ingénieur Heinrich Hertz établit les bases de la plus grande des révolutions dans le monde des communications. Après une brillante série d'expériences, il conclut à l'existence d'ondes radio et montra comment on pouvait les transmettre et les recevoir. Cinquante ans après sa découverte, la radio était devenue le moyen de communication direct le plus important au monde.

Hertz naquit à Hambourg et suivit une formation d'ingénieur. Il était encore fort jeune lorsqu'il rencontra le grand physicien Ferdinand von Helmholtz. Encouragé par ce vieil homme, il négligea ses études d'ingénieur pour la physique, et fit de remarquables progrès. Vers 1883, Il obtint un poste à l'Université de Kiel, où il se consacra à la recherche. Il s'intéressait plus particulièrement à la théorie électromagnétique qui avait été élaborée quelques années auparavant par James Clerk Maxwell et publiée dans un mémoire en 1864. Vers cette époque, la très célèbre Académie des Sciences de Berlin décernait un prix fort intéressant à tout travail scientifique dans le domaine de l'électromagnétisme.

Sur l'insistance de Helmholtz, Hertz décida de tenter sa chance.

La recherche requise pour ce prix de Berlin concernait une étude des courants électriques oscillants (vibrants). En 1888, Hertz eut une idée géniale. Il établit une liaison entre la charge oscillante et la théorie des fameuses équations électromagnétiques de Maxwell. L'appareil construit par Hertz était composé d'un circuit reliant deux boules métalliques entre elles. En faisant passer un courant électrique dans les deux sens dans le circuit, on s'assurait que chaque sphère était chargée alternativement. Hertz constata que lorsque la charge atteignait une valeur maximale, une étincelle passait d'une sphère

A droite: Hermann von Helmholtz, le savant allemand qui contribua au développement de l'optique, de la météorologie et de l'électricité. A l'occasion d'une question mise au concours sur l'électromagnétisme, conçue par Helmhotz, Hertz, qui était un de ses élèves, construisit son oscillateur. L'appareil démontra, par l'électricité, l'existence des ondes électromagnétiques formulées par James Clerk Maxwell.

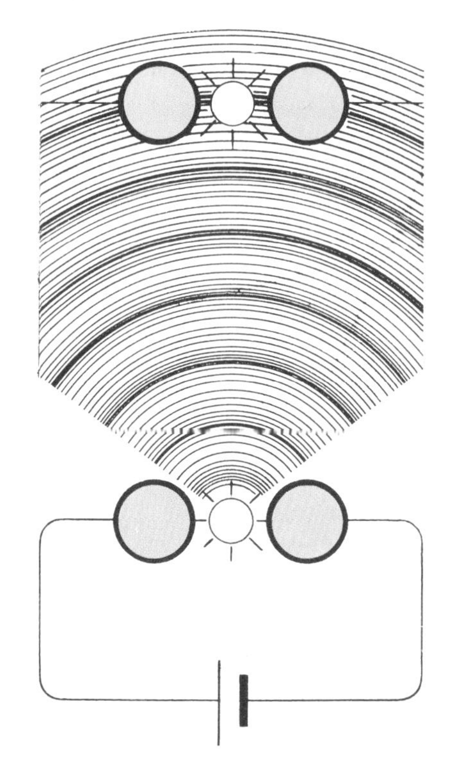

A droite: Base sur laquelle repose la radio. Une étincelle qui surplombe l'ouverture entre les deux sphères dans l'émetteur (en bas), produit des ondes qui font également apparaître une étincelle dans l'ouverture du récepteur (en haut).

à l'autre. Il pensa immédiatement aux équations électromagnétiques, qui lui étaient tellement familières. Elles indiquaient qu'une charge électrique oscillante devait émettre une radiation électromagnétique. Hertz était parfaitement conscient d'avoir établi un circuit capable de produire une charge oscillante constante. Il se posa alors la question de savoir si, au passage d'une étincelle d'un point à l'autre, des ondes de radiation invisibles peuvent se déplacer dans le laboratoire.

Pour vérifier cette idée, Hertz construisit un arc en fil ouvert en un point. D'après son raisonnement, si un courant oscillant pouvait produire des rayons électromagnétiques, ces rayons devaient à leur tour pouvoir produire un courant oscillant dans son arc en fil. Il déplaça l'arc à différents endroits de son laboratoire et constata, à sa grande stupéfaction, qu'il pouvait détecter les rayons grâce à une petite étincelle qui traversait l'ouverture pratiquée dans l'arc. De plus, il put également représenter l'intensité et la forme du rayon, en examinant le changement d'intensité de l'étincelle en fonction de sa position. Il constata que la longueur d'onde du rayon atteignait près de 61 m - un million de fois plus grande que la longueur d'onde de la lumière visible.

Cette découverte d'Hertz était une confirmation frappante de la théorie de l'électromagnétisme de Maxwell. Mais l'application la plus remarquable des 'ondes hertziennes' ne fut obtenue que huit ans plus tard, en 1896, lorsque l'ingénieur italien Guglielmo Marconi les utilisa pour une communication à longue distance. Le 12 décembre 1901, des ondes hertziennes traversèrent l'océan Atlantique au cours d'une émission d'informations, d'Angleterre à Terre-Neuve, marquant ainsi la naissance des communications par radio. Mais Hertz ne put y prendre part.

Il n'avait que trente-six ans lorsqu'il mourut d'une maladie du sang chronique, sept ans avant cet exploit.

Ci-dessus: Ecoute du top horaire à la radio en 1913. Les signaux, en morse, venaient de la tour Eiffel, où un signal était émis toutes les secondes.

A gauche: Une forme moderne de récepteur radio: un radiotélescope en Allemagne de l'Ouest.

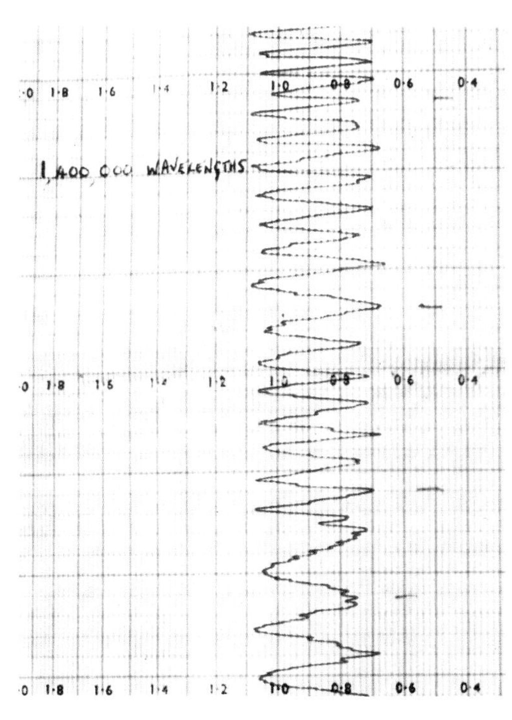

A droite: Ondes radio, provenant du quasar 3C273, captées au télescope radio de Jodrell Bank en Angleterre. Les quasars sont des radiosources intenses d'objets lumineux de très faible diamètre angulaire, dont le spectre est fortement décalé vers le rouge. L'intensité du rayonnement de ce quasar et sa distance par rapport à la Terre semblent indiquer qu'il est tout aussi brillant que 200 galaxies rassemblées.

Rudolf Diesel

1858-1913

Le rendement du moteur Diesel s'est révélé supérieur à celui des anciens moteurs à combustion, car la source d'allumage n'est pas à l'extérieur. Ce moteur, qui fonctionne avec une huile peu coûteuse, non raffinée (impure), est donc largement utilisé pour le transport et l'industrie. Son nom est celui de son inventeur, l'ingénieur Rudolf Diesel.

Diesel était de nationalité allemande. Son père, un maroquinier, avait émigré à Paris avec sa famille et c'est là que Rudolf naquit. La guerre franco-prussienne éclata alors qu'il était âgé de douze ans. La famille Diesel, considérée comme étrangère et indésirable, fut déportée à Londres, mais grâce à l'aide d'un neveu, Rudolf fut en mesure de terminer ses études en Allemagne. Il quitta l'Ecole technique supérieure de Munich, avec un diplôme d'ingénieur en mécanique et en thermodynamique. Il revint alors à Paris où il travailla dans une entreprise de réfrigération. En plus de ses dispositions pour la technique, il s'intéressait également beaucoup à la vie culturelle et sociale.

Vers 1885, il pensa pour la première fois à fabriquer un moteur, qui serait un perfectionnement du moteur Otto, grâce à la suppression de la source d'allumage extérieure au moteur. Dans les anciens moteurs au gasoil, la source d'allumage était composée d'un fil à incandescence chauffé et, plus tard, d'une étincelle électrique. L'idée de Diesel était de comprimer le mélange d'air et de vapeur d'essence dans le cylindre moteur, jusqu'à ce qu'il fût suffisamment chaud pour s'allumer spontanément. Il commença une série d'expériences qui dureront plus de douze ans. Il n'était pas seulement poussé par la curiosité technique, mais il avait également un objectif social bien défini.
D'après son raisonnement, son invention donnerait aux ouvriers une certaine indépendance qu'ils ne possédaient plus depuis le début de la 'révolution industrielle'. Son moteur pourrait être utilisé partout et consommerait un carburant économique. Cette solution permettrait aussi de simplifier de nombreux procédés industriels. Enfin, de grands investissements ne seraient plus nécessaires et le manoeuvre pourrait avoir à nouveau contacts avec le produit de son travail.
Ce n'est qu'en 1892 que Diesel fut à même de faire enregistrer un brevet provisoire. L'année suivante, il construisit son premier prototype. La forte pression exercée dans le cylindre provoqua une explosion qui faillit le tuer. Il était évident

A droite: Moteur Diesel à deux cylindres, de 1897, c'était le premier moteur Diesel industriel, construit dans l'usine de Matchwood, à Kempten en Bavière.

que son projet devait être revu sur plusieurs points. Au début, Diesel utilisait des produits industriels dérivés et bon marché, tels que du carbone en poudre ou même de la graisse animale, pouvant servir de sources d'énergie éventuelles. Mais, plus tard, il ne se servira que d'huile brute. Le modèle suivant construit par Diesel tourna pendant une minute au moment de l'essai. De nombreux fabricants furent cependant intéressés par ce moteur, qui prit rapidement une place de choix dans l'industrie et constitua la base de nombreux autres prototypes nécessitant l'utilisation de machines lourdes. Le moteur Diesel fut utilisé pour

Ci-dessus: Moteur Diesel, conçu pour les navires à vapeur de marchandises et de passagers. Le moteur à deux têtes permet une commande directe, sans transmission. Les vitesses des hélices sont réglées par des pompes, des deux côtés du moteur, qui travaillent indépendamment l'une de l'autre. Le moteur développe une puissance de 7 300 ch pour 132 tours à la minute.

les bateaux, les camions, les autobus, les tracteurs et autres appareils agricoles et il succéda en outre à la machine à vapeur dans le trafic ferroviaire. Plus tard, il fut également utilisé dans les sous-marins. Le moteur Diesel, qui tourne avec une huile bon marché, reste toujours plus économique que le moteur à essence. En revanche, il est beaucoup plus lourd et plus bruyant, et ses gaz d'échappement présentent de sérieux risques de pollution pour l'environnement. En ce qui concerne les conséquences sociales, les aspirations de Diesel ne purent être complètement réalisées.

Jusqu'à sa mort, Diesel se battra pour l'autonomie de l'homme dans la société industrielle. Son invention le rendit millionnaire, mais la richesse le laissait indifférent. Il ne se donnait pas la peine de bien gérer sa fortune, ce qui l'entraîna dans de continuelles difficultés financières.

Finalement, sa situation devint désespérée. En outre, il se sentit complètement abattu par la menace d'une guerre en Europe. Ces deux motifs le poussèrent au suicide.

Il avait été invité comme membre d'honneur à un congrès d'ingénieurs à Londres. Au cours de la traversée de la Manche, Rudolf Diesel disparut, de nuit, sans laisser de trace. Ce drame se déroula en 1913.

A droite: Véhicule moderne avec moteur Diesel. En dépit de l'objectif que Rudolf Diesel s'était fixé, le moteur Diesel est davantage utilisé pour les travaux lourds que comme moteur courant pour les automobiles, bien qu'il soit maintenant monté sur de nombreux modèles.

Max Planck

1858-1947

Le physicien allemand Max Planck est l'auteur de la théorie moderne des quanta. Au commencement du XXe siècle, la théorie des quanta, ainsi que la théorie de la relativité d'Einstein, permit de jeter un regard tout à fait différent sur l'univers. La théorie de Planck était simple. En physique classique, les rayons électromagnétiques, tels que la lumière ou la chaleur, étaient considérés comme un mouvement ondulatoire ininterrompu. Mais Planck supposa que ce mouvement était interrompu, en fait, et structuré à partir de très petites particules par une énergie de 'quanta'. Cette idée incroyablement simple dissimulait un nouvel aspect fondamental et complexe de la science. En 1818, Max Planck reçut le Prix Nobel de physique pour la théorie quantique.

Fils d'une famille cultivée du sud de l'Allemagne, Planck grandit à Munich. Il s'intéressait énormément à la vie culturelle. Pendant longtemps, il envisagea même sérieusement de se consacrer à la musique. Mais ses professeurs à l'Université de Munich lui conseillèrent plutôt de faire une carrière dans la physique théorique. Ses dispositions

exceptionnelles pour les mathématiques et la physique le firent rapidement connaître, bien avant l'aboutissement de ses grands travaux, qui le rendront célèbre dans le monde entier. La considération dont jouissait Planck dans les milieux scientifiques allemands était due en grande partie à sa forte personnalité, toujours empreinte d'humour et d'humanité, malgré son esprit conservateur.
Dès 1900 - Planck était alors professeur à l'Université de Munich - il mit au point la théorie qui constitue le noyau de la théorie des quanta. Pendant plusieurs années, il étudia la façon dont les corps chauffés émettent de l'énergie sous forme de rayonnement. Par la physique classique et avec ses idées bien arrêtées, il ne put trouver aucune explication à la façon irrégulière dont cette énergie était répartie sur les différentes longueurs d'ondes des rayons. Plusieurs physiciens éminents avaient élaboré des théories pour expliquer la répartition d'énergie observée. Planck avait une conception scientifique tout aussi traditionnelle que ses contemporains, mais lui, au moins, était prêt à adopter de nouveaux concepts.
Planck décida de rejeter toutes les anciennes suppositions sur la nature de ces rayons et d'aborder le problème d'une tout autre manière. Il établit que les rayons étaient composés de très petites particules d'énergie, qu'il appela les 'quanta'. Il appliqua cette idée révolutionnaire au cas des corps chauffés et put donner immédiatement une description précise et simple de l'émission d'énergie.

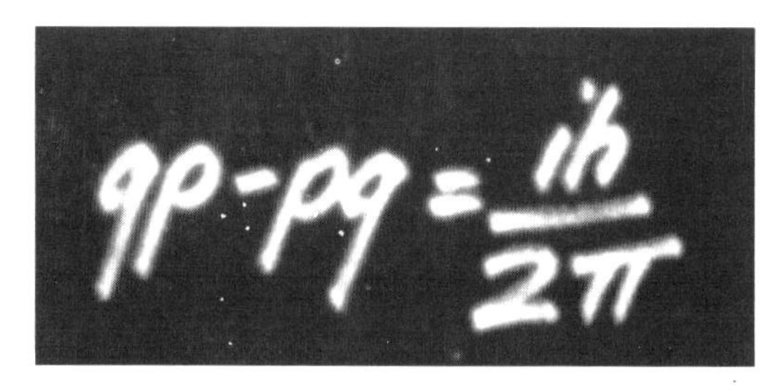

A droite: La théorie des quanta, qui établit que tous les processus se développent par étapes. L'énergie, quelle que soit sa nature, se présente exclusivement sous la forme de petits 'paquets' extrêmement petits, appelés 'quanta'. Un quantum est donc la plus petite quantité d'énergie qui puisse exister. La matière peut absorber ou émettre de l'énergie sous la seule forme des quanta. On obtient l'énergie d'un quantum en multipliant la fréquence du rayon par 'h', le quantum du fonctionnement, connu comme étant 'la constante de Planck'. Par conséquent, les quanta d'un rayon à haute fréquence - comme les rayons X - sont plus riches en énergie que les ondes radio à fréquence inférieure. La valeur de 'h' est infime. On admet que cette constante (nombre invariable) permet de décrire les processus qui sont à la base de tous les phénomènes physiques.

Au lieu d'utiliser les formules complexes établies antérieurement, il ramena la question à une relation simple: l'énergie émise est proportionnelle à la longueur d'onde du rayon. Il démontra que l'énergie et la longueur d'onde étaient liées par un nombre bien déterminé qu'il appela la 'constante

de Planck'. Ce nombre constant n'était rien d'autre pour Planck qu'un nombre important pour le calcul de sa théorie. Mais les savants découvrirent rapidement que ce nombre devait jouer un rôle considérable dans de nombreuses lois de la physique.
La théorie des quanta ne fut pas acceptée immédiatement. Planck lui-même n'osait presque pas adopter son idée. Il ne faut donc pas s'étonner si

ses conceptions ont été accueillies avec beaucoup d'hésitation. Mais la théorie quantique aboutit à ce que toute nouvelle théorie devait faire et fera toujours: elle expliqua des faits observables. Les savants ne pouvaient tout de même pas s'en désintéresser. En 1913, le physicien danois

Ci-dessus: Les quantités d'énergie qui sont émises et absorbées par des objets célestes - comme la nébuleuse d'Orion reproduite ici - sont calculées par la théorie des quanta.

Ci-dessus: La première conférence Solvay de physique, à Bruxelles en 1911. Planck est le deuxième à gauche dans la rangée du fond. Ernest Rutherford, Marie Curie et Albert Einstein (deuxième à partir de la droite) étaient également présents.

Niels Bohr, appliquant la théorie des quanta aux idées acquises sur la structure des atomes, obtint un succès remarquable. La discontinuité dans le rayonnement, indiquée par Planck, concernait aussi la façon dont les électrons décrivent une trajectoire autour du noyau atomique à certains niveaux d'énergie 'possibles'. Le nouveau modèle quantique de l'atome permit d'expliquer un grand nombre de phénomènes atomiques et constitua le point de départ des théories modernes sur les atomes. Les savants purent progresser rapidement dans l'application de la théorie des quanta. Bien que les notions et les calculs fussent extrêmement compliqués, les savants comprirent qu'il s'agissait là d'un nouvel instrument très puissant pour l'étude du monde de l'atome. Dans le passé, ce monde avait paru étranger et imprévisible, régi par des lois inconnues et obscures. La théorie de Planck fit comprendre qu'il n'y avait pas autant de mystère qu'on le pensait. Jusqu'à cette époque, on avait voulu appliquer les lois de la vie quotidienne à un domaine qui ne leur convenait pas du tout. Pour décrire le monde de l'atome, il était devenu nécessaire de formuler de nouvelles lois, fondées sur la théorie des quanta.

Lorsque cette notion fut admise, l'étude véritable des atomes et des molécules permit d'énormes progrès.

Actuellement, la physique des quanta est utilisée dans les domaines les plus divers. Les savants atomistes en font un large usage pour mieux comprendre l'activité des plus petites particules de la nature, qui font partie intégrante de la structure interne des noyaux atomiques.

Les astrophysiciens spécialisés dans l'étude des étoiles utilisent cette même théorie pour décrire l'activité des atomes et des molécules dans les gigantesques amas que forment les étoiles et les galaxies. La théorie de Planck est extrêmement importante, parce qu'elle contribue à la compréhension de tous les phénomènes de la nature, du plus petit au plus grand. Ce grand physicien mourut en 1947.

Svante August Arrhenius

1859-1927

Le chimiste et physicien suédois Svante Arrhenius fut un des fondateurs de la chimie physique. Il fut le premier à supposer que les électrolytes - corps chimiques qui, dissous dans l'eau, peuvent devenir conducteurs de l'électricité - étaient composés de petites particules chargées, appelées ions. La théorie des ions d'Arrhenius permit de comprendre la structure des composés chimiques et leur rôle dans les solutions.

Arrhenius naquit à Vik en Suède et fut élevé dans la région d'Upsal. Encore étudiant, il commença à élaborer la théorie des ions, et à étudier le phénomène de l'électrolyse.

Environ cent ans avant la naissance d'Arrhenius, des savants avaient découvert que certaines liaisons chimiques pouvaient laisser passer un courant électrique, lorsqu'elles étaient dissoutes dans l'eau.

Plus remarquable encore fut la découverte établissant que les solutions étaient décomposées sous l'influence du courant électrique et que les éléments composant la liaison dissoute se formaient très souvent à ce moment. Actuellement, on utilise l'électrolyse dans tous les secteurs de l'industrie pour former des éléments à partir de

A droite: Chlorure de soude (sel de cuisine) tel qu'Arrhenius l'imaginait. Sous forme solide et cristallisée, la soude et le chlore sont maintenus ensemble par la force d'attraction entre les ions positifs du sodium et les ions négatifs du chlore (à gauche). En solution (à droite), les ions se détachent et se déplacent librement dans le liquide.

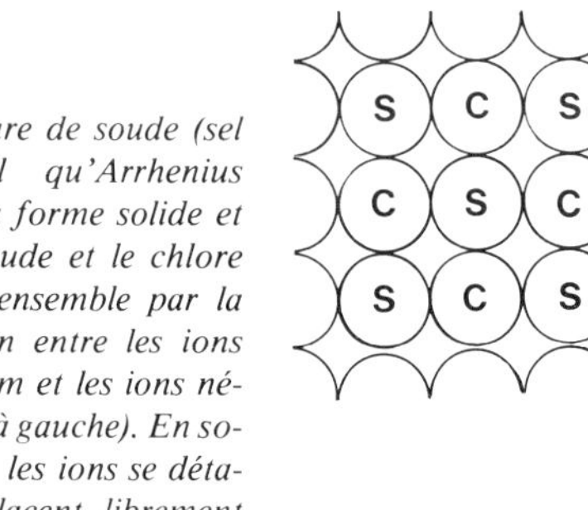

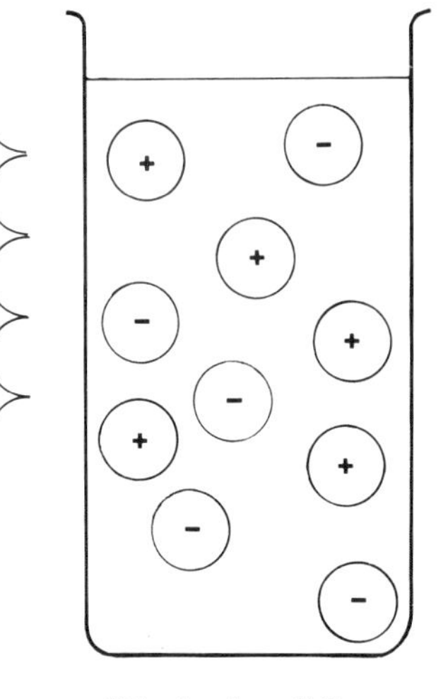

liaisons. Mais à l'époque d'Arrhenius, l'électrolyse était une énigme.

Arrhenius posa une question fondamentale. Quelle est la caractéristique qui permet de reconnaître si une liaison conduit ou non de l'électricité, lorsqu'elle est dissoute dans l'eau? Arrhenius pensait intuitivement que la réponse devait avoir un certain rapport avec la structure de la liaison. Par des expériences sur des centaines de solutions, il put étudier l'évolution des caractéristiques en fonction de la quantité de la liaison dissoute.

Il établit le point d'ébullition et le point de congélation et fit passer des courants électriques pour examiner l'influence de l'électrolyse.

Vers 1883, Arrhenius avait trouvé une réponse simple, mais révolutionnaire. Les liaisons qui conduisent de l'électricité dans une solution, c'est-à-dire les électrolytes, différaient des autres liaisons par leur structure.

D'après Arrhenius, les électrolytes étaient composés de toutes petites parties, appelées ions. Dans sa forme solide, l'électrolyte était maintenu compact par la force d'attraction entre les ions positifs et les ions négatifs. Mais, en solution, les ions se détachaient et se déplaçaient librement dans le liquide. Si une électrode positive et une électrode négative étaient placées dans la solution durant l'électrolyse, les ions positifs se dirigeaient vers l'électrode négative et les ions négatifs vers l'électrode positive. Le mouvement des ions formait le courant électrique caractéristique de l'électrolyse.

Mais Arrhenius devait encore trouver une explication à la façon dont les électrolytes se décomposent lors de l'électrolyse, ce qui l'amena à faire une supposition audacieuse sur la nature des ions. Il constata que les ions étaient en fait des atomes chargés électriquement.

De plus, lorsqu'un ion atteignait une électrode

durant l'électrolyse, la charge en était neutralisée et il subsistait encore un atome normal et non chargé de l'élément.
La théorie d'Arrhenius fut accueillie avec une incrédulité totale. La plupart des savants considéraient la supposition d'Arrhenius comme insuffisante. Il devait d'abord pouvoir expliquer pourquoi un ion ne présentait aucune des caractéristiques chimiques de l'atome correspondant non chargé.
Pourquoi la présence d'une charge électrique aurait-elle un effet aussi puissant? De même, Arrhenius était-il en mesure d'expliquer comment un atome pouvait recevoir une charge? Malgré les violentes critiques, Arrhenius restait convaincu de la valeur de sa théorie.
En 1884, il présenta une partie de cette théorie dans sa thèse de doctorat en sciences physiques à l'Université d'Upsal.
Un des examinateurs d'Arrhenius était également son répétiteur, le célèbre chimiste Per Cleve. Cleve avait déjà rejeté cette théorie des ions et il usa de sa plus grande influence pour faire attribuer au candidat la note minimale, cruelle humiliation pour Arrhenius. En réalité, l'Université avait ainsi rejeté ouvertement la théorie des ions.

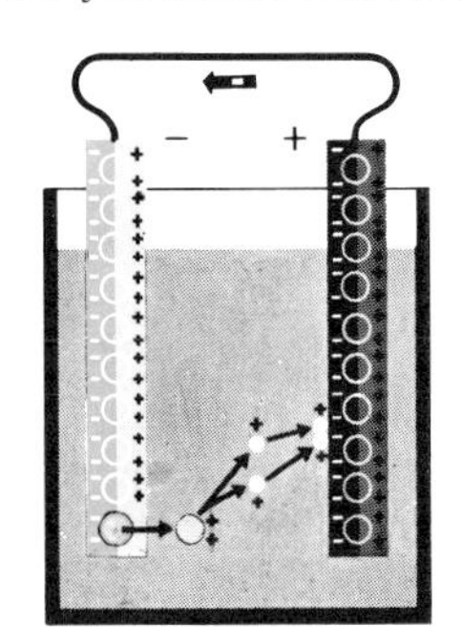

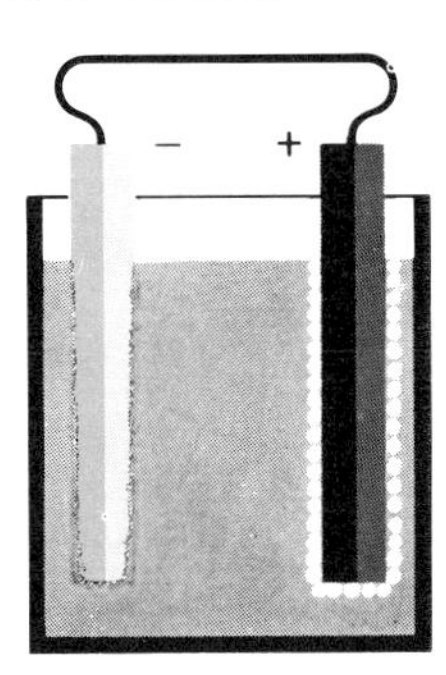

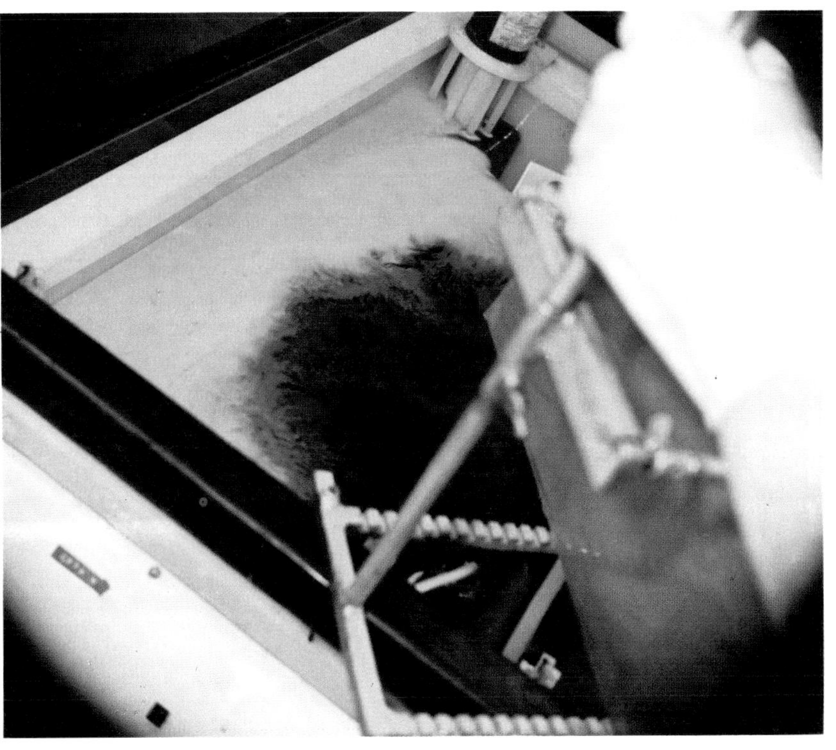

Ci-dessus: Plaque recouverte d'une couche de cuivre retirée du bac d'électrolyse. Le principe du dépôt par électrolyse d'une fine couche de métal sur un autre métal est fondé sur les mouvements des ions chargés vers l'électrode à charge opposée. Dans le cuivrage d'un métal par électrolyse, l'anode est en cuivre pur, tandis que le métal qui doit être cuivré sert de cathode. Ils sont placés dans une solution d'un sel de cuivre. Lorsqu'un courant électrique passe par ces éléments, du cuivre se dégage de l'anode et se déplace dans la solution sous la forme d'ions de cuivre positifs. Une fine couche de cuivre se dépose alors sur la cathode.
Ci-dessus, à gauche: Une cellule électrolytique simple, connue sous le nom d'accumulateur. Elle est composée d'une barre en cuivre et d'une autre en zinc dans une solution d'acide sulfurique. A l'extrême gauche: Lorsque les barres d'une batterie sont reliées entre elles, le courant passe dans le sens indiqué par la flèche supérieure. Les flèches du bas indiquent dans quelle direction les ions d'hydrogène se déplacent vers le cuivre. A droite: Finalement, le cuivre est entièrement isolé par les petites bulles d'hydrogène qui s'y sont accrochées, ce qui entraîne la coupure du courant électrique. C'est le phénomène de polarisation.
A droite: Une partie de l'installation de raffinement électrolytique dans les usines de cuivre de James Bridge à Birmingham.

Arrhenius ne s'avoua pas aussi facilement vaincu. Il avait bien sagement envoyé des copies de sa théorie aux chimistes les plus éminents de son temps. Il s'en trouva, heureusement, quelques-uns parmi eux pour défendre ses idées surprenantes avec compréhension et courage. En 1897, les événements prirent une tout autre tournure.
Le physicien anglais J.J. Thomson découvrit l'électron et le définit comme étant un des éléments constitutifs de l'atome.
A Paris, vers la même époque, Henri Becquerel avait découvert la radioactivité et démontré par cette théorie que certains éléments émettaient des rayons de façon spontanée et permanente, entre autres des électrons.
On comprit pour la première fois que les atomes n'étaient pas des particules compactes - comme de petites boules de billard - mais qu'ils avaient une certaine structure interne.
La découverte de Becquerel prouva que cette structure était due à la présence d'électrons dans les atomes.
On put enfin expliquer la conception d'Arrhenius sur les atomes chargés. Si, à titre d'exemple, un atome du métal sodium perdait un électron - c'est-à-dire une particule chargée négativement - l'atome aurait une charge positive globale.
A l'inverse, si un atome de chlore recevait un électron en plus, la charge serait essentiellement négative.
Du sel de cuisine courant, une combinaison de sodium et de chlore, pourrait être considéré comme une agglomération d'ions de sodium et de chlore, reliés entre eux par la force d'attraction électrique des charges positives et négatives.
Puisque les électrons font partie de la structure interne des atomes, il n'était pas étonnant de constater que, si un atome gagnait ou perdait un électron, les caractéristiques de cet atome changeraient.
Les ions de sodium et de chlore séparés dans de l'eau salée ne présentent donc aucune des caractéristiques du sodium, qui se dissocie dans l'eau, ou du chlore, qui est un gaz nocif verdâtre.
Des années de travail persévérant furent récompensées par une distinction inespérée pour Arrhenius.
Sa théorie des ions fut honorée, et les milieux scientifiques se hâtèrent de féliciter l'homme qu'ils avaient rejeté autrefois. Il reçut le Prix Nobel de chimie en 1903.

Willem Einthoven

1860-1927

Le physiologiste néerlandais Willem Einthoven est l'inventeur d'un instrument destiné à l'étude des réactions électriques du coeur. Il s'agit du cardiographe, instrument extrêmement sensible, comparable à un galvanomètre. Cet instrument est toujours utilisé pour l'examen des troubles cardiaques.

Willem Einthoven naquit à Semarang à Java (Indonésie). Suivant la trace de son père, il s'inscrivit comme étudiant en médecine à l'Université d'Utrecht et termina ses études en 1885. La même année, il fut nommé professeur de physiologie à l'Université de Leyde.
Mais Einthoven s'intéressait surtout au coeur, et plus particulièrement aux réactions d'origine électrique du muscle cardiaque. En bref, lorsqu'une impulsion nerveuse agit sur le coeur, elle provoque une contraction, qui a pour effet de refouler le sang dans l'organisme. Einthoven s'intéressa aux tentatives entreprises pour reproduire ces changements chez les animaux et les hommes. Mais les instruments disponibles à l'époque n'étaient pas suffisamment sensibles. Einthoven tenta d'améliorer les résultats en utilisant d'abord un électromètre capillaire et ensuite un galvanomètre à miroir.

A droite: Un électrocardiographe, construit en 1911 par la Cambridge Instrument Company.

Ci-dessous, à droite: Une démonstration du galvanomètre à fil de Einthoven devant la Royal Society *de Londres. Le circuit électrique d'une batterie était fermé par un bouledogue, dont les pattes avant et arrière étaient placées chacune dans un récipient contenant une solution saline. Le fil du galvanomètre vibrait à chaque battement de coeur.*

Ci-dessous, à gauche: Einthoven à côté de son galvanomètre à fil.

Finalement, en 1903, il conçut un projet de galvanomètre à fil. Son invention était composée d'un instrument très sensible qui pouvait détecter des différences de potentiel électrique jusqu'à une fraction de millième de volt. Le 'fil' était en quartz argenté, fixé entre les pôles d'un électro-aimant. Des électrodes, fixées sur les membres de la personne concernée, enregistraient le courant produit par une contraction du muscle cardiaque. Elles faisaient passer ce courant par le fil, qui s'o-

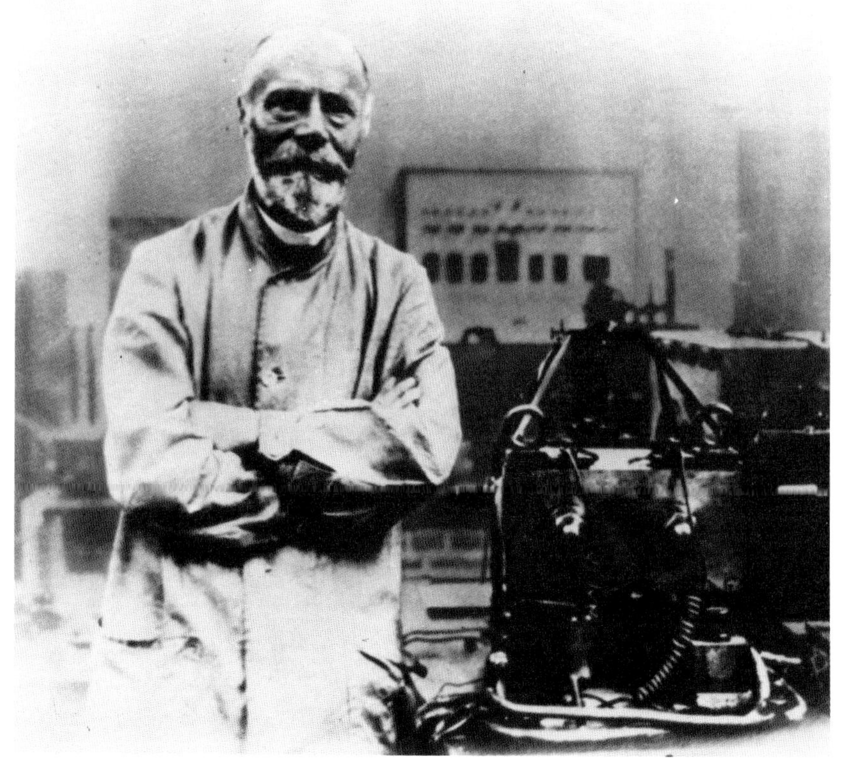

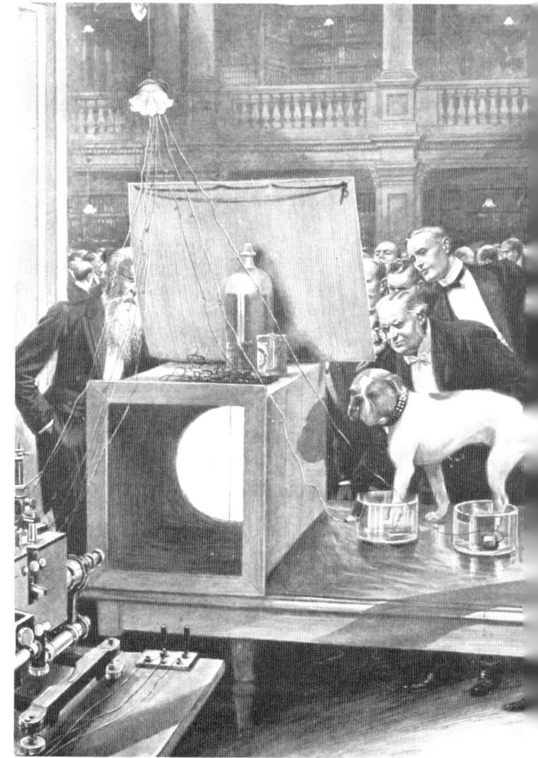

rientait vers un des pôles en fonction de la force et du sens du courant.

Il était possible d'enregistrer de faibles mais nets changements, qui apparaissaient lorsque le coeur se dilatait et se contractait. Il appela cet instrument 'le cardiographe'.

Einthoven comprit la nécessité d'enregistrer en permanence les changements qui apparaissaient lorsque le coeur pompait du sang sans discontinuer. Il fixa le fil de telle façon que lorsqu'il était mis en mouvement, il interrompait un rayon lumineux et faisait apparaître une ombre sur une bande de papier photographique en mouvement. Cet enregistrement - l'électrocardiogramme - était composé d'une série de types d'ondes qui revenaient constamment, en fonction de la contraction et de la décontraction du coeur. Einthoven appela les différents points de l'ondulation P, Q, R, S et T. P est la pointe sûre de l'électrocardiogramme qui apparaît lorsque la valve d'admission du coeur se referme et que la contraction qui chasse le sang à l'extérieur commence. Elle correspond au battement de coeur.

Le type d'ondes et la vitesse d'un coeur normal restent identiques sur un électrocardiogramme. Par conséquent, tout changement indique une perturbation, telle une thrombose de l'artère coronaire (fermeture de l'artère coronaire par un caillot de sang), épaississement du muscle cardiaque, crise cardiaque ou déplacement anatomique du coeur. L'électrocardiographe étant extrêmement sensible, il fut très rapidement acquis par les hôpitaux, comme un instrument de diagnostic d'une valeur inestimable. L'électrocardiographe fut finalement transformé en un instrument électronique avec transistors et oscillographe à rayons cathodiques, mais le principe du projet initial resta le même. Einthoven consacra de nombreuses études à des électrocardiogrammes normaux et anormaux.

En 1906, il fit construire un 'télécardiogramme', système par lequel les électrocardiogrammes enregistrés dans un hôpital local pouvaient être transférés par câble dans son laboratoire. Il put ainsi étudier les changements observés chez les patients atteints de maladies cardiaques. En 1924, il reçut le Prix Nobel de médecine, en récompense de ses travaux.

Ci-dessous, à droite: Le complexe PQRST d'un électrocardiogramme normal (en haut), comparé à celui d'un muscle cardiaque complet (où les ventricules et les oreillettes battent à un rythme différent). Les ondes P semblent normales, mais, le passage des stimuli des oreillettes aux ventricules étant bloqué, ces stimuli n'atteignent pas les ventricules. Dans un cas pareil, le remède consiste dans l'utilisation d'un stimulateur cardiaque.

Ci-dessous, à gauche: Le triangle d'Einthoven sert à la 'lecture' d'un électrocardiogramme (le cardiologue ne l'a pas sur papier, mais bien en tête). On suppose que les activités électriques du coeur partent du point central du triangle et se dirigent vers l'extérieur. Les mouvements dans une direction déterminée le long d'un des trois axes, sont dits 'positifs' (indiqués avec une flèche grasse dans les figures) et 'négatifs' en sens contraire. Les mesures positives donnent des tracés ascendants d'après l'aiguille de l'électrocardiographe tandis que les mesures négatives donnent des tracés descendants. Les mouvements qui se dirigent directement vers un des axes n'ont aucune influence sur l'aiguille. Des troubles cardiaques peuvent donc être décelés d'après des tracés anormaux de l'aiguille.

A droite: Un patient, relié à un appareil, prêt pour un électrocardiogramme (ECG). Le fil à la jambe droite est une conduite à la terre.

R P T Q S — 1,0 millivolt — 0,2 sec.

P T P P T P P&T

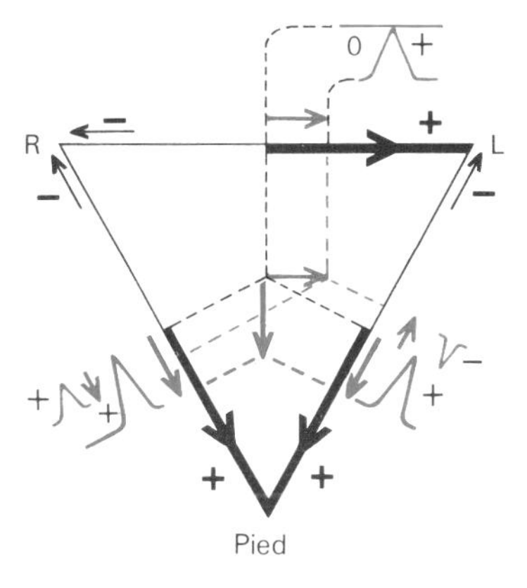

Normal

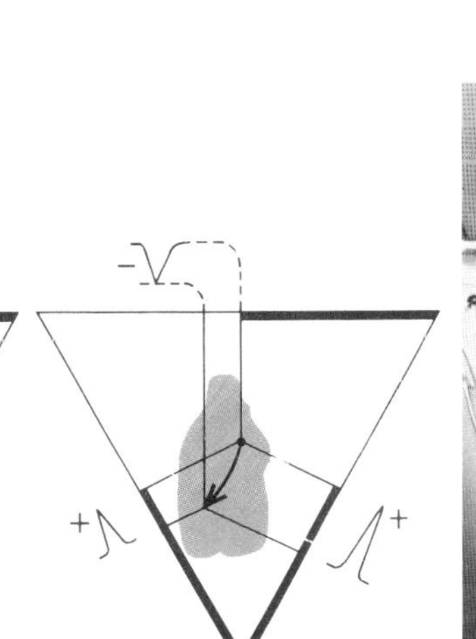

L'axe dévie vers la gauche

L'axe dévie vers la droite

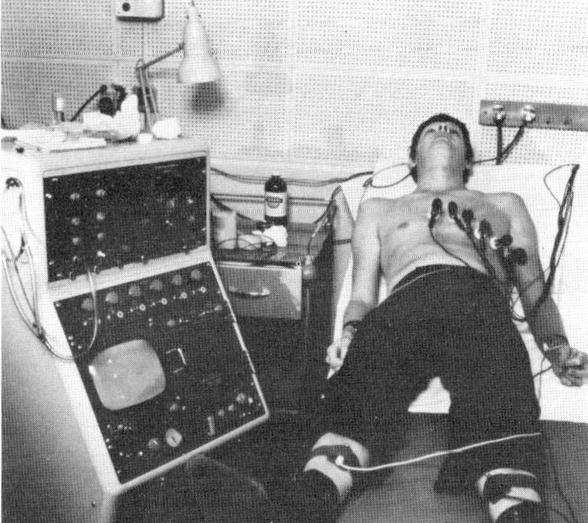

Paul Gottlieb Nipkow

1860-1940

Le disque Nipkow, inventé par le jeune savant allemand Paul Gottlieb Nipkow, était à ce point en avance sur son temps, que personne ne put imaginer comment on pouvait l'utiliser en pratique. Son inventeur fit une carrière d'ingénieur dans une compagnie de chemins de fer. Le disque Nipkow était la solution au problème de la transmission d'une image contrastée que l'on analysait et traitait en unités séparées. C'est ainsi que le disque Nipkow constitua le fondement des émissions télévisées telles que nous les connaissons de nos jours.

Dès qu'il fut possible de convertir la voix humaine en signaux électriques et de la transmettre par l'intermédiaire d'un fil, les savants se mirent à examiner les possibilités d'en faire autant avec une image visible. C'est ce qui donna naissance au terme 'télévision' (voir à distance). Cependant, ils étaient confrontés à trois difficultés d'ordre pratique: l'analyse et la conversion de l'image en impulsions électriques, la transmission de ces impulsions et la reconstitution de l'image par le récepteur. Différentes tentatives furent entreprises pour surmonter ces difficultés. On déclara, à titre d'exemple, que la reproduction complète pourrait être transmise en même temps par un système complexe de câbles, où chaque fil serait destiné à la transmission d'une petite partie séparée de la reproduction.

En 1873, un ingénieur britannique, George May, découvrit que le sélénium conduisait la lumière. Cette conductibilité variait en fonction de la quantité de lumière. Le sélénium est également capable de convertir l'énergie lumineuse en énergie électrique. Cette caractéristique fut à la base de la découverte de la cellule photo-électrique, qui deviendra un élément indispensable pour la transmission télévisée.

Une première étape vers une télévision pratique fut franchie par la découverte de la méthode mécanique permettant d'analyser l'image à transmettre. Le disque Nipkow fut l'instrument qui permit cette opération. Il fut inventé en 1884 par Paul Gottlieb Nipkow, alors qu'il était encore

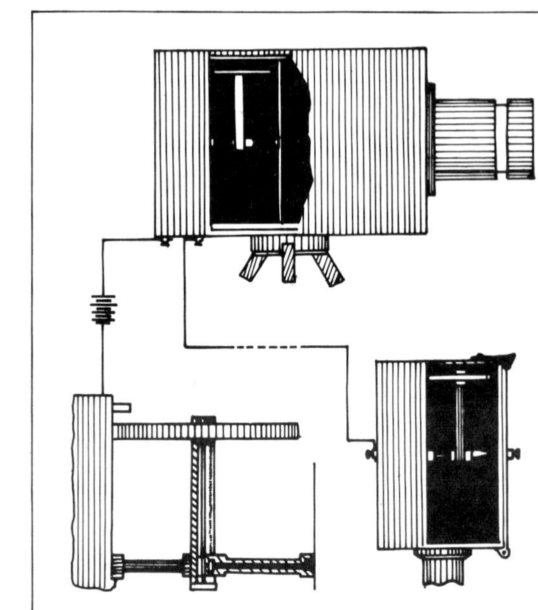

A droite: Un ancien système de synthèse, conçu en 1880 par George Carey. Une cellule de sélénium analysait l'image, en se déplaçant sur une trajectoire en forme de spirale. Les petits courants de signaux étaient transmis par un seul fil. Ce système ne présentait aucune synchronisation entre la synthèse, la transmission et la réception.

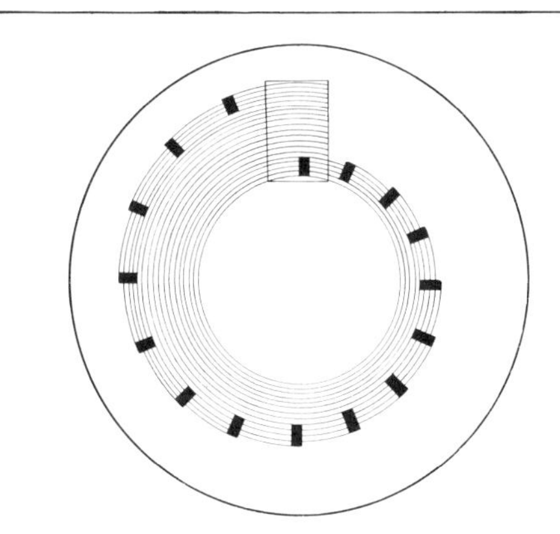

Au milieu, à droite: Chaque ouverture du disque Nipkow analysait une petite surface de l'objet. Les petites surfaces de l'image se chevauchaient pour constituer une image composée de quarante lignes.

Ci-dessous: Brevet de Nipkow datant de 1884. Il montre le disque d'analyse, l'émetteur (au milieu) et le récepteur (en bas, à droite). L'émetteur comportait une cellule de sélénium photosensible. La réception était obtenue par la rotation constante de la surface de polarisation de lumière polarisée dans un champ électromagnétique.

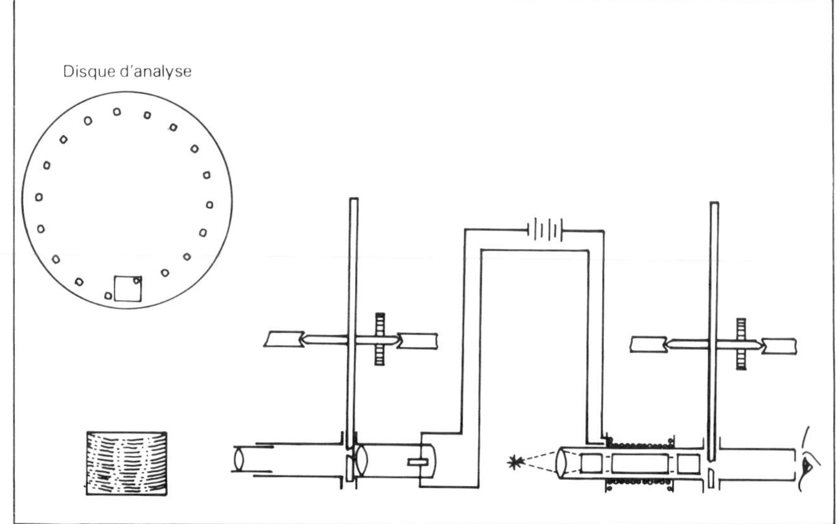

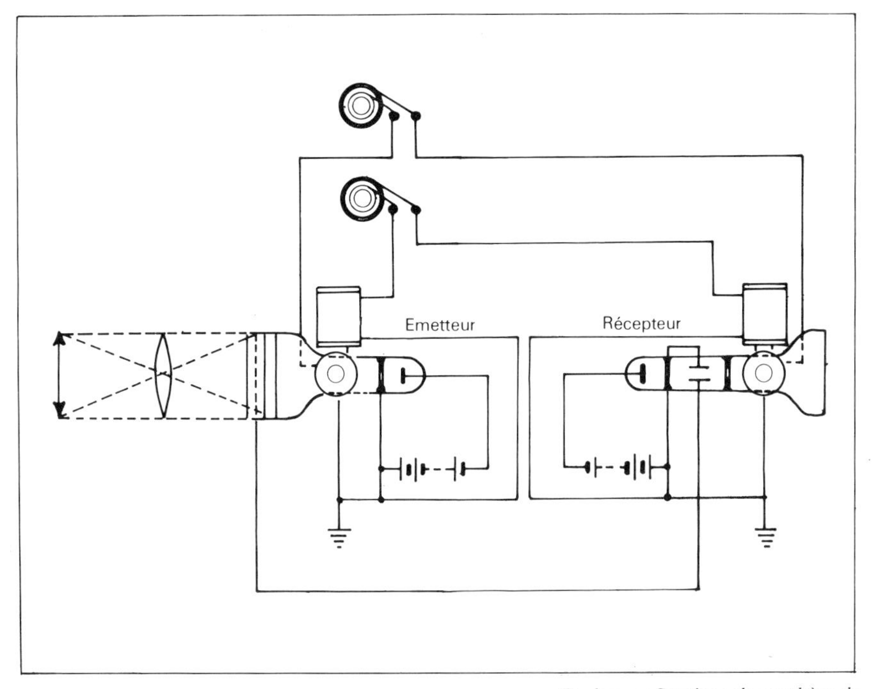

étudiant à Lauenburg (l'actuelle Lebork en Pologne). Ce disque métallique rotatif comportait une série d'ouvertures carrées classées dans un modèle en forme de spirale. Le disque était placé entre l'image à transmettre et une forte source lumineuse. Lorsque le disque tournait rapidement, l'image à transmettre était analysée partie par partie par la lumière qui passait par une des ouvertures. L'intensité de la lumière déterminait les nuances de l'image (différences entre le clair et le foncé). Chaque ouverture fournissait une ligne parallèle, la longueur de chaque ligne variant selon l'intensité. La série de lignes formait l'image. La lumière était absorbée par une cellule photo-électrique, qui traduisait les signaux en impulsions électriques. La reconstitution de l'image se déroulait en sens inverse de l'analyse. Les impulsions de la cellule photo-électrique produisaient une émission lumineuse comparable à celle d'une lampe. Les rayons lumineux passaient par un autre disque Nipkow, synchronisé avec le disque qui se trouvait du côté de l'émetteur. Ainsi, la reproduction pouvait avoir lieu.

La première application pratique du principe d'analyse (ou de synthèse) fut la transmission de photos par un câble télégraphique. Différentes techniques furent éprouvées et, en 1907, on émettait déjà des images sur 'fil' entre Londres et Paris. Le remplacement du sélénium par d'autres corps plus sensibles à la lumière, représenta une sérieuse amélioration dans le système de transmission. Enfin, on remplaça les méthodes de synthèse mécanique par des méthodes électroniques. Il fut possible de transmettre en 7,5 minutes par un simple câble une image normalisée, qui contenait environ 200 000 éléments d'image.

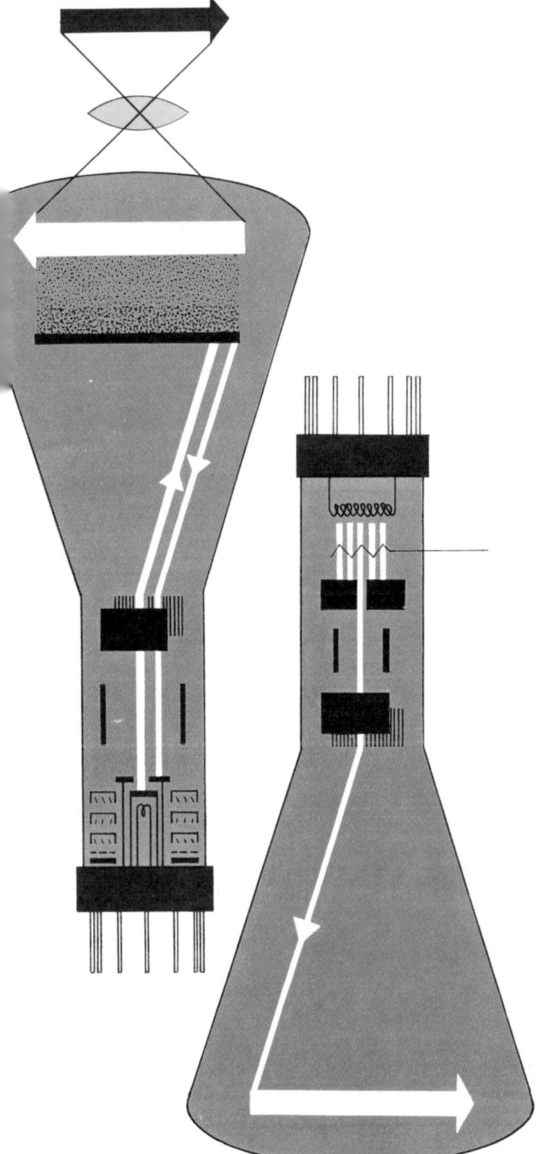

Ci-dessus: Système de synthèse de A.A. Campbell Swintons en 1911. Campbell se servait d'un écran formé de cellules photosensibles classées comme une mosaïque, sur laquelle on pouvait régler l'image par projection. Un rayon cathodique analysait la partie arrière de cet écran et était synchronisé par électromagnétisme dans le récepteur avec un rayon cathodique. Ce système permit d'obtenir des images de télévision nettes, comme nous les connaissons aujourd'hui.

En haut, à droite: Les pièces d'un appareil de télévision.

A gauche: Le tube dans la caméra TV (à gauche) produit une copie 'électronique' de la scène. Le tube dans le récepteur TV (à droite) 'déchiffre' l'image.

Ci-dessous: Isaac Shoenberg, savant originaire de Russie, qui fut le premier à fabriquer un système de télévision à 405 lignes.

A droite: La synthèse d'images est visible sur l'écran sous la forme d'une série de lignes horizontales.

Vilhelm Bjerknes

1862-1951

Le physicien norvégien Bjerknes a donné à la météorologie une solide base scientifique. Avec son fils Jacob, il formula de nouvelles notions, telles que les masses d'air dynamiques (en mouvement) et les ''fronts''. Le système actuel de prévision du temps en dérive.

La météorologie est l'étude des phénomènes atmosphériques et de leurs lois en vue de la prévision du temps. Au cours des siècles, de nombreuses activités de l'homme ont été plus ou moins dépendantes des prévisions du temps. L'invention du baromètre au XVIIe siècle par Evangelista Torricelli permit de prendre des mesures précises de la pression atmosphérique. Ce fut le point de départ d'une première application scientifique, mais les progrès ultérieurs furent très lents.

Vers la fin du XVIIIe siècle, Benjamin Franklin observa que les orages se déplacent dans le ciel selon un processus régulier et prévisible. Mais, jusqu'à l'apparition des moyens de communication rapides, en particulier du télégraphe de Samuel Morse en 1844, les prévisions de mauvais temps étaient illusoires, car il n'était pas possible d'informer en temps utile les zones menacées. Jusqu'en 1920 environ, lorsqu'on acquit de plus larges connaissances sur la composition de l'atmosphère dans les couches supérieures et sur la nature des changements de température et des courants d'air, on ne disposait que de peu d'éléments permettant de prévoir le temps. La plus grande partie du travail de pionnier effectué dans ce domaine encore très peu scientifique, fut entrepris par un groupe de météorologues norvégiens, et surtout par Vilhelm Bjerknes.

Bjerknes naquit à Christiana, l'actuelle Oslo. Fils d'un professeur de mathématiques à l'université locale, il fut très influencé par le travail de son pé-

A droite: Pionniers dans le domaine de la recherche météorologique en 1862. Le savant britannique James Glaisher est devenu inconscient, par manque d'oxygène, à une altitude de 8 840 m, après avoir noté 24,75 cm au baromètre. Entre-temps, son compagnon de voyage ouvre une soupape avec les dents.

Ci-dessous: Le service météorologique de Bergen en 1919. Jacob Bergen est à gauche sur la photo. L'homme de droite est Tor Bergeron, qui analysa le phénomène de l'occlusion: une couche d'air chaud propulsée vers le haut, par la rencontre d'un front chaud et d'un front froid.

re sur l'hydrodynamique et commença par collaborer avec lui. Ensuite, Vilhelm se rendit en Allemagne pour devenir l'assistant du physicien allemand Heinrich Hertz, avec qui il étudia la résonance électrique avant de retourner en Suède en 1893, où il obtint d'abord un poste de lecteur, puis de professeur de mécanique et de physique mécanique à l'Université de Stockholm. Il commença à compléter ses connaissances en hydrodynamique et thermodynamique par l'étude des mouvements des masses d'air dans l'atmosphère. Il considérait que les océans et les masses atmosphériques occasionnaient des mouvements d'air chaud et froid répartis selon des systèmes déterminés. D'après Bjerknes, les masses d'air se déplacent sous l'influence de la chaleur du soleil ou de la chaleur provoquée par le frottement des masses d'air. De même, la rotation terrestre était à l'origine du mouvement des masses d'air et d'eau.

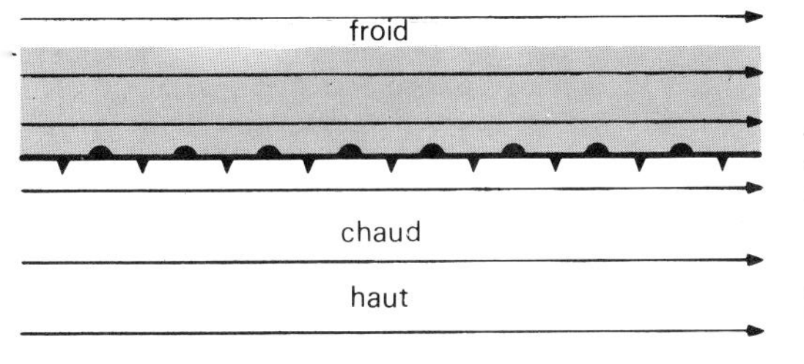

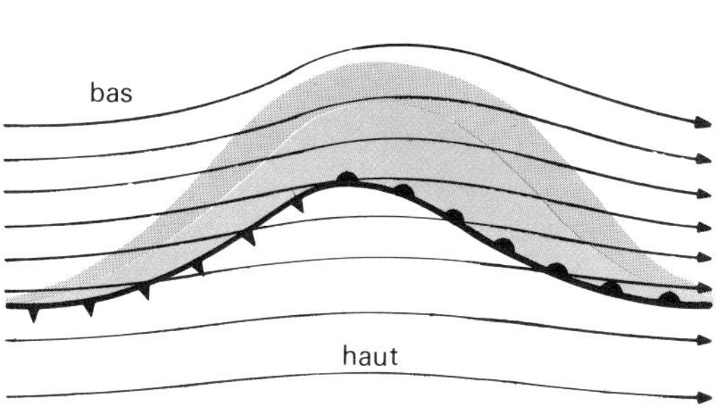

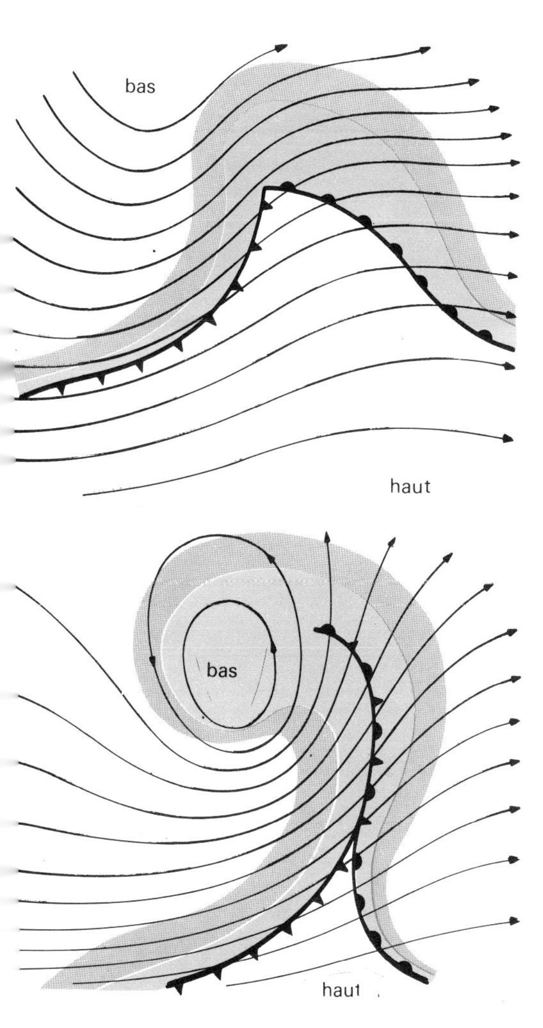

Ci-dessus: Un ballon du service météorologique britannique.

A gauche: Apparition d'une dépression. Cette caractéristique se produit souvent lorsqu'une masse d'air chaud se rapproche d'une masse d'air froid avec un vent giratoire à la surface de la limite. Souvent, les deux masses d'air se déplacent dans la même direction, mais, leur vitesse n'étant pas égale, c'est comme si elles se déplaçaient en directions opposées. Il se forme alors une poche d'air chaud qui pénètre dans l'air froid. Tout près de la corne de l'onde, se développe une zone de basse pression. La poche s'étend de plus en plus. L'air accentue sa forme de coin (troisième figure) et le front froid arrière (à gauche) rattrape lentement le front chaud qui se déplace de plus en plus lentement (à droite). L'air froid pousse l'air chaud vers le haut, ce qui entraîne une formation de nuages et une précipitation de neige ou de pluie. Lorsque les deux fronts se rencontrent (dernière figure), l'air chaud est entièrement repoussé vers le haut, et il se forme une occlusion. L'air circule (sur l'hémisphère nord dans le sens inverse des aiguilles d'une montre) autour de la zone de basse pression (à gauche, au-dessus du centre). Une telle dépression peut avoir un diamètre de 1 500 km ou plus.

Lorsque la Première Guerre mondiale éclata, la Norvège fut coupée d'une grande partie de ses sources d'informations nécessaires, notamment les informations météorologiques. C'est pourquoi Vilhelm créa un réseau très dense de stations 'météo' réparties dans tout le pays. Les données qu'il reçut de ces stations entre 1914 et 1918 lui permirent de confirmer en pratique les théories qu'il avait élaborées. A cette époque, il collaborait avec son fils Jacob. Les deux hommes formulèrent d'un commun accord les notions les plus importantes de prévisions météorologiques jamais encore définies. Il s'agissait de la théorie des fronts polaires.

D'après Bjerknes, une masse d'air chaud glisse sur une masse d'air froid lorsqu'elle rencontre cette masse d'air froid en forme de coin. La limite de contact entre les deux masses constitue le front. C'est dans cette surface limitrophe caractérisée par des différences de température et d'humidité que se produisent habituellement les changements de temps.

Il s'ensuit souvent une précipitation d'air chaud refroidi par l'arrivée l'air froid. Un front chaud - lorsque de l'air chaud chasse l'air froid - entraîne invariablement l'apparition de nuages, avec neige ou pluie persistantes. Un front froid - lorsque l'air froid chasse l'air chaud - est souvent accompagné de giboulées et de rafales de vent. Le front polaire est la zone où l'air froid et sec des pôles rencontre l'air chaud et humide des tropiques. Les grandes différences de température et d'humidité entraînent un temps très instable et orageux.

L'analyse des fronts a permis d'établir ainsi une méthode de prévision du temps. En notant et en établissant une relation entre les mesures de température et de pression identiques (l'air chaud est plus léger et provoque par conséquent une basse pression), le front peut être présenté sous forme de carte. La nature et la direction du front indiquent le type de temps auquel on peut s'attendre. Les symboles normalisés utilisés en météorologie, les demi-cercles pour les fronts chauds et les pointes pour les fronts froids, ont également été établis par les Bjerknes, père et fils.

Vilhelm Bjerknes resta professeur à l'Université jusqu'à l'âge de la retraite en 1932. Son fils Jacob Bjerknes quitta la Norvège en 1939 et devint professeur de météorologie à l'Université de Californie. Jacob Bjerknes étudia les cyclones (grandes zones de basse pression, avec des vents en spirale au milieu) et les dépressions.

Il fut également le premier à prendre des photos par des fusées, en 1950, pour des fins météorologiques.

Auguste et Louis Lumière

1862-1954; 1864-1948

Le démarrage de l'industrie du cinéma et du film eut lieu en 1895, dans un café de Paris, où les frères Lumière présentaient un programme de petits films. Ils y montraient leur nouvelle invention: une caméra avec un projecteur, appelé cinématographe.

La technique de la présentation d'une image vivante remonte à la première tentative de l'homme, qui consistait à jouer avec des ombres projetées sur un mur par la lueur d'un feu. Plus tard, la 'lanterne magique' permit d'obtenir des effets de mouvement trompeurs, grâce aux plaques de la lanterne. Ce jouet fut le précurseur direct de l'image cinématographique. Il s'agissait d'un cylindre, dans lequel on pouvait voir des animaux ou des hommes, dessinés dans toutes sortes de positions. Lorsqu'on faisait tourner le cylindre, on avait l'impression que ces images bougeaient. La représentation successive et rapide d'images légèrement différentes est perçue comme un mouvement apparemment ininterrompu. Ce phénomène constitua la base du kinétoscope, appareil permettant de regarder les résultats obtenus par la caméra cinématographique, inventée par Thomas Alva Edison. Mais ce furent les frères Auguste et Louis Lumière qui furent considérés comme les vrais pionniers du film.

Les frères Lumière, tous deux nés à Besançon, étaient les fils d'un peintre qui se consacra ensuite à la photographie. Ils faisaient tous deux également preuve d'un intérêt pour les sciences. Jeunes gens très doués, ils fondèrent et dirigèrent une usine de plaques photographiques, qui connut un grand succès commercial. Leur but essentiel consistait à améliorer les techniques photographiques et à trouver un système pratique de photographie en couleurs. Un jour de 1894, leur père, revenant de Paris, leur décrivit une démonstration du kinétoscope d'Edison, ce qui leur inspira l'idée de construire un système perfectionné de projection de films, qu'ils appelèrent le 'cinématographe'.

Ci-dessus: Préparation d'émulsion photosensible dans l'usine de plaques photographiques créée par les frères Lumière à Lyon.

A droite: Le cinématographe des frères Lumière en 1896. C'était une combinaison de caméra, d'appareil d'impression et d'un projecteur. Mais la toute dernière nouveauté de l'appareil était l'utilisation de dents qui transportaient le film.

A gauche: Les frères Lumière, Auguste (à gauche) et Louis (à droite).

Le système d'Edison avait une vitesse de 46 prises (vues) à la seconde. Les frères Lumière ayant ramené la vitesse à 16 vues à la seconde, raccourcirent donc le film.

Leur film tourné au moyen d'un mécanisme spécial, s'arrêtait lors de l'exposition ou de la projection, car le cinématographe pouvait tantôt servir de caméra tantôt de projecteur.

Le premier film ou 'projection de photos en mouvement' sur une toile découvrit un domaine tout à fait nouveau. Cet événement historique eut lieu le 28 décembre 1895 dans le sous-sol du Grand Café, Boulevard des Capucines, à Paris, lorsque Auguste et Louis organisèrent la première représentation publique du cinématographe. Ils présentaient un programme de vingt minutes compor-

A gauche: Cinématographe utilisé pour les premières représentations de films, en soirée, en Angleterre.

A droite: Une scène de 'Rip van Winkle' de Georges Meliès. Comme prestidigitateur, il assista à la première représentation publique des frères Lumière. Il découvrit la possibilité d'employer dans les films des truquages avec effets magiques, un jour où l'obturateur de sa caméra s'était arrêté, pendant qu'il était en train de filmer, en 1898, une scène de rue. Quelques truquages qu'il utilisait dans ses films sont encore considérés comme des énigmes.

tant dix films. Ils montrèrent notamment la sortie de l'usine Lumière à Lyon durant la pause de midi, et un bébé que l'on nourrissait. Le programme présentait aussi une courte séquence comique, 'l'arroseur arrosé': à la suite d'une ruse, le jardinier se trouvait douché par son propre tuyau d'arrosage. Les films étaient perforés à la main. Dans un des premiers films des frères Lumière, on pouvait voir l'arrivée d'un train en gare de la Ciotat roulant droit sur la caméra, donc apparemment sur les spectateurs. La surprise fut telle que plusieurs femmes s'évanouirent et que la salle fut prise de panique.

Un prestidigitateur professionnel, Georges Meliès, assistait à la première représentation. Un an ou deux plus tard, il commencera à faire une série de films de fantaisie d'un style et d'un charme uniques, qui lui procurèrent une place éminente dans les débuts de l'histoire du cinéma.

Transporté par ce qu'il avait vu, Meliès se précipita chez Auguste Lumière et lui offrit tout ce qu'il possédait en échange de leur invention. 'Jeune homme, dit Auguste Lumière, en refusant l'offre, vous devriez plutôt m'être reconnaissant que mon invention ne soit pas à vendre, car elle serait une ruine financière pour vous.

Notre invention peut être présentée comme une primeur scientifique, mais elle n'aura jamais une valeur commerciale.'

Malgré leur travail de pionnier, comportant la publication d'un premier journal et du premier film documentaire, les frères Lumière se retirèrent effectivement en 1898 de la fabrication active de films. Ils s'occupèrent de recherches photographiques et du matériel approprié. D'autre part, ils envoyèrent une équipe de professionnels dans le monde entier pour rassembler du matériel pour leur films documentaires et pour démontrer leur invention.

Cinq ans après la première représentation publique des frères Lumière, cette équipe travaillait partout dans le monde et établissait les bases de l'industrie de loisirs la plus importante du XXe siècle.

Ci-dessus: Une des premières affiches publicitaires du cinématographe Lumière.

Charles Martin Hall

1863-1914

A gauche: Charles Martin Hall.

A droite: Paul Louis Toussaint Héroult, qui découvrit, de son côté, un procédé d'extraction d'aluminium, identique à celui de Hall.

L'aluminium, métal léger et malléable, ne fit l'objet d'aucune utilisation jusqu'aux environs de 1900. Le chimiste américain Charles Martin Hall inventa le procédé d'extraction électrolytique, permettant d'extraire un métal d'une matière première. L'aluminium fut un métal tout indiqué pour les applications techniques et industrielles les plus étendues.

L'aluminium est le deuxième métal le plus abondant de la croûte terrestre. Cependant, il n'existe pas librement dans la nature et, par conséquent son extraction a toujours été difficile. Il fut extrait pour la première fois, en 1825, d'un minerai appelé bauxite (oxyde d'aluminium Al_2O_3), par le chimiste danois Hans Christian Oersted, qui parvint à produire une quantité minime d'aluminium impur.
Ce n'est qu'en 1845 que le physicien allemand Friedrich Wöhler réussit à produire de l'aluminium pur, en quantités encore très limitées.
Ce fut ensuite le chimiste français Henri Sainte-Clair Deville, qui, d'après les méthodes de Wöhler, réussit, en 1854, à perfectionner la production de petites parties d'aluminium assemblées en morceaux plus grands. Pour la première fois, on disposa d'aluminium à des fins commerciales.
Les frais très élevés de la production et la difficulté de sa mise en oeuvre, se répercutaient sur les prix de vente de l'aluminium pur. C'est pourquoi on le considérait comme un métal rare et précieux, au point que Napoléon III commanda un service de table en aluminium.
Charles Martin Hall, né à Thompson dans l'Ohio, fut étudiant en sciences naturelles à l'*Oberlin College*. Son imagination fut stimulée par le cours d'un de ses professeurs, qui affirma que l'inventeur d'un procédé économique pour extraire de l'aluminium, gagnerait une fortune.
Hall poussa ses recherches en tenant compte de la découverte du chimiste anglais, Humphry Davy,

Ci-dessous: Cellule électrolytique à Pittsburgh, qui produisit le premier aluminium commercial en 1888. Le creuset contenait de la cryolithe fondue, dans laquelle était dissoute préalablement de l'oxyde d'aluminium. Ensuite, un courant électrique passait par la masse fondue.

Page de droite, en haut: Cellules électrolytiques dans une fonderie moderne d'aluminium.

Page de droite, en bas: Four de Héroult pour la production d'aluminium par électrolyse. Les parties de la cellule étaient en principe identiques à celles de Hall. Les barres de carbone servaient d'anode (pôle positif) et le creuset de fusion en acier recouvert d'une fine couche de carbone servait de cathode (pôle négatif). L'aluminium fondu tombait au fond et pouvait être défourné.

affirmant que les métaux purs formaient un dépôt sur des plaques cathodiques lorsqu'un courant électrique passait par les minerais qui contenaient le métal.
Cette idée constitua la base du processus élaboré par Hall. Le métal pur tombait dans le fond de la cuve servant à l'électrolyse, où il pouvait facilement être recueilli. Hall avait besoin d'une matière première capable de dissoudre la bauxite. Il découvrit, par hasard, que la cryolithe fondue (fluorure naturel d'aluminium et de sodium) convenait parfaitement. Mais, ce produit devait être acheminé par mer du Groenland.
Hall fit sa première expérience pratique, un an après avoir obtenu son diplôme en 1886. Etant parvenu à produire un dépôt de petites boules d'aluminium pur, il poursuivit son expérience jusqu'à ce qu'il en eut recueilli suffisamment pour confectionner une série de barres en aluminium.
La production d'aluminium à l'échelle industrielle était à présent devenue possible.
Par un curieux concours de circonstances, un jeune chimiste français, Paul Louis Toussaint Héroult, né la même année que Hall et qui devait mourir aussi la même année que lui, découvrit simultanément un processus identique. Les deux hommes introduisirent une demande de brevet, mais Hall fut plus rapide dans l'utilisation des possibilités commerciales. Il s'ensuivit une période de procès pour déterminer qui avait l'honneur d'être considéré comme l'inventeur. Finalement, il fut conclu d'un commun accord que le procédé de fabrication serait appelé procédé Hall-Héroult.

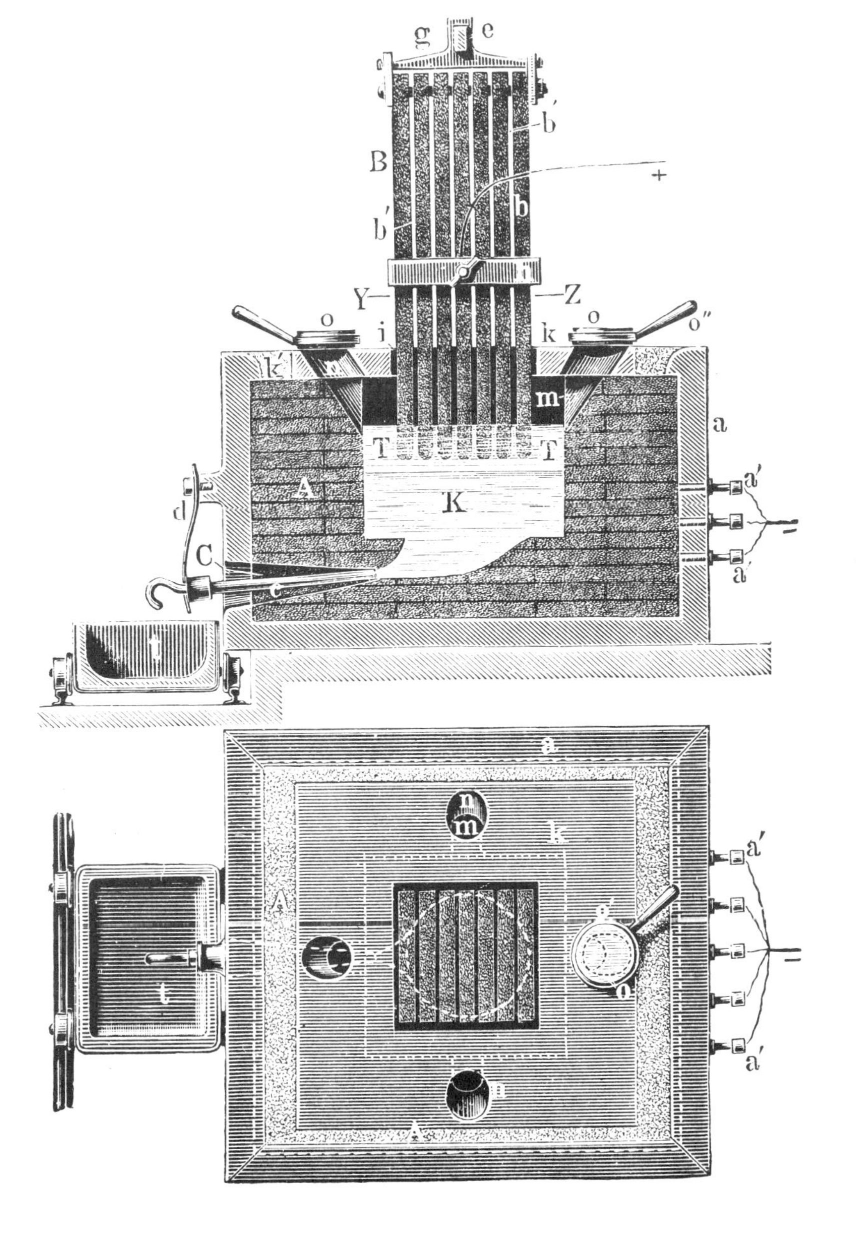

Héroult inventa également un four de fusion électrique, encore très largement utilisé de nos jours.
Aux Etats-Unis, Hall devint membre d'une association d'hommes d'affaires qui fonda la *Pittsburgh Reduction Company* en 1888. Cette société conserva le droit exclusif de produire de l'aluminium aux Etats-Unis durant plus d'un demi-siècle.
Ce fut la première industrie importante utilisant en 1895 la force hydro-électrique bon marché, produite par les chutes du Niagara. L'application et la demande d'aluminium crût constamment.
Au début de la Première Guerre mondiale, le prix de l'aluminium avait atteint un niveau raisonnable. En 1907, la société fut rebaptisée *Aluminium Company of America* (Alcoa).
Les premières barres d'aluminium produites en 1886 par Hall existent encore comme de précieux souvenirs.
Héroult construisit son usine d'aluminium à Neuhausen en Suisse, où il disposait de la force hydraulique des chutes du Rhin. L'application de ce nouveau métal sera beaucoup plus lente en Europe qu'aux Etats-Unis.
Au cours de la Première Guerre mondiale, un nouvel alliage solide d'aluminium fut utilisé pour la construction des zeppelins. Très vite, il fut employé pour les constructions nécessitant un métal léger mais solide. De plus, la grande malléabilité et la résistance à la corrosion firent de l'aluminium un métal très précieux.

Leo Hendrik Baekeland

1863-1944

Le plastique est une substance résineuse fabriquée chimiquement. Il faut distinguer deux groupes principaux: les plastiques thermodurcissables qui sont durcis de façon permanente après avoir été chauffés et moulés, et les plastiques thermoplastiques, qui peuvent être remodelés à tout moment par chauffage. La bakélite plastique, inventée par le chimiste belge Leo Baekeland, fut le premier plastique thermodurcissable.

Les progrès de la chimie organique, qui s'est surtout intéressée aux liaisons de carbone et d'hydrogène au cours du XIXe siècle, donna naissance à de nouvelles branches industrielles importantes. Une de ces branches fut créée par l'introduction des produits synthétiques. Une des premières tentatives entreprises pour fabriquer un produit plastique artificiel, fut le succès de la 'parkésine', inventée par le chimiste britannique Alexander Parkes. Il trouva également une manière de traiter le caoutchouc au soufre, pour le rendre plus dur, sans avoir besoin d'une haute température. Parkes utilisa, comme guide de travail, le procédé utilisé pour fabriquer du fulmicoton explosif (nitrocellulose) à partir des déchets de coton. Il découvrit que lorsqu'il ajoutait de l'huile de ricin et du camphre aux déchets, il subsistait une matière malléable qui pouvait être modelée et durcie. En Amérique, on offrit un prix de 10 000 dollars au premier inventeur d'un produit de substitution de l'ivoire, utilisé pour la fabrication de boules de billard. L'inventeur John Wesley Hyatt décida d'utiliser les méthodes de Parkes pour remporter le prix.

Hyatt examina ce qui se passait lorsqu'il modifiait les quantités des parties composantes et qu'il augmentait la température et la pression. Il ne lui fallut pas beaucoup de temps pour fabriquer une boule de billard et pour remporter le prix en 1869. Il appela ce matériau, le tout premier plastique fabriqué, 'celluloïd'. Il semblait que ce celluloïd

A droite: John Wesley Hyatt, l'inventeur du celluloïd et des roulements à rouleaux.

Ci-dessous, à gauche: Leo Baekeland au travail dans son laboratoire.

Ci-dessous, à droite: Le col d'une chemise, une des innombrables applications de ce thermoplastique à usages multiples.

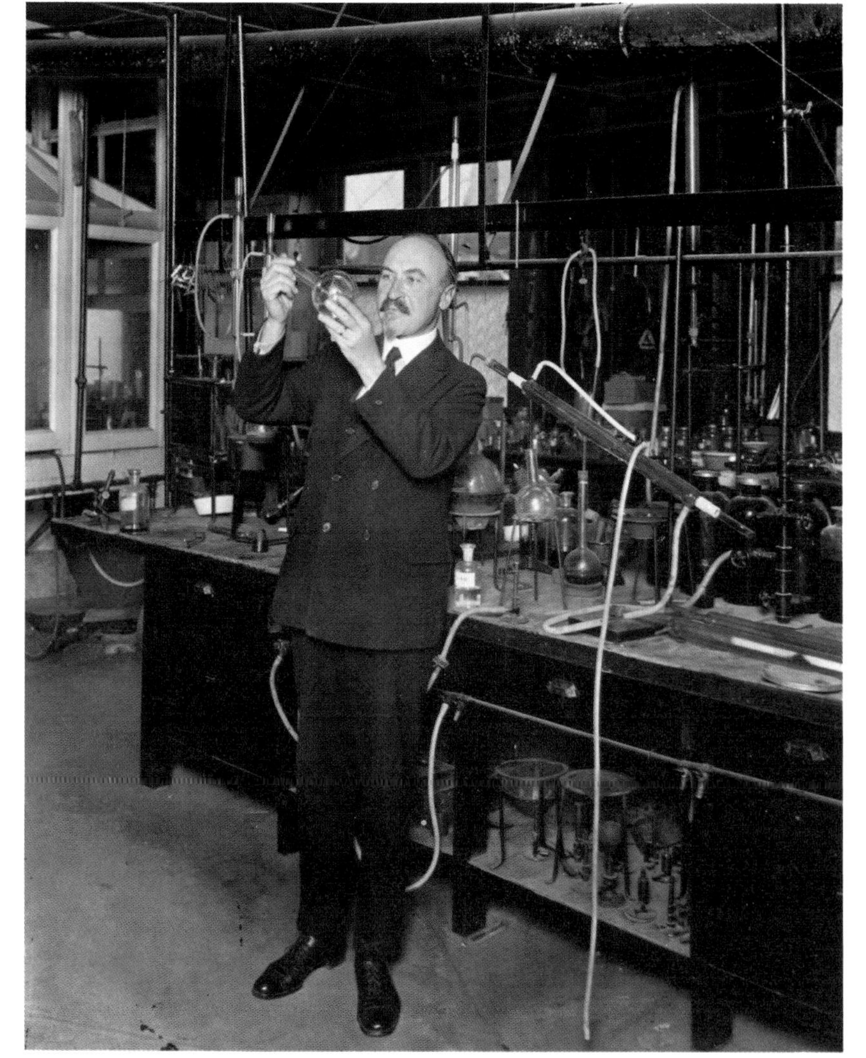

pouvait faire l'objet d'applications très diverses. On pouvait facilement le transformer à une température de 100 degrés Celsius (point d'ébullition de l'eau). Lorsqu'il était refroidi, on pouvait le percer ou lui donner une forme déterminée, puisqu'il restait solide. Le seul désavantage que présentait le celluloïd était d'être très inflammable. La matière première était en effet la nitrocellulose.

Le celluloïd était thermoplastique, c'est-à-dire qu'il devenait mou si on le chauffait, ce qui réduisait les possibilités d'utilisation. C'est pourquoi on tenta de fabriquer un plastique qui ne se ramollirait plus, après refroidissement. Les premières expériences furent faites en 1872 par le chimiste allemand Adolph von Baeyer, qui deviendra célèbre par sa préparation artificielle de la couleur bleue, l'indigo, en 1880.

Tandis que von Baeyer étudiait les réactions entre le phénol (acide phénique) et différents aldéhydes, il vit apparaître un dépôt épais et collant, qu'il considéra d'abord comme très gênant. Cependant, d'autres chercheurs tentèrent de découvrir une utilisation pour cette résine artificielle. Le résultat fut décevant, jusqu'au commencement des recherches de Léo Baekeland entre 1907 et 1909.

Baekeland naquit en 1899 à Gand, où il fut lecteur à l'Université. Il émigra ensuite aux Etats-Unis, où il s'occupa de recherches photographiques et inventa le Velox, papier photographique développable à la lumière artificielle. Il remporta très vite un grand succès. Alors qu'il essayait de trouver un produit de substitution pour la gomme-laque, Baekeland examina les résines provenant du phénol et de l'aldéhyde formique. Il découvrit que lorsqu'il mettait les résines sous pression et les chauffait, il voyait apparaître une matière tendre, malléable, susceptible de durcir. On pouvait également la pulvériser, la mettre sous pression et la chauffer, ce qui la rendait dure et solide. Etant mauvais conducteur d'électricité, elle pouvait servir pour les appareils électriques et les fiches. Elle résistait aussi à la chaleur et à l'effritement. Baekeland appela cette matière 'bakélite'.

La bakélite semblait destinée à de multiples usages. Elle marque le début de l'industrie du plastique, dont les produits sont devenus le symbole du XXe siècle.

Ci-dessus: Une radio Bush dans une boîte en bakélite.
A droite: La carrosserie d'une auto, renforcée de résine de bakélite en polyester.
Ci-dessous, à gauche: Un fer à repasser électrique, avec une poignée en bakélite résistant à la chaleur.
Ci-dessous, à droite: Le développement du papier photographique Velox à la lumière artificielle. Grâce au type d'émulsion à base de chlorure d'argent du papier Velox, le processus de rinçage peut être supprimé.

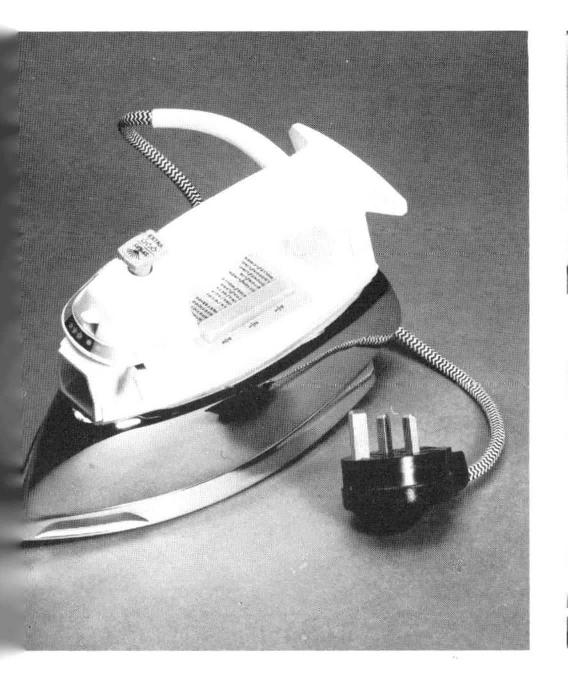

Henry Ford

1863-1947

Les innovations introduites par Henry Ford dans l'utilisation du travail à la chaîne, eurent deux conséquences importantes. Elles entraînèrent une révolution dans la fabrication des automobiles et elles mirent l'auto à la portée de tous. Dans ce sens, il fut le pionnier de l'industrie automobile.

Henry Ford ne fut pas l'inventeur de la production de masse. Un grand nombre de fabricants en sont les responsables.' Il y eut tout d'abord Eli Whitney qui construisit les pièces normalisées d'un revolver au début du XIXe siècle. Le grand succès obtenu par Ford s'explique par le fait qu'il étendit le travail à la chaîne à une usine tout entière, qui fabriquait des autos à l'échelle industrielle.
Henry Ford naquit dans une famille de paysans. Ses parents avaient émigré d'Irlande aux Etats-Unis dans les années quarante du XIXe siècle et s'étaient établis à Wayne County dans le Michigan.
Comme de nombreux fabricants et inventeurs américains qui jouèrent un rôle de pionnier, il ne bénéficia que d'un enseignement très limité à l'école du village. Mais, dès son plus jeune âge, il semblait être doué pour la mécanique et les machines. D'abord apprenti dans un atelier, il devint premier mécanicien à la *Detroit Edison Company*. Il quitta cette société en 1899 pour occuper un poste à la *Detroit Automobile Company*. En 1892, Ford avait déjà conçu et monté sa première automobile pièce par pièce.
Les premières usines d'automobiles faisaient, pour la plupart, chaque auto séparément. Les autos étaient, parfois même, construites sur commande. Ford voulut transformer le système de fabrication d'autos pour les rendre financièrement accessibles à tous. Pour atteindre ce but, chaque pièce d'auto devait être fabriquée d'une façon déterminée, l'assemblage des pièces devait suivre un ordre bien précis. Ford pensa qu'en abaissant les prix, le nombre d'acheteurs augmenterait, et il accroîtrait ses bénéfices, ce qui permettrait de réduire encore les prix.
Cependant, ses contemporains considéraient de telles idées comme erronées. Ford quitta la *Detroit Automobile* pour construire ses propres voitures. Elles connurent un tel succès, qu'elles at-

Ci-dessus: L'emblème de Ford.

A droite: Un pique-nique à la campagne avec toute la famille grâce à la Ford T, une auto bon marché.

Ci-dessous: Henry Ford au volant de sa première auto en 1896.

Ci-dessous, à droite: La Ford T devenue célèbre.

tirèrent l'attention des personnes désireuses d'investir de l'argent dans la société de Ford. La *Ford Motor Company* fut ainsi fondée en 1903.
Mais Ford n'eut pas la tâche facile. Ses codirecteurs et les actionnaires ne voulaient pas entendre parler d'une auto bon marché pour l'homme de la rue. Il s'ensuivit une lutte de force, que Ford finit par gagner en grand triomphateur. Il obtint ce qu'il voulait et, en 1908, on commença la production de la Ford modèle T, la fameuse pe-

tite Ford T bon marché. Il existait une seule chaîne pour le châssis et le moteur de la Ford T. La carrosserie était assemblée à part. Après les essais du moteur et du châssis, la carrosserie était posée sur une chaîne de montage, pour être fixée sur le châssis. Les rivets étant ensuite posés, il ne restait plus qu'à se mettre au volant.
La méthode de travail de Ford remporta un franc succès. Une voiture économique pouvait être présentée sur un vaste marché en pleine croissance, et être accessible à des personnes aux revenus modestes. Ford augmenta le salaire de ses ouvriers et réduisit le temps de travail. Il leur permit également de s'associer au bénéfice obtenu par l'usine avec la Ford T. Ford voulut utiliser une partie des bénéfices pour agrandir l'usine, conception tout à fait inhabituelle à l'époque. Promoteur de la construction en série et de la standardisation des pièces, il fut l'un des premiers à comprendre l'intérêt de l'exportation et acquit à cet effet une flotte marchande conséquente (1925).
Vers 1913, tout Américain disposant de 500 dollars pouvait acheter une voiture. Mille voitures par jour furent construites à la chaîne. Entre 1908 et 1927, l'usine de Detroit fabriqua au total 15 millions de Ford T. Et, au moment où cette auto classique fut retirée de la production, le prix

Ci-dessus: Une des premières chaînes pour la production de la Ford T. Elle permit de réduire les frais, grâce à l'emploi d'ouvriers sans qualification pour fixer les différentes pièces, et d'économiser du temps, en n'exigeant de chaque ouvrier qu'une opération bien déterminée. Ensuite, la spécialisation des ouvriers permit d'atteindre un niveau de production plus rapide et une plus grande précision, de sorte que le prix de l'auto diminua encore. Chaque pièce avait été conçue pour être bon marché, simple à utiliser et facile à entretenir. La boîte des vitesses en était le meilleur exemple.

était tombé à 290 dollars. Ford apporta ainsi la preuve de l'efficacité d'une production en grande série; la seule raison pour laquelle on cessa de construire la Ford T provenait des changements survenus sur le marché. Le client recherchait plus de confort et voulait le dernier modèle à la mode, pour mieux faire apparaître sa situation sociale, car l'auto était devenue un symbole de niveau social.
Le marché avait prévu un certain vieillissement, et tout devait tenir compte de la mode 'dernier cri'. Ford fut donc obligé de s'adapter aux nouvelles exigences. Il mit de nouveaux modèles sur le marché, ainsi qu'un nouveau type de moteurs. Mais il perdit néanmoins la première place dans l'industrie automobile. Ford ne se lança pas dans d'autres affaires et, comme il était très généreux, il investit une grande partie de sa fortune personnelle dans la *Ford Foundation.* Cette fondation, créée par amour du prochain avait pour but d'apporter une aide financière à tous ceux qui étaient dans le besoin.
Cela signifiait aussi bien une assistance aux artistes qu'une intervention en cas de famine. Ford, attiré par la politique, tenta de se faire élire sénateur, mais sans succès. Ce sont surtout ses réalisations dans le domaine de l'organisation et des méthodes de production, techniques et industrielles, qui l'ont rendu célèbre.

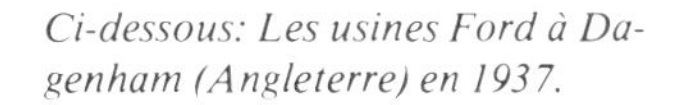

Ci-dessous: Les usines Ford à Dagenham (Angleterre) en 1937.

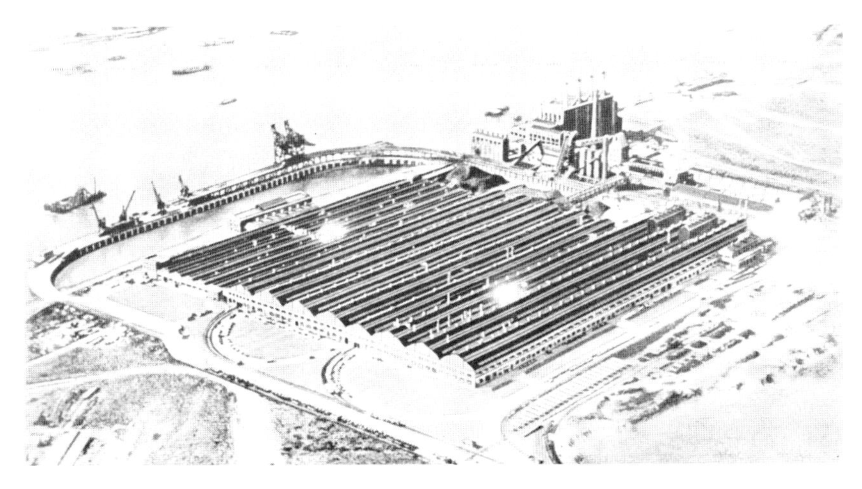

Wilbur et Orville Wright

1867-1912; 1871-1948

L'homme a toujours rêvé de pouvoir voler, tel un oiseau dans le ciel. Les Sumériens, les Babyloniens et les Egyptiens faisaient naviguer leurs dieux sur des ''navires de feu'' dans le ciel. Les Grecs connaissaient tous l'histoire de Dédale, qui fabriqua des ailes pour que son fils Icare et lui-même pussent s'échapper de l'île de Crète. Léonard de Vinci dessina des projets d'hélicoptères et de planeurs, mais les frères Wright firent, du rêve, une réalité. En 1903, Orville effectuait le premier vol mécanique sur un aéroplane équipé de deux hélices et d'un moteur à combustion léger.

Les frères américains Orville et Wilbur Wright, tous deux mécaniciens et fabricants de bicyclettes, qui apprirent seuls leur métier, construisirent le premier avion motorisé, dans lequel ils volèrent.
Orville, qui naquit à Dayton dans l'Etat de l'Ohio, et Wilbur à Millville dans l'Etat de l'Indiana, étaient les fils d'un évêque évangéliste. Très jeunes, ils se passionnèrent pour les machines et passèrent de très nombreuses heures à en examiner le fonctionnement.
Adolescents, ils décidèrent de fonder une association, d'abord pour construire et vendre du matériel d'imprimerie, puis pour fabriquer des bicyclettes.
Le succès de leur entreprise leur fournit les fonds nécessaires à la réalisation de leur désir, qui aurait des buts ambitieux, c'est-à-dire la construction d'un avion motorisé.
Orville et Wilbur comprirent très rapidement que la stabilité n'était pas le seul facteur important, mais qu'il était également nécessaire de diriger l'avion. Les difficultés à surmonter pour le rendre sûr concernaient les trois axes de mouvement: les mouvements de haut en bas et les virages, soit à gauche, soit à droite. En 1899, ils construisirent un avion biplan pour vérifier leurs conceptions. Cet avion fut suivi de trois planeurs biplans.

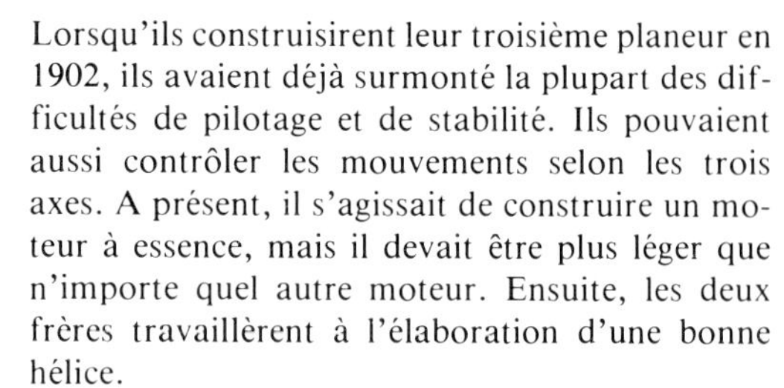

Lorsqu'ils construisirent leur troisième planeur en 1902, ils avaient déjà surmonté la plupart des difficultés de pilotage et de stabilité. Ils pouvaient aussi contrôler les mouvements selon les trois axes. A présent, il s'agissait de construire un moteur à essence, mais il devait être plus léger que n'importe quel autre moteur. Ensuite, les deux frères travaillèrent à l'élaboration d'une bonne hélice.
Vers la fin de l'année suivante, en 1903, ils furent prêts pour leur premier vol. L'avion, qu'Orville et Wilbur appelèrent *Flyer I,* mais qui fut rebaptisé par la suite le *Kitty Hawk,* fut amené le 14 décembre 1903 dans une région de plaine tout près de Kitty Hawk en Caroline du Nord. Wilbur pilotait, mais il commit une erreur au décolage, et la tentative échoua.
Ils essayèrent une nouvelle fois, trois jours plus tard, avec Orville comme pilote. Pour la première fois dans l'histoire, un avion motorisé s'éleva dans le ciel. Le 17 décembre 1903, le *Flyer* resta douze secondes en l'air, avec Orville Wright aux commandes, couché sur le ventre.
Ce même jour, les frères Wright firent encore trois vols, dont le plus long dura cinquante-neuf secondes.
Ils étaient certains d'être dans la bonne voie pour aboutir.
Orville écrivit quelques années plus tard: ''La foi en nos calculs... et la confiance dans notre façon de piloter, ainsi que trois années d'expériences pour maintenir des planeurs en équilibre, nous avaient convaincus que la machine était en mesure de décoller seule et de tenir en l'air. Et que l'on

Ci-dessus: Le premier vol des frères Wright près de Kitty Hawk en Caroline du Nord (Etats-Unis).

A droite: Otto Lilienthal, accroché à un de ses planeurs vers 1892. Il construisit ses appareils en tissu de coton, tendu sur une armature en peuplier. Lilienthal dirigeait l'appareil en déplaçant le poids de son corps contre le vent. Ses succès ouvrirent la voie vers des avions motorisés à ailes fixes. Lilienthal se tua en 1896, lorsque le vent tomba subitement.

Ci-dessous: Les frères Wright: Orville (à gauche) et Wilbur (à droite).

pouvait voler en toute sécurité, après quelques exercices.''

En 1904, ils construisirent le *Flyer II* sur lequel ils volèrent. L'année suivante, ils fabriquèrent le *Flyer III,* avion avec lequel ils mirent fin à leurs expériences, mais la conquête de l'espace était amorcée. L'avion démontra ses possibilités lors de plusieurs vols d'essai. On pouvait le faire incliner sur le côté dans un virage autour de l'axe longitudinal ce qui lui permettait de revenir à sa position de départ. Les frères Wright décidèrent de prouver leurs connaissances pratiques des circonstances atmosphériques. Wilbur se rendit en France, en 1908, pour y faire une démonstration, afin que le public comprît à quel point leurs travaux étaient importants. Ils connurent leur premier accident cette même année, lorsque Orville s'abattit lors d'une démonstration devant l'armée.

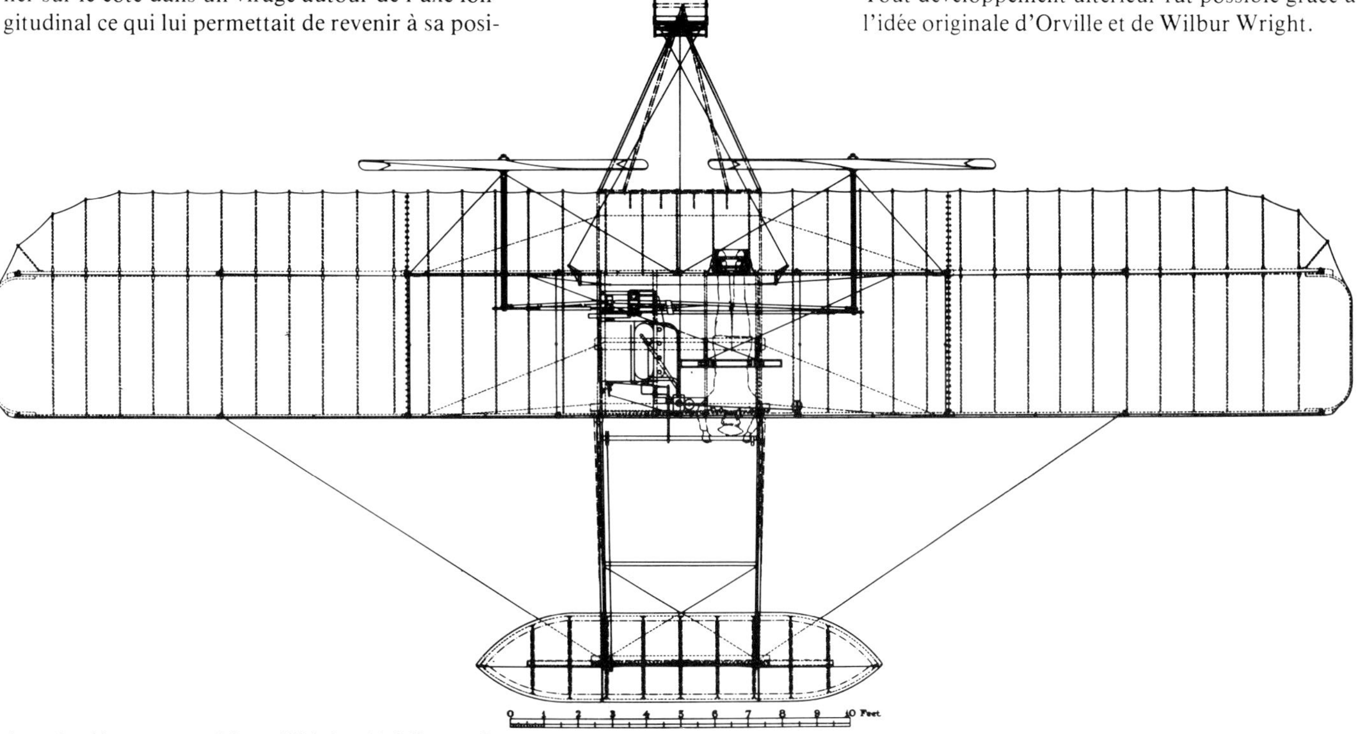

Son passager, le lieutenant Thomas E. Selfridge, succomba et Orville fut sérieusement blessé. Mais les démonstrations se poursuivirent, et l'armée américaine commanda un modèle militaire en 1909.

Les frères Wright purent encore maintenir leur première place dans la construction d'avions. Ensuite, ils furent supplantés par de nouveaux brevets et de farouches concurrents.

Les nouvelles techniques démodèrent rapidement le projet initial des Wright.

En dépit de tout, ils avaient réalisé ce que personne n'avait cru possible, c'est-à-dire construire un avion à moteur, 'plus lourd que l'air' et dirigeable.

Tout développement ultérieur fut possible grâce à l'idée originale d'Orville et de Wilbur Wright.

Ci-dessus: Le projet d'un avion Wright.

A gauche: Les vols des pionniers Wright éveillèrent la fantaisie du public et suscitèrent de nombreuses spéculations sur l'avenir des voyages dans l'espace. Cette illustration française, intitulée 'Le Monde en l'an 2000' présente un avion de ligne.

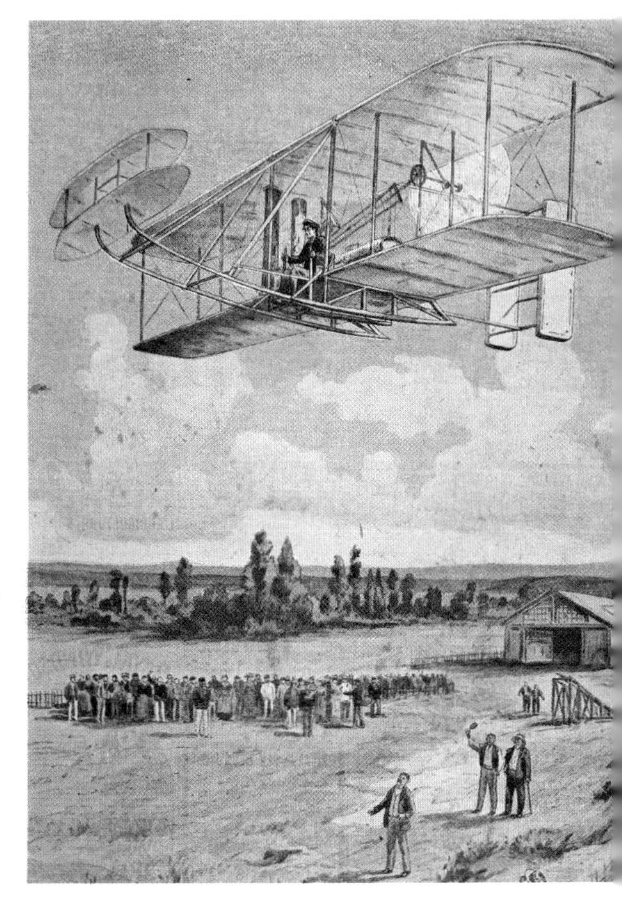

A droite: Wilbur Wright eut un accident avec un avion à ailes fixes au camp d'Auvours en France, en 1908. Dans d'autres circonstances, il gagna la Coupe Michelin.

Marie Curie

1867-1934

La chimiste polonaise, Marie Curie, née Sklodowska, était une femme très courageuse et énergique. Avec son époux, le Français Pierre Curie, ils formèrent le couple le plus célèbre de l'histoire de la physique. Ils découvrirent un élément radioactif le 'polonium' et plus tard le 'radium'. Leurs travaux confirmèrent l'existence du phénomène que Marie Curie appela la 'radioactivité', c'est-à-dire la propriété d'émettre des rayonnements dus à l'atome.

Marie quitta la maison paternelle en 1891, à Varsovie, pour se consacrer entièrement aux sciences naturelles. Malheureusement, elle ne fut admise dans aucune université de Pologne, mais elle épargna suffisamment d'argent pour se rendre à Paris et s'inscrire à la Sorbonne, où elle soutint sa thèse de doctorat. En 1894, elle rencontra le jeune chimiste français Pierre Curie. Ils se marièrent un an plus tard.

Les Curie apprirent avec beaucoup d'intérêt la découverte par Henri Becquerel d'un nouveau type de rayons. Ces rayons étaient, paraît-il, émis par des composés chimiques contenant de l'uranium. Lorsque Marie et Pierre commencèrent leurs recherches, ils découvrirent que certains composés émettaient beaucoup plus de radioactivité que ne pouvait l'expliquer la quantité d'uranium qui s'y trouvait présente. Une des liaisons les avait particulièrement intéressés.

Les nombreux rayons émis par la pechblende ou uraninite, les plaça devant une énigme. Ils décidèrent de purifier le minerai et, en 1898, ils furent récompensés par la découverte d'un élément entièrement nouveau qu'ils appelèrent 'polonium' en l'honneur du pays natal de Marie. Bien que ce nouvel élément fût cette fois plus radioactif que l'uranium, il ne pouvait pas être le seul responsable des rayons émis par l'uraninite.

Les Curie étaient persuadés qu'il devait encore y avoir un autre élément plus puissant. Mais il devait certainement exister en très petites quantités dans l'uraninite. Ils baptisèrent cet élément mystérieux le 'radium'. Ils étaient à ce point résolus à découvrir cet élément et prouver son existence qu'ils passèrent les quatre années suivantes à traiter des tonnes d'uraninite pour en extraire un

Ci-dessus: Une partie du processus de raffinage dans le laboratoire des Curie, pour lequel on utilisait du carbonate de soude. Après des années d'un travail ininterrompu, ils obtinrent un dixième de gramme de radium.

A droite: Pierre Curie.

échantillon. Tout d'abord, les Curie avaient besoin d'un stock de minerai. Heureusement, ils pouvaient disposer d'énormes quantités provenant des déchets des mines de minerais de Joachimstahl en Tchécoslovaquie.
Ensuite, Marie et Pierre trouvèrent une vieille grange en bois près des chambres qu'ils avaient louées, et où ils pourraient raffiner le minerai. Durant quatre années de travail épuisant, ils raffinèrent plusieurs fois des tonnes d'uraninite pour disposer d'échantillons de plus en plus petits et radioactifs. Le travail n'était pas seulement difficile et compliqué, mais aussi particulièrement astreignant. L'uraninite lourde devait être puisée et portée à la main. Finalement, en 1902, les tonnes d'uraninite avaient fourni un dixième de gramme de nouvel élément. Pour donner une idée des difficultés surmontées, il suffit de dire que la pechblende contient une partie de radium pour un million de partie de minerai.

A droite: Autunite, minerai d'uranium radioactif, fluorescent sous la lumière ultraviolette.

Ci-dessous: Le pouvoir de pénétration de l'uraninite peut faire de cette clé un radiostat, lorsqu'elle est placée entre une plaque photographique étanche à la lumière et un morceau de minerai.

En bas: La clinique radiologique de l'hôpital de Berlin. Les patients sont placés dans une pièce totalement hermétique, et inspirent les émanations radioactives du radium.

A gauche: Marie Curie dans son laboratoire.

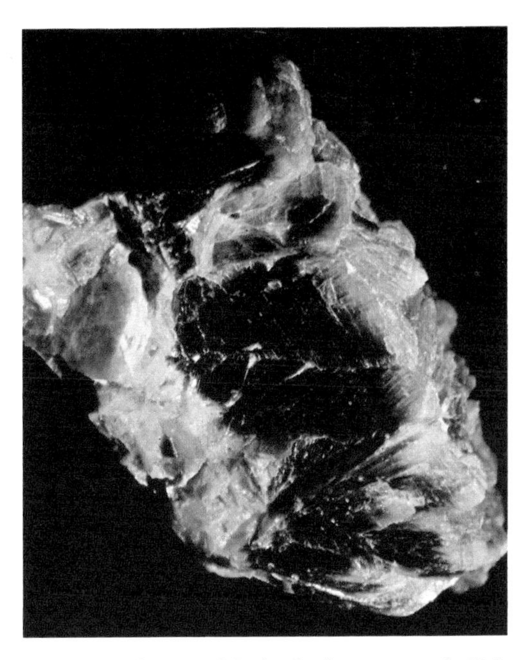

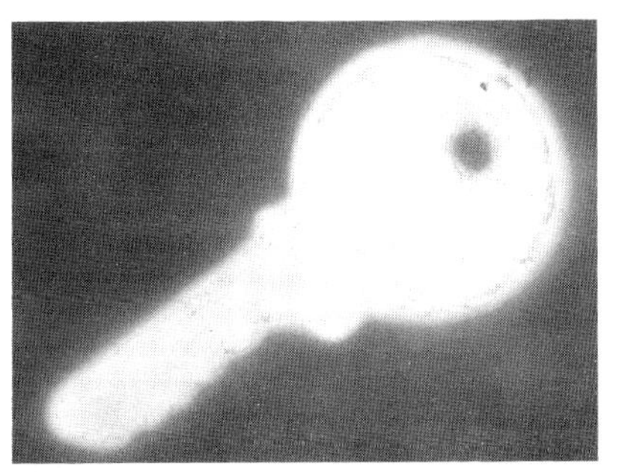

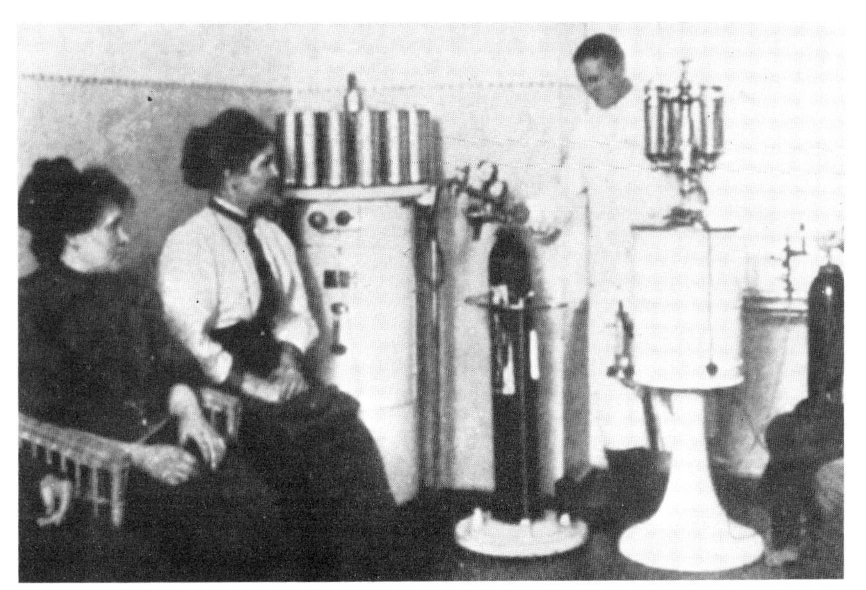

En 1903, Pierre et Marie Curie reçurent le Prix Nobel de physique qu'ils partagèrent avec Henri Becquerel, mais ils étaient trop malades et épuisés pour aller chercher leur prix à Stockholm. Marie fut littéralement stupéfaite des forces incommensurables qui émanaient des atomes de radium. Elle n'eut presque pas la patience d'attendre avant de continuer ses recherches. Mais le destin la frappa en 1906, lorsque Pierre succomba par suite d'un accident causé par une voiture. Avec le courage qu'on lui connaissait, Marie accepta d'occuper la chaire de son mari à la Sorbonne. Elle fut ainsi la première femme à remplir cette fonction. Elle poursuivit simultanément ses recherches et obtint en 1911 un nouveau Prix Nobel, de chimie cette fois.
Elle fut la première lauréate à recevoir deux Prix Nobel en sciences physiques.
Au cours des dernières années de sa vie, Marie Curie dirigea à Paris l'Institut du Radium, qui devint rapidement un centre important de recherches de physique nucléaire et de chimie. Marie Curie fut une des premières à contribuer aux applications médicales des rayons X et du radium. Le radium fut d'une importance primordiale et devint très rapidement une technique très courante pour combattre le cancer. Actuellement, il est toujours utilisé avec succès.
Le 4 juillet 1934, Marie Curie mourut dans un sanatorium de Haute-Savoie, d'une forme de cancer du sang appelée leucémie. Elle s'était exposée trop longtemps aux radiations du radium.

Wallace Clement Sabine

1868-1919

Le physicien américain Wallace C. Sabine établit les règles pour calculer la reproduction du son, dans certaines circonstances données.
Ces règles servent pour la construction de théâtres et de salles de concert.
C'est ainsi que Sabine transforma scientifiquement la construction des salles de conférences, dans lesquelles l'orateur pouvait se faire comprendre clairement.
Auparavant, cette construction était livrée au hasard et non à des règles.

Depuis la fin de la période classique jusqu'à la fin du XIXe siècle, l'audition dans les salles publiques était avant tout une question de chance.
L'écho dans les églises anciennes en est un exemple. Avant l'achèvement d'une salle de concerts, il n'était jamais possible d'en connaître la résonance.
Il devenait donc urgent de formuler une théorie scientifique sur l'acoustique, après la constatation faite à l'Université de Harvard aux Etats-Unis, à l'occasion de l'inauguration du Musée d'art Fogg en 1895.
La répercussion dans la salle de cours était tellement mauvaise que, dans de nombreuses parties de la salle, il était même impossible de comprendre l'orateur.
L'étude fut confiée au jeune physicien Wallace C. Sabine. Sabine, qui naquit à Richwood dans l'Etat de l'Ohio, était à cette époque assistant de physique à l'Université de Harvard. A l'aide d'un tuyau d'orgue, Sabine mesura combien de temps chaque note restait 'en l'air' dans une salle de concert. Il découvrit que chaque note durait 5,62 secondes.
Il emprunta tous les coussins du théâtre voisin pour ses expériences. La durée du son diminuait en fonction du nombre croissant de coussins que l'on apportait dans la salle et sur les sièges. Lorsque chaque chaise était recouverte d'un coussin, la durée se réduisait à 2,03 secondes. Sabine comprit qu'il était sur la bonne voie et poursuivit ses expériences.
On emprunta encore d'autres coussins et on les empila jusqu'à bloquer les couloirs, et atteindre le plafond contre le mur du fond.
A ce moment-là, la durée d'une note tomba à 1,14 seconde. Sabine représenta sur un graphique la relation entre le temps que durait la note et la hauteur totale de coussins en mètres (voir en haut, à droite).

Ci-dessus: Le théâtre grec à Epidaure. Le plus grand défaut des théâtres grecs et romains en plein air est que les sièges placés en demi-cercle agissent comme réflecteurs en renvoyant le son vers la scène. Les sons répercutés par les gradins peuvent entraîner de sérieuses perturbations dans la fréquence.

Page de droite, en haut: La relation entre la durée d'un son et la hauteur totale du recouvrement des sièges (en haut) et la même ligne courbe prolongée d'après des valeurs calculées. La partie continue de la ligne du graphique est obtenue à partir de résultats expérimentaux (mesures). La partie pointillée à droite donne le pouvoir d'absorption théorique des murs de la salle.

A droite: L'auditorium de l'ancien Fogg Art Museum, *actuellement appelé* Hunt Hall, *à l'Université de Harvard.*

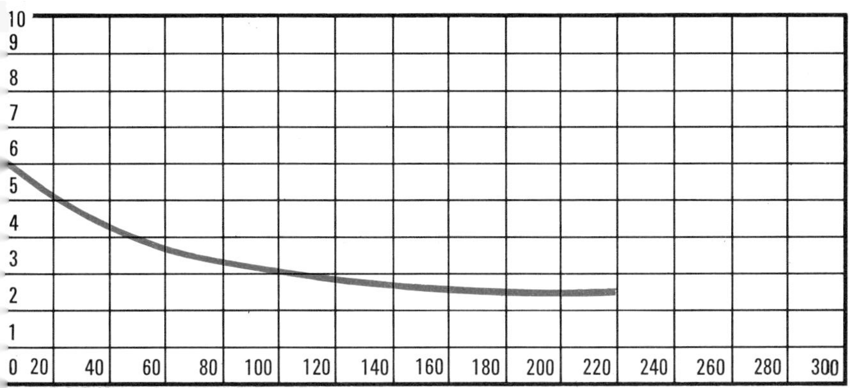

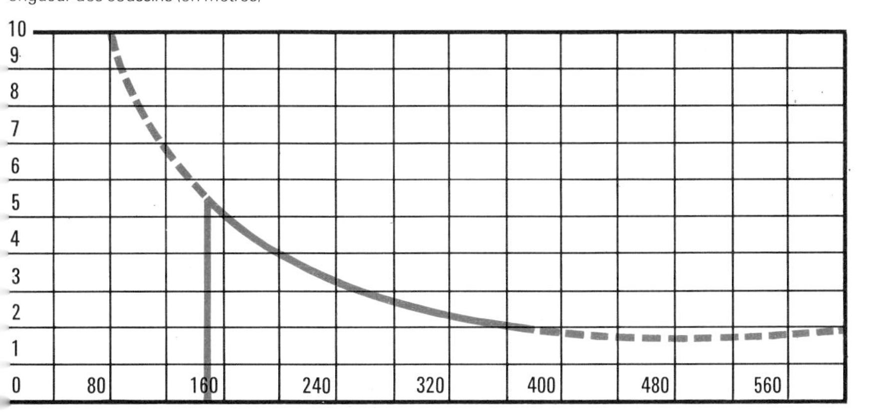

Il put ainsi formuler ce que nous appelons maintenant la 'loi de Sabine'. Selon cette loi: le produit de l'absorption totale du son par la durée de sa persistance est constant.

Cette constante varie avec la dimension de la salle.

Sabine comprenant que la hauteur des coussins était une unité de mesure assez peu pratique, il la remplaça par le pouvoir d'absorption d'une fenêtre ouverte.

Le coefficient d'absorption (le nombre qu'il faut multiplier pour déterminer la valeur de l'absorption) de chaque matière est mesurée proportionnellement au pouvoir d'absorption d'une fenêtre ouverte.

Les salles de concert modernes sont construites de telle sorte que le son résonne avec la plus grande netteté.

Selon la destination de la salle, la durée du son sera plus ou moins longue.

Sabine établit qu'il fallait encore tenir compte de deux autres éléments.

Des perturbations peuvent apparaître si une onde sonore non encore réfléchie en rencontre une autre. Cette perturbation apparaîtra surtout dans de grandes surfaces planes, telles que le *Royal Albert Hall.*

On peut éviter cet inconvénient en utilisant du matériel capable d'absorber les sons, tels que des écrans, et en masquant les surfaces planes par des surfaces non réfléchissantes.

C'est la raison pour laquelle nous voyons si souvent dans les cinémas et les théâtres des objets aux formes bizarres pendre du plafond.

Sabine, qui fut un excellent professeur de sciences appliquées, participa à la création de l'Institut Harvard pour les Sciences Appliquées en 1908. Ses travaux sur l'acoustique furent rassemblés dans les *Collected Papers on Acoustics* (Ensemble de traités sur l'acoustique). Le 'sabine', unité de fréquence acoustique, honore la mémoire de l'inventeur.

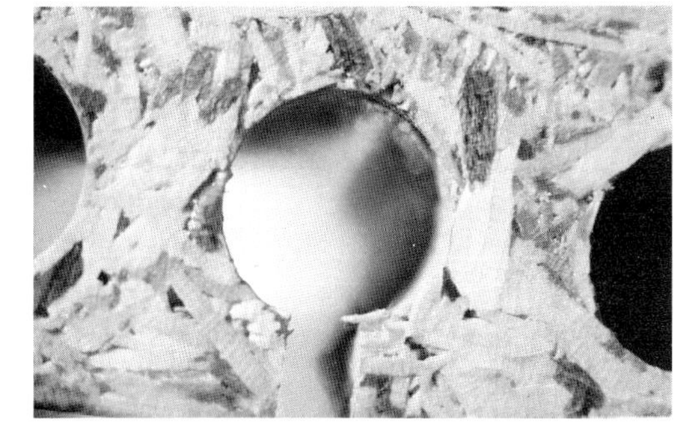

A gauche: Un résonateur de Helmholtz en copeaux de bois, qui absorbe la résonance.

Ci-dessous: Les sièges du Royal Festival Hall, *salle de concert à Londres, ont été conçus pour absorber les mêmes sons qu'ils soient relevés ou rabattus (lorsque les spectateurs sont assis). La durée de la résonance lorsque la salle est pleine est sensiblement la même que lorsque la salle est vide.*

Karl Landsteiner
1868-1943

Notre corps contient un réseau de circulation de 100 000 km: le système vasculaire. Ce système de transport sanguin contient 5 à 7 litres de sang. Une moitié du sang est composée d'un plasma sanguin clair et l'autre moitié de billions de globules blancs et rouges. Si nous perdons plus d'un tiers de notre sang, nous sommes en danger de mort et notre état nécessite une transfusion sanguine.

La sécurité et l'efficacité d'une transfusion sanguine dépendent de l'utilisation du sang et de la façon dont il est recueilli. Ces deux conditions sont maintenant remplies grâce au médecin autrichien Karl Landsteiner, qui découvrit le système des groupes sanguins ABO.
On connaît la transfusion sanguine depuis le milieu du XVIIe siècle. Le médecin britannique Ri-

chard Lower fit une opération au cours de laquelle il transféra le sang des veines d'un chien dans les veines d'un autre chien. Cette opération fut possible, grâce à la découverte de William Harvey qui détermina, en 1628, que le sang circulait dans le corps entier.
Mais la méthode utilisée à cette époque était très risquée, car le sang transfusé se coagulait fréquemment. C'est cette difficulté que Karl Landsteiner se proposa de surmonter, lorsqu'il commença ses recherches comme assistant à l'Institut viennois de l'Hygiène. Landsteiner avait été frappé par le fait que, lorsqu'on mélangeait le sang de plusieurs personnes, il y avait parfois coagulation et parfois non. Landsteiner en conclut qu'il devait y avoir des similitudes et des contradictions dans le sang de différentes personnes. Il rassembla des échantillons du sang de ses collègues dans son laboratoire et les mélangea deux par deux. Certains groupes coagulaient et d'autres ne coagulaient pas. En 1900, Landsteiner fit connaître les résultats de ses recherches. Il avait découvert qu'il y avait des groupes sanguins différents, qu'il appela A, B et O. Un quatrième groupe, AB, fut découvert l'année suivante. Ces groupes étaient déterminés en fonction des protéines dans les cellules du sang, que l'on appelait les 'antigènes' ou agglutinogènes. Les gens du groupe sanguin A avaient également une protéine dans le sang, appelée 'anticorps' ou agglutinine, qui entraînait la coagulation et la destruction des

A droite: Une transfusion sanguine au XVIIIe siècle, où un agneau servait de donneur. L'utilisation d'animaux comme donneurs fut supprimée à la suite de plusieurs cas de décès.

cellules sanguines du groupe B. De même, les personnes du groupe sanguin B avaient un anticorps A. Les personnes du groupe AB n'avaient pas d'anticorps et les personnes du groupe O n'avaient pas d'antigènes, mais bien des anticorps: anti-A et anti-B. Cette découverte permit d'établir une méthode de transfusion sanguine sûre. Le groupe A pouvait recevoir du sang des donneurs A et O. Le groupe B pouvait recevoir du sang des donneurs B et O. Le groupe AB, de tous les don-

Ci-dessous: Tout comme les autres caractéristiques corporelles, le groupe sanguin est héréditaire, d'après les lois de Mendel. La compatibilité du sang de deux personnes - si l'on est particulièrement attentif aux différents sous-groupes dans les groupes sanguins - est d'autant plus importante que ces personnes sont des parents très proches. Dans les familles avec une forte endogénèse, comme chez les Habsbourg (représentés en la personne de Charles V d'Espagne), on n'observe pas seulement des caractéristiques corporelles - en ce cas, un grand nez et une mâchoire inférieure très proéminente - mais des groupes sanguins presque identiques.

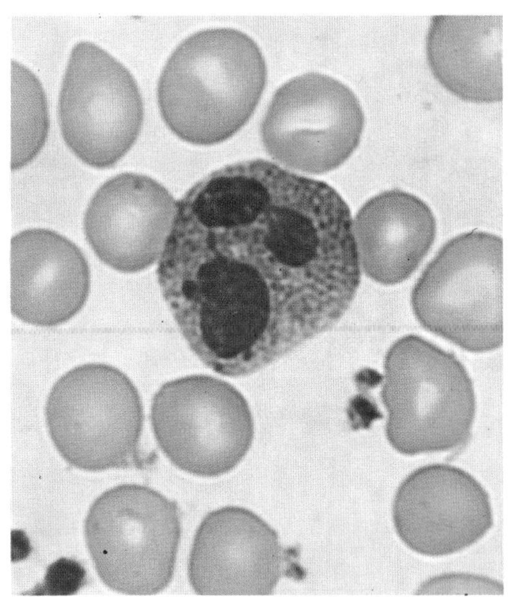

Ci-dessous, à droite: Une microphoto du sang humain. Les antigènes du groupe sanguin se trouvent dans les globules rouges (dessinés en vert). La grande cellule avec quelques noyaux est un globule blanc.

neurs et, le groupe O, seulement des donneurs O. Des transfusions incompatibles n'entraînent pas seulement la destruction du sang du donneur, mais peuvent également être à l'origine de sérieuses affections rénales. La découverte de Landsteiner permit de créer des banques du sang, et il fut possible de faire des opérations que l'on avait toujours considérées comme impossibles précédemment. Comme nous héritons notre groupe sanguin de nos parents, la vérification de ces groupes est parfois utilisée en cas de constatation de paternité, ainsi qu'en médecine légale, par exemple, lorsque l'enfant possède un sang à antigènes, que ne possède aucun des deux parents. Mais, de nos jours, il n'est toujours pas possible d'apporter une preuve irréfutable de la paternité.
En reconnaissance pour ses travaux, Landsteiner fut nommé professeur de pathologie à l'Université de Vienne. Mais comme les conditions de travail ne lui plaisaient pas, il décida d'aller s'installer ailleurs. Il se rendit d'abord aux Pays-Bas, puis à l'Institut Rockefeller de Recherches médicales à New York. Il y apporta de nouvelles contributions à la médecine, dont la découverte des groupes sanguins M et N, ainsi que la découverte, en 1940, du facteur Rh ou Rhésus. Le facteur Rhésus doit son nom au singe Rhésus, chez lequel on a découvert ce phénomène. En fait, ce fut un des collaborateurs de Landsteiner, Phillip Levine, qui établit une relation entre ce groupe et le cas d'ictère (jaunisse) que l'on observe parfois chez les nouveau-nés. Au cours de la grossesse, un bébé ayant un Rhésus positif incitera la mère à facteur Rhésus négatif à fabriquer des anticorps anti-Rhésus. Au cours des grossesses suivantes, ces anticorps agissent contre le sang du nouveau bébé, ce qui provoque un ictère, un accident cérébral ou parfois même une fausse couche.
La découverte du facteur Rhésus permit de prendre les mesures nécessaires. Après la première grossesse, la mère peut recevoir une transfusion sanguine totale, pour éliminer les globules rouges de l'enfant qui auraient pu passer dans le circuit sanguin de la réaction d'immunisation.
Landsteiner reçut le Prix Nobel de médecine en 1930.

A droite: Tests utilisés pour identifier l'échantillon sanguin d'après la classification ABO.

Globules rouges en solution saline	Sérum anti-B	Sérum anti-A
A	–	+
B	+	–
AB	+	+
O	–	–

+ = coagulation — = pas de coagulation

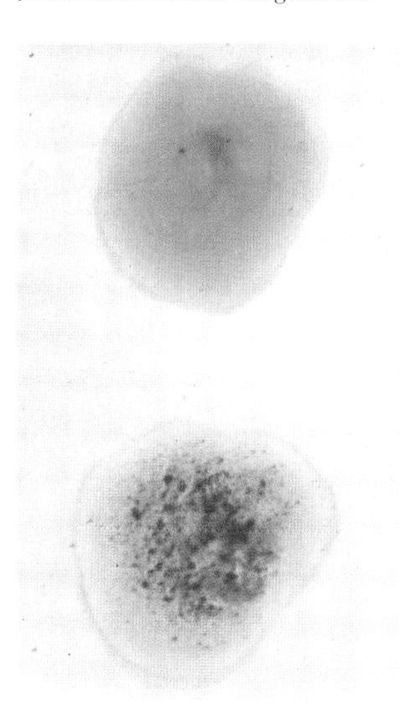

Ci-dessous: Un mélange d'échantillons sanguins ABO compatibles ne présente pas de réaction (en haut) mais, dans le mélange des échantillons sanguins ABO incompatibles (en bas), on observe très nettement une coagulation.

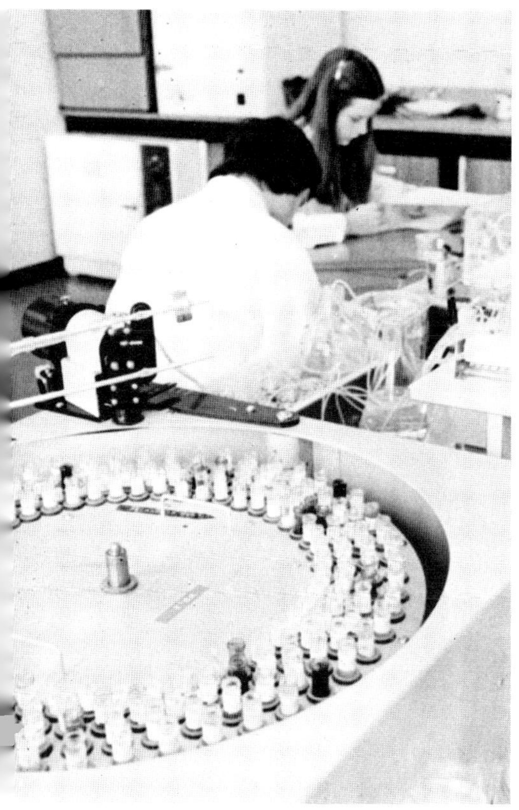

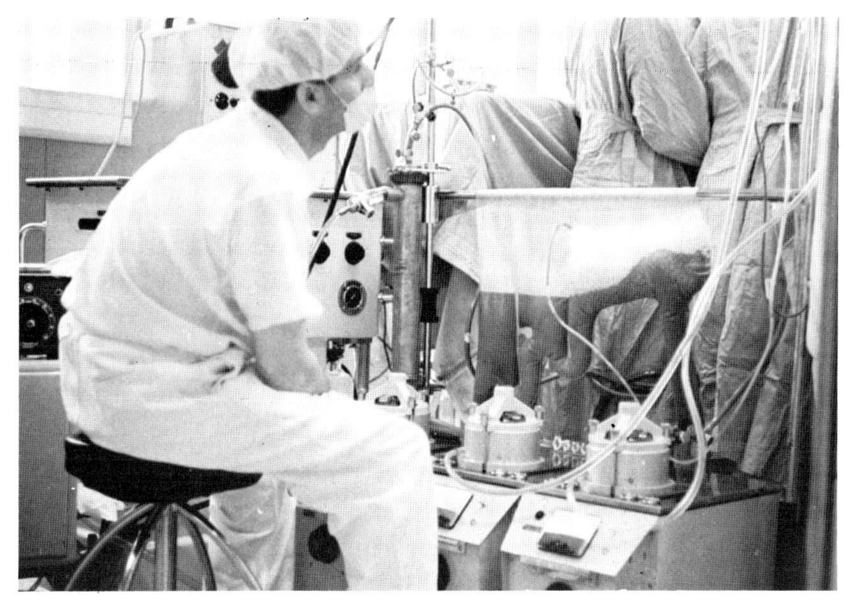

Ci-dessus: Les opérations du coeur et du poumon, qui étaient impossibles avant l'introduction de techniques de transfusions sanguines sûres, font une très large utilisation du sang des donneurs.

A gauche: Classement mécanisé des groupes sanguins.

A droite: L'insigne britannique pour les donneurs de sang.

Fritz Haber

1868-1934

La découverte de la manière dont l'ammoniac pouvait être composé chimiquement - gaz très odorant composé d'hydrogène et d'azote - fut importante aussi bien pour l'industrie que pour la chimie. Cette découverte permit pour la première fois de donner une forme solide à l'azote provenant de l'air. Cette méthode, inventée par le chimiste allemand Fritz Haber, conduisit à l'utilisation d'engrais chimiques.

Plus de 78 % de l'air atmosphérique de notre Terre est constitué par un gaz incolore, l'azote, qui est d'une importance vitale pour tous les êtres vivants, qui le trouvent directement dans l'air, mais aussi, directement ou indirectement, dans les végétaux ou dans le sol sous forme de sels, tels que les nitrates.

Ces sels constituent les matières premières des engrais chimiques utilisés pour améliorer les récoltes.

Au début du XXe siècle, les réserves naturelles d'azote n'étaient plus suffisantes pour satisfaire

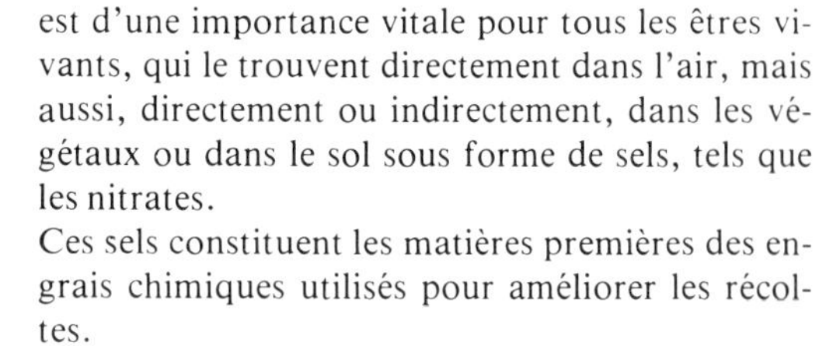

Ci-dessus: Appareils d'Haber pour vérifier la préparation en continu d'ammoniac synthétique.

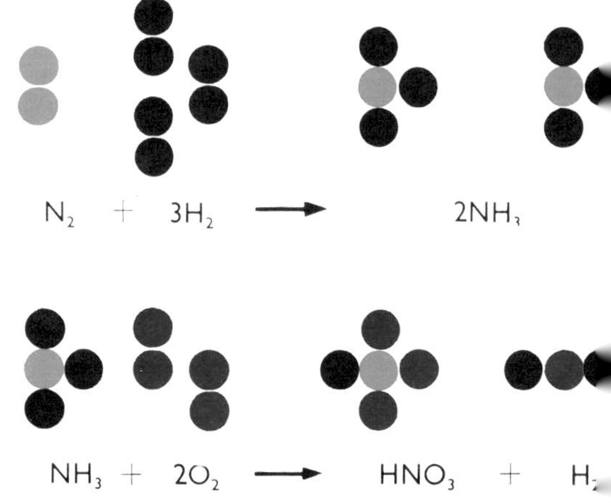

A droite: Les réactions chimiques utilisées dans l'industrie pour préparer des nitrates. En haut, le procédé Haber-Bosch: une molécule d'azote réagit avec trois molécules d'hydrogène et forme deux molécules d'ammoniac. En bas: Dans le processus Ostwald, une molécule d'ammoniac réagit avec deux molécules d'oxygène pour former un acide nitrique et de l'eau. Le gaz ammoniac doit être conduit au-dessus d'une mince feuille de platine chauffé. Cela sert de catalyseur pour accélérer la réaction, tout en restant inchangé. La plus grande partie de l'ammoniac produit est utilisé pour la préparation de l'acide nitrique, et le produit initial est même utilisé pour la préparation d'autres liaisons azotées, comme les nitrates.

A droite: Sans les engrais chimiques servant à accroître les récoltes de céréales, des champs de blé tels que ceux-ci ne produiraient pas suffisamment pour satisfaire les besoins dans le monde. La photo montre un champ de blé au Saskatchewan (Canada) avec, en arrière-plan, une usine chimique qui produit les engrais sur place.

aux besoins de l'industrie et de l'agriculture.
Ces réserves, présentes sous la forme de minéraux, tels que les gisements de nitrate de sodium (salpêtre) au Chili ou les nitrates organiques comme le compost ou l'engrais, n'étaient pas suffisantes. Il fallait trouver une nouvelle source d'azote.
Fritz Haber envisagea la possibilité de donner une forme solide à l'azote de l'air, par des voies chimiques.
Fritz Haber naquit à Breslau en Basse Silésie, actuellement Wroclaw en Pologne. Il reçut une éducation classique et décida de s'initier lui-même aux sciences naturelles, ce qui ne l'empêcha pas plus tard de devenir professeur de chimie physique à l'Ecole polytechnique de Karlsruhe.
Il élabora également un programme pour les recherches thermodynamiques et électrochimiques.
C'est en effectuant des recherches en thermodynamique qu'il eut l'idée de donner chimiquement une forme fixe à l'azote contenu dans l'air. Une des façons de lui donner cette forme était, selon lui, de le relier chimiquement à de l'hydrogène, ce qui devait faire apparaître de l'ammoniac. Cependant, il fallait une température élevée pour combiner les gaz tout en empêchant la formation de l'ammoniac. Haber résolut la question en chauffant un mélange d'azote et d'hydrogène et en le faisant passer sous forte pression sur un catalyseur.

Un catalyseur influence la vitesse de la réaction chimique, mais ne participe pas à cette réaction et reste constant. L'ammoniac constitué de cette manière pouvait être utilisé comme engrais chimique et converti en d'autres produits chimiques azotés.
Après ses succès obtenus dans la formation artificielle de l'ammoniac, Haber permit d'établir en laboratoire les principes de la fabrication de ce gaz à l'échelle industrielle. Il devenait urgent, en effet, de se lancer largement dans sa fabrication, car la Première Guerre mondiale venait d'éclater et coupait l'Allemagne des réserves étrangères en nitrate.
On chargea un autre chercheur en chimie, Carl Bosch, d'appliquer la méthode d'Haber à l'échelle industrielle.
Il apporta des perfectionnements et des raffinements et rechercha de meilleurs catalyseurs. La méthode fut rapidement connue sous le nom de 'procédé Haber-Bosch'.
En 1918, Haber reçut le Prix Nobel de chimie pour sa découverte de la formation artificielle d'ammoniac.
Son collègue Carl Bosch recevra le Prix Nobel de chimie en 1931, pour le développement de techniques chimiques à haute pression.
Au cours des années vingt, Haber construisit son laboratoire, qui fut certainement le siège des plus grandes recherches en matière de chimie physique en vue de leurs applications industrielles.
Hélas, Haber se rendit compte qu'il était un des objectifs de l'antisémitisme, lorsque Hitler prit le pouvoir en Allemagne en 1933. Comprenant qu'il était en danger de mort, il émigra la même année à Cambridge en Grande-Bretagne, où il trouva à s'employer à l'Université. Mais sa santé n'était pas brillante, et le climat humide de l'Angleterre la fit empirer.
Il mourut en Suisse en 1934, lors d'un voyage vers le sud pour échapper à l'hiver du nord de l'Europe.

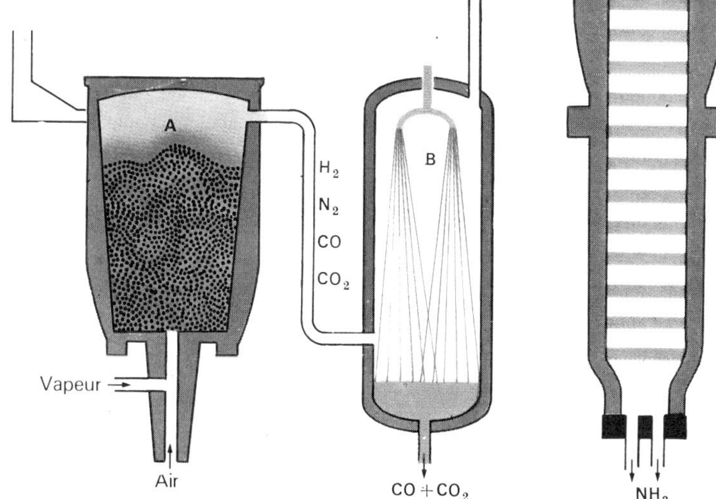

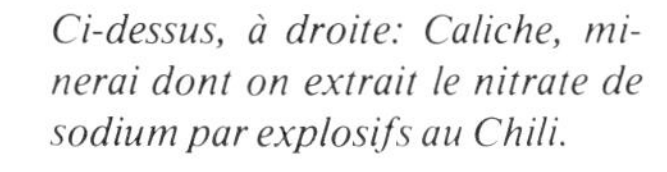

Ci-dessus, à droite: Caliche, minerai dont on extrait le nitrate de sodium par explosifs au Chili.

Ci-dessus: Le procédé Haber-Bosch. Dans la tour (A), de la vapeur et de l'air sont soufflés alternativement à travers des cokes, ce qui entraîne la formation d'un mélange des gaz d'hydrogène, azote, monoxyde de carbone et dioxyde de carbone. Les oxydes de carbones sont rincés et éliminés dans la tour (B), de sorte qu'il ne reste plus que de l'azote et de l'hydrogène, comprimés et pompés ensuite dans la tour de réaction (C), dans laquelle ils forment de l'ammoniac par réaction réciproque.

Lord Ernest Rutherford

1871-1937

Bien que Rutherford se penchât sur des notions scientifiques très compliquées, il fut en mesure de les expliquer clairement à partir d'exemples simples. Sa contribution la plus importante aux sciences modernes fut de montrer comment un élément réagit au moment de la désintégration nucléaire, durant la fragmentation du noyau atomique. Cette idée lui permit de composer le premier modèle de noyau atomique.

Quelques années avant la naissance d'Ernest Rutherford, ses parents quittèrent l'Angleterre pour s'installer à Neslon, en Nouvelle-Zélande. Son père, homme d'esprit pratique et fabricant d'automobiles de profession, monta avec succès une entreprise agricole dans sa nouvelle patrie. Ernest aimait le travail comme son père qu'il aidait souvent. De plus, il devait être excellent élève, car il obtint une bourse pour le *Canterbury College* à Christchurch.
Il termina ses études et obtint une nouvelle bourse, trois ans plus tard, pour l'Université de Cambridge en Angleterre. Cette circonstance marqua un tournant dans la vie de Rutherford. A Cambridge, il rencontra le célèbre physicien J.J. Thomson, qui l'encouragea à effectuer des recherches sur les rayons X, qui venaient d'être découverts par l'Allemand Wilhelm Röntgen. Ce fut pour Rutherford le début d'un intérêt permanent pour la radioactivité et la structure des atomes. Les travaux de Röntgen sur les rayons X fu-

En haut, à droite: Premières notes de Rutherford sur la structure de l'atome.

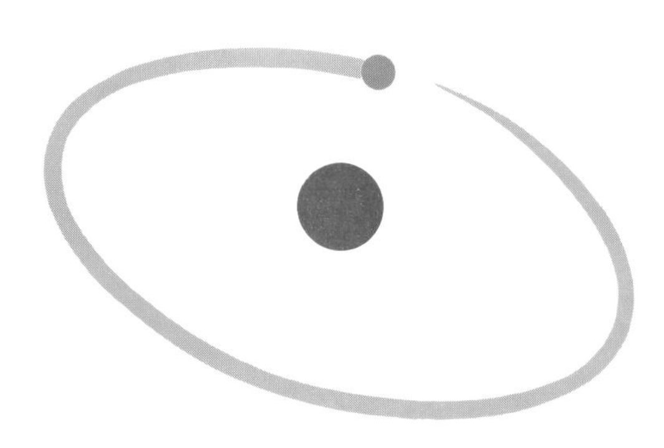

A droite: L'atome le plus simple, l'hydrogène, d'après le modèle de Rutherford. Il déclara que la masse de l'atome est concentrée en un noyau positif, autour duquel circulent un certain nombre d'électrons, comme les planètes autour du Soleil.

Ci-dessous: La chambre de Rutherford au laboratoire Cavendish de l'Université de Cambridge.

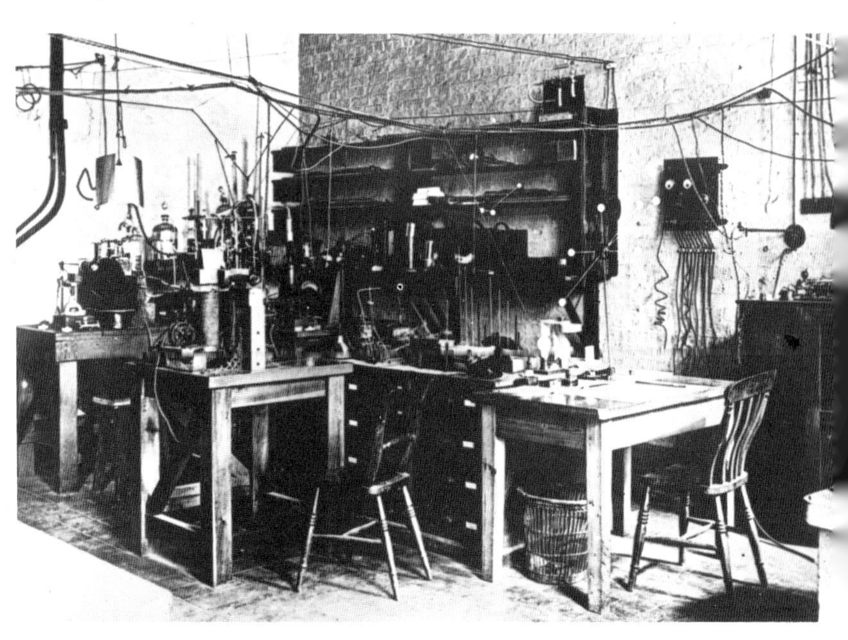

rent à l'origine de la découverte de la radioactivité. Ce phénomène étrange intriguait beaucoup Rutherford. Il commença une série d'expériences et fit un exposé sommaire sur les rayons émis par des éléments tels que l'uranium. Rutherford découvrit que ces rayons étaient composés de trois éléments constitutifs. Deux d'entre eux étaient formés de rayons de très petites particules. Il les appela les rayons *alpha* et *bêta*. La troisième composante était un rayon électromagnétique à haute fréquence, qu'il appela les rayons *gamma*.

Lors d'expériences ultérieures, qu'il fit avec le chimiste anglais Frederick Soddy, Rutherford démontra que des éléments tels que l'uranium et le thorium subissaient une transmutation spontanée en d'autres éléments intermédiaires, au cours de la fragmentation radioactive. Ensuite, chaque élément intermédiaire se fragmentait aussi par luimême. A chaque élément radioactif correspond, en effet, une durée de vie déterminée, durant laquelle la moitié de cet élément passe dans un autre élément. Rutherford appela cette caractéristique la 'période de demi-vie' de l'élément.

Les découvertes de Rutherford causèrent de vifs remous. Les savants se moquèrent de ses idées sur la transmutation des éléments qu'ils comparaient à de l'alchimie moyenâgeuse. Ce n'est qu'en 1904, lors de la publication de son livre devenu classique *Radioactivité* que les apports exceptionnels de Rutherford furent reconnus dans le monde entier.

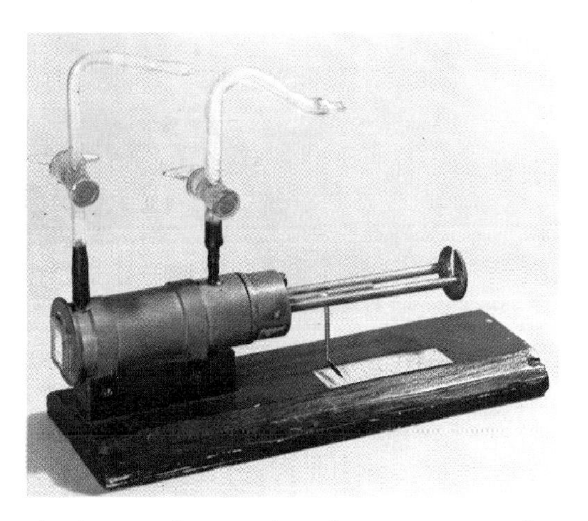

En haut, à droite: Datation d'un os grâce à la méthode du carbone 14. La découverte de la périodicité des éléments radioactifs trouva une application dans la détermination de l'âge des objets archéologiques et géologiques.

Ci-dessus, à gauche: Rutherford utilisa cet appareil en 1919 pour séparer les noyaux des atomes d'azote par bombardement aux rayons alpha. *C'était la première scission artificielle d'un élément.*

Ci-dessus: Rutherford, tenant l'appareil présenté ci-dessus.

A droite: Un minerai d'uranium: l'autunite.

Rutherford conserva toujours sa joyeuse ardeur au travail. En sept ans, il publia plus de quatre-vingt articles scientifiques. Les plus importants traitaient de ses recherches sur les rayons *alpha* et *bêta*. Ces travaux furent le point de départ de sa plus grande contribution à la science, le modèle du noyau atomique.

Rutherford était bien résolu à déterminer une façon d'étudier l'atome et il décida de le bombarder pour observer ce qui se passerait. Mais il lui fallait d'abord trouver, pour bombarder l'atome, une matière d'aussi petite dimension que l'objectif. Rutherford décida d'utiliser un rayon de particules *alpha*. Il choisit le radium comme élément approprié pour fournir les rayons *alpha*. L'objectif serait constitué d'atomes d'azote.

En 1919, il commença une série d'expériences, au cours desquelles il bombardait un fin rayon de particules *alpha* sur les atomes d'azote. La plupart des particules poursuivaient imperturbablement leur route, mais de temps en temps, une particule *alpha* restait accrochée dans le noyau atomique de l'azote, ce qui libérait un proton de cet atome. Rutherford put ainsi donner une idée exacte de la structure des atomes.

Il établit que l'ensemble de la charge positive et la plus grande partie de la masse se trouve dans un petit noyau central, qui est environ 10 000 fois plus petit que l'atome lui-même. Les charges négatives, les électrons, circulent autour du noyau, comme les planètes autour du Soleil. La présentation de Rutherford de la structure atomique semblable à un système solaire miniature constitua la base de la plupart des futurs développements de la physique nucléaire. Bien que sa méthode fût quelque peu modifiée par l'introduction de théories mathématiques compliquées, elle est toujours un des procédés les plus commodes de se représenter la partie interne de l'atome.

Prix Nobel de chimie en 1908, il reçut le titre de 'sir' en 1914 et de 'lord' en 1932. Sa dépouille repose à l'abbaye de Westminster, à côté de celle de Newton.

Guglielmo Marconi

1874-1937

Le physicien italien Marconi est considéré à juste titre comme l'inventeur de la télégraphie sans fil, et comme le précurseur de la radio. Il combina avec les siennes toutes les inventions et les idées formulées avant lui et fut le premier à transmettre avec succès des informations sans fil sur une grande distance.

Guglielmo Marconi naquit le 25 avril 1874. Sa mère était irlandaise. Il commença ses études à Bologne et à Florence, puis se rendit à l'école technique supérieure de Livourne, où, en plus de ses études de physique, il eut l'occasion d'examiner des phénomènes ondulatoires électromagnétiques. Il apprit les théories de Maxwell et les travaux plus expérimentaux de Hertz.
Le savant anglais James Maxwell (1831-1879) avait démontré théoriquement, en 1864, que les rayons lumineux et thermiques pouvaient être considérés comme des ondes électromagnétiques. Il avait également prédit qu'il devait être possible de produire d'autres radiations électromagnétiques et de les envoyer dans l'éther. Vingt-quatre ans plus tard environ, le physicien allemand Heinrich Hertz (1857-1894) démontra l'existence de ces ondes. Il découvrit que lorsqu'il provoquait des étincelles entre deux boules métalliques, elles étaient 'absorbées' par un fil circulaire quasiment fermé - donc avec une petite interruption -, qui était placé à quelque distance. De plus petites étincelles se produisaient aussi entre les extrémités de cet arc en fil. Alors que Hertz et Lodge considéraient cette manifestation comme un phénomène sans intérêt, d'autres y entrevirent des possibilités pratiques. C'était le cas du physicien russe Alexander Stepanovitch Popov (1859-1906) que l'on considère en Russie comme étant l'inventeur de la 'radio'. En 1895, il construisit en effet un récepteur avec lequel il captait des ondes électromagnétiques de l'atmosphère. Il prédit que cet instrument pourrait être utilisé pour capter des signaux, et pour servir de moyen de communication

A droite: Une reproduction de l'émetteur radio utilisé par Marconi en 1895, lors de ses toutes premières expériences.

Ci-dessous: Marconi à Signal Hill (Terre-Neuve) en 1901, avec les instruments utilisés pour la réception de la première transmission de signaux sans fil au-dessus de l'océan Atlantique, à partir de Poldhu dans les Cornouailles (Grande-Bretagne).

entre les navires et sur de grandes distances. L'année suivante, il fit une démonstration à Saint-Petersbourg (l'actuelle Leningrad), où des informations furent échangées entre deux points de la ville.
Après ses études, Marconi continua ses expériences en 1895, dans la propriété de son père. Il découvrit qu'il pouvait augmenter considérablement la distance, s'il utilisait un fil pour relier une des extrémités (pôle) de l'émetteur à une plaque métallique, fixée au-dessus d'un haut pylône. Il relia l'autre pôle à la terre. Il fit de même avec les pôles (extrémités) de l'installation de réception.
En fait, Marconi avait conçu la première véritable antenne radio. En septembre 1895, il réussit à transmettre un signal vers un point situé derrière l'horizon, le trajet étant même coupé par une colline. Il découvrit également qu'il pouvait diriger les ondes émises en plaçant un écran métallique courbe derrière l'antenne. Le gouvernement italien ne s'intéressa pas à ses travaux. Aussi Marconi se rendit à Londres en 1896. Assisté d'un cou-

sin irlandais, et soutenu par le service britannique des postes, il obtint un brevet et perfectionna son système de façon à pouvoir transmettre un signal au-dessus d'un bras de mer de 15 km de largeu., le *Bristol Channel.*
Mais Marconi n'avait pas encore connu son plus grand triomphe. On pensait qu'en raison de la courbure de la surface de la Terre, la portée des ondes radio ne 'pourrait' pas dépasser plus de 300 km. Le 11 décembre 1901, Marconi réussit à transmettre un signal de Poldhu dans les Cornouailles à Saint-John's, capitale de Terre-Neuve, sur une distance de 3 200 km par-dessus l'Atlantique. Cet événement de portée mondiale fit sensation. Marconi avait remplacé le récepteur à fil par un aimant-détecteur composé d'un tube en verre contenant de la limaille de fer et qui pouvait capter des ondes radio. On ne pouvait pas encore donner d'explication scientifique à ce prodigieux transfert de signaux sur une aussi grande distance, mais on supposa que, parmi les couches supérieures de l'atmosphère, il y avait une couche réfléchissante pour les ondes électromagnétiques: l'ionosphère. On apporta de nombreux autres perfectionnements aux installations de radio entre les années 1900 et 1920, et Marconi y a certainement fourni la plus large contribution. Il reçut le Prix Nobel de physique en 1909, ainsi que Karl Ferdinand Braun qui ajouta de considérables améliorations au premier émetteur de Marconi. Marconi, décédé à Rome le 20 juillet 1937, fut enterré dans sa ville natale de Bologne, comme il en avait exprimé le désir.

Nº1 'All about Wireless'-a New Paper for ALL
POPULAR WIRELESS
3d
Weekly
THE WORLD'S LATEST HOBBY FULLY EXPLAINED
PUBLISHED EVERY FRIDAY
ORDER IN ADVANCE
PACKED WITH PICTURES AND EXPERT ADVICE

A droite: Le poste récepteur de radio dans les habitations devint une importante source de distraction au début du XXe siècle.

Ci-dessous, à gauche: Une station mobile expérimentale en 1901. Lorsque le véhicule roulait, l'antenne était abaissée. Marconi et le professeur John Ambrose Fleming sont à l'arrière du véhicule. Fleming apporta une grande contribution au développement de la radio en inventant la diode, un tube à vide contenant deux électrodes dont la première était chauffée et l'autre froide. La diode servait de redresseur de courant en laissant passer le courant dans une seule direction.

Ci-dessus: Le 'Marconiphone', récepteur radio de 1922, conçu pour être utilisé avec des écouteurs. Ce fut la première radio commerciale.

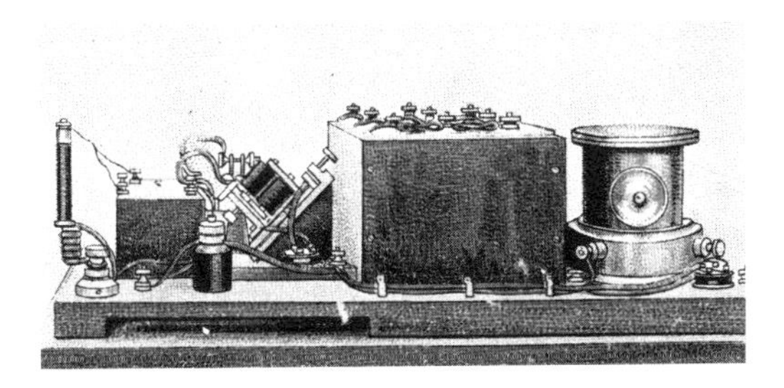

A gauche: Récepteur de synchronisation Marconi pour la réception simultanée de plusieurs informations.

A droite: Une triode ou audion. Elle fut inventée en 1906 par l'Américain Lee de Forest, qui découvrit que, en plaçant une grille fine entre le fil à incandescence et la plaque d'une diode, il était possible de diriger le courant des électrons. Une petite tension négative sur la grille retient les électrons, tandis qu'une petite tension positive accélère les électrons. De cette façon, la triode pouvait renforcer des signaux très faibles jusqu'à des valeurs très élevées d'énergie.

Albert Einstein

1879-1955

Albert Einstein, d'origine allemande et naturalisé américain, est généralement considéré, comme un des plus grands esprits et des plus grands savants de l'histoire de l'humanité. Ses théories de la relativité sont les plus célèbres - d'abord la théorie de la relativité restreinte, puis celle de la relativité généralisée. Elles entraînèrent une révolution totale de la façon de concevoir le cosmos. En plus de ses travaux scientifiques, il consacra énormément de temps et d'énergie à la réalisation de ses aspirations spirituelles: la fraternisation entre tous les peuples.

Albert Einstein naquit le 14 mars 1879 à Ulm en Allemagne. Un an plus tard, sa famille alla s'installer à Munich, où son père Hermann et le frère de celui-ci, Jakob ouvrirent une petite usine d'appareils électriques et mécaniques. C'est là que le jeune Albert commença ses études, mais à cette époque, la discipline était très dure en Allemagne, et le jeune Albert ne se montra pas un très bon élève.

A droite: Une éclipse de soleil, au moment où le disque lunaire recouvre presque entièrement le Soleil. Dans sa théorie de la relativité généralisée, Einstein déclara que tout rayon lumineux qui passe très près du Soleil est dévié deux fois plus fortement que ne le prévoit la physique classique, en raison du champ de pesanteur très important du Soleil. Des observations minutieuses des éclipses de soleil prouvèrent que ces prédictions étaient absolument exactes.

Ci-dessous: La page-titre de la première édition anglaise (1920) des travaux d'Einstein sur les théories de la relativité restreinte et généralisée.

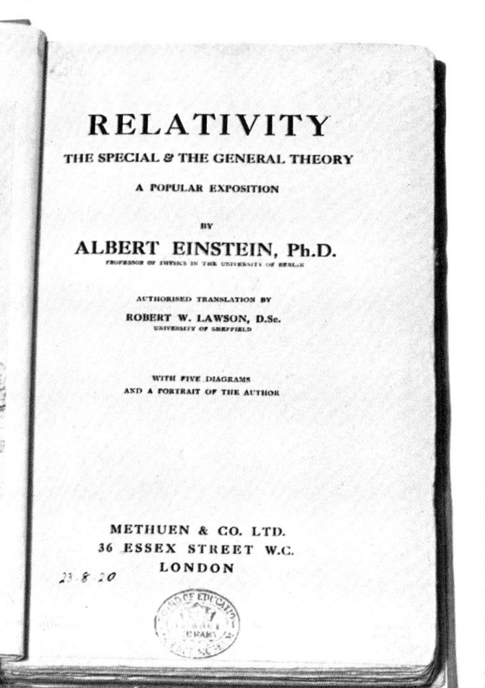

RELATIVITY

THE SPECIAL & THE GENERAL THEORY

A POPULAR EXPOSITION

BY

ALBERT EINSTEIN, Ph.D.

PROFESSOR OF PHYSICS IN THE UNIVERSITY OF BERLIN

AUTHORISED TRANSLATION BY

ROBERT W. LAWSON, D.Sc.

UNIVERSITY OF SHEFFIELD

WITH FIVE DIAGRAMS

AND A PORTRAIT OF THE AUTHOR

METHUEN & CO. LTD.

36 ESSEX STREET W.C.

LONDON

Il ne réussissait jamais les examens de fin d'année. Toutefois, son oncle Jakob avait éveillé en lui une véritable passion pour les sciences. A l'âge de douze ans, il avait déjà décidé de résoudre la grande énigme 'de savoir de quoi était constitué ce vaste monde'. Plus tard, il fit quatre ans d'études de physique à la célèbre Ecole polytechnique de Zurich. Après quelques difficultés, il parvint à obtenir un poste subalterne à l'office des brevets à Berne en 1902.

Le travail d'Einstein au bureau était si peu absorbant qu'il avait tous les loisirs voulus pour faire des expériences. Il n'avait pas d'autres instruments qu'un crayon et une feuille de papier, et son esprit lui servait de laboratoire. Il tenta de s'imaginer quel serait l'aspect du monde pour un observateur qui se déplacerait à la vitesse de la lumière. En suivant un raisonnement logique et en partant des méthodes de calculs mathématiques existantes, Einstein formula une image du monde tout à fait nouvelle et saisissante.

Ce résultat, qu'il publia en 1905 dans les *Annalen der Physik* et qu'il appela la théorie de la relativité restreinte, modifia complètement les conceptions qui, vers la fin du XVIIe siècle, avaient été confirmées par les travaux de Sir Isaac Newton, qui faisait la loi en la matière. On était fermement convaincu que les unités fondamentales de 'masse', 'longueur' et 'temps' étaient absolues et invariables. Einstein démontra que ces unités fondamentales dépendaient dans une très large mesure de la vitesse relative entre l'observateur et ce qu'il observait. En 1916, Einstein étendit sa théorie à la théorie de la relativité généralisée en formulant une description mathématique de la structure de l'espace.

Il établit que l'univers était formé d'une continuation de l'espace et du temps, sous la forme d'une ligne courbe complexe et présentant quatre dimensions. Une conséquence de cette idée très difficilement imaginable était que la pesanteur - formulée pour la première fois par Newton - était en réalité provoquée par des flexions locales dans la continuation temps-espace par la présence en ces endroits d'importantes agglomérations de masse, d'étoiles et d'autres corps célestes.

Il prédit quelques phénomènes observables et mesurables, tels que la déviation des rayons lumineux provenant d'une étoile lors de leur passage dans le champ de pesanteur du Soleil, phénomène qu'il est possible d'observer uniquement dans le cas d'une éclipse totale du Soleil. Il y en eut une en 1919, et la déviation calculée par Einstein semblait concorder exactement. Il en fut de même pour les autres phénomènes prédits dans sa théorie. Par les preuves apportées, il fut pris très au sérieux par tous les savants. C'était la plus grande révolution dans la pensée scientifique depuis Newton. Einstein lui-même était intimidé par cette soudaine publicité autour de sa personne et par le fait qu'il était devenu mondialement célèbre.

Entre-temps, en 1913, Einstein avait accepté un

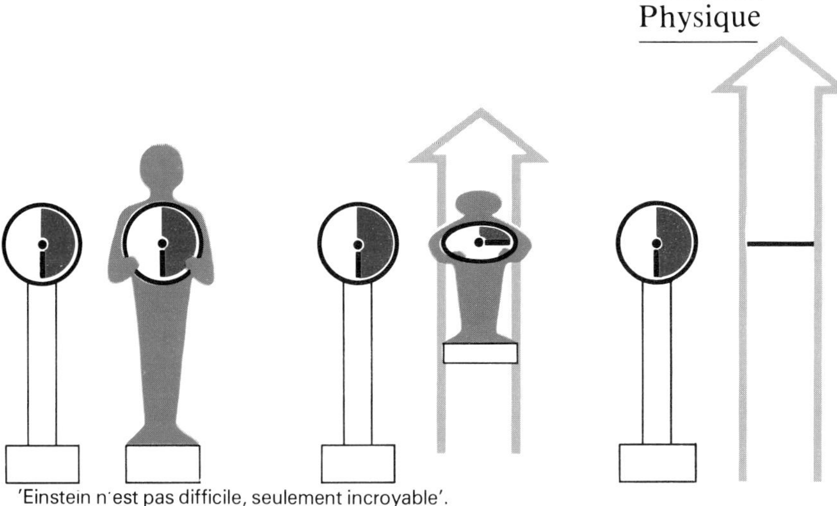

'Einstein n'est pas difficile, seulement incroyable'.
Une des conséquences de la théorie de la relativité est que les objets en mouvement devraient présenter une augmentation de la masse, une réduction de la longueur et un ralentissement dans le temps. Si un objet se déplaçait aussi rapidement que la lumière, il aurait une masse infinie, une longueur nulle et le temps s'arrêterait pour lui. Des prédictions dans l'étude des vitesses élevées confirment l'existence de particules (relativement) petites.
L'explication d'Einstein présente la pesanteur comme une courbe spatiale exigeant que la lumière subisse une attraction, tout comme les corps matériels. Des observations faites lors de l'éclipse de soleil de 1919 démontrèrent que la lumière des étoiles, qui passe près du soleil, forme effectivement une ligne courbe.

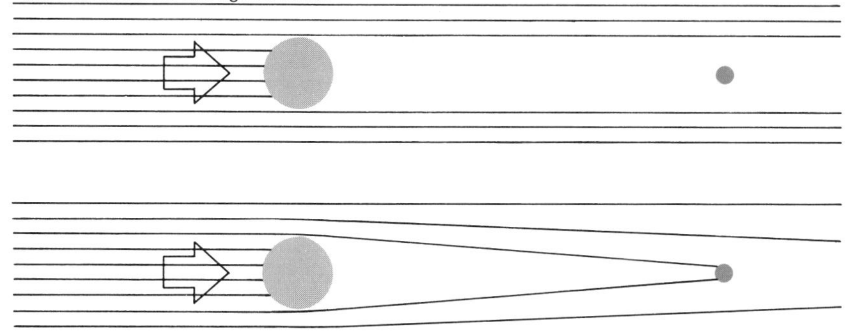

poste de professeur à l'Université de Berlin, où il resta pendant vingt ans. Durant cette période, il travailla activement aussi à l'extension du pacifisme et, plus tard, à la lutte contre le nazisme. On lui attribua le Prix Nobel de physique en 1921.
Lorsque les nazis prirent le pouvoir en Allemagne, en 1933, ils lui confisquèrent tous ses biens et lui retirèrent la nationalité allemande, alors qu'il séjournait à l'étranger, mais il fut accueilli par les Etats-Unis. Il travaillera jusqu'à la fin de sa vie à l'*Institute for Advanced Studies* (Institut des recherches scientifiques avancées) à Princeton dans le New Jersey. Hitler déclara que la théorie de la relativité ne pouvait pas avoir été établie par un juif et qu'Einstein avait dérobé cette théorie à un officier de l'armée allemande mort lors de la Première Guerre mondiale.
Une des conséquences de la théorie d'Einstein est que la masse et l'énergie sont équivalentes, c'est-à-dire qu'elles sont deux métamorphoses d'un phénomène identique et qu'elle peuvent être converties l'une dans l'autre. La relation signifie qu'une très petite quantité de matière peut être convertie en une très grande quantité d'énergie.
Vers 1939, l'Amérique fut préoccupée par l'idée que les savants allemands pourraient appliquer ce principe à une arme de guerre ayant un gigantesque pouvoir de destruction. Sous la menace d'une seconde guerre mondiale, d'éminents savants américains tentèrent de persuader Einstein - dont le nom seul était un argument très puissant - d'écrire une lettre au président Roosevelt pour lui faire valoir l'avantage que l'Amérique pourrait retirer d'une telle arme pour sa sécurité. Einstein donna son accord, non sans avoir mené une lutte amère entre son désir de pacification et son aversion très profonde des actes inhumains des nazis. Il céda, cependant, fermement persuadé que l'arme ne serait jamais utilisée.
Quoi qu'il en soit, sa lettre fut le point de départ de la fabrication de la bombe atomique utilisée contre le Japon en 1945.
Einstein passa ses dernières années dans un isolement quasi total - il continua à enseigner - déçu et dans un état de santé qui ne faisait qu'empirer. Il ne pouvait même plus jouer du violon, ce qui fut toujours une des joies de son existence. Il mourut durant son sommeil dans un hôpital de Princeton, le 18 avril 1955.

Ci-dessus: Trajet des rayons de la lumière d'une étoile d'après la théorie classique (en haut) et d'après la théorie de la relativité généralisée (en bas) d'Einstein.

Ci-dessus, à droite: Einstein, peu avant sa mort.

Ci-dessous, à droite: Voyager, *sonde spatiale vers Mars. Les trajectoires des ondes spatiales qui doivent parcourir plusieurs millions de kilomètres sont calculées à partir des équations d'Einstein.*

Ci-dessous: L'équation d'Einstein qui établit que la quantité d'énergie d'un minuscule fragment de matière est égale à sa masse, multipliée par le carré de la vitesse de la lumière (300 000 km par seconde). Comme l'indique cette équation, la conversion d'une quantité extrêmement petite de matière dégage une énorme quantité d'énergie. Elle a permis la fabrication de la bombe atomique.

$$E=mc^2$$

Max von Laue

1879-1960

Le physicien allemand Max von Laue a rendu de très grands services à la science par ses travaux sur les rayons X, et plus spécialement en relation avec les cristaux, ce qui lui permit de définir la nature de ces rayons, qui était encore contestée à cette époque. Par la même occasion, il fournit aux physiciens et aux chimistes une méthode extrêmement précieuse pour l'examen de la structure des cristaux.

Max Theodor Felix von Laue, fils d'un administrateur de l'armée, naquit le 9 octobre 1879 à Pfaffendorf près de Coblence. En raison de la profession de son père, la famille séjournait rarement plus de quelques mois au même endroit. C'est pourquoi le jeune von Laue eut une éducation très diversifiée dans un grand nombre d'écoles primaires et supérieures, et dans les universités. Finalement, en 1899, il alla étudier la physique théorique à l'Université de Strasbourg, où il termina ses études avec succès.

En 1909, peu après avoir été désigné comme chercheur scientifique à l'Université de Munich, von Laue commença les recherches qui allaient le rendre mondialement célèbre.

Il s'intéressa aux rayons X, qui avaient placé les savants devant une énigme depuis leur découverte en 1895. Certains chercheurs pensaient que les

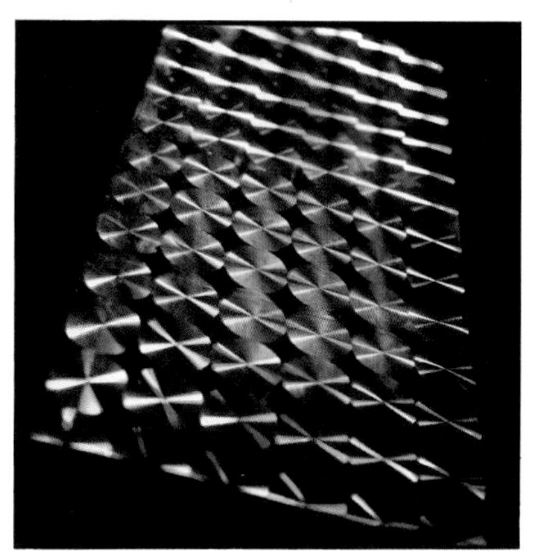

A droite: Une série de petites lignes fines est gravée dans une grille de diffraction classique. La distance entre les petites lignes est presque équivalente à la longueur d'onde de la lumière visible.

A droite: Les composantes colorées de la lumière blanche sont réfléchies selon différents angles par une grille de diffraction, de telle sorte que la radiation se déploie en un spectre.

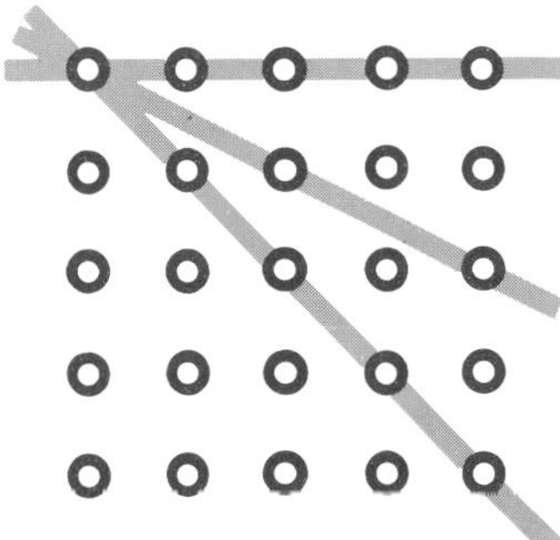

Ci-dessus: La longueur d'onde beaucoup plus courte des rayons X est environ égale à la distance entre les atomes d'une grille de cristal. Les rayons X rencontrent sous différents angles les atomes disposés à des intervalles réguliers et sont déviés dans une mesure prévisible. On peut ainsi déterminer la structure des cristaux. La diffraction des rayons X est devenue une méthode pratiquement indispensable dans toutes les branches scientifiques.

A droite: Von Laue (à gauche) avec quelques collègues de la faculté des sciences de l'Université de Munich.

rayons X étaient composés d'un courant de très petites particules. D'autres pensaient qu'il s'agissait d'un phénomène ondulatoire, semblable à celui de la lumière. Von Laue pensait également qu'il s'agissait d'un phénomène ondulatoire, mais d'une longueur d'onde beaucoup plus courte que celle de la lumière. Il imagina une expérience pouvant vérifier cette supposition. On savait déjà depuis de nombreuses années qu'il était possible de calculer la longueur d'onde des rayons lumineux selon la façon dont ils étaient déviés en certains modèles de raies de lumière plus foncées et plus claires. Ces modèles s'appelaient modèles de diffraction (soit par réflexion, soit par diffraction) que l'on obtenait en faisant passer de la lumière à travers un réseau constitué par une plaque de verre, sur laquelle étaient gravées de très fines rainures parallèles à distances connues régulières et très petites. Plus courte était la longueur d'onde de la lumière, plus petite devait être la distance entre les rainures de la grille, pour obtenir le modèle de diffraction. Von Laue pensa que si les rayons X étaient un phénomème ondulatoire comme la lumière, avec une longueur d'onde plus réduite, ils devaient présenter ces mêmes modèles de diffraction. Mais, pour obtenir de tels modèles, il fallait une grille beaucoup plus fine que la plus fine des grilles que les techniques de l'époque permettaient de fabriquer. Von Laue s'imagina que l'on pourrait peut-être trouver une grille aussi fine dans la nature. Un cristal est composé de couches d'atomes disposées à intervalles égaux, mais beaucoup plus réduits que dans les grilles fabriquées par l'homme.

Von Laue décida de diriger un faisceau très étroit de rayons X sur un cristal. Mais étant donné que la 'trame' formée par les atomes du cristal a une triple dimension au lieu d'être constituée par une seule surface, il est très difficile d'obtenir un bon modèle de diffraction. Toutefois, si l'on pouvait fixer un tel modèle sur une plaque photographique, il serait alors possible d'établir de façon irréfutable la nature des rayons X. Von Laue fit cette expérience en 1912 et utilisa un petit cristal de sulfure de zinc.

Le résultat fut immédiat et saisissant. La plaque photographique montrait un modèle complexe mais régulier de petites taches claires, qui constituaient sans aucun doute possible un modèle de diffraction.

Von Laue reçut le Prix Nobel de physique en 1914 pour ses travaux. Dès 1919, il devint directeur de l'Institut de Physique théorique à Berlin. Lorsque la Seconde Guerre mondiale éclata, il démissionna en signe de protestation contre le régime nazi, mais reprit son activité, après la guerre, comme directeur de l'Institut Max Planck, institution scientifique de Berlin. Von Laue mourut dans cette ville le 23 avril 1960.

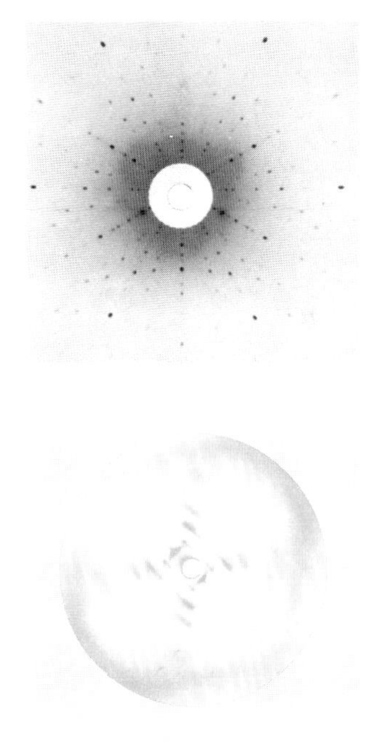

Ci-dessus: Un modèle de diffraction de rayons X d'un seul cristal de silicium.

Ci-dessus, à droite: Le spectromètre à ionisation de rayons X utilisé par William Henry Bragg et son fils William Lawrence dans leurs recherches sur les cristaux.

Ci-dessous: Von Laue (à gauche) et Werner Heisenberg en 1959. Heisenberg apporta une large contribution à la mécanique quantique par sa 'relation d'incertitude'; elle établit que la position (endroit) d'un objet et son moment cinétique (masse x vitesse) ne peuvent pas être mesurés simultanément avec la même précision.

Otto Hahn

1879-1968

Le chimiste et physicien allemand Otto Hahn découvrit la fission nucléaire, qui consiste à faire éclater un noyau d'atome lourd en deux ou plusieurs fragments transformés en atomes d'éléments plus légers. Ce procédé libère de très grandes quantités d'énergie. Les travaux d'Otto Hahn rendirent possible la construction des réacteurs nucléaires, capables de produire de l'énergie d'après ce principe.

A droite: Une réaction de fission nucléaire. Un noyau relativement stable d'un atome d'uranium 235 absorbe un neutron supplémentaire; en une fraction de seconde, il est transformé en un isotope d'uranium 236 extrêmement instable. Ce noyau instable explose, en projetant différents neutrons, qui pénètrent à leur tour dans d'autres atomes d'uranium 235.

A gauche: Lise Meitner en 1949.

Ci-dessous: Appareils utilisés par Hahn pour démontrer la fission nucléaire.

Otto Hahn naquit le 8 mars 1879 à Francfort-sur-le-Main; il était fils d'un opticien et ses parents désiraient qu'il devînt architecte, mais il décida de faire des études de chimie à l'Université de Marburg, où il les termina en 1901. Il travailla ensuite en Angleterre et en Amérique pendant un certain temps (avec l'intention de bien apprendre l'anglais) auprès de quelques savants de premier plan, tels que Ramsay et Rutherford. En 1906, il retourna en Allemagne, où, sur la recommandation

Un noyau d'uranium 235 relativement stable, reçoit un neutron supplémentaire. L'atome se transforme immédiatement en uranium 236 très instable.

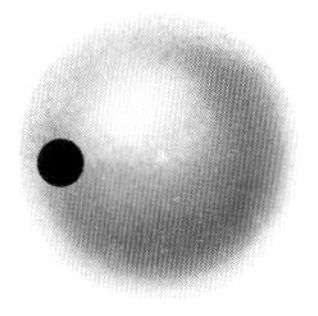

Par la fission, le noyau explose et émet davantage de neutrons, qui peuvent être transformés à leur tour en donnant d'autres atomes d'uranium.

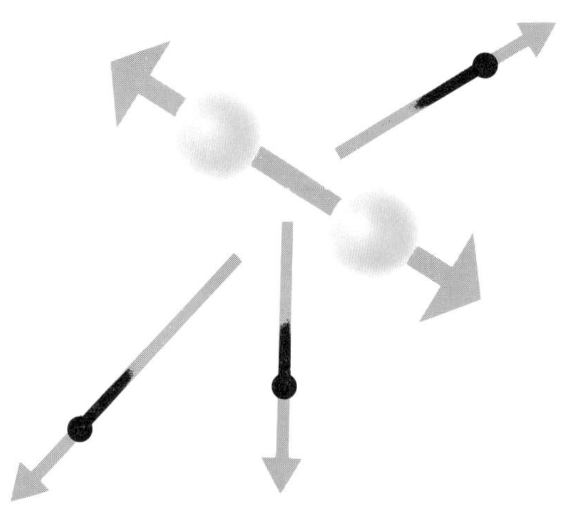

de Ramsay, il fut nommé directeur de la division de radiochimie (chimie des éléments radioactifs), au célèbre Institut Kaiser Wilhelm.
Il y accomplit un travail de pionnier dans le domaine de la structure et de l'activité des atomes. Hahn était un homme très modeste, presque timide et doutant constamment de l'exactitude de ses inventions. Par conséquent, il eut beaucoup de difficultés à faire connaître personnellement ses travaux. Mais une physicienne autrichienne travaillait également à l'institut, Lise Meitner, une de ses collaboratrices douée d'une forte personnalité. Pendant plus de trente ans, ils formèrent un couple de chercheurs se complétant l'un l'autre dans la poursuite de leur idéal. Lise lui donna la confiance nécessaire. Elle était une excellente physicienne et, ensemble, ils apportèrent une importante contribution à la connaissance des noyaux atomiques.
Lorsque Lise Meitner, juive autrichienne, trouva

la vie trop dangereuse pour elle sous la menace croissante du régime nazi en Allemagne, elle émigra en Suède, en 1938. Elle y travailla jusqu'en 1960, puis se retira en Angleterre où elle mourut en 1968. Peu après le départ de sa collaboratrice, Hahn fit sa plus grande découverte. Il étudiait déjà depuis quelques années l'activité des atomes d'uranium, lorsqu'ils étaient bombardés par des neutrons (petites particules qui font partie de tout noyau atomique). Il supposait que l'uranium était ensuite transformé en un autre élément, un peu plus lourd. Après de longues et minutieuses expériences, il lui sembla en effet qu'il y avait un autre élément, qui était une forme radioactive (isotope) du baryum. Mais les atomes d'uranium sont très lourds et leurs noyaux sont composés de plusieurs centaines de neutrons et de protons. Les atomes de baryum sont beaucoup plus légers et leur masse représente un peu plus de la moitié de celle des atomes d'uranium. Hahn comprit qu'il se passait quelque chose de remarquable. La seule explication possible était que les atomes d'uranium éclataient par l'effet du bombardement des neutrons en atomes d'éléments plus légers. Ce procédé devait simultanément libérer de nouveaux neutrons

Ci-dessus: Les applications opposées de l'énergie nucléaire: sur le plan militaire et sur le plan pacifique. A droite: La centrale nucléaire A de Hunterton, en activité depuis 1964. Elle compte deux réacteurs magnox, chacun ayant une capacité de trois millions de watts. A gauche: Hiroshima après l'explosion de la bombe A en 1945.

et une certaine quantité d'énergie. Il l'appela 'fission atomique'.
Les énormes possibilités que présentait cette découverte de Hahn furent immédiatement exploitées, bien avant le début de la Seconde Guerre mondiale.
La première application pratique fut la construction d'un réacteur nucléaire à Chicago, en 1942, par le physicien italien Enrico Fermi.
Hahn était particulièrement enthousiasmé par cette application pacifique, qui serait, pensait-il, d'une grande utilité pour l'humanité. En Allemagne, un groupe de savants travailla à l'application de la fission nucléaire pour en faire une arme de guerre. A son grand soulagement, Hahn put poursuivre librement ses propres recherches, comme il le désirait. Après la Seconde Guerre mondiale, Hahn qui devait recevoir le Prix Nobel de chimie en 1945 pour ses travaux, se rendit en Angleterre avec quelques autres savants allemands. Il y fut profondément bouleversé en apprenant qu'une bombe atomique avait été lancée sur Hiroshima.
A son retour en Allemagne, Hahn devint président de l'ancien Institut Kaiser Wilhelm, rebaptisé Institut Max Planck pour la promotion des sciences. D'autre part, il protesta avec grande conviction et violence contre le développement de l'utilisation d'armes atomiques. En 1966, il reçut une grand distinction scientifique, le Prix Enrico Fermi, qu'il partagea avec Lise Meitner et avec Fritz Strassmann, qui avait été également son collaborateur en 1938. Hahn mourut à Göttingen le 28 juillet 1968.

A droite: Otto Hahn et Lise Meitner en 1959.

Sir Alexander Fleming
1881-1955

Le bactériologiste écossais Fleming découvrit la pénicilline, le premier d'une longue série d'antibiotiques, médicaments qui combattent les maladies infectieuses en empêchant le développement ou la multiplication de certains microbes.

Alexander Fleming naquit le 6 août 1881 à Lochfield en Ecosse. Fils de paysan, le premier métier qu'il choisit n'avait rien de médical. En effet, il travailla pendant quatre ans dans une société de navigation maritime. Ensuite, il se fit inscrire comme étudiant en médecine au *St. Mary's Hospital* à Londres. Il reçut son diplôme de médecin en 1906, mais continua à travailler à l'hôpital pour se consacrer à l'étude des bactéries. Au cours de la Première Guerre mondiale, Fleming servit comme officier du service de santé militaire dans les hôpitaux des armées. A cette époque, les blessures purulentes causaient de graves soucis. Fleming comprit combien il était urgent de trouver un moyen efficace pour supprimer les bactéries et combattre l'infection, sans danger pour le patient.

Après la Première Guerre mondiale, Fleming retourna au *St. Mary's Hospital* et se consacra tout entier à cette tâche. Il fit sa grande découverte en 1928, à la suite d'un incident tout à fait inattendu. Fleming était en train d'étudier des staphylocoques, groupe de bactéries capables de provoquer des empoisonnements du sang et des abcès ulcéreux, tels que les furoncles. Il cultivait des staphylocoques dans de petites capsules séparées, pour les examiner au microscope, selon la méthode traditionnelle. Lorsqu'il revint dans son laboratoire après avoir pris quelque congé, il vit que le verre qui servait de couvercle avait glissé d'une des capsules. Il constata alors la présence de moisissures dues à une infection de spores provenant de l'air en contact. Il voulut d'abord jeter la culture de staphylocoques, mais il décida de l'examiner préalablement au microscope. Il remarqua qu'autour des endroits atteints par la moisissure, les bactéries s'étaient décomposées. Il fut frappé par la ressemblance de l'image qu'il voyait et par l'effet bactéricide qu'il avait obtenu avec le lyzozyme, substance découverte par lui-même, six ans auparavant, dans la salive, le mucus nasal et le liquide lacrymal, et qui possédait un faible effet bactéricide 'in vitro'.

Le mérite de Fleming est dû au fait qu'il comprit immédiatement l'intérêt que pouvait représenter cette caractéristique dans sa culture 'gâchée'. La moisissure, de l'espèce 'Penicillium' sécrétait une substance qui tuait les bactéries. Durant l'étape suivante de ses recherches, Fleming tenta d'isoler la substance bactéricide - qu'il appela 'pénicilline' - en quantités utilisables. Il n'y réussit pas, parce que ce corps semblait avoir une vie éphémère et parce que les techniques chimiques n'étaient pas

Ci-dessus: Au cours de la Première Guerre mondiale, de nombreux décès étaient dus à la gangrène et à l'empoisonnement du sang. Les expériences faites par Fleming, officier du service de santé militaire à cette époque, le poussèrent à chercher un moyen de combattre les bactéries responsables des infections.

Page de droite, à gauche: Une microphoto du Penicillium notatum *présentant l'extrémité d'un sporange en développement. La pénicilline est produite par les spores rondes. Elle se disperse dans le substrat (bouillon de culture) de la culture, dont elle peut être extraite.*

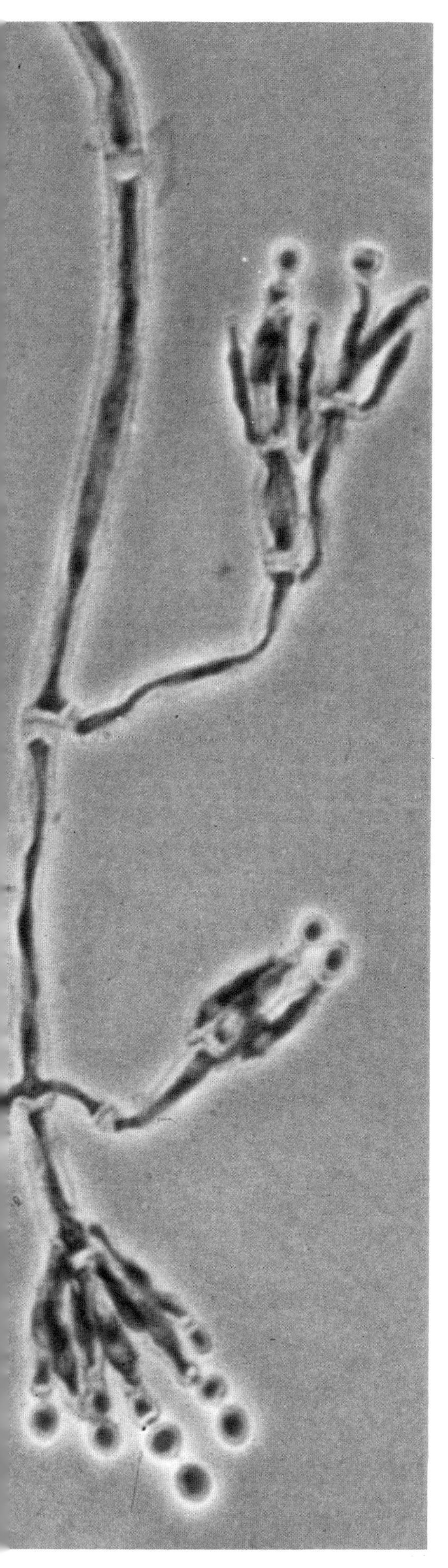

encore assez développées. Lorsque la Seconde Guerre mondiale éclata, environ dix ans plus tard, on rechercha assidûment des substances bactéricides pour soigner les blessures infectées. La première publication de Fleming sur la pénicilline fut redécouverte par Howard Florey, un pathologiste australien et Ernest Chain, un biochimiste allemand, qui travaillaient tous deux à l'Université d'Oxford. Ils firent de nouvelles recherches sur la pénicilline et réussirent à isoler la substance, à en déterminer la structure, à la purifier et à l'expérimenter avec succès. Ils découvrirent également que cette substance était inoffensive pour les tissus et que le traitement devait être poursuivi

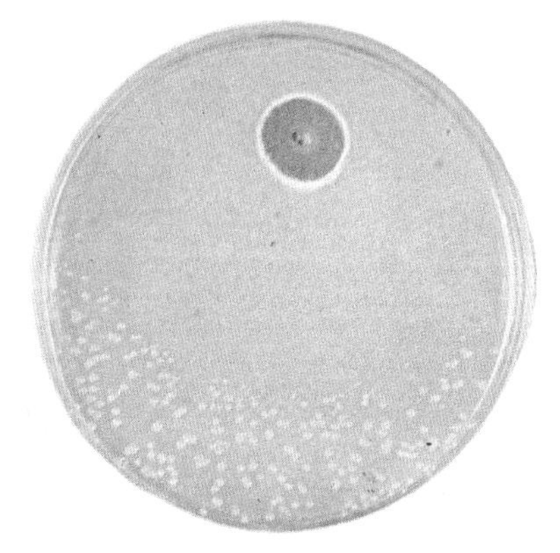

Ci-dessus: Un antibiotique en activité. Cellules de Staphylococcus aureus, *bactérie qui est responsable de nombreuses infections entraînant l'inflammation, avant (en haut) et vingt minutes après le traitement à la cloaxine, dérivée de la pénicilline (en bas).*
A droite: Copie de la culture initiale de Fleming.
Ci-dessous: Les antibiotiques font partie des armes médicales les plus puissantes contre les maladies infectieuses. Cette photo montre une jeune fille en Inde, avant et après le traitement à l'auréomycine contre le trachome, maladie des yeux très grave dont souffrent quatre cents millions de personnes.

durant plusieurs jours avant de produire son effet, car la substance était rapidement éliminée par l'organisme. En 1940, un policier atteint d'un grave empoisonnement du sang, fut le premier patient à être traité à la pénicilline. Sa rapide guérison entraîna une production massive de ce médicament, production dans laquelle les Etats-Unis jouèrent un rôle prépondérant.
Par la suite, on découvrit que d'autres moisissures sécrétaient également des substances bactéricides et on créa le terme 'antibiotique'.
La pénicilline et les substances dérivées font partie des médicaments les plus efficaces que l'on connaisse.
En 1945, Fleming reçut le Prix Nobel de médecine, ainsi que Florey et Chain.
Il mourut d'une crise cardiaque le 11 mars 1955 à Londres.

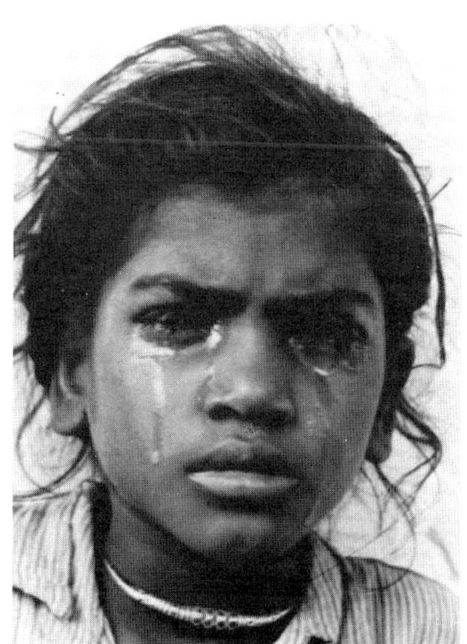

Robert Hutchings Goddard

1882-1945

L'Américain Goddard, véritable génie dans la préparation et l'exécution des essais astronautiques est considéré avec raison comme 'le père de l'astronautique'. Au cours de plusieurs décennies, il mit au point d'abord des fusées simples, puis des engins d'une technique supérieure, susceptibles d'être lancés dans l'espace pour servir de satellites, habités ou non, et de stations spatiales.

Robert Hutchings Goddard naquit le 5 octobre 1882 à Worcester, dans l'Etat du Massachusetts, enfant unique d'un homme d'affaires aux moyens modestes. D'une santé fragile, il eut tout le loisir pendant les congés procurés par les maladies, de laisser libre cours à son imagination. Mais il ne se contenta pas de rêver. Il étudia la technique et la

physique et obtint son doctorat en 1911 à l'Université Clark de Worcester, où il deviendra professeur de faculté plus tard. Ayant de solides connaissances en physique et en technologie, il se consacra à la réalisation de ses idées. Il étudia toute la littérature existante sur les fusées. Il publia lui-même un ouvrage en 1919, *A Method of Reaching Extreme Altitudes* (Méthode pour atteindre les altitudes extrêmes). Il y déclara que l'on pourrait conquérir l'espace au moyen de fusées pour se propulser dans les airs. L'ouvrage devint un classique.

Après avoir réussi plusieurs essais avec des fusées à poudre, dont on se servait depuis des siècles, il comprit qu'elles ne pourraient jamais être utilisées comme moyen de propulsion véritable. Il décida d'essayer un autre combustible, et choisit un combustible liquide. Il avait l'intention d'utiliser deux réservoirs de combustible, l'un rempli d'essence et l'autre d'oxygène liquide. Si ces deux corps étaient mélangés et allumés dans une chambre de combustion spécialement renforcée, ils provoqueraient une énorme dilatation des produits de combustion gazeux et permettraient d'utiliser une puissante force de poussée.

En 1926, Goddard essaya sa première fusée à combustible liquide sur un champ près de la ferme de sa tante, à Auburn dans le Massachusetts. La plate-forme de lancement était faite de tuyaux de conduites d'eau. La fusée elle-même mesurait environ 1,20 m de hauteur et 15 cm de diamètre.

A droite: Fusée lancée à Londres, en 1845. En Angleterre, on étudiait déjà, au début du XIXe siècle, des fusées à longue distance avec une charge explosive d'une portée de 2,5 km.

Ci-dessous: Goddard près de la première fusée à combustible liquide au monde, conçue et construite par lui en 1926. Son installation de lancement était une construction incroyablement simple faite d'éléments de conduites d'eau. La fusée fut lancée dans un endroit dégagé près de la ferme de sa tante dans le Massachusetts.

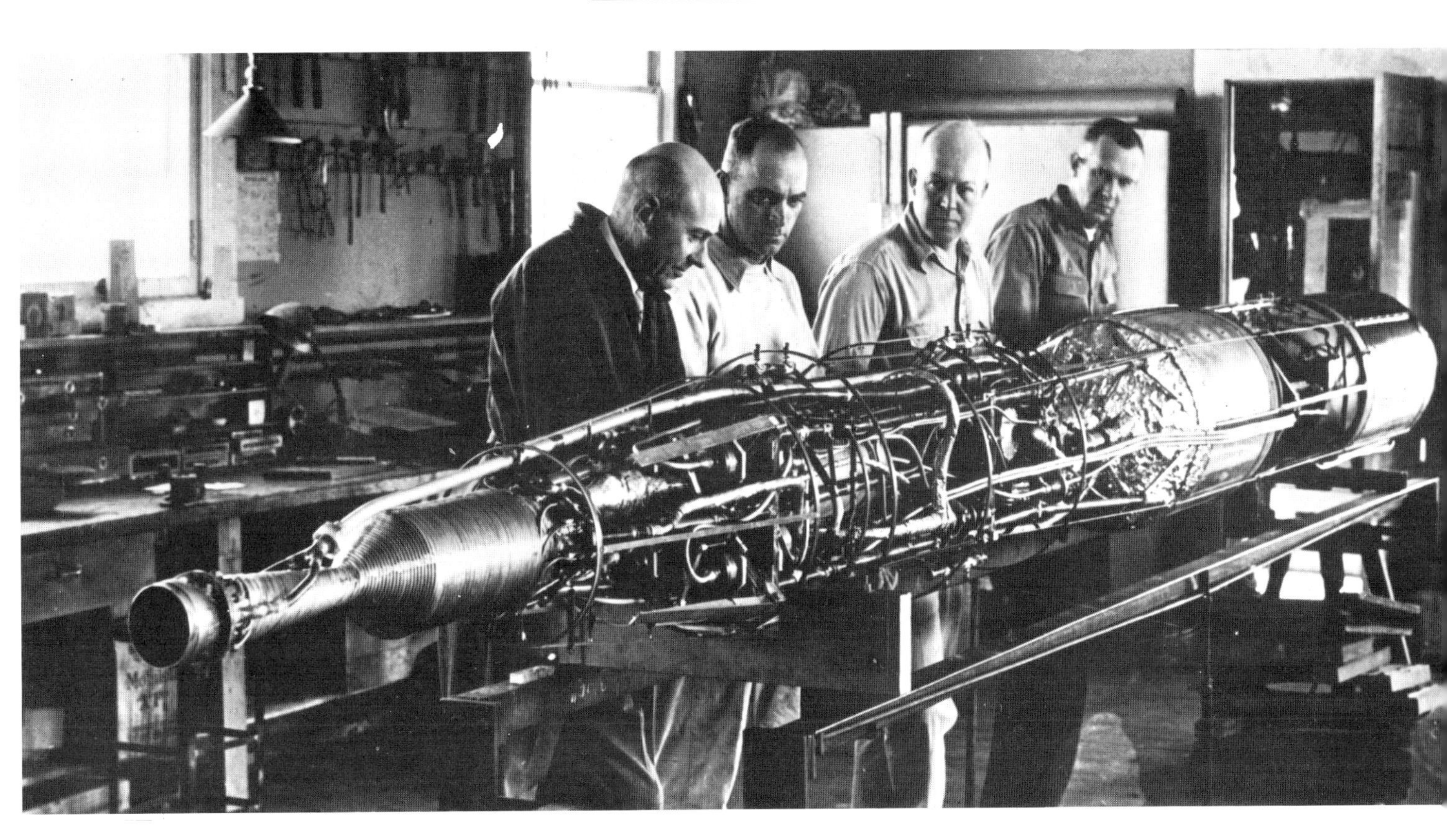

Ci-dessus: Goddard (à gauche) avec trois de ses assistants travaillant sur une fusée démontée, dans leur atelier de Roswell à New Mexico.

A gauche: Goddard réalisa seul la plupart de ses travaux ultérieurs. A New Mexico, il lança une fusée qui atteignit une hauteur record de près de 2,5 km.

Pour allumer la fusée, Goddard utilisa un chalumeau pour soudure autogène fixé à une longue tuyauterie. L'essai eut un succès complet.

Mais ses travaux de pionniers n'étaient guère appréciés à leur juste valeur. Son deuxième lancement, tout aussi réussi, provoqua une grande agitation dans le public. Il fut obligé, par ordre de police, de mettre fin à ses expériences. Heureusement, le célèbre aviateur Charles Lindbergh était fort intéressé par les travaux de Goddard. Il parvint à obtenir suffisamment de subsides pour lui permettre de poursuivre ses recherches. A partir de 1930, Goddard passa de nombreuses années à perfectionner ses idées. Il essaya et améliora toutes les pièces telles qu'un nouveau système d'allumage et un système de guidage, pour maintenir la trajectoire de la fusée sous contrôle. En 1935, une fusée atteignit pour la première fois une hauteur de 2,5 km à une vitesse supérieure à celle du son. Une grande partie des techniques qu'il mit en oeuvre sont devenues indispensables dans la construction des fusées modernes. Goddard fut également le premier à démontrer qu'une fusée peut se déplacer dans le vide, et qu'elle n'a donc pas besoin d'air pour se maintenir dans l'espace.

Le gouvernement américain ne s'intéressa aucunement aux travaux de Goddard, mais tandis que les Allemands utilisaient ce principe pour construire en grande quantité les V-2, 'bombes volantes', on demanda à Goddard de construire de petits servomoteurs de lancement, pour faciliter le décollage des avions sur des porte-avions. Ce n'est qu'en 1945, lorsqu'ils virent les installations de fusées des Allemands à Peenemünde que les Américains se mirent au travail. Mais, à cette époque, le plus grand expert en la matière - Goddard - mourait à l'hôpital de Baltimore.

Niels Bohr

1885-1962

Le physicien danois Niels Bohr fut le fondateur de la théorie moderne des atomes, qui explique la structure atomique. Il fonda son modèle atomique sur la théorie des quanta, qui établit que l'énergie - et aussi la masse, par exemple - n'apparaît qu'en multiple d'une petite quantité déterminée. Pendant plus de cinquante ans, il contribua largement au développement de cette théorie.

Niels Henrik David Bohr est né le 22 avril 1885 à Copenhague; il était le fils d'un professeur de faculté en physiologie, et, chez ses parents, l'intérêt pour les sciences et leur pratique faisaient partie de la vie quotidienne. Il termina ses études à l'Université de Copenhague en 1911. Ayant obtenu une bourse pour la recherche scientifique, il passa les cinq années suivantes à l'Université de Cambridge, où il rencontra Ernest Rutherford. Influencé par ce grand savant et ses travaux, il fut pris d'un grand intérêt pour les recherches sur la structure atomique. En 1913, il avait déjà élaboré une théorie entièrement nouvelle, qui devait le rendre mondialement célèbre.

Il était plus ou moins d'accord sur le modèle atomique de Rutherford, qui présentait l'atome comme une sorte de système solaire en miniature, possédant un noyau à charge positive autour duquel circulent des électrons négatifs. Mais cette conception ne le satisfaisait pas entièrement. D'après les lois connues de la physique, les électrons devraient se rapprocher de plus en plus du centre, dans un mouvement de spirale. Ils devraient simultanément produire de l'énergie sous la forme d'ondes électromagnétiques et atteindre finalement le noyau. Si le modèle de Rutherford était exact, il fallait se fonder sur un autre principe d'émission d'énergie. Bohr combina ce modèle avec le principe des quanta de Max Planck et d'Albert Einstein - qui sera encore amélioré ultérieurement. Le principe des quanta établit que l'énergie n'est pas émise sous la forme d'un courant ininterrompu d'intensité arbitraire, mais sous la forme de 'petits paquets' appelés chacun 'quantum'. Bohr prit l'atome d'hydrogène comme point de départ. C'est l'atome le plus simple, qui présente une charge positive dans le noyau (un proton) et un seul électron qui circule tout autour. Il établit que l'électron ne pouvait se déplacer que sur un certain nombre de trajectoires, à différentes distances bien déterminées du noyau (à différents niveaux). Ensuite, il établit que lorsque l'électron se situe sur la trajectoire la plus basse possible (ni-

Page de droite, en haut, à gauche: Atome d'uranium selon la présentation de la physique moderne. Le noyau compte 92 protons et 143 neutrons (uranium 235) ou 146 neutrons (uranium 238). 92 électrons circulent autour du noyau, sur des trajectoires que l'on peut assimiler à des sphères qui comptent 2, 8, 18, 32, 21, 9 et 2 électrons en partant du noyau.

En bas, à droite: La conception atomique de Bohr représentait une amélioration du modèle de Rutherford. Bohr établit que les électrons circulent autour du noyau en suivant des trajectoires définies (linéaires).

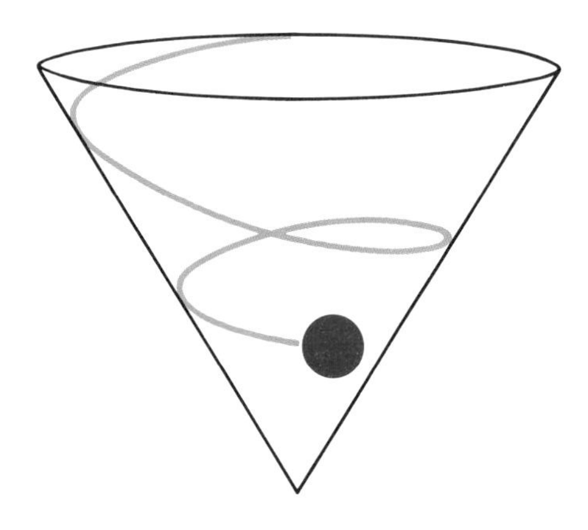

Comme des balles tournant sur la face intérieure dans un cône dans l'atome de Rutherford, les électrons sont soumis à un mouvement en spirale vers l'intérieur et perdent de l'énergie de façon continue.

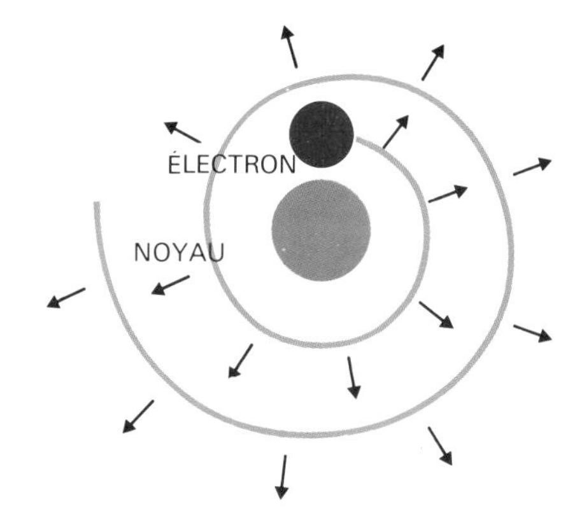

veau inférieur), il n'émet pas d'énergie (perte) et par conséquent il peut y rester indéfiniment. Lorsqu'il y a captation d'énergie, l'électron 'saute' à un des niveaux supérieurs, en fonction de la quantité d'énergie captée. L'atome a par conséquent une énergie plus grande. Lorsque l'atome est laissé au repos, l'électron 'ressaute' à un niveau inférieur, où il émet de l'énergie, le plus souvent sous forme de lumière. Mais cette émission de rayons s'opère toujours selon des quantités différentes, mais bien définies - les quanta - qui correspondent aux différences d'énergie entre les niveaux. Ces différences déterminent la longueur d'onde des rayons et donc la couleur de la lumière émise.

L'idée de Bohr sur les niveaux d'énergie à l'intérieur de l'atome constitue une partie importante de la base de la théorie atomique moderne.

En 1916, Bohr retourna à Copenhague, où il devint professeur de faculté. En 1920, il devint le premier directeur d'un nouvel institut de physique théorique.

Il reçut le Prix Nobel de physique en 1922.

En 1940 et plus tard, lorsque le Danemark était occupé par les Allemands, Bohr tenta dans la mesure du possible de préserver ses travaux à l'institut et de défendre la culture danoise contre les influences nazies.

Craignant d'être requis et contraint de travailler aux armes atomiques allemandes, il partit avec toute sa famille pour la Suède en 1943.

Aidé de son fils Aage, lui aussi théoricien de la physique, Bohr travailla à la scission atomique en Angleterre et aux Etats-Unis.

Il lutta également contre l'utilisation des armes atomiques. Niels Bohr, qui exerça une grande influence sur les jeunes physiciens, était aussi ouvert à toute idée nouvelle. Il mourut le 18 novembre 1962 à Copenhague.

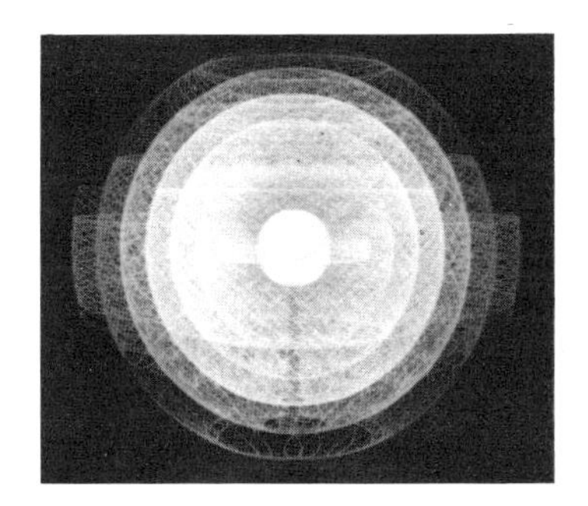

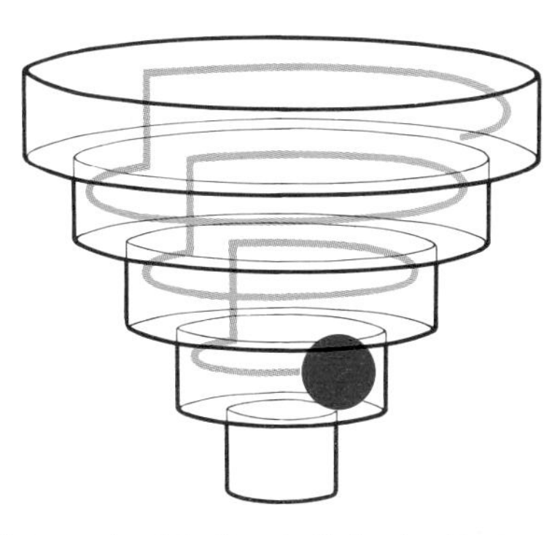

Dans l'atome à orbite fixe de Bohr, les électrons se comportent comme des balles dans un cône 'à degrés' et parcourent donc une série de pistes circulaires en intermittance avec des bonds; pendant ce mouvement, les atomes perdent de l'énergie en quantités déterminées, appelées 'quanta'.

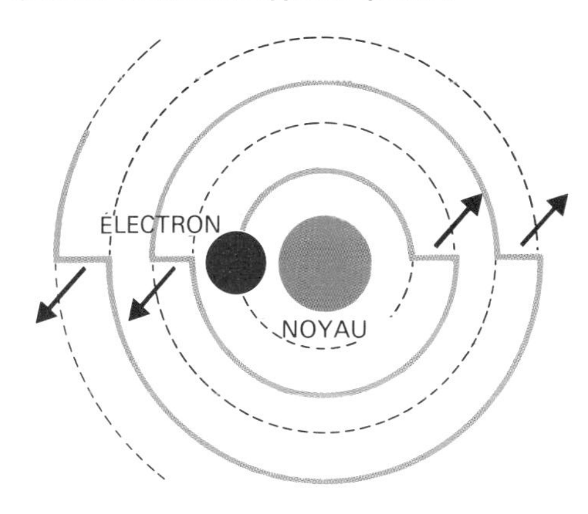

En haut à droite: L'assemblée annuelle à l'institut de Physique théorique de Copenhague, dont Bohr devint le directeur en 1920. A la première rangée, de gauche à droite: Wolfgang Pauli, Pascal Jordan, Werner Heisenberg, Max Born, Lise Meitner, Otto Stern et James Franck.

Ci-dessus: Bohr (deuxième à droite) devient docteur honoris causa *de l'Université Lomonossov de Moscou.*

John Logie Baird

1888-1946

L'inventeur écossais John Baird fut le premier dans toute l'histoire à transmettre des images télévisées en mouvement. Certes, son système ne convenait pas à une application généralisée, mais son travail de pionnier fut certainement le point de départ du développement du système électronique complet que nous connaissons actuellement.

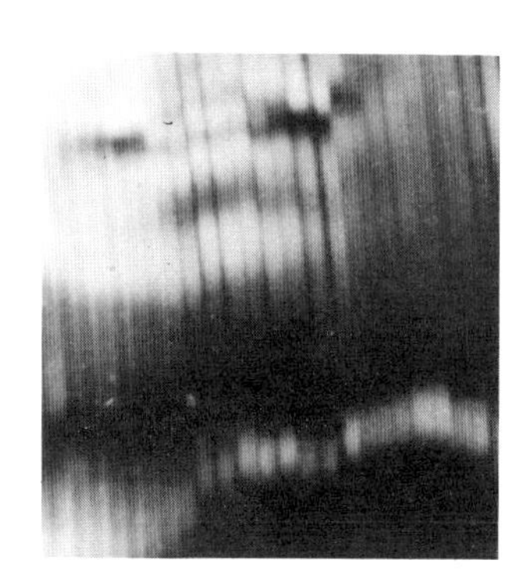

John Logie Baird naquit à Dunbarton en Ecosse le 13 août 1888. Il suivit d'abord les cours d'une école technique supérieure, puis il entra à l'Université de Glasgow. Il ne fut pas et ne devint pas un savant, mais il se révéla un grand expérimentateur. Grâce à son esprit inventif, il obtenait de très grands résultats à partir des éléments les plus simples. Marconi ayant pu prouver vers la fin du XIXe siècle qu'il était possible de transmettre le son à l'aide d'ondes radio, il était évident que l'on chercherait le moyen de transmettre aussi des images.

En haut: L'image d'un visage humain, analysé avec 30 lignes.

Ci-dessus: Baird et son émetteur.

A droite: Baird à sa station émettrice. Il utilisa un disque, fondé sur le projet de Nipkow, pour transmettre l'image d'un visage.

C'est ce que fit Baird, lorsqu'il pensa que la meilleure façon de transmettre des images au moyen de courants électriques devait être le disque de Nipkow, inventé en 1884 par l'ingénieur allemand Paul Nipkow (1860-1940). Le disque de Nipkow était un disque rotatif, dans lequel étaient perforés des petits trous à angles droits, à des intervalles réguliers. Baird disposa derrière le disque un élément photosensible (cellule photo-électrique), qui réagissait à la quantité de lumière lorsqu'elle passait par les trous successifs. Ses études terminées, Baird gagna sa vie en vendant du cirage et des rasoirs. Il devait payer lui-même ses expériences avec ses maigres revenus, mais il avait tellement progressé qu'il put transmettre en 1924, le contour d'une croix maltaise au moyen d'ondes radio, sur une distance de plus de trois mètres. Il sut alors qu'il se trouvait sur la bonne voie et poursuivit ses recherches en se servant d'appareils de sa fabrication, à partir d'une vieille boîte à thé, d'une boîte à gâteaux, de pièces d'appareils électriques usagés, d'aiguilles à tricoter, d'une lampe de bicyclette, de bouts de fils et de cordes et de cire à cacheter.

La pièce la plus importante était un disque de Nipkow en carton qu'il avait fabriqué lui-même.

Le 2 octobre 1925, Baird réussit à transmettre, dans sa petite chambre mansardée, une image reconnaissable de la tête d'une vieille poupée de ventriloque.

Après avoir fait une démonstration devant une société scientifique de Londres en 1926, il bénéficia enfin de l'appui financier lui permettant de poursuivre ses recherches. En 1927, il parvint à transmettre avec succès une image de Londres à Glasgow et, en 1928, de Londres à New York. Le service allemand des postes donna à Baird, en 1922, l'occasion de mettre en oeuvre un service de télévision.

Mais le système mécanique de Baird ne fut qu'une étape dans les progrès de la télévision.

Cependant, ce fut un système important, car il permit d'atteindre l'étape suivante. Le 'scintillement' des images obtenues avec le disque Nipkow constituait un inconvénient, auquel il n'était pas possible de remédier. Nipkow lui-même, devenu un vieillard et qu'on avait fait sortir de l'oubli, déclara que l'ensemble du principe de la transmis-

sion d'images devait être revu à fond. Cette révision fut possible grâce au progrès de 'l'analyseur d'images' électronique dont le principe était déjà connu.
En 1897, le physicien allemand Karl Braun avait inventé un appareil pour étudier les courants et les tensions électriques: l'oscillographe à rayons cathodiques. Ce système permet dans un tube vide d'air de dévier plus ou moins un rayon électronique en le faisant passer sur des plaques métalliques placées dans ce tube, sur lesquelles agit une tension électrique. La partie avant du tube est recouverte d'une couche de matière qui s'éclaircit à l'endroit où 'frappe' le rayon électronique. Ce tube constitua la partie la plus importante du premier analyseur électronique d'images (caméra de télévision).
Il s'agissait de 'l'iconoscope', pour lequel Vladimir Zworykin obtint un brevet en 1923.
L'année suivante, il obtint un autre brevet pour le 'cinéscope', qui convertissait les signaux de l'iconoscope en images. Le cinéscope faisait donc office de 'récepteur'. A l'époque où Baird entrevit la possibilité d'un système télévisé, on disposait déjà d'un système électronique complet - du moins en théorie. L'image plus stable et plus nette obtenue grâce au système de Zworykin marqua le début de l'extension ultérieure de la télévision. Baird, voyant que son système télévisé cédait la place à un autre système, continua ses recherches. Avant son décès, le 14 juin 1946, à Bexhill-on-Sea dans le Sussex, il examina encore les possibilités de la télévision en couleurs, et de la télévision stéréo avec une image à trois dimensions.

Ci-dessous: Iconoscope de Zworykin. L'image de la scène (rouge) est focalisée sur de petits éléments photosensibles (disposés en 'mosaïque' sur une surface plane), qui se chargent d'électricité, proportionnellement à la quantité de lumière qu'ils captent. Ils sont ensuite analysés par le rayon électronique (bleu), qui convertit l'éclairement de chaque élément en un signal électrique.

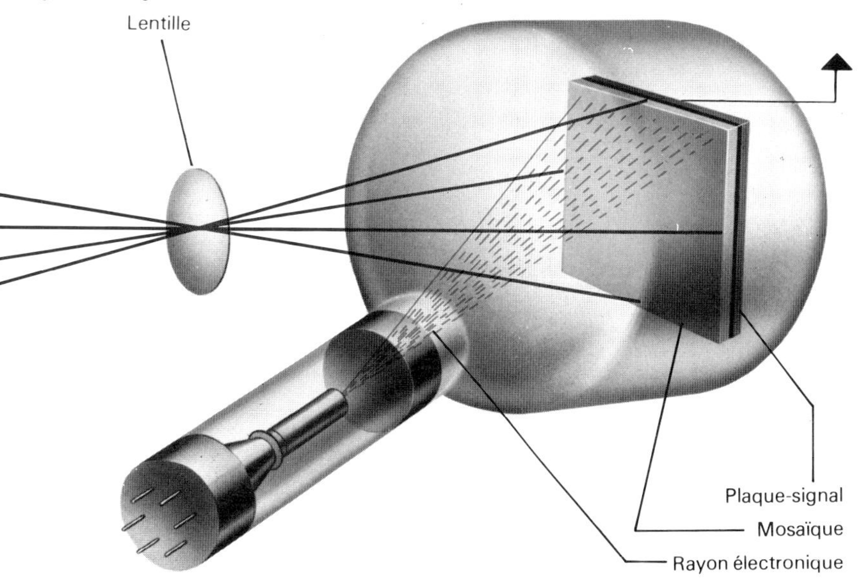

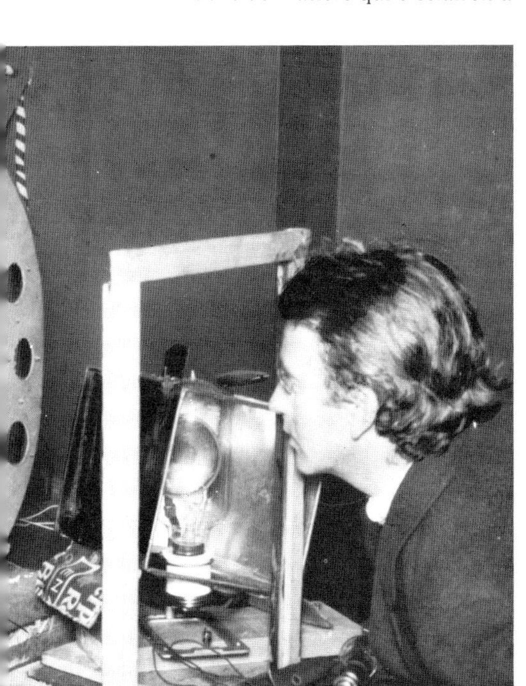

Ci-dessous, à gauche: 'Téléviseur' électromécanique à 30 lignes de Baird, construit vers 1928. Ce fut le premier récepteur de télévision vendu dans le commerce.

Ci-dessous, à droite: Baird fait une démonstration de son tout dernier perfectionnement de la télévision en couleurs. En 1929, il produisit avec succès des images télévisées en couleurs.

Igor Ivanovich Sikorski

1889-1972

Sikorski, d'origine russe et naturalisé américain, fut un ingénieur d'aviation de génie; parmi tous les constructeurs d'avions, il fut certainement celui qui accrut le plus vigoureusement les progrès et les innovations dans ce domaine. Il construisit le premier avion quadrimoteur au monde, ainsi qu'une série d'hydroavions très réussis. Il acquit sa plus grande célébrité en construisant un type d'hélicoptère, dont dérivent directement tous les modèles ultérieurs.

Igor Ivanovich Sikorski naquit le 25 mai 1889 à

Kiev en Russie. Sa mère était professeur de psychologie à la faculté des lettres de la même ville. En 1903, il se rendit à l'école de navigation maritime; mais, trois ans plus tard, il décida de suivre sa vraie vocation. Il commença ses études dans les écoles techniques supérieures de Russie, puis dans d'autres pays d'Europe, où il rencontra les frères Wright en 1908. De plus, il entra en contact avec l'industrie aéronautique naissante, suite aux vols d'essai des pionniers, les frères Wright, en 1903. Sikorski était convaincu que le grand avenir de l'aviation consisterait à décoller et atterrir à la verticale. Lorsqu'il revint en Russie en 1909, il conçut un hélicoptère.
Mais, conscient que la technique de l'époque ne lui permettait pas de mettre son projet à exécution, il le reporta à plus tard. Il se mit donc à construire et à perfectionner des avions traditionnels à ailes fixes. En 1912, grâce à son habileté, il devint ingénieur en chef et responsable des projets de la toute nouvelle division de construction d'avions de la Société des Chemins de fer de la Baltique. Un an plus tard, il construisit le ' Sikorski Grand', un des avions les plus remarquables. Cet appareil géant pour l'époque avait une envergure de 28 mètres et quatre moteurs. Il possédait également une cabine fermée pour l'équipage et les passagers. Cet avion servira de modèle à tous les futurs avions pour passagers et pour marchandises, ainsi qu'aux bombardiers.
Lorsque la Russie fut entraînée dans la Première Guerre mondiale, Sikorski construisit une série d'appareils de ce type, adaptés à l'usage militaire. Pendant une certaine période, il fut le seul à pou-

Ci-dessous: Sikorski aux commandes d'un de ses premiers hélicoptères.

voir les piloter. Il était donc simultanément pilote d'essai et instructeur en chef.
Lors de la révolution d'Octobre en Russie, en 1917, puis du démantèlement de l'Allemagne, Sikorski ne vit plus de nouvelles possibilités de progrès en Europe, dans le domaine de la construction d'avions. En 1919, il émigra aux Etats-Unis en emportant un très petit capital. Ses débuts y furent très difficiles. Il fonda néanmoins la *Sikorski Aero Corporation* avec quelques collègues, dont

A gauche: Le premier avion quadrimoteur de Sikorski 'Sikorski Grand', avec la plate-forme, la cabine de pilotage et les moteurs encastrés.

certains apportèrent une petite aide financière. Le premier avion construit par la société fut loué pour des voyageurs en groupes. Ensuite, l'entreprise évolua très rapidement. La société se mit à construire des avions amphibies, capables d'atterrir et de décoller aussi bien sur terre que sur mer. En 1928, Sikorski et ses associés furent en mesure de se joindre à la plus grande société en matière de construction d'avions, la *United Aircraft Corporation.* Au cours des dix années qui suivirent, ils construisirent le célèbre 'Clipper', hydravion à coque.

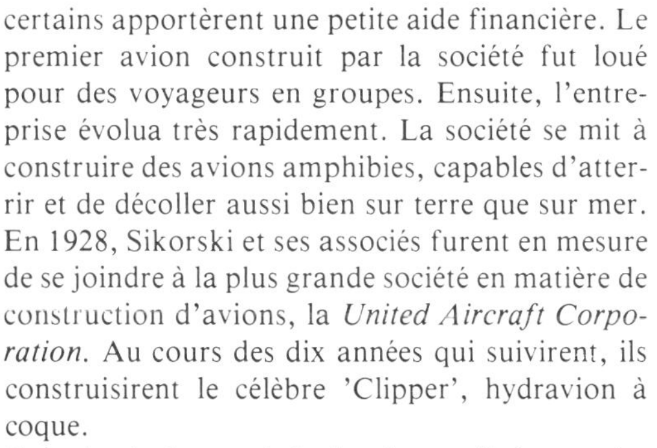

Il s'agissait de grands hydravions utilisés pour les services réguliers de passagers et de courrier sur l'océan Atlantique.
Vers la fin des années trente, Sikorski comprit que la période des grands hydravions était révolue. L'avenir était aux grands aérodromes avec de longues pistes de décollage et une nouvelle génération d'avions de transport pour les longues distances.
Après plus de trente ans, Sikorski revint à son idée de l'hélicoptère.
Une innovation dans ce domaine avait été introduite entre-temps par le constructeur d'avions espagnol Juan La Cierva en 1928, 'l'autogire'. Mais il devait être utilisé avec une force propulsive venant de l'avant, et qui lui était fournie par une simple hélice à l'avant de l'appareil. De plus, la résistance de l'air faisait tourner 'la voilure tournante' au-dessus de l'appareil, ce qui lui permettait de s'élever.
L'autogire ne pouvait ni monter verticalement, ni stationner en l'air.
En 1937, un hélicoptère avait déjà été expérimenté en Allemagne par Focke-Achgelis. Le premier type construit et essayé avec succès par Sikorski en 1939 n'était donc pas le premier hélicoptère au monde, mais le VS-300 était bel et bien le premier fonctionnant réellement avec succès. Il pouvait stationner en l'air, monter et atterrir à la verticale, et, de plus, voler en avant, en arrière et latéralement. Tous les futurs progrès de l'hélicoptère dérivent de ce modèle. En 1941, Sikorski construisit un modèle perfectionné, mais au cours de la Seconde Guerre mondiale, aucun des plans ne fut retenu et ce n'est qu'en 1945, que Sikorski se remit au travail jusqu'à sa mort. Au cours de ces années, l'hélicoptère devenait un appareil de plus en plus indispensable, par exemple, pour les opérations de sauvetage et pour d'autres services d'assistance.
En 1957, Sikorski quitta ses fonctions de directeur technique de sa société, mais il y resta comme conseiller jusqu'à sa mort, le 26 octobre 1972, à Easton dans le Connecticut.

Ci-dessous: Un hélicoptère Sikorski soulève un camion très chargé au cours d'un exercice de l'armée à New York.

Sir James Chadwick

1891-1974

Le physicien anglais Chadwick, qui étudia la structure de l'atome, se rendit célèbre par sa découverte du neutron. Le neutron est une des composantes les plus importantes du noyau atomique.

James Chadwick naquit le 20 octobre 1891 à Manchester. Il étudia la physique à l'Université de cette ville.

Après l'obtention de son diplôme, en 1911, il se rendit à Cambridge, où il travailla dans le service du célèbre savant atomiste, originaire de Nouvelle-Zélande, Ernest Rutherford.

C'est à cette époque que Chadwick se passionna pour la structure des atomes.

Une bourse lui permit d'enrichir ses connaissances à l'étranger.

Rutherford ayant avancé que l'atome était composé d'électrons qui circulaient autour d'un noyau, comme les planètes autour du Soleil, on examina surtout la structure du noyau. On pensait que le noyau était constitué de protons - particules à charge positive - reliés entre eux par une sorte d'électrons (chargés négativement). En vertu de cette théorie, le noyau de l'atome d'hélium - par exemple, - dont la masse contenait quatre unités et la charge 2_+ - était composé de quatre protons et de deux électrons.

(La masse d'un électron peut être négligée par rapport à celle d'un proton). Les deux électrons intérieurs au noyau neutralisaient la charge positive de deux des quatre protons, ce qui donnerait effectivement à l'ensemble du noyau une charge 2_+ et une masse 4.

Page de droite, en haut: La septième conférence Solvay de physique en 1933. Chadwick est assis à l'extrême droite. Parmi les autres participants, citons Frédéric et Irène Joliot-Curie, Marie Curie, Lord Rutherford, Niels Bohr, John Douglas Cockcroft, Ernest Walton, Enrico Fermi, Louis de Broglie, Werner Heisenberg, Lise Meitner, Erwin Schrödinger.

Mais il y avait d'importants arguments théoriques opposés à cette théorie. Le mérite de Chadwick fut de découvrir des particules non chargées électroniques, c'est-à-dire des particules électriquement neutres. Si ces particules existaient, il devait être possible de formuler une théorie beaucoup plus simple.

En 1932, Chadwick examina les rayons extrêmement puissants qui apparaissaient lorsque le béryllium était bombardé par des particules alpha (noyaux des atomes d'hélium). Chadwick démontra que le béryllium éjectait des particules, qui dégageaient à leur tour des protons d'une liaison d'hydrocarbure servant 'd'objectif'. Grâce à de savants calculs, Chadwick put prouver que l'on pouvait expliquer ce processus en admettant que les particules alpha des noyaux de béryllium pussent dégager des particules neutres, qui étaient tout aussi lourdes que les protons. Si ces particules avaient été chargées, elles auraient été absorbées par les protons dans l'hydrocarbure. Il appela ces particules les 'neutrons'.

La découverte fut une grande révélation dans le

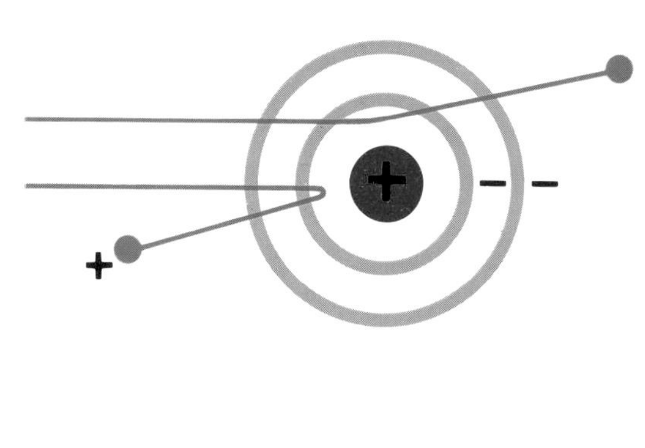

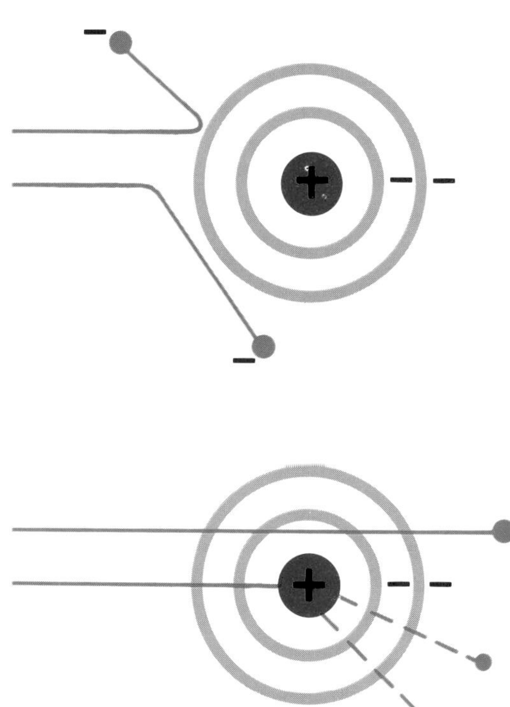

A droite: Le neutron, projectile efficace dans l'examen de la structure du noyau atomique. Des charges égales se rejettent, des charges opposées s'attirent. Lorsqu'une particule positive - comme une particule alpha - est utilisée, elle est rejetée par le noyau (en haut), tandis qu'une particule négative est rejetée par la couche d'électrons extérieure (milieu). Un neutron, qui n'est pas chargé, pénètre l'écran électromagnétique de l'atome (en bas) et éjecte des particules hors du noyau. Cela permet aux savants de tirer des conclusions sur la composition du noyau.

domaine de la recherche atomique, et s'avéra être un instrument très précieux pour la poursuite des recherches. Le neutron était la seule particule subatomique connue sans charge.

Il pouvait faire office de projectile pour 'bombarder' d'autres atomes, afin de mieux en faire comprendre la structure. Puisque les neutrons ne sont pas chargés, ils ne sont pas déviés dans et par des champs électriques ni par des particules, qui, elles, sont chargées. Etant donné, en outre, qu'ils sont aussi lourds que les protons, ils peuvent pénétrer très profondément dans les noyaux atomiques. L'activité des neutrons fut l'objet d'une branche différente de la science, qui conduisit à la découverte de la possibilité de la fission nucléaire et, dans ce but, à la construction de réacteurs nucléaires.

De plus, la découverte du neutron permit de fournir une explication simple sur la structure de principe des atomes.

L'atome d'hélium, par exemple, - avec une masse 4 et une charge 2_{+} - pouvait être considéré comme étant constitué de deux protons et de deux neutrons.

Bien avant qu'il ne fît sa grande découverte, Chadwick était directeur du célèbre laboratoire Cavendish à Cambridge (d'après le nom du savant Henry Cavendish, 1731-1810). En 1935, il reçut le Prix Nobel de physique. La même année, il fut nommé professeur à l'Université de Liverpool. Il fut anobli en 1945.

Sir James Chadwick mourut à Cambridge le 24 juillet 1974.

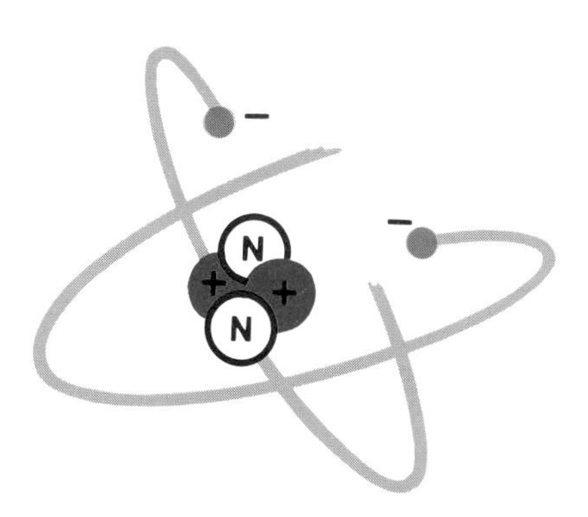

Ci-dessous, à gauche: Le noyau de l'atome d'hélium est composé de deux protons (charge positive) et de deux neutrons. Sa charge est équilibrée par deux électrons.

Ci-dessous: L'utilisation de neutrons pour la fission nucléaire conduisit à la production de la bombe atomique.

Bien qu'il n'apportât pas beaucoup d'autres contributions à la science, sa découverte du neutron suffisait bien amplement à lui conférer une réputation mondiale.

Il fut de ceux qui firent connaître la structure de l'atome et les possibilités de l'utilisation pratique de l'énergie atomique.

Louis-Victor de Broglie

1892-

Le physicien français de Broglie est devenu célèbre en affirmant, bien avant la confirmation de ses expérimentations, que les particules qui composent la matière, peuvent également être comparées à des ondes. Pareilles à la lumière, qui se comporte parfois comme un courant de particules, on peut aussi les comparer à un phénomène ondulatoire. Sa théorie des 'ondes de matière' a permis de réaliser de grands progrès en physique théorique et expérimentale.

Louis-Victor-Pierre-Raymond de Broglie naquit à Dieppe le 15 août 1892. Deuxième fils d'une vieille famille noble, Louis de Broglie fut élevé dans la tradition familiale. Il étudia l'histoire en Sorbonne, mais son frère aîné, Maurice - dont il héritera le titre de duc plus tard - avait déjà rompu avec la tradition familiale en se tournant vers la physique. Il avait installé un laboratoire bien équipé dans la maison paternelle, pour y faire des recherches expérimentales avec l'aide occasionnelle de Louis, mais il était davantage attiré par les questions théoriques que par les expériences. En 1909, peu de temps avant de recevoir son diplôme d'histoire, Louis de Broglie décida, après avoir longuement réfléchi, d'abandonner sa future carrière diplomatique pour se consacrer à la physique théorique. A la fin de 1924, il soutint en Sorbonne sa thèse de doctorat intitulée *Recherches sur la théorie des quanta,* qui marqua la naissance de la mécanique ondulatoire.

Bien que la théorie de la relativité d'Einstein et la théorie des quanta de Max Planck eussent déjà provoqué une véritable révolution dans le monde de la science, tous les savants du début du XXe siècle ne saisissaient pas encore très bien quelles en seraient les conséquences. Einstein avait démontré que la lumière - phénomène ondulatoire - se comportait parfois comme un courant de petites particules. Par voie de conséquence, de Broglie s'imagina que les particules pourraient aussi se présenter comme un phénomène ondulatoire. Des calculs très compliqués lui permirent de décrire la forme et la quantité de mouvement d'une particule - une petite partie de matière - à partir des éléments caractéristiques d'une longueur d'onde. Ces calculs lui donnèrent à penser que la longueur d'onde qui peut être attribuée à un objet

Ci-dessus: Anneaux de diffraction, formés par des électrons traversant une mince couche d'or. Ils permirent de démontrer le caractère ondulatoire des électrons.

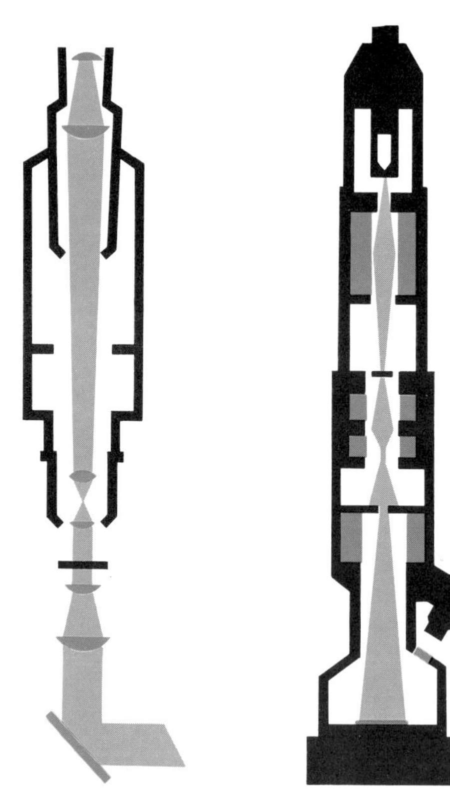

Ci-dessous: Clinton Davisson, qui découvrit, par hasard, en 1927, que les rayons électroniques pouvaient former des modèles de diffraction. Il confirma ainsi la supposition de Louis de Broglie.

Ci-dessus, à droite: L'optique d'un microscope ordinaire (à gauche) et d'un microscope électronique (à droite), comparées l'une à l'autre. La différence dans leur pouvoir séparateur doit être comparée avec la différence de netteté entre des photos imprimées avec un grain épais et fin, comme le montrent les portraits de Louis de Broglie.

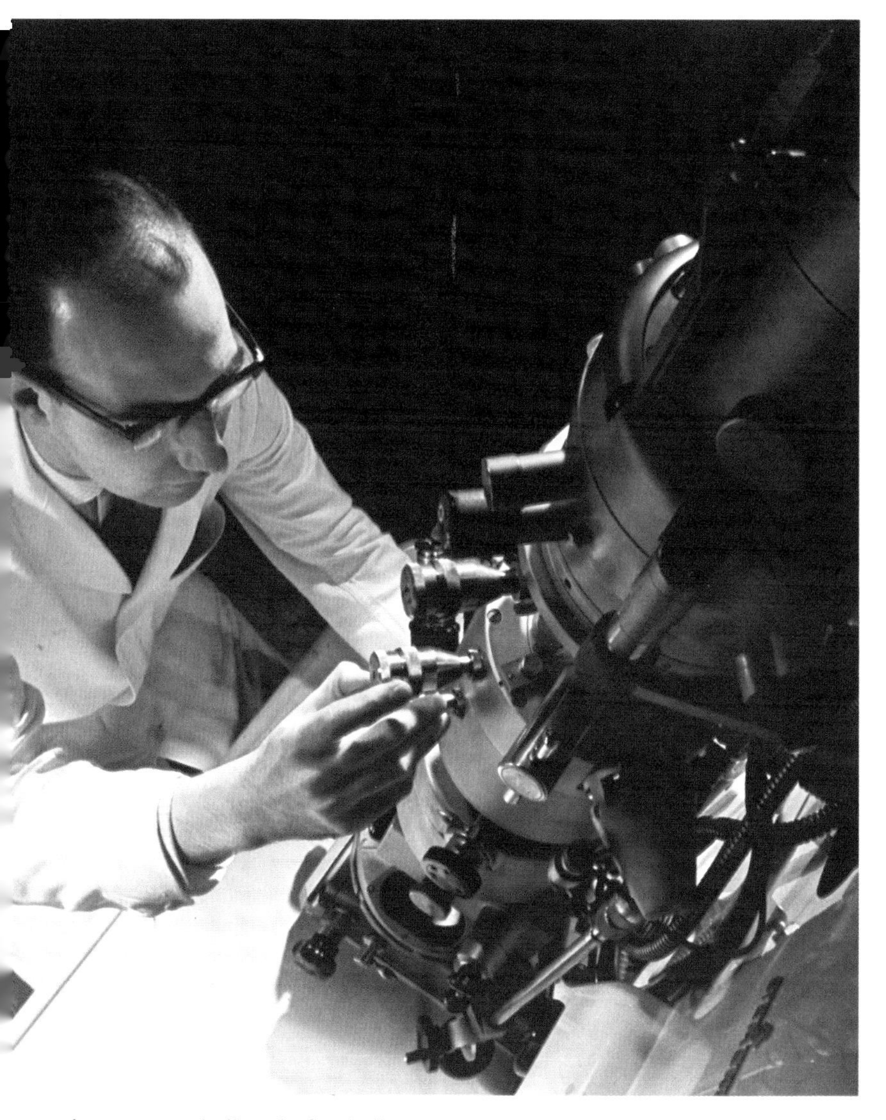

distinctions, un poste de professeur à la Sorbonne en 1928 et, en 1929, il reçut le Prix Nobel de physique. Einstein lui exprima son estime et son admiration. Il utilisa même les travaux de Louis de Broglie. D'autres également y trouvèrent une source d'inspiration. Le savant autrichien Erwin Schrödinger s'en servit pour élaborer sa mécanique ondulatoire. Il formula une série d'équations mathématiques qui décrivaient le comportement des ondes. Ces équations sur les ondes furent généralisées et permirent de définir avec précision les mouvements et l'énergie des électrons. Il fut ensuite possible de décrire la structure des atomes sous la forme d'équations de la mécanique ondulatoire, beaucoup plus précises que celles des théories précédentes.

Entre-temps, la nouvelle idée sur la matière et les ondes ouvrit la voie à de nouvelles applications pratiques. Une des premières fut réalisée dans le domaine de la microscopie. Les microscopes optiques traditionnels - qui utilisent la lumière - ne permettent pas d'observer des objets ou des structures plus petites que la longueur d'onde de la lumière utilisée. Le pouvoir de 'définition' (ou séparateur) du microscope est d'autant plus grand que la longueur d'onde est petite. Donc, en principe, ce pouvoir de définition ne peut pas dépasser celui que permet la plus petite longueur d'onde possible de la lumière. Lorsqu'il apparut que les rayons des électrons se comportaient également comme des ondes, avec une longueur d'onde beaucoup plus petite que celle de la lumière, on tenta de construire un microscope utilisant des rayons électroniques et non la lumière, méthode qui fut couronnée de succès. Les électrons y sont déviés à l'aide de champs électromagnétiques, tout comme la lumière est déviée par des lentilles en verre dans un microscope ordinaire. En 1937,

quelconque, un ballon de football, par exemple, est infiniment petite et non visible. Mais des particules telles que des électrons devraient avoir une longueur d'onde comparable à celle des rayons X. Il devrait donc être possible de déterminer leur longueur d'onde à l'aide des phénomènes d'interférence et la formation de modèles de diffraction. Cette occasion se présenta par le plus grand des hasards en 1927. Les physiciens américains Clinton Davisson et Lester Germer, qui travaillaient sur des faisceaux d'électrons dirigés, découvrirent, à leur grande stupéfaction, que les rayons électroniques formaient des modèles, dans certaines circonstances, qui ne pouvaient être que des modèles de diffraction. Ce fut l'élément expérimental prouvant que les électrons se comportent parfois comme des 'ondes de matière'. Cela permettait d'expliquer, par exemple, pourquoi les électrons qui circulent autour d'un noyau atomique déterminé, sont liés à un nombre limité de trajectoires. Les distances entre ces trajectoires correspondent exactement aux seules longueurs d'ondes possibles et déterminées dans cet atome.

Lorsque le caractère de dualité entre la matière et les mouvements ondulatoires fut irréfutablement prouvé, de Broglie fut honoré dans le monde entier pour ses travaux. On lui offrit, entre autres

Ci-dessus: Diatomée fossile photographiée au microscope électronique.

A droite: Photo prise du microscope électronique d'impressions - en caoutchouc de silicone - sur la surface du casque d'un astronaute. Les pointes représentent les traces des radiations cosmiques.

James Hillier et Albert Prebus, du Canada, construisirent le premier microscope électronique pratique, déjà capable d'agrandir sept mille fois. Les microscopes électroniques modernes permettent d'étudier, par exemple, les virus, avec un agrandissement de deux millions de fois. Le duc de Broglie se retira en 1962. Il avait alors soixante-dix ans.

Sir Robert Watson-Watt

1892-1973

L'ingénieur écossais Watson-Watt, à la suite de nombreux savants, a si bien perfectionné la technique du radar, que son emploi devint courant et apporta la preuve de son efficacité, d'abord lors de la victoire des Alliés sur l'Allemagne en 1945 et, plus tard, lors de nombreuses applications civiles.

Robert Watson-Watt naquit en 1892 à Brechin en Ecosse. Il fit toutes ses études à Dundee, où il obtint un diplôme d'ingénieur à l'école technique su-

périeure. Encore étudiant, il s'était intéressé à la radio-télégraphie, et en 1915, il devint collaborateur scientifique à l'Institut météorologique de Londres. L'extension du transport aérien, rendit urgente la détection préalable des pluies orageuses.

Watson-Watt fit des recherches pour déterminer si les orages pouvaient être détectés par les ondes radio. En 1921, il fut chargé de la direction de deux stations de recherches radio par le gouvernement. Plus tard, il deviendra responsable de la division radio du *National Physical Laboratory* (laboratoire national de physique). Ses recherches portèrent sur des radiobalises et des méthodes pour la navigation.

Le mot 'radar' est une abréviation de l'anglais, pour *radio detection and ranging* (détection radio et mesure des distances).

Le principe est le suivant: Les ondes radio émises par un émetteur sont réfléchies par un objet, que l'on appelle le but.

Les ondes réfléchies, les 'échos', sont détectées par un récepteur. Plus le but est éloigné, plus long est l'intervalle de temps entre l'émission des ondes et la captation des échos.

Dans la nature, les chauve-souris, par exemple, se servent d'un système comparable - à l'aide d'impulsions sonores de très haute fréquence - pour trouver leur route dans l'obscurité au milieu d'obstacles divers.

Dans la pratique, les ondes sont émises par une antenne tournante et directionnelle orientée vers le ou les buts. Les échos, sont le plus souvent, matérialisés sur un écran constitué par un tube à rayons cathodiques. Au début, les ondes radio étaient émises comme un signal ininterrompu, ce qui présentait un inconvénient, car seule la présence d'un objet pouvait être observée et non l'endroit où il se trouvait. Un des plus grands perfectionnements fut apporté en 1936 par l'introduction d'un système d'émissions très brèves, appelées les 'pulsions'. La différence de temps entre l'émission d'une pulsion et la réception de son écho ne donne pas seulement la distance par rapport à l'objet, mais aussi sa direction et la vitesse à laquelle il se déplace.

Ce système présente cet autre avantage que l'émetteur et le récepteur peuvent être combinés. Un seul appareil fait automatiquement servir les antennes comme émetteur et comme récepteur (système duplex).

L'Angleterre étant très vulnérable aux attaques aériennes par sa position géographique, il était impératif de mettre au point un système radar.

A droite: Peinture représentant une station radar installée sur le littoral pour guider les chasseurs (type 16) au cours de la Seconde Guerre mondiale.

Ci-dessous: Image de l'aéroport de Londres sur un écran radar. Le radar est un oeil électronique, fonctionnant sans lumière visible. Son utilisation par les avions et les navires durant la nuit ou par temps de brume est inestimable.

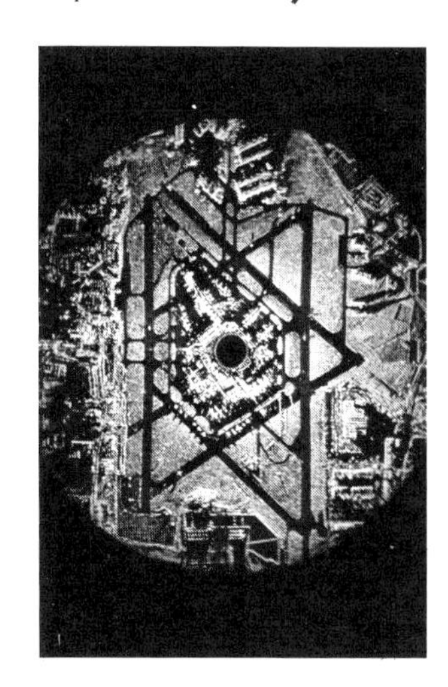

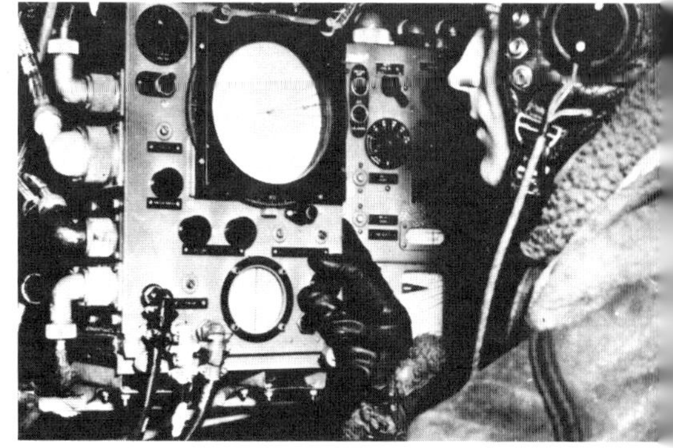

A droite: Le tube à rayons cathodiques et les autres éléments du système radar H28, en fonctionnement dans un avion durant la Seconde Guerre mondiale.

Les travaux de Watson-Watt furent largement soutenus par le gouvernement. Il fut nommé conseiller scientifique auprès des ministères de l'air et de l'industrie aéronautique.
En 1935, il avait trouvé un système permettant de détecter toute approche d'avion dans un rayon de 65 km, et, en 1938, l'Angleterre avait construit un réseau complet de stations radar à des fins défensives.
L'étape suivante, qui fut décisive, vint avec l'introduction, en 1939, du premier émetteur à micro-ondes à haute énergie, le magnétron. Cette invention, tenue secrète, donna à l'Angleterre à un moment critique une certaine avance dans le perfectionnement du radar. Des ondes radio très courtes (micro-ondes) peuvent être dirigées avec la plus grande précision en faisceaux très étroits. Elles peuvent également être utilisées en cas de forte nébulosité et même de brouillard épais. De plus, ces micro-ondes peuvent être émises et captées avec de petites antennes, ce qui permet d'utiliser des installations portatives.

Ci-dessus: Le 'radôme' que l'on remarque à la partie inférieure de ce bombardier Lancaster contenait l'antenne du radar H25.

Ci-dessous: Le radiotélescope géant de l'observatoire radio Mullard à Cambridge, en Angleterre. Les antennes sphériques servent à capter des signaux provenant d'objets de la voie lactée. Elles permettent de mesurer leur distance.

Au cours de la bataille d'Angleterre - qui se passa entièrement dans les airs - les installations radar à terre permirent à l'aviation britannique, nettement inférieure en nombre, d'opérer aussi efficacement que possible.
En peu de temps, la force aérienne allemande dut se limiter à des attaques de nuit. A ce moment, les avions britanniques furent même équipés de ces installations radar à micro-ondes, ce qui leur permettait d'attaquer en pleine obscurité un appareil ennemi.
Plus tard, en 1944, le radar fut d'une grande utilité lorsque les Allemands lancèrent leurs fusées V-1 et V-2. Quelques V-1 purent être détectés par radar et interceptés ensuite.
Après 1945, le radar fit l'objet de très nombreuses applications non militaires. La valeur du radar pour la navigation des navires et des avions, pour les opérations de circulation sur les aérodromes et pour la conduite des satellites et des fusées spatiales est inestimable.
Watson-Watt devenu Sir Robert Watson-Watt, est appelé avec raison 'le père du radar'. Ses travaux de pionnier ont certainement permis de faire du radar un instrument aux applications les plus diverses.

Wallace Hume Carothers

1896-1937

Le grand chercheur scientifique américain Carothers, spécialisé en chimie organique, inventa une matière synthétique, appelée nylon. Il fut le premier à fabriquer une fibre entièrement synthétique, c'est-à-dire préparée exclusivement à partir de produits chimiques.

Wallace Hume Carothers naquit le 27 avril 1896 à Burlington dans l'Iowa. Il étudia la chimie organique à l'Université de l'Illinois et à la célèbre Université de Harvard. En 1928, il devint directeur du laboratoire de recherches de Wilmington chez Du Pont De Nemours, une des industries chimiques les plus grandes et les plus importantes du monde. La première fibre mi-synthétique avait été fabriquée en 1863 par le chercheur anglais Sir Joseph Swan, à partir de la nitro-cellulose, qui est un produit naturel. Près de vingt ans plus tard, le chimiste français Hilaire Bernigaud, comte de Chardonnet de Grange (1839-1924), utilisa le procédé de Swan en perçant des trous minuscules dans une solution de cellulose. Les fibres effilées qui se formaient pouvaient être cardonnées pour obtenir des fils, traités chimiquement ensuite, pour devenir moins combustibles. Le tissu obtenu s'appela d'abord soie artificielle et, plus tard, 'rayonne'. On fabriqua différentes espèces de

rayonne, mais elle ne remplaça jamais réellement la soie. Toutes proportions gardées, la fabrication était coûteuse et le tissu restait plus ou moins combustible. Après la Première Guerre mondiale, on rechercha intensivement un produit ayant les mêmes caractéristiques que la soie naturelle ou même de meilleures et qui puisse être fabriqué à bon marché. Les recherches s'orientèrent sur les polymères, substances qui apparaissent lorsque plusieurs molécules (appelées monomères) d'un corps déterminé se lient entre elles pous constituer de plus grandes molécules.

Carothers était un spécialiste de la polymérisation. Il s'y était intéressé pour la première fois lorsqu'il examina la structure moléculaire des parfums. Vers 1932, il découvrit un polymère, qu'il appela 'Nylon' par la suite.

Mais les premières fibres qu'il fabriqua ne sem-

H—N
C=O
H—C—H
H—C—H
H—C—H
H—C—H
O=C
N—H
H—C—H
H—C—H
H—C—H
H—C—H
H—C—H
H—C—H
H—N
C=O

Ci-dessus: La molécule de Nylon est constituée par une 'chaîne' d'unités identiques, qui comportent des atomes de carbone, d'hydrogène et d'oxygène. Une seule molécule compte cent unités ou plus, dont l'une d'elles est reproduite ici. Les fibres de Nylon contiennent un million de molécules ou plus, chacune interceptant une petite partie de la force, lorsque la fibre est étirée.

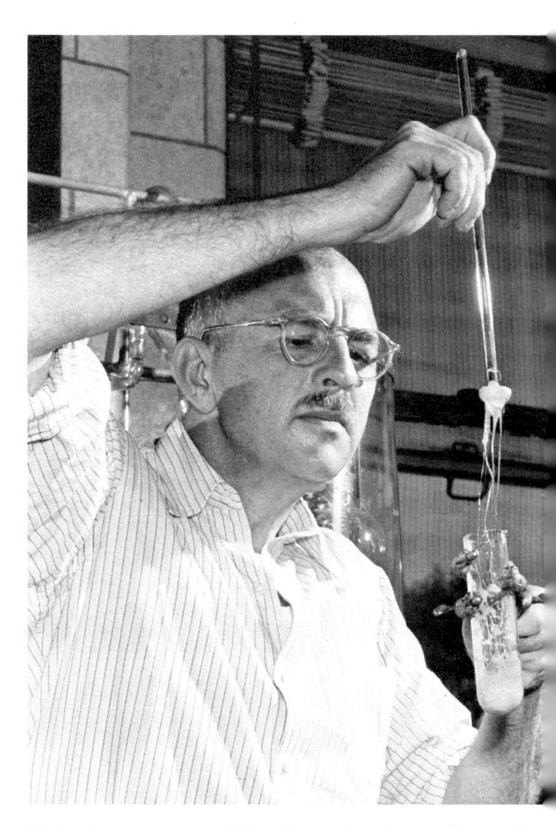

Ci-dessus, à droite: L'apparition d'une fibre entièrement synthétique. Le chimiste Julian Hill de la firme Du Pont De Nemours montre comment on retire la matière fondue d'une éprouvette à Wilmington (Delaware) au début des années trente. La matière sirupeuse collait au bâton de verre et était étirée en une mince fibre. Ce fut le précurseur du fil de Nylon.

blaient pas assez solides. Le polymère se forme à partir d'une réaction de condensation, au cours de laquelle les molécules s'assemblent sous l'élimination des molécules d'eau. Carothers d'ecouvrit que les gouttelettes d'eau qui s'étaient formées et qui retombaient dans le mélange de la réaction.

Il modifia donc ses appareils pour permettre à l'eau de se condenser contre du verre refroidi et de s'écouler. Après avoir apporté d'autres améliorations à cette technique. Carothers produisit en 1935 les premiers fils de Nylon en perçant le polymère fondu au moyen de bouchons de fils, et en suivant à peu près le même procédé que pour la fabrication de rayonne.

Le produit semblait posséder des caractéristiques excellentes. C'était la première fibre entièrement synthetique, qui ne provenait donc pas d'un produit naturel, comme la rayonne. Le tissu était très élastique et très solide. De plus, les tissus fabriqués à partir de Nylon semblaient avoir une forte résistance aux huiles, graisses, saletés et autres dissolvants.

L'invention de Carothers fut d'abord conservée comme un secret de fabrication par Du Pont De Nemours. Mais Carothers souffrait d'une pénible maladie dépressive, et le 29 avril 1937, deux ans

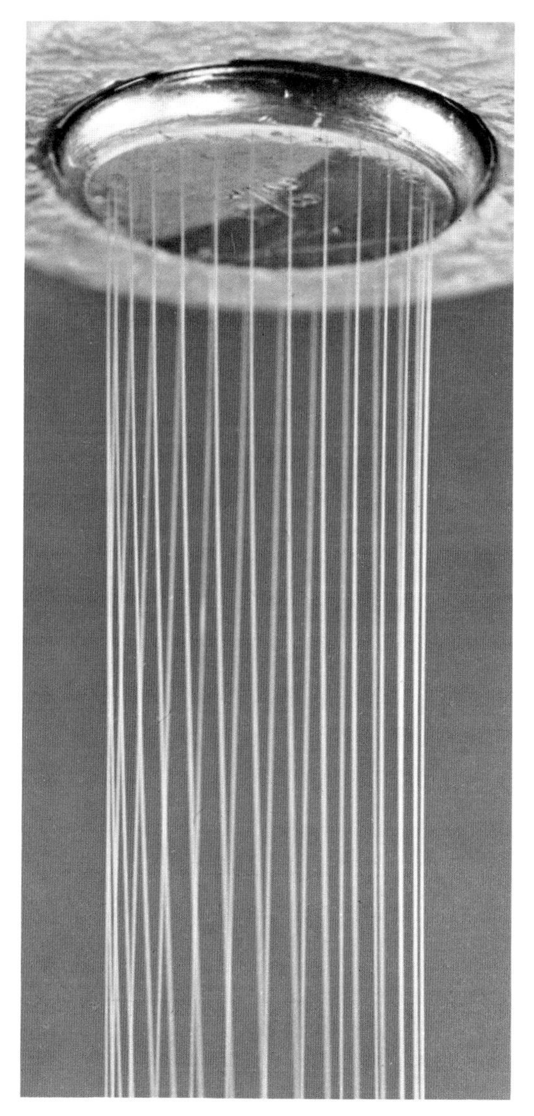

A gauche: On obtient des fils d'acétate de cellulose en pratiquant des percées extrêmement fines dans une solution de ces fils. Pendant que la solution s'échappe, le dissolvant s'évapore et les fils solides restent. Ce procédé, appelé 'filage à sec' est utilisé pour fabriquer la rayonne.

A droite: Le procédé d'extrusion (pressage) est également utilisé pour poser ce tuyau d'un diamètre de 46 cm. La résine solide était placée dans une chambre où elle était d'abord chauffée, puis la matière fondue était introduite par force à travers des petits trous, selon le diamètre désiré.

*Ci-dessous: Bobines de fils de Nylon à l'*Imperial Chemical Industries, *société chimique britannique.*

après avoir fait sa grande invention, il se suicida. En 1931, il avait découvert un autre produit, un caoutchouc synthétique, le néoprène. En 1938, la firme Du Pont annonça qu'elle fabriquerait cette nouvelle fibre à l'échelle commerciale. Ces événements se passaient peu avant le début de la Seconde Guerre mondiale, et la plus grande partie du Nylon qui fut fabriqué et transformé servit aux forces armées américaines. Sa structure fine, son élasticité et sa grande résistance le rendaient apte à servir aux applications les plus diverses. Ainsi, cette matière semblait particulièrement indiquée pour la fabrication de parachutes.

Les premiers bas nylon furent fabriqués en 1938. Le Nylon 'détrôna' très rapidement la soie et devint la matière la plus importante pour la fabrication de bas et de sous-vêtements.

D'autre part, il fut également utilisé pour les lignes de pêche, les brosses, la confection et les fils chirurgicaux.

Après la guerre, on assista au développement d'une gigantesque industrie de textile synthétique, qui entraîna ainsi des changements dans la mode.

Du Pont conserva ses droits d'exploitation, ce qui eut pour conséquence que tous les laboratoires de recherches de toutes les autres industries se mirent activement au travail pour découvrir d'autres fibres synthétiques. C'est ainsi que le terylène fit son apparition en Angleterre en 1941, le crylor et le polyamide (France, 1942), puis l'Orlon et le Dacron (E.-U.), le Diolon en Allemagne, le Terital en Italie, etc. La liste est longue.

Depuis lors, les fibres synthétiques sont devenues particulièrement intéressantes, non seulement par leur ressemblance avec des fibres naturelles, mais encore souvent par leur meilleure qualité.

Sir John Douglas Cockcroft
1897-1967

Le savant atomiste anglais Cockcroft, un des grands précurseurs de son temps, est surtout devenu célèbre par ses travaux - en collaboration avec son collègue Ernest T.S. Walton - sur l'accélérateur de particules.
Cet appareil, permettant de donner une vitesse élevée aux particules atomiques pour bombarder les atomes, fut extrêmement précieux pour la physique nucléaire expérimentale: la physique de la structure de l'atome.

John Douglas Cockcroft, fils d'un modeste homme d'affaires, est né le 27 mai 1897 à Todmorden dans le Yorkshire. En 1914, il alla étudier la physique à l'Université de Manchester. L'un de ses professeurs était Ernest Rutherford, le célèbre physicien.
Durant la Première Guerre mondiale, il fut enrôlé par l'armée dans une unité de transmission d'artillerie de campagne.
Par la suite, il fit des études d'électronique. Comme il faisait preuve de connaissances scientifiques, on lui conseilla de terminer ses études universitaires, ce qu'il fit, à l'Université de Cambridge.
Après avoir passé son doctorat de physique en 1922, Cockcroft resta à Cambridge en tant que collaborateur scientifique au laboratoire Cavendish. Il entra ainsi dans le groupe des éminents chercheurs que Rutherford avait rassemblés autour de lui.
En 1929, en collaboration avec Ernest Walton, ils mirent au point un synchrotron à protons ou accélérateur de particules, destiné à donner une très grande énergie de mouvement aux protons.

Pour y parvenir, on soumet les particules à un champ électrique produit par un courant à très haute tension. La vitesse des particules augmente quand elles traversent le champ électrique. Lorsque les recherches sur la structure des atomes devinrent plus poussées, les savants ressentirent de plus en plus le besoin de bombarder les atomes avec des particules à très grande énergie de mouvement.
C'est dans cet esprit que furent exécutées, dans les années vingt, les premières tentatives de construction d'un synchrotron utilisable en pratique. Mais la difficulté résidait dans la production d'une tension électrique suffisamment élevée. En 1931, le savant américain Robert Jemison van de Graaff construisit son premier accélérateur de particules, un générateur électrostatique.
Un an plus tard, Cockcroft et Walton avaient tel-

Ci-dessus: Les hommes qui scindèrent l'atome. De gauche, à droite: Ernest Walton, Lord Rutherford, Sir John Douglas Cockcroft.

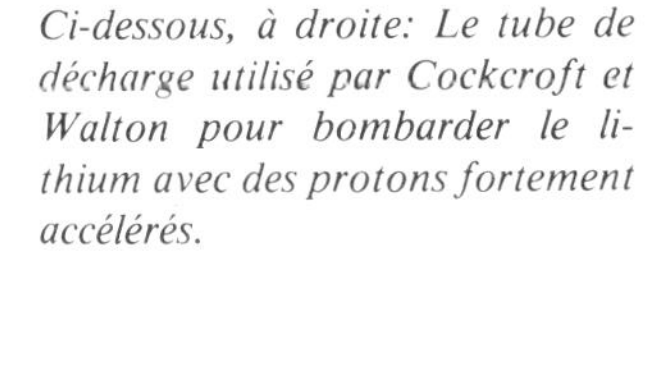

Ci-dessous, à droite: Le tube de décharge utilisé par Cockcroft et Walton pour bombarder le lithium avec des protons fortement accélérés.

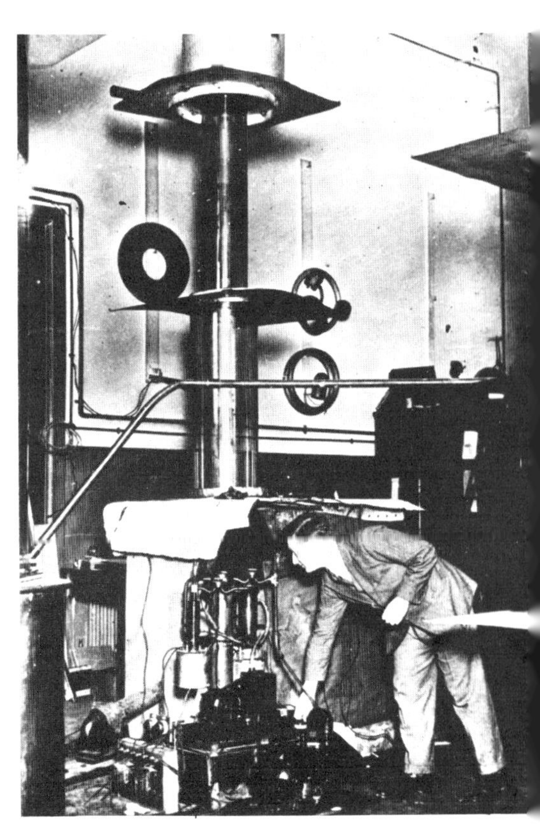

Proton

Noyau de l'atome de lithium

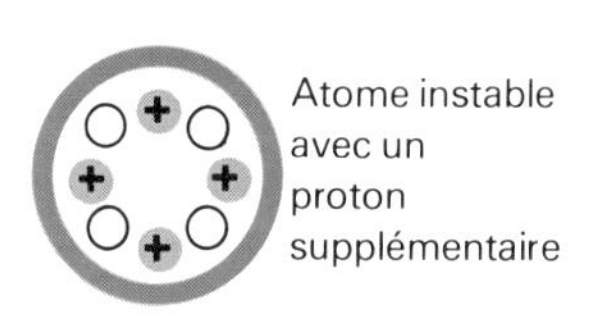

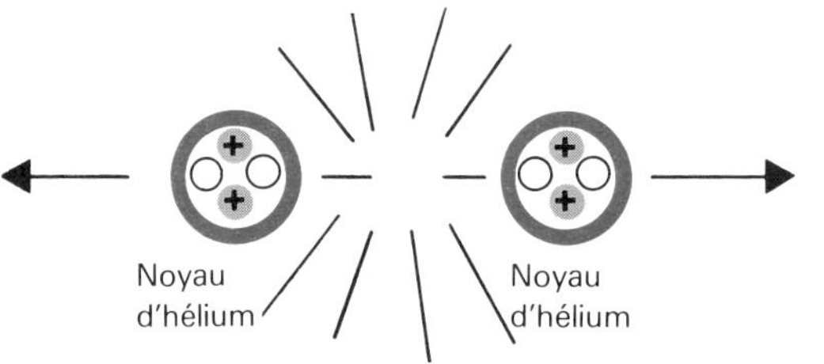

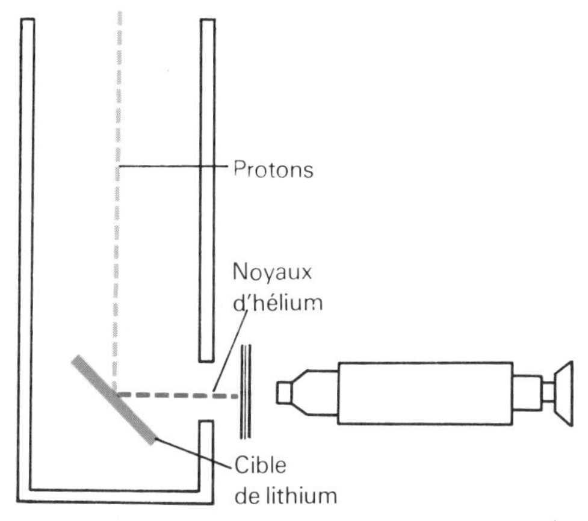

Ci-dessous: Un accélérateur d'ions positifs ultérieur de Cockcroft-Walton, avec un agrandissement (à droite) d'une partie de la spirale de l'accélérateur.

lement progressé dans leurs travaux qu'ils purent faire les essais de leur synchrotron à protons. Il était constitué d'un tube, vide d'air, traversé par un courant d'ions d'hydrogène, qui sont des protons.
Une série de redresseurs veillait à ce que le courant passât dans un seul sens.
Et une série de condensateurs maintenait la tension du courant à un niveau constant entre les pointes successives produites par le générateur de

Ci-dessus, à gauche: Cockcroft et Walton accélérèrent des protons d'hydrogène à un très haut niveau d'énergie et les dirigèrent sur un faisceau étroit de lithium. Les atomes de lithium, directement touchés, éclatèrent. Les morceaux ressemblaient à des atomes d'hélium. Leur bombardement contre un écran fluorescent pouvait être observé au microscope (dessin du bas). L'énergie libérée provenait d'une destruction d'une partie infime de matière.

courant. Le système des redresseurs et condensateurs fonctionnait comme un amplificateur de tension.
Cockcroft et Walton réussirent à augmenter la vitesse des protons jusqu'à leur donner suffisamment d'énergie pour briser un atome de lithium en deux atomes d'hélium.
C'était la première fois que l'homme mettait au point une transformation atomique, en convertissant les atomes d'un élément en atomes d'un autre élément.
L'accélérateur de Cockroft et Walton fut durant de nombreuses années un instrument de travail important dans les laboratoires de recherches du monde entier.
En dehors de son utilisation pour les recherches sur les structures atomiques, on trouve également pour cet appareil de nombreuses autres applications.
Il fut et est toujours employé dans l'industrie pour détecter les défauts dans l'acier, invisibles à l'oeil, et en médecine pour le traitement des tumeurs cancéreuses.
Peu avant la Seconde Guerre mondiale, Cockcroft s'intéressa de très près à la construction d'un système de radar défensif.
En 1944, il se rendit au Canada pour prendre la direction du centre d'études de l'énergie atomique à Chalk River et, en 1946, il revint en Angieterre, où il dirigea le centre atomique anglais d'Harwell, récemment installé. Il assuma cette fonction jusqu'en 1958.
Il avait été anobli en 1948 et, en 1951, il partagea le Prix Nobel de physique avec Ernest Walton.
Sir William Cockcroft revint au monde universitaire en 1959. Il décéda à Cambridge le 18 septembre 1967.

A gauche: Les anneaux de stockage entrelacés de l'accélérateur géant du CERN à Genève (synchrotron), dans lequel des courants de particules de haute énergie se bombardent mutuellement.

Frédéric et Irène Joliot-Curie

1900-1958; 1897-1956

Le couple français Frédéric et Irène Joliot-Curie formèrent une équipe de chercheurs scientifiques dans le domaine de la recherche sur les éléments radioactifs. Ils découvrirent que tous les éléments existent non seulement sous leur forme connue, stable et non radioactive, mais aussi sous une autre forme, appelée isotopes, qui, eux, sont radioactifs. Ils furent également les premiers à fabriquer ces radio-isotopes.

Frédéric Joliot et Irène Curie continuèrent les travaux des parents d'Irène - le célèbre couple de chercheurs, Pierre et Marie Curie - qui découvrirent l'élément radioactif, le radium.
Irène Curie naquit le 12 septembre 1897 à Paris. Durant la Première Guerre mondiale, elle obtint un poste aux armées comme assistante à la thérapie des rayons X. Elle améliora ce traitement en collaboration avec ses parents. En 1918, elle étudia la physique pour laquelle elle semblait avoir de grandes dispositions, lorsqu'elle était l'élève de sa mère (son père était mort en 1906). En 1925, elle obtint son doctorat de physique et travailla comme assistante auprès de sa mère. La même année, Marie engageait aussi, comme assistant, un jeune homme très brillant, Frédéric Joliot.
Jeune homme très doué, Frédéric Joliot naquit à Paris le 19 mars 1900. Il étudia la physique et la chimie dans une école supérieure, où il montra beaucoup d'admiration et d'intérêt pour les travaux de Curie. Après avoir obtenu son diplôme, et accompli son service militaire, il fut nommé à la Sorbonne, en qualité d'assistant de Marie Curie. Irène Curie et lui semblaient travailler en parfaite collaboration. Ils s'éprirent l'un de l'autre et se marièrent en 1926.
En 1934, le couple Joliot-Curie fit sa découverte historique, au cours de laquelle un élément radioactif fut fabriqué pour la première fois par l'homme. Ils étudiaient les effets produits par le bombardement de l'aluminium par des particules alpha (noyaux d'atomes d'hélium). A leur grand étonnement, le morceau d'aluminium paraissait être radioactif après le bombardement. Leur étonnement ne fit que grandir, lorsqu'ils constatèrent, en approfondissant leurs recherches, que le morceau de métal n'était plus de l'aluminium mais avait été transformé en phosphore. Mais ce n'était pas du phosphore commun. Les noyaux de ces atomes de phosphore contenaient plus de neutrons que ceux du phosphore naturel. De ce fait, ils étaient plus lourds, instables et par conséquent radioactifs, ce qui veut dire qu'ils se décomposaient progressivement en d'autres éléments, sous le rayonnement de particules ou d'ondes électromagnétiques. Plus tard, il apparut que la même méthode pouvait servir à transformer du bore en azote radioactif et du magnésium en silicium radioactif. Par leur découverte, ils démontrèrent de façon irréfutable que non seulement les éléments lourds, tels que l'uranium, étaient radioactifs, mais qu'une forme radioactive (radioisotopes) pouvait être créée à partir de n'importe quel élément.
Leurs recherches, très difficiles et minutieuses, menées après leur découverte, furent récompensées par le Prix Nobel de chimie en 1935.
Lorsque la Seconde Guerre mondiale éclata, Frédéric et Irène travaillaient à la fission atomique de

Ci-dessus: Les Joliot-Curie au travail dans leur laboratoire.

l'uranium. Ce procédé permettait de libérer une quantité énorme d'énergie. C'est le principe qui sert au fonctionnement des réacteurs nucléaires pour la production d'énergie. Le couple Joliot Curie était déjà très avancé dans son projet de construction d'un tel réacteur lorsque les Allemands envahirent la France. Etant donné leurs convictions anti-nazies, ils estimèrent que les informations concernant la recherche atomique ne devaient pas tomber aux mains des ennemis. L'une des composantes principales pour la construction d'une centrale nucléaire ou d'une bombe atomique était un liquide appelé 'eau lourde'. Il s'agit d'une eau dans laquelle l'atome 'normal' d'hydrogène est remplacé par un isotope plus lourd, appelé deutérium. L'eau lourde sert à ralentir des neutrons pour éviter que la réaction de fission nucléaire ne produise une 'réaction d'explosion en chaîne', mais puisse être contrôlée. Durant la Seconde Guerre mondiale, le couple Joliot-Curie resta en France, où il joua un rôle important dans la Résistance. Parallèlement aux occupations professorales qu'ils avaient assumées entre-temps, ils travaillaient encore tous deux à la construction d'un réacteur nucléaire qui fut achevé en 1948 et qui constitua la première pile atomique française, appelée *Zoé*. Etant donné leur position politique nettement favorable au régime soviétique, ils furent démis de leurs fonctions par le président Vincent Auriol en 1950, au moment le plus crucial de la 'guerre froide'. La santé des deux savants déclina par la suite. Irène mourut le 17 mars 1956 de la leucémie et Frédéric le 14 août 1958 d'un ictère.

Ci-dessus: Une batterie d'énergie nucléaire miniaturisée. Une de ses applications est son utilisation dans l'implant des stimulateurs cardiaques.

A droite, en haut: Détecteurs placés sur les reins et le coeur pour déterminer la vitesse de dispersion dans le corps de radio-isotopes injectés.

A droite, au milieu: Une image en couleurs du cerveau faite au moyen d'une tomographie.

A droite, en bas: Fat Man *('le gros' à l'arrière-plan). La bombe qui fut larguée au-dessus de Nagasaki utilisait les radio-isotopes plutonium 239.*

Ci-dessous: Le stockage d'un morceau de déchet radioactif dans un fût destiné à cet usage.

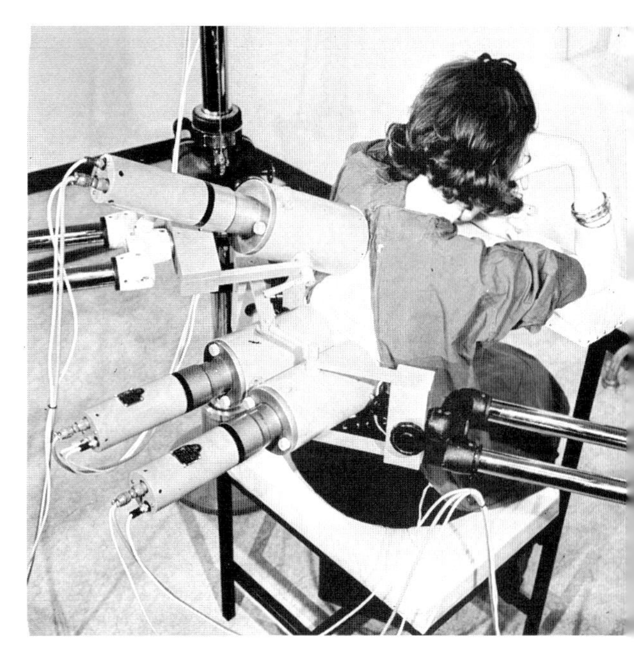

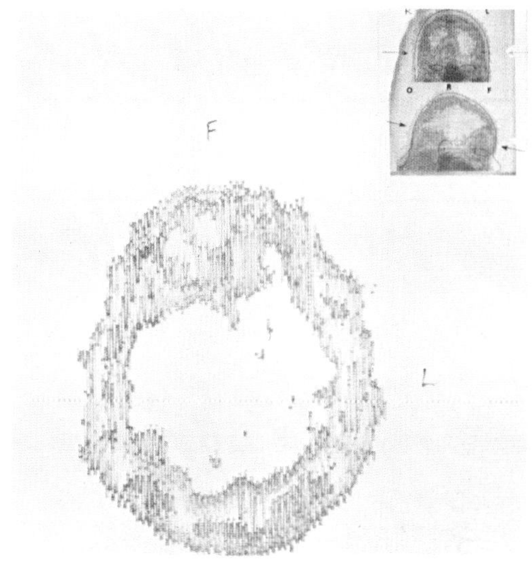

Enrico Fermi

1901-1954

Une nouvelle ère s'ouvrit avec la conception et la construction du premier réacteur nucléaire par le physicien italien Enrico Fermi: le siècle de l'énergie atomique. La plus importante difficulté que Fermi eut à surmonter fut le contrôle de la réaction en chaîne découlant de la fission de noyaux d'atomes.

La découverte de Fermi impliquait que l'on pouvait disposer avec sécurité de manière sûre des forces énormes de l'énergie atomique.

Fermi, né à Rome, étudia la physique à l'Université de Pise où il obtint son doctorat en 1922. Bien que toute son attention fût concentrée sur l'activité du neutron, il ne restait pas pour autant indifférent aux changements rapides de la situation politique en Italie.

Depuis que Benito Mussolini s'était rendu maître du pouvoir en 1922, le pays était sous la coupe du fascisme.

En 1938, Fermi fut nettement confronté au pouvoir politique. Cette même année, on lui attribua le Prix Nobel de physique. Suivant la tradition, la distinction devait lui être remise par le roi de Suède.

Mussolini attendait de Fermi qu'il participât à la cérémonie en uniforme fasciste. Mais Fermi, qui désapprouvait le régime, refusa. Son refus fut considéré comme une trahison par les fascistes italiens.

En conséquence, Fermi décida de ne pas retourner en Italie. Avec sa femme, il quitta Stockholm pour les Etats-Unis en 1939.

Ils s'établirent à Chicago, où Fermi s'attela à la recherche qui devait finalement aboutir à la construction du premier réacteur nucléaire. On savait que l'élément radioactif uranium était probablement la clé donnant accès à d'énormes quantités d'énergie.

La grande question était de savoir comment libérer cette énergie sans provoquer une explosion nucléaire. Lors de la fission (explosion d'un seul atome d'un élément en deux atomes d'un autre élément), des neutrons se libèrent, ainsi que de l'énergie, sous forme de chaleur et de lumière. Les neutrons peuvent engendrer la fission d'autres atomes, en entraînant une réaction en chaîne, qui, théoriquement, peut fournir un courant constant d'énergie de fission. La difficulté consistait à éviter une réaction en chaîne trop rapide. En effet, elle pouvait conduire à une surchauffe et entraîner une explosion nucléaire.

Ci-dessus: Un projet de premier réacteur nucléaire en chaîne sous contrôle autonome qui entra en service le 2 décembre 1942 à Chicago. Cette pile atomique était la première au monde.

Plusieurs savants d'avant-garde, parmi lesquels Albert Einstein et Enrico Fermi, se rendaient compte que le processus de fission pouvait être appliqué à la construction d'une arme destructrice: la bombe atomique. Ils adressèrent une lettre au président américain Franklin D. Roosevelt, dans laquelle ils le mettaient en garde contre les conséquences éventuelles, au cas où les physiciens

A droite: Une barre d'uranium purifié d'un diamètre de 60 cm environ.

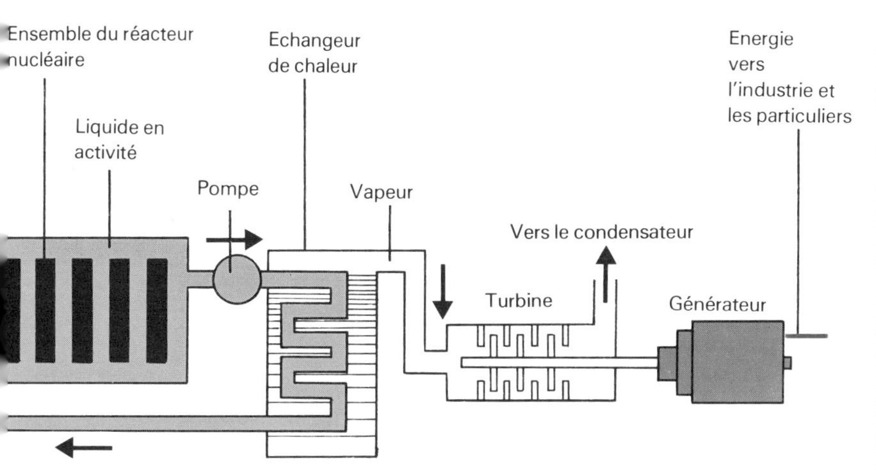

Ci-dessus: Stades successifs de la réduction d'énergie nucléaire.

A droite: Stockage de combustible du réacteur d'eau lourde produisant de la vapeur à Winfrith, en Angleterre, dans lequel le rayonnement Chérenkov du liquide est visible.

A gauche: Eléments de stockage du combustible amenés dans un réacteur moderne refroidi au gaz.

Ci-dessous: Le sous-marin américain Nautilus, *le premier navire ayant un réacteur nucléaire comme source d'énergie (1955).*

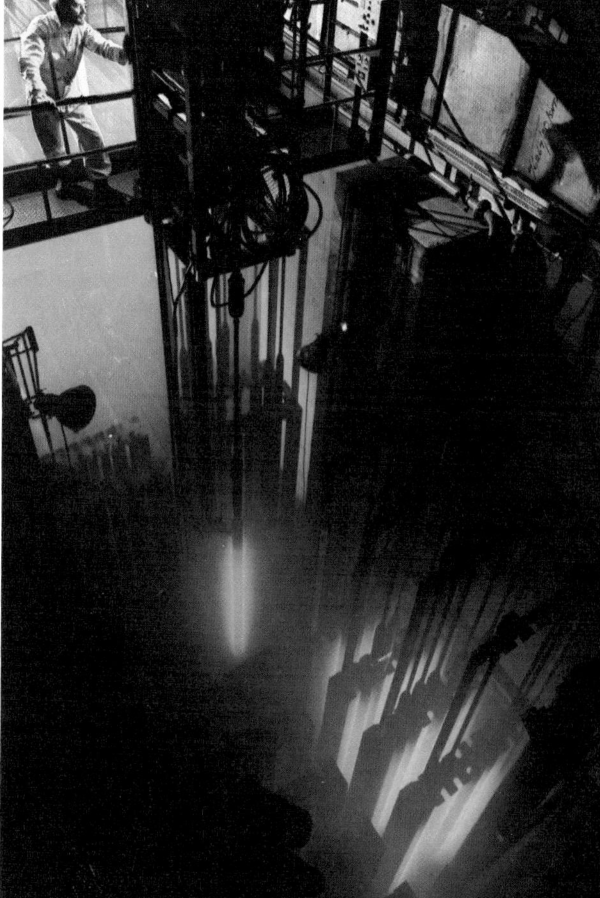

d'Hitler mettraient au point une telle arme avant les Américains.

Le gouvernement américain mit alors Fermi à la tête d'une équipe de chercheurs, qui reçurent comme mission de mettre au point un réacteur nucléaire pratique, dont le but était de contrôler la réaction en chaîne. Fermi décida d'utiliser, à cet effet, des barres de graphite comme modérateurs de neutrons.

Ces barres de graphite pouvaient être introduites ou retirées à volonté.

Lorsque la réaction en chaîne se faisait trop rapidement, on pouvait ajouter des barres pour réduire la quantité de neutrons qui provoqueraient d'autres fissions.

Mais si, au contraire, on devait accélérer la réaction, il suffisait de retirer quelques barres de graphite.

A la fin de 1942, Fermi était prêt pour une première expérience. Ce fut un moment excitant. Une erreur de calcul, et la centrale pouvait se transformer en une bombe qui détruirait la plus grande partie de Chicago. Le 2 décembre 1942, quelques barres de graphite furent retirées du réacteur. Le processus de fission commença. En enlevant davantage de barres, la réaction s'enchaînait automatiquement.

Le plan de Fermi avait réussi: le réacteur fonctionnait.

Depuis les expériences historiques de Fermi, des réacteurs atomiques ont été construits dans le monde entier. Une toute nouvelle technologie s'est instaurée. Mais le danger d'un seul accident, pouvant détruire des villes entières, subsiste. Il faut considérer en outre le traitement des déchets radioactifs du réacteur. Les discussions publiques qui en découlent étaient inimaginables à l'époque de Fermi. La grande question est maintenant de savoir si l'utilisation de l'énergie nucléaire doit être encouragée, limitée ou totalement abandonnée.

Felix Wankel

1902-

Différents constructeurs de moteurs avaient déjà pensé à construire un moteur où les gaz de combustion du gasoil pouvaient être utilisés pour produire une rotation directe sans intermédiaire de pistons. On pourrait ainsi réduire le volume et épargner de l'énergie. Bien que différents types de moteurs eussent déjà été construits, il n'y en eut pas un seul dont le principe fut appliqué aussi efficacement que dans le moteur conçu par Wankel.

Felix Wankel naquit à Lahr, en Allemagne, près de la frontière française. Dans les années trente et au cours de la Seconde Guerre mondiale, il travailla à l'Institut allemand de recherches aéronautiques. Il s'occupait de l'application de soupapes rotatives et de robinets à soupape. En 1951, il entra au service d'une usine de moteurs à Neckarsulm, où il travailla à la construction d'un moteur automobile rotatif. Un premier prototype en fonctionnement fut terminé en 1957. Wankel introduisit une demande de brevet pour ce moteur et pour le matériel nécessaire à sa construction.

La différence entre le moteur Wankel et le traditionnel moteur à quatre temps à combustion interne de Nikolaus Otto résidait dans le fait que les pistons n'effectuaient pas de mouvements ascendants et descendants dans le cylindre, mais le pseudo-piston triangulaire faisait office de rotor, qui pivotait dans une sorte de carter de forme ovale, légèrement incurvée en son milieu. Les extrémités du piston triangulaire et rotatif touchaient parfaitement les parois du carter durant sa rotation. Ce mouvement donnait naissance à trois chambres qui étaient parfaitement isolées l'une de l'autre. Lorsque le moteur tournait, un mélange d'air et de combustible était distribué successivement dans chaque chambre par l'intermédiaire d'un carburateur. Le mélange air combustible était comprimé et allumé ensuite par l'étincelle d'une bougie. Le gaz se dilatait et était expulsé par les soupapes d'échappement. Les soupapes d'admission et d'échappement s'ouvraient et se fermaient automatiquement par le mouvement de rotation du rotor. De cette façon, le moteur produisait une puissance triple à chaque tour. Tandis que le traditionnel moteur Otto nécessitait quatre mouvements de piston pour chaque cycle, un axe de transmission placé au centre et relié au rotor assurait la rotation dans le moteur Wankel. Le rotor lui-même était relié à l'axe moteur par un

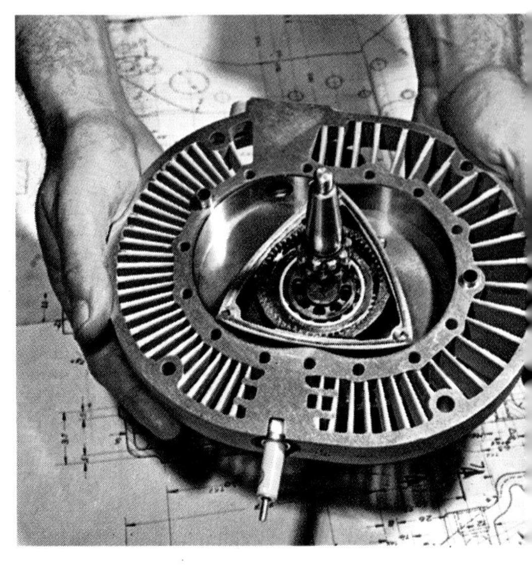

A droite: Un moteur Wankel, avec le rotor, l'axe primaire, le système d'engrenages dans la chambre de combustion et le système de refroidissement.

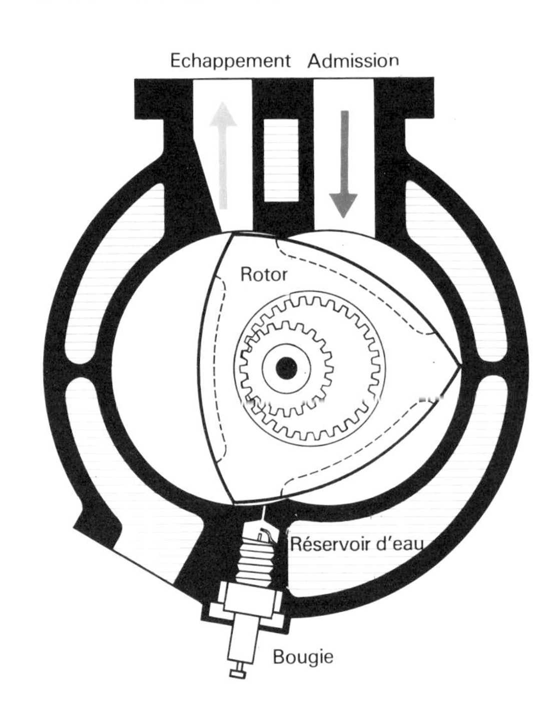

A droite: La structure interne du moteur Wankel. Tandis que le rotor tourne autour du mécanisme d'engrenage central, les trois têtes restent en contact permanent avec la paroi interne du bloc moteur. Un mélange d'air et de combustible est aspiré par l'orifice d'admission et est comprimé par le rotor pivotant. Ensuite, il est allumé par une bougie et la détente du mélange de gaz enflammé fournit le travail-moteur. Ensuite, la soupape d'échappement s'ouvre, les gaz d'échappement sont expulsés, et le cycle recommence.

système d'engrenages. Les engrenages intérieurs avaient trois fois autant de dents que l'engrenage de l'axe moteur, de sorte qu'il tournait trois fois plus vite que le rotor.

Le moteur tournait d'une façon très régulière. Il était également plus petit qu'un moteur Otto, fournissant la même puissance. Il présentait encore deux autres avantages. Le moteur Wankel consommait moins de combustible et comme il avait moins de pièces, il était de fabrication plus économique. Il fut considéré comme le moteur de l'avenir. Cependant, le projet présentait un point délicat: il ne peut y avoir absolument aucun espace entre les extrémités du rotor et le carter. Lorsque les chambres ne sont pas suffisamment isolées l'une de l'autre, il y a perte de pression - et, en conséquence, moins de puissance et de rendement. Wankel lui-même conçut un système de plaques de couverture élastiques pour remédier à cet inconvénient.

En 1968, on construisit en Allemagne la première automobile propulsée avec un moteur Wankel. De grands fabricants d'autres pays demandèrent une licence pour la fabrication d'autos avec un moteur Wankel, dont *General Motors* aux Etats-Unis, Rolls-Royce en Angleterre, Alfa Romeo en Italie, Citroën en France et Toyota au Japon. Selon un des plus grands fabricants d'automobiles, huit automobiles sur dix, vers 1980, seraient montées avec un moteur Wankel.

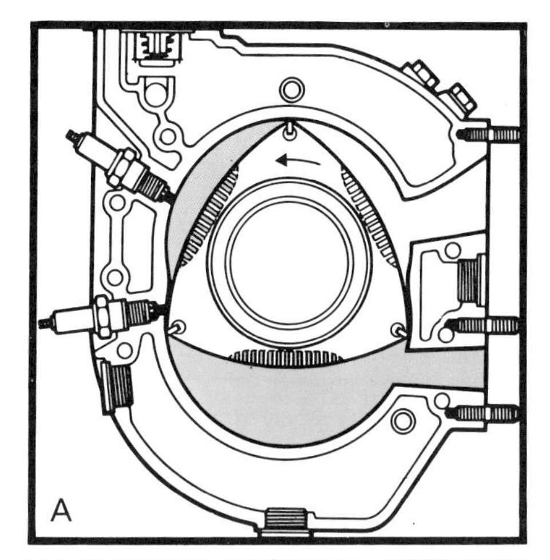

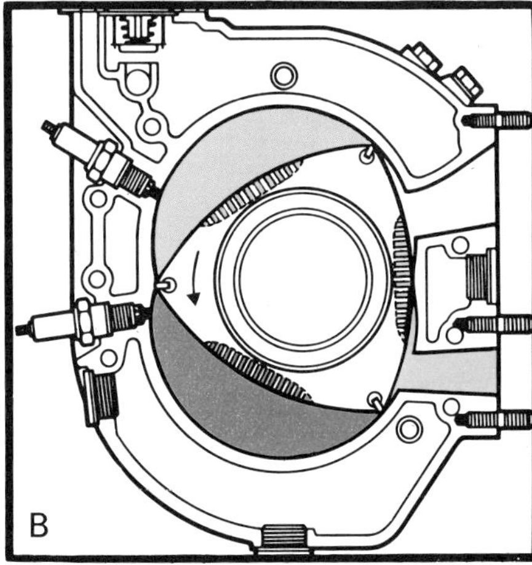

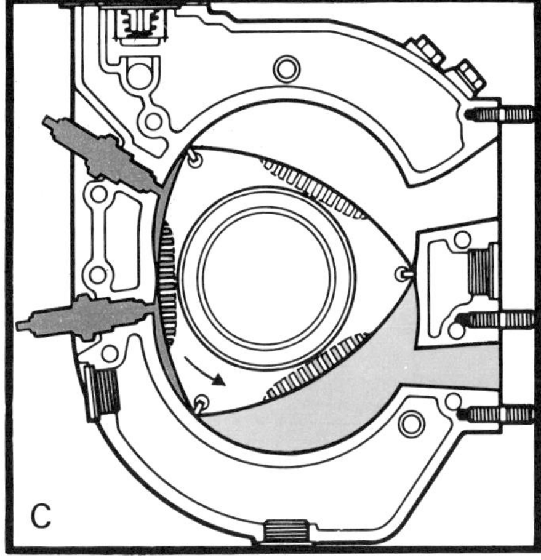

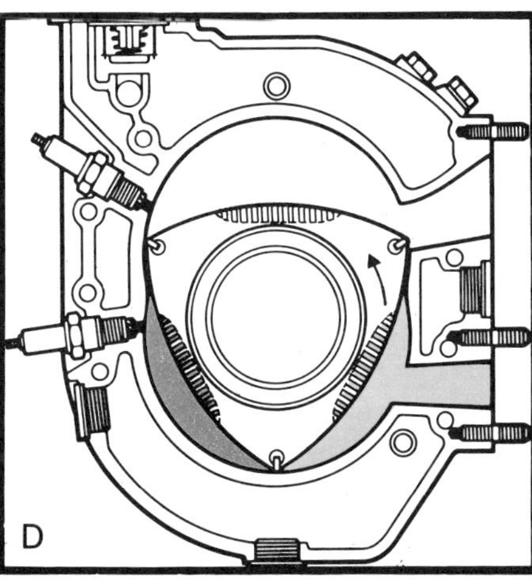

A gauche: Les stades du système à quatre temps du moteur Wankel sur NSU. Le combustible (jaune) pénètre et est comprimé (vert) par le flanc du secteur triangulaire et rotatif (le moteur). Deux bougies allument simultanément le combustible (devenu rouge) et, enfin, les gaz d'échappement (bleu) sont renvoyés par le secteur pivotant.

En bas, à droite: Le moteur Wankel utilisé dans le NSU RO 80.

Ci-dessous, à droite: La NSU RO80.

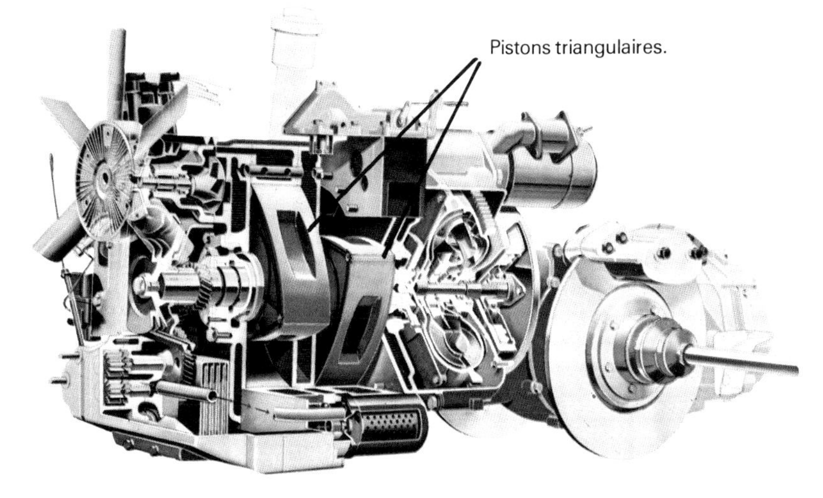

Jacob Robert Oppenheimer

1904-1967

Jacob Robert Oppenheimer fut le savant qui contribua effectivement au développement de la bombe atomique. Remarquable physicien, il doit pourtant sa plus grande réputation au rôle qu'il remplit en qualité de responsable du projet 'Manhattan'. Il était aussi un éminent mathématicien, chercheur et professeur. Oppenheimer est considéré comme étant un des plus grands esprits scientifiques de sa génération.

Fils d'un homme d'affaires originaire d'Allemagne, J. Robert Oppenheimer naquit à New York. Il termina ses études à l'Université de Harvard en 1925. Le choix des branches témoigne de ses intérêts très étendus: sciences naturelles, langues anciennes et philosophie orientale. Il travailla quelque temps auprès d'Ernest Rutherford, à Cambridge, en Angleterre, où était installé à cette époque le centre le plus important de recherche atomique, et il séjourna quatre ans en Europe. Au cours de cette période, Oppenheimer s'intéressa très vivement à la théorie des quanta, établie en 1900 par Max Planck pour expliquer les phénomènes de radiation.

En 1929, il revint aux Etats-Unis, où il fut nommé à l'Université et à l'Institut technologique de Californie. Au cours des dix-huit années qui suivirent, sa carrière de physicien théoricien atteignit son apogée. Ses recherches ouvrirent la voie vers la découverte de différentes particules sub-atomiques, telles que le neutron, le positron et le meson. Oppenheimer était également un brillant professeur. Il avait une manière vivante et passionnante de faire ses cours, et il forma de nombreux physiciens de premier plan aux Etats-Unis.

Lorsque le national-socialisme prit le pouvoir en Allemagne, en 1933, et que la guerre civile éclata en Espagne, en 1936, Oppenheimer s'opposa très violemment au fascisme.

A cette époque, il examinait la signification de la théorie des quanta de Max Planck concernant la physique atomique.

Dans les années trente, la physique nucléaire avait évolué à un point tel que l'on pensait qu'il était possible de provoquer une réaction en chaîne capable de libérer suffisamment d'énergie pour entraîner à son tour l'explosion des noyaux atomiques. Cette quantité d'énergie libérable au cours de la fission nucléaire serait énorme, phénomène dont on était parfaitement conscient avant le début de la Seconde Guerre mondiale. L'uranium était particulièrement indiqué pour la fission, ce qu'on savait déjà.

La fission de 28 grammes d'uranium entraînerait une explosion comparable à celle de 600 tonnes de TNT. Craignant que l'Allemagne ne fût la première à mettre au point une telle arme, Albert Einstein adressa un avertissement au président des Etats-Unis, Franklin D. Roosevelt.

C'était la veille de l'attaque des Allemands en Pologne.

Le gouvernement américain ne resta pas indifférent devant un tel avertissement. Mais il faudra faire encore de très nombreuses recherches avant de se lancer dans la production d'une telle arme. Tout d'abord, il était extrêmement difficile d'extraire de l'uranium du minerai d'uranium. Ensuite, il fallait isoler l'uranium 235 qui était l'élément idéal pour la fission. Plus tard, on observera que le plutonium 239 conviendrait tout aussi bien.

*Ci-dessous: L'*Enola Gay, *l'avion qui lança la première bombe atomique au-dessus du Japon. Il fut appelé ainsi d'après le nom de l'épouse du commandant.*

Ci-dessous: Le centre de recherches scientifiques de Los Alamos. C'est un territoire de presque 80 km carrés, comptant des laboratoires, des travaux de construction, des bâtiments administratifs, des habitations et des centres commerciaux.

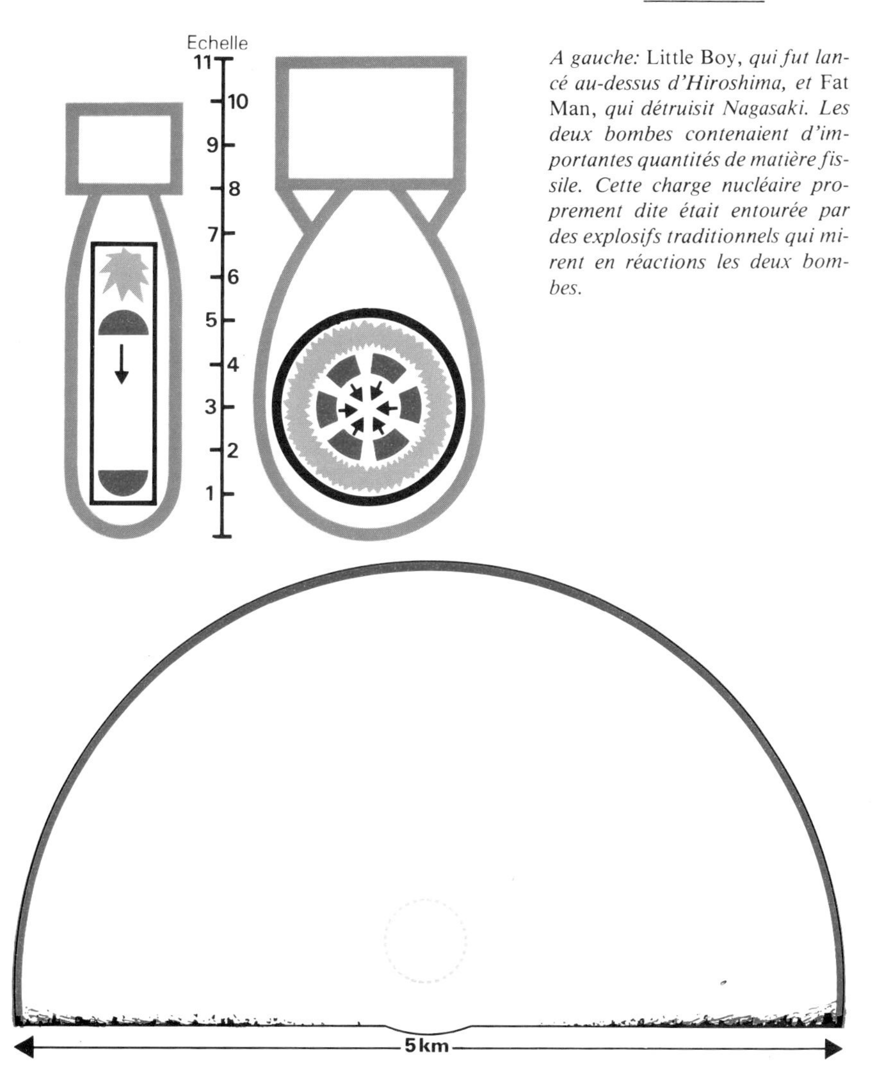

A gauche: Little Boy, *qui fut lancé au-dessus d'Hiroshima, et* Fat Man, *qui détruisit Nagasaki. Les deux bombes contenaient d'importantes quantités de matière fissile. Cette charge nucléaire proprement dite était entourée par des explosifs traditionnels qui mirent en réactions les deux bombes.*

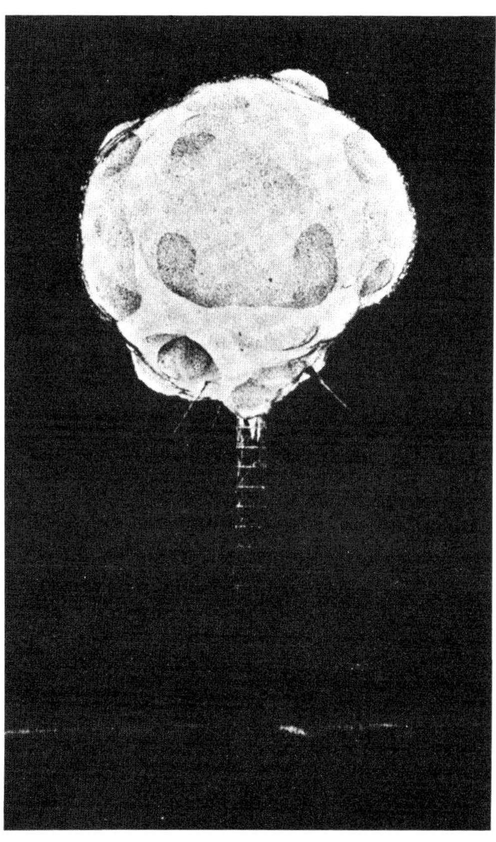

Ci-dessus, à droite: La première milliseconde (un millième de seconde) de l'explosion atomique, au cours d'un essai dans le désert du Nevada (Etats-Unis). La photo fut prise par une caméra ultrarapide. A ce moment, aucune onde sonore ou onde de choc n'a encore été produite et rien n'a encore été détruit.

Le 6 décembre 1941, le jour précédant l'attaque du Japon à Pearl Harbor qui devait engager les Etats-Unis dans le conflit, le président Roosevelt prit une décision: lancer le programme concernant la bombe atomique, sous le nom de *Manhattan Engineering District,* appelé plus tard *Project Y.* D'éminents physiciens américains et anglais et l'Italien émigré d'Europe, Enrico Fermi, y travaillèrent.

J. Robert Oppenheimer commença à en assurer la direction en juin 1942.

Les recherches préparatoires se poursuivaient, tandis qu'Oppenheimer veillait à l'exécution des plans à Los Alamos (Nouveau-Mexique) pour mettre tous les physiciens en sûreté. Ils étaient constamment confrontés à de nouveaux retards. Il était encore extrêmement difficile de rassembler les quantités indispensables d'uranium 235 et de plutonium 239. Le président Roosevelt décéda en avril 1945 et Harry S. Truman lui succéda. Un mois plus tard, la guerre se terminait en Europe. Le Japon, refusant la paix, fut choisi comme cible par les Etats-Unis qui, le 16 juillet 1945, firent exploser une bombe au plutonium dans le désert du Nouveau-Mexique. Sa force, 20 000 tonnes de TNT, dépassa toutes les prévisions.

La première bombe à l'uranium explosa au-dessus d'Hiroshima le 6 août 1945 et, trois jours plus tard, une bombe au plutonium fut lâchée sur Nagasaki.

Les deux villes furent totalement détruites. Le Japon se rendit le 10 août 1945.

Après la Seconde Guerre mondiale, Oppenheimer fut nommé président du conseil consultatif de la Commission américaine de l'Energie atomique. Il fut parmi ceux qui s'opposèrent au développement d'une arme qui aurait des conséquences encore plus désastreuses que la bombe atomique: la bombe à hydrogène. Cette décision suscita un grand nombre de questions fondamentales quant au rôle de la science au service de l'Etat. Sur ce sujet, Oppenheimer a laissé différents écrits, notamment *The Open Mind* et *Science and the Common Understanding.*

En 1953, Oppenheimer fut inscrit sur une liste de personnes suspectes - en partie, à cause de son attitude à l'égard de la bombe à hydrogène. La guerre froide avait atteint son point culminant. Le sénateur Joseph R. McCarthy commença ses opérations de 'chasse aux sorcières'. En raison de l'attitude qu'il adopta en 1930, Oppenheimer fut accusé de sympathies communistes.

Cette accusation mit un terme à sa carrière de scientifique de premier plan, bien qu'il continuât à occuper un poste académique important en qualité de directeur de l'Institut des Sciences avancées de l'Université de Princeton.

Au cours des dernières années de sa vie, il tenta d'expliquer les difficultés auxquelles est exposé un homme lorsqu'il désire rester d'une scrupuleuse honnêteté tant intellectuelle que morale. En 1963, le président Lyndon B. Johnson remit personnellement à Oppenheimer la distinction Fermi de la commission d'énergie atomique. Elle fut considérée comme une excuse tacite pour la manière dont il avait été traité dix ans auparavant.

Chester F. Carlson

1906-1968

Le technicien américain Chester F. Carlson est l'inventeur de la copieuse xérographique. L'appareil, simple et d'un emploi commode et rapide, ne nécessitait pas un personnel qualifié. De plus, c'était le premier procédé de reproduction pouvant se passer de stencils ou de produits chimiques humides. Le monde moderne des affaires et de la recherche scientifique mit en évidence un besoin urgent de multiplier les documents à un rythme accéléré.

Certains procédés de reproduction étaient établis sur le procédé de surimpression, au cours duquel le texte à reproduire devait être posé sur un stencil, feuille de papier recouverte d'une fine couche de cire.
Le texte pouvait ainsi être polycopié.
D'autres systèmes utilisaient des rayons chauds ou infrarouges, pour la reproduction sur un papier à copier très sensible. Cette méthode, appelée thermographie, met le document à copier en contact direct avec le papier copieur. Ils sont placés tous deux dans l'appareil, dans lequel la chaleur ou les rayons infrarouges sont absorbés par les taches les plus sombres de la feuille originale, taches qui sont transformées en épreuves plus claires sur la copie.
Au contraire, le principe de la xérographie est tout à fait différent. Carlson fit son invention en cherchant la solution d'un cas bien précis. Au cours de ses études à l'Institut technologique de Californie, l'étudiant Carlson contribua aux frais

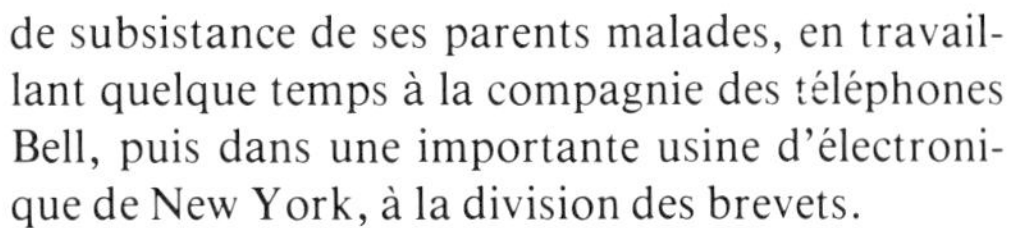

de subsistance de ses parents malades, en travaillant quelque temps à la compagnie des téléphones Bell, puis dans une importante usine d'électronique de New York, à la division des brevets.
Mais il lui était à peu près impossible de faire un travail rentable, à cause de l'extrême difficulté de copier les bleus et les textes d'inscriptions des brevets. Carlson se proposa alors de trouver une méthode rapide, précise et économique pour les copies.

A droite: La première reproduction xérographique, obtenue le 22 octobre 1938 par Carlson et Otto Kornei. Par ce procédé, appelé alors électrophotographie, les lettres étaient fixées sur un papier à la cire, avec une poudre de lycopodium colorée.

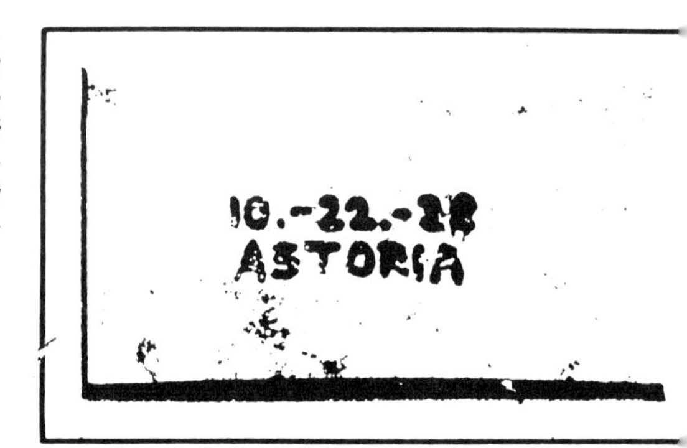

Durant quatre ans, il travailla à la création d'un système électrostatique et, en 1938, il fit sa première copie xérographique d'un document original.
Le terme 'xérographie' est dérivé du grec et signifie 'écrire à sec'.
La technique de transmission utilise le semi-conducteur sélénium, qui conduit l'électricité dans la lumière, mais non dans l'obscurité. Le système de Carlson utilisait un miroir.
L'image du document à copier était projetée par le miroir sur un tambour, recouvert d'une couche de sélénium chargé électriquement.
Aux endroits où les taches sombres étaient réfléchies, le sélénium conservait sa charge électrique. Aux endroits clairs, le sélénium était conducteur de lumière et, en ce cas, la charge électrique disparaissait.
Plus tard, le tambour sera recouvert d'une poudre à charge négative, qui se fixait uniquement sur les parties sombres, positives.

Ci-dessous: Une ancienne reproduction xérographique (1948), détachée de la plaque de sélénium. Ensuite, la copie était chauffée à l'infrarouge pour permettre à la matière poudreuse servant au développement de pénétrer dans le papier.

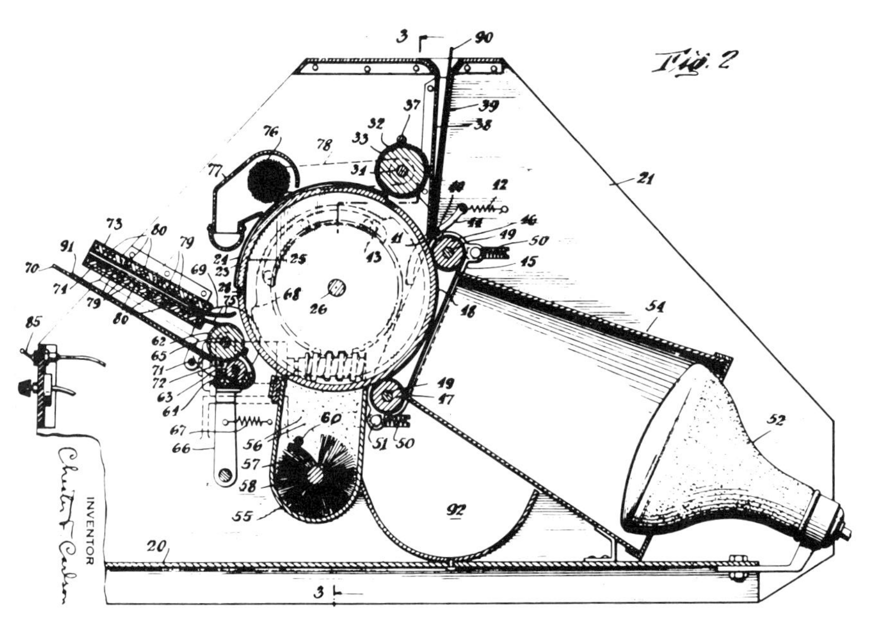

Ci-dessus: Dessin de Carlson pour son brevet de machine électrophotographique.

Ci-dessus, à droite: Le premier modèle de la machine de Carlson. Le brevet fut enregistré en 1940.

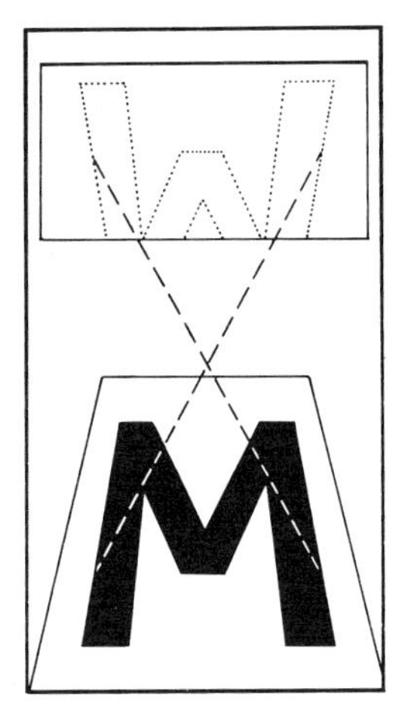

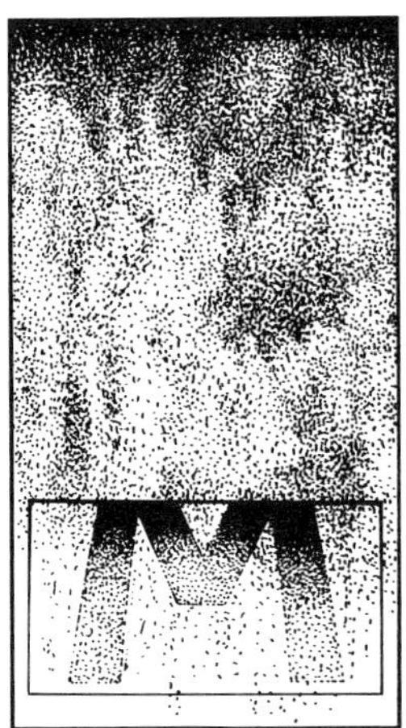

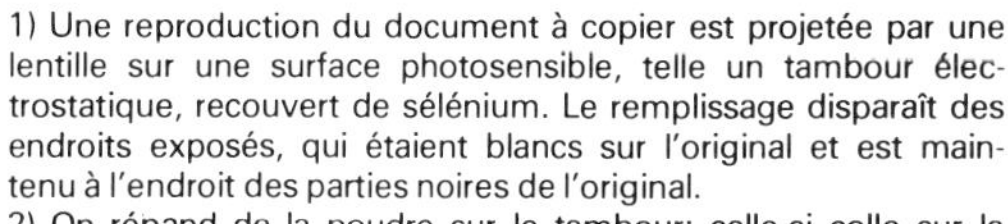

1) Une reproduction du document à copier est projetée par une lentille sur une surface photosensible, telle un tambour électrostatique, recouvert de sélénium. Le remplissage disparaît des endroits exposés, qui étaient blancs sur l'original et est maintenu à l'endroit des parties noires de l'original.
2) On répand de la poudre sur le tambour; celle-ci colle sur la partie remplie. La reproduction est visible sur le tambour.

Le papier copieur, chargé également positivement, venait ensuite en contact avec le tambour et attirait la poudre à son tour, puisqu'elle était aussi chargée positivement.
La reproduction en poudre était finalement fixée sur le papier par la chaleur d'une source infrarouge, ce qui faisait apparaître une copie durable et très nette de l'original.
En 1947, une petite firme de New York, la *Haloid Company,* décida d'acheter les droits de fabrication et de vente de l'invention de Carlson. Depuis, cette petite société est devenue la gigantesque *Xerox Corporation.* Actuellement, la copieuse Xerox est l'une des plus utilisées et des plus variées dans ses modèles de bureau.
Il est possible d'obtenir des copies très nettes de chaque ligne écrite ou dessinée, et même des reproductions en couleurs.
De plus, cette machine permet également des agrandissements ou des réductions de l'original.

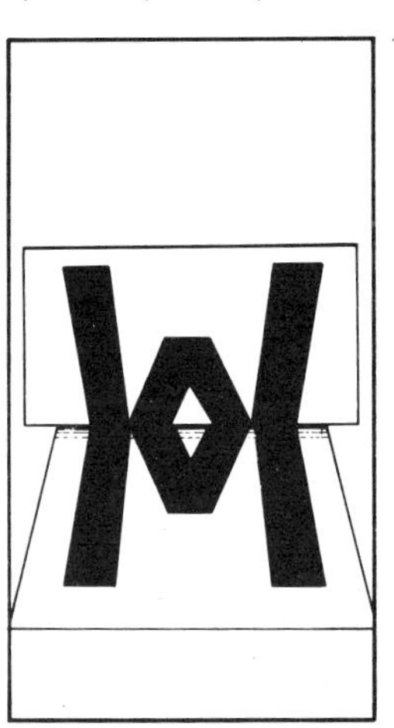

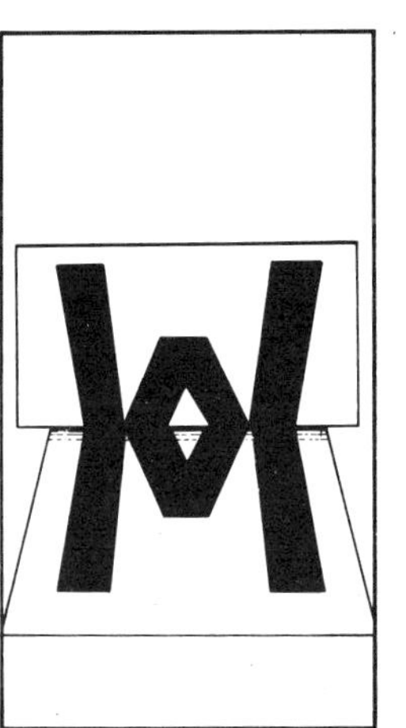

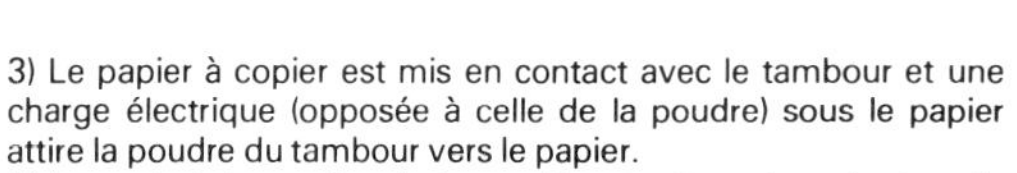

3) Le papier à copier est mis en contact avec le tambour et une charge électrique (opposée à celle de la poudre) sous le papier attire la poudre du tambour vers le papier.
4) La copie à la poudre s'est ramollie et est amalgamée avec le papier, habituellement par la chaleur.

A droite: La copieuse Rank-Xerox 3600. L'indication signale la production horaire. Des copieuses encore plus modernes peuvent produire deux fois autant, classer les documents, faire des copies et des réductions photographiques.

A gauche: Le mode d'emploi d'une copieuse à sec. Le principe du procédé est resté le même que sur la première machine de Carlson.

Sir Franck Whittle

1907-

L'Anglais Franck Whittle, jeune pilote d'essai et technicien d'aéronautique, provoqua une véritable révolution dans l'industrie aéronautique en y introduisant le moteur à réaction, destiné aussi bien aux engins militaires et aux projectiles dirigés qu'aux avions pour passagers et aux hélicoptères. Le moteur d'un avion à réaction était beaucoup plus petit et plus léger que le système traditionnel de propulsion avec pistons, bielles et manivelles. La puissance énorme de ce moteur permettait également de franchir le mur du son.

Le fonctionnement du moteur à réaction est fondé sur un principe formulé en 1687 par Sir Isaac Newton: à toute action s'oppose une autre action égale et de sens contraire. On peut l'appliquer de la façon suivante sur le moteur à réaction: des gaz très chauds se libèrent lors de la combustion du combustible et produisent une poussée qui propulse l'avion.
En 1921, un ingénieur de la Société aéronautique royale d'Angleterre fit des essais avec le premier moteur d'avion à turbine à gaz.
Il était formé d'un rotor actionné par des gaz chauds et rapides agissant sur des ailettes. Le rotor, à son tour, actionnait une hélice. Franck Whittle, jeune lieutenant de la *Air Force*, imagina de concevoir un avion avec propulsion par réaction. Il obtint son premier brevet en 1930 pour un moteur à réaction.
L'air aspiré était réchauffé et comprimé par un certain nombre de roues munies d'ailettes (le compresseur). L'air comprimé passait alors dans une chambre de combustion, où avait lieu l'allumage. Les gaz d'échappement faisaient fonctionner une turbine, reliée au compresseur, qui continuait ainsi à tourner.
D'abord, Whittle ne parvint pas à intéresser à ses plans le ministère britannique de l'aéronautique. De plus, il était très difficile de trouver un alliage métallique résistant suffisamment à la température élevée produite par le moteur. En 1935, Whittle reçut enfin l'appui du ministère britannique de l'aéronautique par l'intermédiaire d'une nouvelle société - *Research Jets Ltd* - ce qui lui permit d'espérer une certaine progression dans la construction.

Ci-dessus: Le Meteor Mark II *britannique, avion bi-moteur à réaction. Cet appareil fut utilisé à la fin de la Seconde Guerre mondiale.*

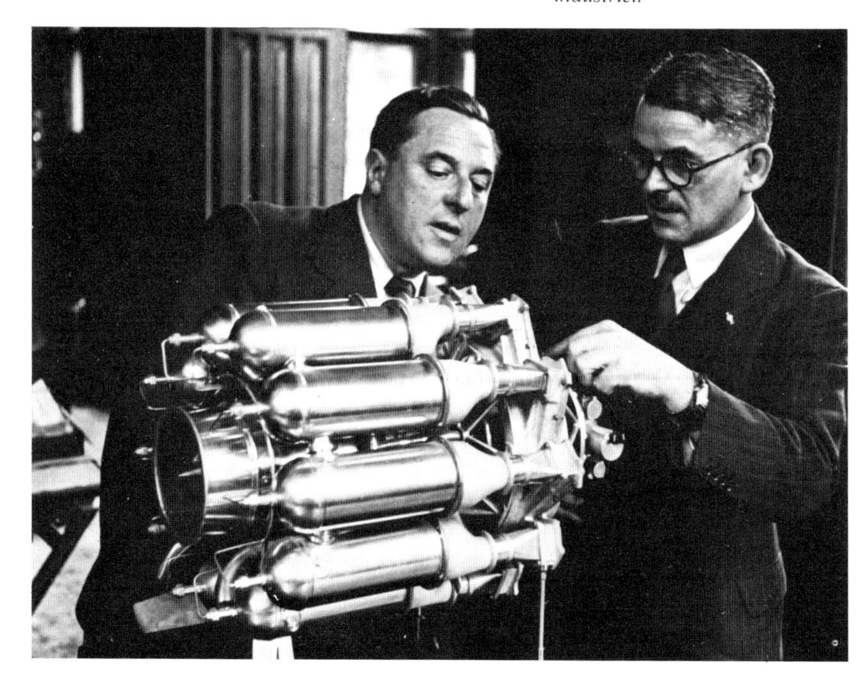

Ci-dessous: Whittle (à droite) explique le fonctionnement d'un des premiers moteurs à réaction à un industriel.

Vers la même époque, en Allemagne, à la demande du fabricant d'avions Ernst Heinkel (Wurtemberg, 1888 - Stuttgart, 1958), un jeune constructeur d'avions, Hans von Ohain, mettait au point un moteur à réaction.
Von Ohain utilisa le même principe que Whittle, bien qu'ils eussent travaillé de façon tout à fait indépendante. Mais, grâce à l'énorme appui financier dont bénéficia von Ohain, il fut en mesure de réaliser ses projets à un rythme très rapide.
Le 27 août 1936, le premier avion avec moteurs à réaction de Heinkel fit son vol historique. En cette même année, Heinkel installa d'importantes usines aéronautiques à Oranienburg.
En 1942, von Ohain présenta le premier avion de combat propulsé par des moteurs à réaction, le Messerschmitt 262. Mais il était déjà trop tard pour que l'Allemagne pût remporter la victoire.
Entre-temps, Whittle avait poursuivi ses expériences. Le 15 mai 1941, un avion équipé de son moteur, alors réalisé par Rolls Royce, fit son premier vol. En juin de la même année (1941), un prototype de ce moteur fut envoyé aux Etats-Unis, où il servit de modèle pour le premier avion à réaction américain, le XP 59A.

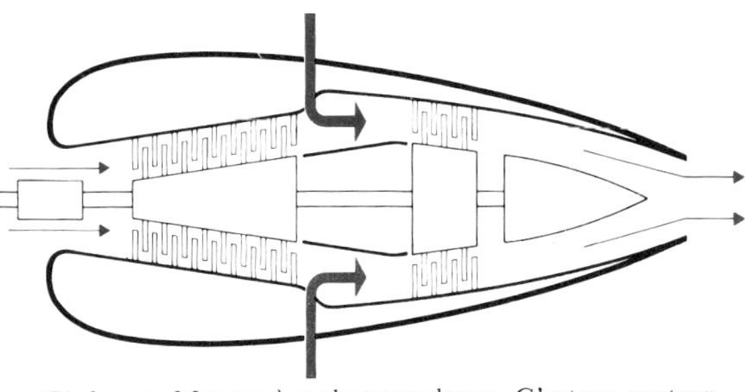

Ci-dessus: Moteur à turbopropulseur. *C'est un moteur propulsé par une turbine à gaz entraînant l'arbre de l'hélice. Un système d'engrenages ramène la haute vitesse de rotation de la turbine à une vitesse appropriée à l'hélice. Le moteur fournit une force de propulsion par réaction, qui permet la rotation de l'hélice, mais la plus grande partie de l'énergie propulsive est fournie par l'hélice même.*

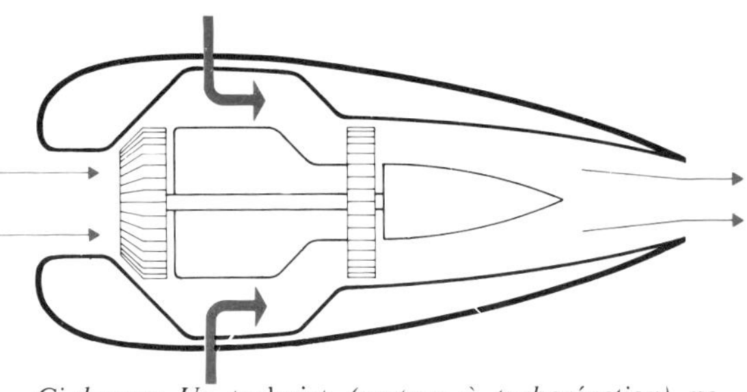

Ci-dessus: Un turbojet *(moteur à turboréaction) ne comptant qu'un compresseur à turbine et une tuyauterie de projection. L'air pénétrant dans le moteur est comprimé par la turbine et projeté dans la chambre de combustion, où il est mélangé au combustible. Le mélange est allumé, et les gaz chauds de la combustion, en se dilatant, se précipitent avec une forte énergie vers la tuyauterie d'éjection. Ils communiquent ainsi à l'avion une force propulsive vers l'avant.*

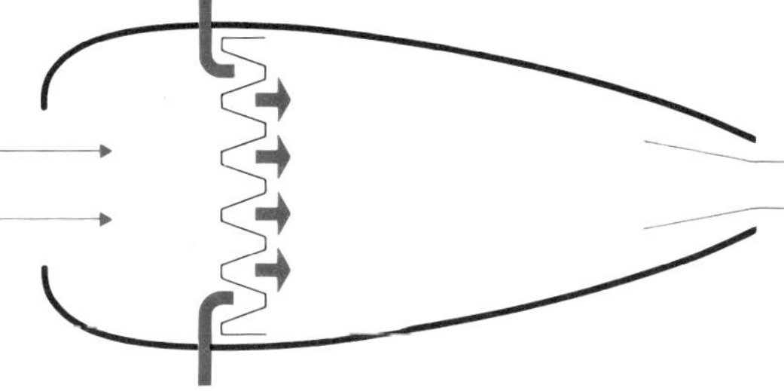

*Ci-dessus: L'*autoréacteur *est en principe un tuyau aérodynamique sans parties mobiles. A des vitesses dépassant 500 km à l'heure, l'air est propulsé avec une telle violence dans le moteur qu'il se comprime spontanément dans une entrée d'air spécialement conçue à cet effet. L'air est mélangé au combustible et le mélange explose dans la chambre de combustion. Etant donné que ce moteur ne peut démarrer à l'arrêt, un autre moteur, à turboréaction, est nécessaire pour effectuer la mise en marche.*

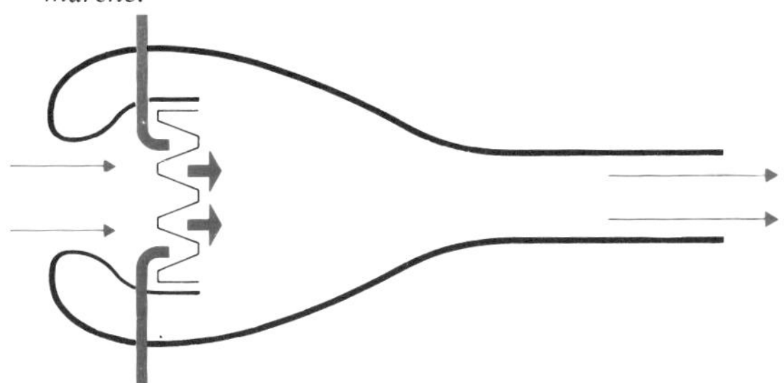

Ci-dessus: Le pulsoréacteur *n'a ni turbine ni mécanisme intérieur pour comprimer le mélange air-combustible. La pression atmosphérique doit être utilisée pour faire fonctionner l'allumage. A ce moment-là, le courant d'air est coupé par une soupape. Les gaz de combustion ne peuvent quitter la chambre de combustion que par la tuyauterie d'éjection.*

A droite: Le Heinkel 162 *allemand, premier avion à réaction.*

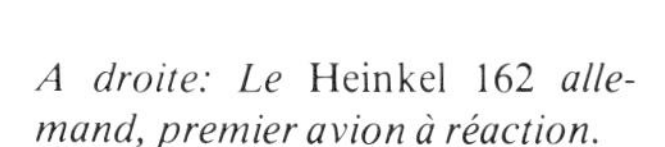

A droite: Le prototype du Messerschmitt, premier avion de combat à propulsion par réaction. Cet appareil fut mis au point par les Allemands à partir du Heinkel, mais a peu servi au cours de la Seconde Guerre mondiale.

Malgré l'apparition de plusieurs avions à réaction avant la fin de la Seconde Guerre mondiale, ces appareils n'eurent pas beaucoup d'influence sur le dénouement du conflit.
Au cours des années qui suivirent, l'avion à réaction de Whittle prit vraiment 'un grand envol'. Des avions de combat à moteurs à réaction furent utilisés lors de la guerre de Corée, et le sont encore actuellement dans l'aviation civile.
Franck Whittle, qui devint chevalier en 1948, écrivit un ouvrage intitulé *Jet: The Story of a Pioneer* (Avion à réaction: l'histoire d'un pionnier).

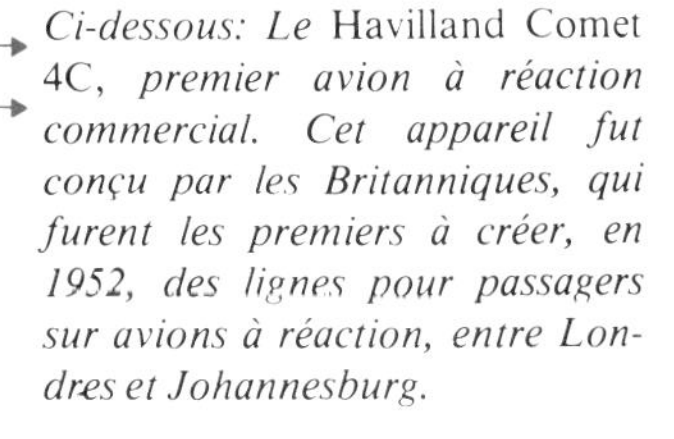

Ci-dessous: Le Havilland Comet 4C, *premier avion à réaction commercial. Cet appareil fut conçu par les Britanniques, qui furent les premiers à créer, en 1952, des lignes pour passagers sur avions à réaction, entre Londres et Johannesburg.*

Edwin Land

1909-

Le procédé Polaroïd, dû à Edwin Land, est considéré comme l'étape la plus importante en technologie photographique depuis l'invention du film sur rouleau ou pellicule par George Eastman, fondateur des usines Kodak. Le procédé Polaroïd permet d'obtenir une image photographique positive immédiatement après l'exposition, sans qu'il soit nécessaire de développer préalablement le négatif.

Déjà, à l'époque où Edwin Land étudiait la physique à l'Université de Harvard, il faisait preuve d'un grand intérêt pour les caractéristiques de la lumière polarisée. Les faisceaux lumineux normaux, non polarisés, vibrent dans toutes les directions. Il existe des corps capables d'absorber presque toutes les surfaces de vibration, et ce phénomène porte le nom de polarisation. La lumière qui passe est polarisée: les vibrations ne se produisent que dans un seul plan. On rencontre un phénomène identique dans la nature sous la forme de l'arc-en-ciel: la réfraction de la lumière solaire dans les gouttelettes de pluie.

Pour convertir la lumière naturelle en lumière polarisée, on utilisait dans le passé des petits cristaux de forme parfaite, qui étaient très coûteux. Land obtint une matière polarisante en plaçant des cristaux minuscules dans une feuille de plastique. Il était tellement passionné par son travail qu'il ne termina pas ses études à l'Université, préférant poursuivre ses recherches.

Cinq ans après avoir fabriqué son premier polariseur synthétique, Land fonda la *Polaroïd Corporation* à Cambridge, dans le Massachusetts, en 1937. Les filtres polarisants furent utilisés, à des fins diverses, pour les appareils scientifiques et optiques. Les filtres de caméras pouvant également éliminer l'éblouissement des surfaces brillantes, les photos devinrent plus nettes. Les lunettes solaires Polaroïd qui supprimaient l'aveuglement dû aux reflets, devaient connaître aussi un grand succès.

A droite: Le modèle 95, caméra à pellicule. La première caméra de Polaroïd Land fut commercialisée en 1948, en même temps que le film type 40.

Vers 1941, Land avait étudié différents types de polariseurs. Il conçut un système de polarisation pour les phares des automobiles et une méthode de projection de films à trois dimensions pour les cinémas. Au cours de la Seconde Guerre mondiale, Land se pencha surtout sur les polariseurs de lumière à des fins militaires, tels que les télémètres et les lunettes de visée. Mais la plus grande invention de Land fut la caméra Polaroïd à développement instantané: une caméra qui possède en quelque sorte son propre laboratoire de développement et qui est en mesure de produire une épreuve positive dans la minute qui suit l'exposition. Le film est composé d'une couche négative photosensible, d'une couche positive sur laquelle apparaît l'image, et une gaine scellée qui contient un révélateur de développement résistant. Après exposi-

A droite: Polarisation de la lumière. La lumière d'une lampe vibre perpendiculairement à la direction de son mouvement dans toutes les directions. La substance polarisante arrête toutes les vibrations qui ne se trouvent pas dans un plan déterminé. La lumière qui s'échappe, ne vibre que dans un seul plan, comme le montre ce dessin.

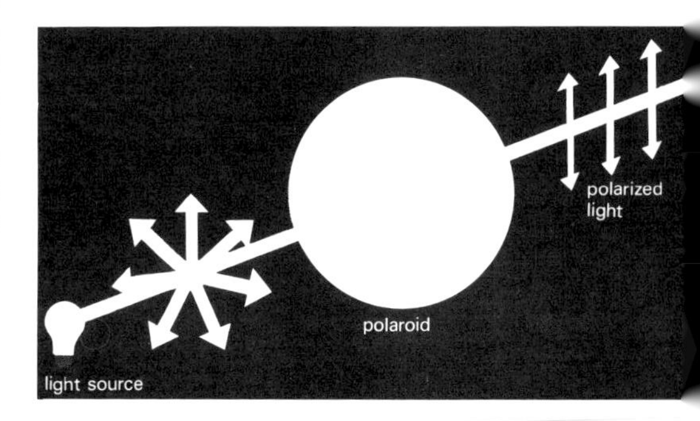

Page de droite, en haut à gauche: Analyse optique de tensions dans une coulée d'acryle. La partie gauche est recouverte d'un filtre de polarisation. La lumière qui le traverse est polarisée et représente les champs de tension selon un modèle bien défini.

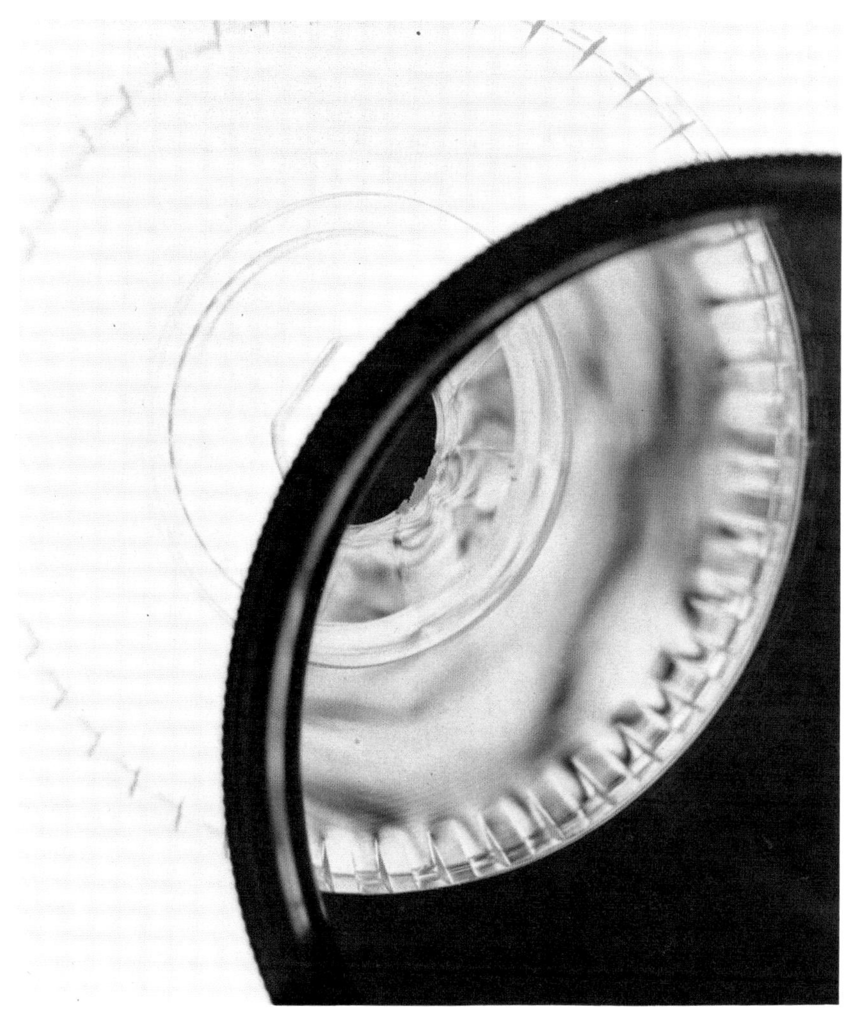

tion du négatif, le film passe par plusieurs bobines dans la caméra et brise ainsi le sceau de la gaine. Le révélateur est comprimé et réparti également entre les deux couches, qui sont maintenues ensemble par la couche du révélateur. Pour une photo en noir et blanc, le révélateur développe les grains exposés de sels d'argent et dissout les grains non exposés de sels d'argent. Le sel d'argent dissous est déposé sur la couche positive, sur laquelle se forme l'épreuve. Dès que le processus de développement est terminé, les deux couches du film peuvent être séparées l'une de l'autre.
D'une part, le procédé Polaroïd répondait à un grand nombre de besoins en science et en industrie. D'autre part, les photographes amateurs et professionnels pouvaient aussi l'employer. Le film à utiliser se présentait sous la forme de petits rouleaux, de cassettes et de cellules libres.
Le système Polacolor fut lancé sur le marché en 1963. Ce film en couleurs composé de différentes couches contient des émulsions sensibles aux couleurs, et des révélateurs de couleurs, substances qui forment des images de couleurs et fonctionnent simultanément comme des révélateurs de développement photographiques. Une épreuve en couleurs peut s'obtenir en une minute.
Les progrès accomplis en chimie, en électronique et en optique permirent d'introduire, en 1972, le système SX-70, conçu par Land. La caméra SX-70 envoie automatiquement la totalité du film en couleurs SX-70 entre les bobines, et le procédé fonctionne dans le film sans qu'il soit nécessaire d'attendre que les couches soient détachées l'une de l'autre.
Le premier système d'images mobiles obtenues directement, la polavision, fut commercialisé par Land en 1977. Le film peut être exposé, développé et observé sans qu'il soit retiré d'une cassette scellée. Au cours de ses recherches sur les phénomènes des couleurs, Land parvint à tirer de nouvelles conclusions sur la base théorique de l'observation des couleurs. Après avoir effectué de nombreuses expériences, il formula sa théorie 'retinex' sur la perception des couleurs.
Land poursuivit ses recherches dans les domaines précédement décrits. Il représente le type de chercheur qui a mis ses grandes capacités scientifiques au service de la recherche d'applications pratiques.

Ci-dessus, à droite: Vues, à travers un polariscope, des bandes d'interférence photo-électriques peuvent être observées le long des lignes à tension constante dans un roulement à billes en action.

Ci-dessous, à droite: La caméra révolutionnaire de Land, la Polaroïd SX-70.

Ci-dessous: La surface d'image d'un film SX-70 exposé, qui sort automatiquement de la caméra, et présente d'abord une teinte vert bleu. En quelques instants, la photo en couleurs se fait plus nette, même à la lumière la plus crue. Le développement se poursuit durant quelques minutes, jusqu'à ce qu'il soit tout à fait net.

Jacques-Yves Cousteau

1910-

Grâce aux films réalisés par le chercheur français Jacques-Yves Cousteau, le grand public a pu se familiariser avec un monde inconnu jusqu'alors: la vie sous la mer. Le tournage de ces films fut rendu possible par le scaphandre autonome, appareil inventé par Cousteau et l'ingénieur Gagnan.

Le monde sous-marin a toujours fortement attiré l'homme. Mais l'homme ne pouvant respirer que dans l'air, les recherches dans ce domaine n'étaient pas faciles. Les premières tentatives furent entreprises dans des sortes de cloches sous-marines contenant de l'air. Le savant grec Hérodote parlait de l'utilisation de cloches à plongeurs en verre, vers 500 avant J.-C.
Il restait une deuxième difficulté à résoudre, en cas de séjour sous l'eau: la pression devait être

équilibrée. Léonard de Vinci avait négligé ce détail lorsqu'il dessina son appareil de plongée.
Au cours du temps, on essaya différents types de cloches et de vêtements de plongée. En 1928, le commandant Le Prieur (un autre officier de marine français) avait évolué entre deux eaux, équipé d'un appareil sommaire: une bouteille d'air attachée sur la poitrine et un détendeur réglé à la main, le visage protégé par un masque.
La révélation du monde sous-marin fut apportée à Cousteau, en 1936, au cours d'un bain de mer, aux environs de Toulon, où il découvrit l'usage d'une lunette de plongée, à peine plus perfectionnée que celle des pêcheurs de perles. A partir de ce jour, il n'eut de cesse qu'il ne devint 'poisson lui-même'.
Obsédé par son idée, il fit la connaissance, en 1942, d'Emile Gagnan, ingénieur à l'Air liquide, spécialisé dans la construction des soupapes de gaz. Gagnan montra à Cousteau un détendeur d'admission qu'il avait construit pour alimenter en gaz d'éclairage les moteurs d'automobiles (la pénurie d'essence, due à la guerre, rendait les chercheurs ingénieux).
L'appareil de Gagnan, encore rudimentaire, fut essayé dans la Marne.
Et après quelques modifications, Jacques-Yves Cousteau, un matin de juin 1943, sur une plage près de Bandol, en Méditerranée, pouvait essayer son engin dans l'enthousiasme et l'angoisse que l'on devine, sous les yeux attentifs de sa femme et

Ci-dessus: Un appareil Cousteau.

de ses amis qui seront, par la suite, ses plus fidèles collaborateurs.
Cet appareil devait devenir le scaphandre autonome Cousteau-Gagnan mondialement connu. Il se compose d'une ou plusieurs bouteilles contenant chacune environ 5 litres d'air comprimé à 200 kg par cm² maintenues par des sangles sur le dos des plongeurs. Le bloc de détente est une boîte ronde, en laiton chromé, qui permet d'égaliser la pression de l'air respiré avec la pression ambiante. Un tuyau souple sert à l'expiration. Un robinet est fixé à chaque extrémité de la bouteille; l'un est le robinet de conservation sur lequel vient se fixer le bloc de détente. Il doit toujours rester ouvert au moment de l'utilisation. L'autre robinet commande la réserve. Il doit être fermé au moment de plonger. Un masque adhérant parfaitement au visage, complète l'équipement.
En 1944, la marine française créa à Toulon le G.E.R.S. (groupe d'étude et de recherches sous-marines) et en confia la direction à Jacques-Yves

Cousteau qui se fit connaître par d'innombrables réalisations. C'est ainsi que, dans le cadre des interventions sous-marines, il créa les 'maisons sous la mer', les *Précontinent* (I, II et III). Ses recherches et ses nombreuses expéditions lui permirent de mettre au point des appareils à saturation à l'air et à l'héliox (mélange d'hélium et d'oxygène).

Au cours de l'opération *Précontinent II,* en 1963, la station profonde fixée par 25 mètres de fond, en mer Rouge, abrita deux hommes pendant sept jours, tandis que la 'maison principale' était installée à 11 mètres de profondeur. Cinq hommes y vécurent pendant un mois. *Précontinent II* fut un vrai village sous la mer, et les perturbations psychologiques de ce séjour en milieu inhabituel à l'homme occupèrent l'essentiel des études et des expériences.

Avec *Précontinent III,* en baie de Villefranche, près de Nice, Cousteau et son équipe s'appliquèrent à améliorer les techniques de vie en profondeur. On doit encore au commandant Cousteau la 'soupape plongeante', un des premiers engins autonomes qui a effectué des centaines de plongées partout dans le monde. Elle est dotée d'une autonomie de vingt-quatre heures en mélanges gazeux respiratoires. Bien que n'ayant pas reçu une formation de biologiste, Cousteau s'est longuement intéressé à la vie des plantes et des animaux marins.

Ses films, tournés à partir de la *Calypso,* par son équipe de plongeurs en scaphandre autonome motorisé, nous ont fait découvrir un monde mystérieux et fascinant.

Cousteau a été directeur de l'Institut océanographique de Monaco, et il se consacre actuellement à la lutte contre la pollution de la mer.

Ci-dessous: Soucoupe plongeante de Cousteau. Ce mini-submersible à propulsion autonome est muni à l'extérieur de bras préhensiles mécaniques. Il est propulsé par l'eau refoulée des buses d'éjection. Il peut faire descendre deux hommes à une profondeur de 350 m.

Ci-dessous: Précontinent II *sur le récif isolé de Sha'ab Rumi en mer Rouge. La deuxième 'maison sous la mer' de Cousteau était composée d'un ensemble confortable et sec où les 'aquanautes' pouvaient vivre après leurs heures de travail à l'extérieur. En 1963, cinq hommes séjournèrent un mois dans cet engin par 11 mètres de fond. Ils ne furent pas choisis uniquement pour leurs qualités de plongeur ou pour leur condition physique, mais aussi en fonction de leurs aptitudes individuelles, comme mécanicien, comme savant, ou même comme cuisinier. Cousteau tenait à expérimenter un nouveau milieu pour une éventuelle société sous-marine à venir.*

Sir Christopher Cockerell

1910-

*Le premier véhicule à coussin d'air d'utilisation pratique fut construit en 1959 par Sir Christopher Cockerell, ingénieur anglais. Le principe de construction de ce qu'il appela l'*hovercraft *reposait sur un véhicule qui se déplaçait sur un coussin d'air. Le poids étant réparti équitablement, ce moyen de transport pouvait se déplacer sur n'importe quelle surface, et même sur l'eau, sans nécessiter des voies de circulation spéciales.*

Hovercraft est la dénomination populaire d'un véhicule à coussin d'air ou ACV *(air-cushion vehicle),* appelé en France aéroglisseur. Sir John Thornycroft, qui conçut le premier torpilleur pour la marine britannique, fut aussi le premier à envisager un projet de bateau qui se déplacerait sur l'eau, grâce à un coussin d'air.

En 1887, il demanda un brevet pour un bateau à fond creux inversé, dans lequel on refoulait de l'air. Avec ce type de bateau, la coque devait déjauger (caler moins).

Mais la plus grande difficulté surgit lorsqu'il fallut trouver un moyen pour empêcher l'air de s'échapper car, les fuites diminuant, la pression diminuerait, et l'effet de coussin sustentateur ne jouerait plus.

Vers les années cinquante, on réalisa quelques progrès, lorsque plusieurs ingénieurs s'intéressèrent à la question.

L'un d'eux était Christopher Cockerell, qui ne s'était initialement occupé que d'électronique, mais qui s'intéressa ensuite à la technique du coussin d'air.

Il fit ses premières expériences avec un simple sèche-cheveux, une balance de cuisine et quelques boîtes de conserve.

Lorsqu'il mettait deux boîtes de conserve l'une dans l'autre et y insufflait de l'air avec le sèche-

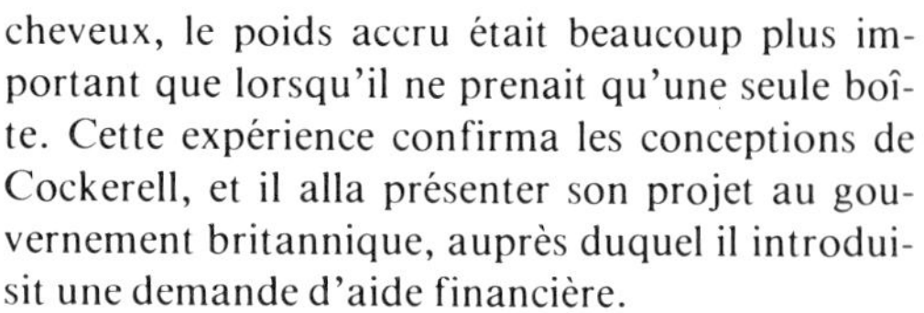

cheveux, le poids accru était beaucoup plus important que lorsqu'il ne prenait qu'une seule boîte. Cette expérience confirma les conceptions de Cockerell, et il alla présenter son projet au gouvernement britannique, auprès duquel il introduisit une demande d'aide financière.

Il ne faisait pas de doute que l'invention de Cockerell aurait de grandes conséquences pour l'accroissement futur d'un nouveau type de véhicule amphibie.

A droite: Première démonstration réussie de Cockerell du principe du courant latéral. Le montage était fait de boîtes de conserve vides, d'un sèche-cheveux électrique et d'une balance de cuisine. En pompant de l'air au moyen du sèche-cheveux dans les deux boîtes de diamètre différent, placées l'une dans l'autre, il obtenait une pression beaucoup plus grande que lorsqu'il n'employait qu'une seule boîte de conserve.

Ci-dessous: Quatre types de coussin d'air. L'air, qui s'échappait habituellement par les parois environnantes, était pompé dans la chambre de pression (A). Dans le premier modèle suivant le principe des radiations latérales (B), l'air était pompé à l'intérieur par des fentes courbées. La pression de l'air dans le coussin d'air restait supérieure à la pression de l'air extérieur. On améliora ce système en fixant une jupe souple (C), ce qui augmentait la hauteur de flottaison. Dans les véhicules à coussin d'air allant sur l'eau, donc les aéroglisseurs (D), l'air s'échappe uniquement par les parties avant et arrière, ce qui accroît la flottabilité et assure une meilleure stabilité, au détriment d'une plus grande résistance.

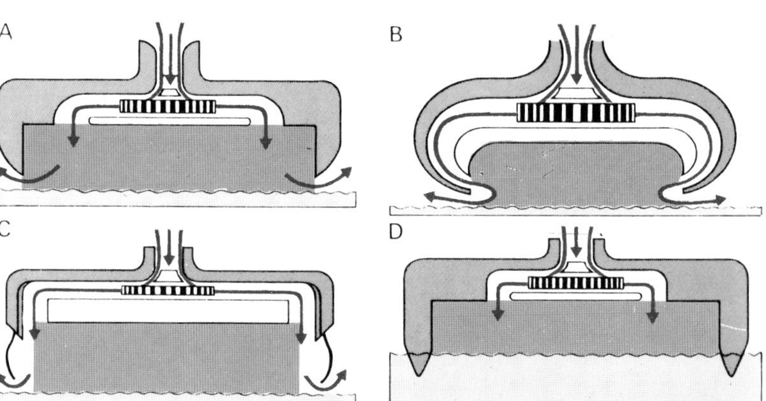

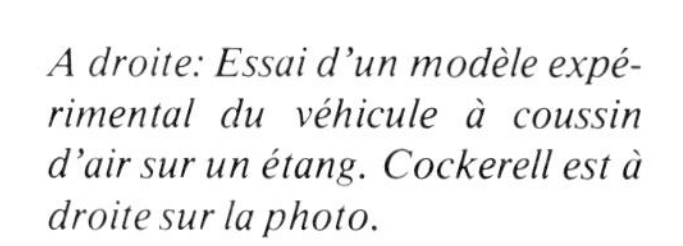

A droite: Essai d'un modèle expérimental du véhicule à coussin d'air sur un étang. Cockerell est à droite sur la photo.

pas encore trouvé de solution; en effet, les possibilités d'application du modèle ayant servi à la démonstration étaient très réduites.
D'après les calculs des experts, pour surmonter un obstacle de deux mètres de hauteur, un tel engin devrait avoir au moins une centaine de mètres de largeur. Ce fut de nouveau Cockerell qui apporta la solution.
Il proposa de construire une jupe déformable au contact des obstacles.

Des essais effectués sur le SR N1 montrèrent qu'une jupe de quatre mètres suffisait pour permettre au véhicule de circuler avec souplesse audessus de vagues de quatre mètres et de franchir sur le continent des obstacles de trois mètres et demi de hauteur.
Depuis, l'aéroglisseur a fait ses preuves sur des sols que des obstacles rendaient inutilisables. Des plaines herbeuses, un sol mou, des surfaces recouvertes de neige et de boue, le sable des déserts ne sont plus un obstacle pour le véhicule à coussin d'air.
De plus, il est amphibie, bien que la pratique ait prouvé que les exigences pour les véhicules servant uniquement sur l'eau sont différentes de cel-

Au début, les plans de l'ACV furent tenus au secret durant deux ans par le gouvernement.
En 1958, Cockerell bénéficia d'une aide financière émanant de la *National Research Development Corporation,* qui conclut un contrat avec l'usine Saunders-Roe.
En juin 1959, on fit une première démonstration de l'hovercraft SR N1, à grands renforts de publicité. L'engin pouvait se déplacer aussi bien sur terre que sur mer, bien qu'il restât environ à 20 cm au-dessus de la surface de la mer. Mais il était indispensable que la route fût libérée de tout obstacle.
La démonstration rencontra un beau succès, malgré différentes difficultés auxquelles on n'avait

Ci-dessus: La première démonstration du coussin d'air; l'hovercraft SR N1 en 1959.

Ci-dessus, à droite: Un petit véhicule à coussin d'air pour deux personnes.

A droite: Princess Anne, *le plus grand hovercraft au monde. Il pèse près de 300 tonnes et peut transporter 416 passagers.*

Ci-dessous: Le principe du coussin d'air peut également être utilisé pour transporter des conteneurs, comme ce réservoir de stockage de 540 tonnes.

les qui sont indispensables pour les moyens de transport sur terre.
Il n'est pas certain que les véhicules à coussin d'air remplaceront dans un avenir proche les moyens de transport sur roues, bien qu'il y ait de nombreux avantages. Mais une chose est certaine: ils joueront un rôle très important dans le transport de voyageurs et de frêt au XXIe siècle. La ligne régulière d'aéroglisseurs entre l'Angleterre et la France dans le pas de Calais est une preuve de l'utilité de l'engin à coussin d'air comme moyen de communication.

Wernher von Braun

1912-1974

Wernher von Braun, ingénieur allemand, naturalisé Américain, est l'homme du programme spatial des Etats-Unis. Il fut un des premiers à s'être occupé de la construction de fusées; il projeta un grand nombre de stations spatiales américaines et conçut une stratégie de vol qui permit l'atterrissage du premier homme sur la lune.

Von Braun possédait de très larges connaissances techniques, ce qui inspira l'enthousiasme des Américains durant le lent développement de la technologie spatiale, goufre financier.
Von Braun, fils d'un baron allemand, reçut son éducation dans la ville de Zurich.
En 1930, il retourna en Allemagne, où il alla étudier à l'Université de Berlin. Dès son arrivée à l'université, il y devint le cofondateur de l'Association allemande pour la Navigation spatiale, une association d'amateurs enthousiastes qui s'intéressaient particulièrement à la technique des fusées. Vers 1932, l'armée allemande commença à s'intéresser aussi aux amateurs constructeurs de fusées et, lorsqu'Hitler prit le pouvoir un an plus tard, l'état-major militaire lui conseilla d'ériger un centre de recherches pour les fusées. Hitler donna l'ordre de construire un tel centre près de Peenemünde, sur la mer Baltique. Von Braun fut un des premiers experts engagés par l'armée.
A partir de ce moment et durant toute la guerre, il se consacra à la construction d'un puissant moteur de fusée.
Sa plus grande contribution dans ce domaine donna naissance au premier projectile guidé, le V-2. Cette nouvelle arme destructrice pouvait transporter environ 800 kg d'explosifs jusqu'à un but situé à plus de 300 km. En raison de la grande vitesse atteinte par le V-2 - environ 1,5 km par seconde - l'ennemi serait totalement surpris par l'approche du projectile. Heureusement, la guerre prit fin et Hitler ne put continuer ses bombardements.
A la chute de l'Allemagne, von Braun quitta Peenemünde pour se rendre aux troupes américaines qui approchaient.
Malgré ses activités précédentes et le fait qu'il avait été membre du parti nazi, les Etats-Unis lui réservèrent un accueil cordial.
Il devint très rapidement un membre important de l'équipe qui se consacrait, aux Etats-Unis, à la recherche dans le domaine des projectiles téléguidés.
Durant les années cinquante, von Braun joua un rôle important dans les progrès de la science des fusées.
Il établit d'abord ses projets sur le V-2. Mais ses plans plus récents pour les fusées présentaient davantage de possibilités que les plans précédents, relativement modestes.
Vers 1958, von Braun termina la fusée à quatre étages, connue sous le nom de *Jupiter* et qui fut utilisée pour envoyer le premier satellite américain dans l'espace.
Bien que von Braun se fût uniquement occupé de

Ci-dessus: Un V-2, destiné à bombarder Londres, est lancé à Peenemünde.

A gauche: Wernher von Braun (à l'avant-plan). Assis - à sa gauche -, Hermann Oberth, qui fit revivre en Allemagne l'intérêt scientifique pour le vol spatial par son ouvrage Die Rakete zu den Planetenraümen *(La fusée dans l'espace interplanétaire), en 1923. Oberth prétendait que les connaissances techniques de l'époque étaient suffisantes pour construire des fusées capables de sortir de l'atmosphère terrestre. Il prédit les vols interplanétaires et habités.*

fusées à but militaire dans le passé, il s'intéressa en fait beaucoup plus aux possibilités du vol spatial habité. Il était convaincu que les hommes atteindraient un jour les planètes.
Peu après le succès de *Jupiter,* il eut la possibilité de matérialiser ses rêves en créant le premier institut civil américain pour la navigation spatiale, la NASA *(National Aeronautics and Space Administration).* Cette agence fut chargée de rechercher les possibilités de vols spatiaux habités.

Wernher von Braun fut un des premiers à s'y intéresser.
Durant les années qui suivirent, il assura la réalisation de trois programmes importants de vols spatiaux habités: *Mercury, Gemini* et l'atterrissage d'*Apollo* destiné à se poser sur la lune.
Les plans d'atterrissage de von Braun étaient très audacieux. Ils nécessitaient un vaisseau spatial très perfectionné dans sa construction composée de trois unités: une pour le carburant, une pour le pilotage et une contenant le véhicule d'atterrissage. Le vaisseau spatial devait être mis sur orbite autour de la Lune, où le véhicule d'atterrissage serait libéré des deux autres éléments. Piloté par deux des trois membres constituant l'équipage d'Apollo, le véhicule d'atterrissage, le LEM *(Lunar Excursion Module),* se poserait sur la surface de la Lune.
Pour le retour des astronautes, il fallait échapper à l'attraction lunaire et venir s'amarrer à la cabine *Apollo.* Ensuite, le véhicule d'atterrissage pouvait être largué, tandis que les cabines de service et de pilotage abandonneraient l'orbite lunaire pour rejoindre la Terre. Avant de pénétrer dans l'atmosphère terrestre, les membres d'équipage libéreraient le module de service et retourneraient dans la cabine de pilotage en forme de cône, qui descendrait à un endroit précis, prévu dans l'océan Pacifique.

Ci-dessus: Le lancement nocturne de la fusée Juno I, *qui mit sur orbite terrestre le premier satellite artificiel des Etats-Unis,* Explorer I. *La* Juno *était un projectile modifié* Redstone - *la version américaine du V-2 allemand.*

Le nouveau projet représentait un succès éclatant. Mais il nécessitait une fusée qui mettrait les 40 tonnes du vaisseau spatial sur orbite terrestre. Von Braun donna la réponse sous la forme de la gigantesque fusée *Saturne V* qui, avec ses trois étages, avait une hauteur de plus de 90 mètres et pesait environ 3 000 tonnes.
Lors du lancement, les moteurs brûlèrent plus de dix tonnes de carburant par seconde.
Alors que l'exploit *Apollo* avait la vedette des informations dans le monde, von Braun s'occupait déjà de nouveaux plans pour les premiers vols sur Mars.
Mais, malgré son enthousiasme et ses projets retentissants, la NASA dut abandonner ses projets de vols interplanétaires.
Les Américains commençaient à se soucier du coût du programme des vols spatiaux. La NASA fut frappée par les compressions budgétaires et les plans furent abandonnés.
Von Braun savait qu'il devrait abandonner le programme interplanétaire à la génération suivante. Amèrement déçu, il donna sa démission à la NASA et consacra ses dernières années à une entreprise privée.

A droite: La gigantesque fusée Saturne V *en construction dans le hall de montage spécialement édifié à cet effet. Cette fusée était en mesure de mettre sur orbite terrestre une charge utile de 120 tonnes ou de 45 tonnes sur orbite lunaire.*

Jonas Salk

1914-

Si la poliomyélite est actuellement presque entièrement jugulée, c'est grâce aux recherches du savant américain Jonas Salk. Il découvrit un vaccin qui fut administré en 1954 de façon massive.

Jonas Salk, fils d'un tailleur, est né à New York. Il étudia la médecine à l'*University School of Medecine* de New York, où il décrocha son diplôme en 1939. Dès le début de sa carrière, Salk montra un vif intérêt pour les virus, petits organismes microscopiques pathogènes seulement visibles sous un microscope électronique.
En 1942, il se rendit à l'Université du Michigan, muni d'une bourse pour travaux de recherches. Il y poursuivit ses études sur le virus pathogène de la grippe.
En 1947, Salk alla s'installer en Pennsylvanie, où il fut nommé professeur de bactériologie à la faculté de médecine de l'Université de Pittsburgh. Il fut également chargé de la direction du laboratoire de recherches des virus.
Dès cet instant, son attention fut attirée par la poliomyélite, (ou paralysie dite, à tort, infantile).

A droite: Bas-relief égyptien représentant un prêtre dont la jambe est paralysée par la poliomyélite, l'ancienne paralysie infantile (polio).

Ci-dessous: Salk observe les résultats d'un nouveau test couleurs sur la polio, étudié dans le laboratoire de l'Université de Pittsburgh. Le test décelle la présence du virus et la quantité d'anticorps dans le sang humain.

A l'époque, on ne connaissait encore aucune prévention contre cette maladie, qui était répandue dans le monde entier.
Au début des années cinquante, des épidémies de poliomyélite se déclarèrent aussi bien aux Etats-Unis qu'en Europe. Le virus propageant la maladie pénètre dans le corps par le pharynx et s'attaque à la matière grise de la moelle épinière. La plupart du temps, le patient se rétablit, mais, en cas d'atteinte grave, il y a paralysie chronique des jambes et des bras, ou encore troubles de la respiration.
Aussi étrange que cela puisse paraître, la situation hygiénique, améliorée de nos jours, diminue certes les risques d'infection, mais augmente les possibilités d'épidémie.
Dans les régions en voie de développement, les enfants qui entrent en contact avec la maladie fabriquent des anticorps.
Dans les régions où les conditions d'hygiène sont meilleures, l'immunisation naturelle est assez rare, et, lorsque la maladie y fait son apparition, l'épidémie peut très facilement se déclarer. Le ris-

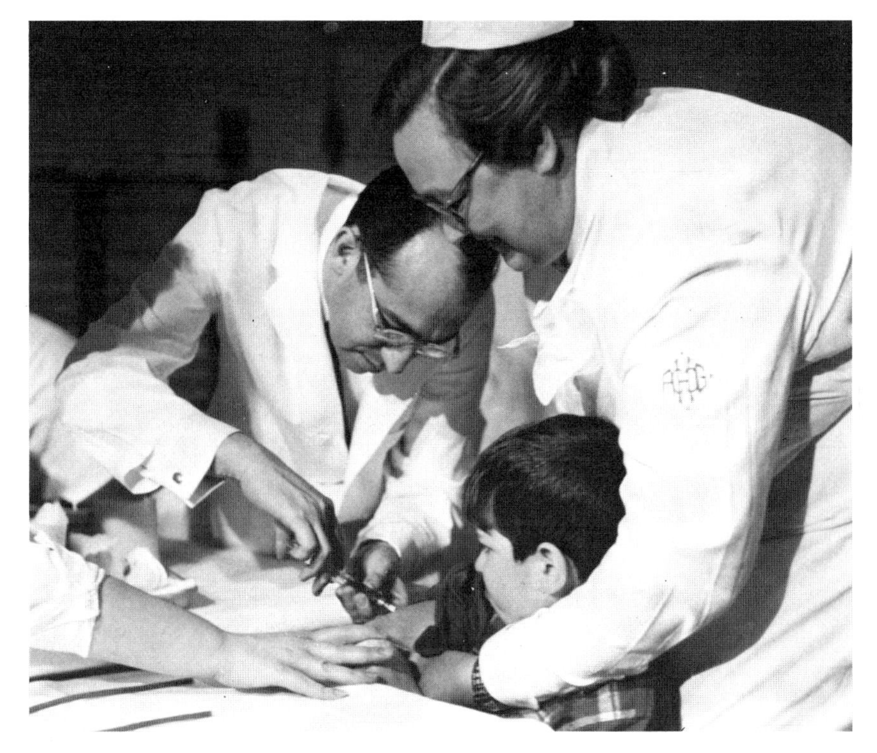

En dehors du vaccin Salk, administré sous forme d'injections, on utilise largement un autre remède, administré par voie buccale.
Ce vaccin fut mis au point en 1961 par le virologue américain d'origine russe Albert Sabin. On utilise dans ce cas un virus vivant affaibli. Celui-ci est élevé dans un environnement artificiel jusqu'à ce qu'il ait perdu sa nocivité, mais pas son pouvoir d'immunisation.
Grâce à la vaccination préventive, la maladie est pratiquement jugulée actuellement. Salk, toujours à la tête de l'institut Salk en Californie, se consacre maintenant à la recherche sur le cancer.

que d'une attaque grave occasionnant des paralysies chroniques est plus grand chez les enfants plus âgés que chez les petits.
Salk décida de travailler à l'étude d'un vaccin contre la poliomyélite en utilisant un virus mort. La difficulté était de pouvoir conserver la faculté de produire des phénomènes d'immunisation.
En 1953, Salk fit savoir qu'il avait mis au point un vaccin. Il était constitué de trois types de virus de polio connus à l'époque, qui avaient été détruits dans une solution de formaldéhyde. Le vaccin contenait également une petite quantité de pénicilline. L'épouse de Salk, ses trois enfants et lui-même se firent vacciner les premiers. L'année suivante, eut lieu une vaccination massive, avec l'aide du Fonds national pour la poliomyélite.

Ci-dessus: Salk fait une injection au cours de la vaccination massive de 1954.

A droite: Une photo, prise au microscope électronique, du virus de la polio type II.

Ci-dessous, à gauche: Salk fait une appréciation chromatographique des doses de sérum reçues.

Ci-dessous, à droite: La polio occasionne souvent la paralysie des voies respiratoires. La victime doit alors être maintenue en vie dans un poumon d'acier.

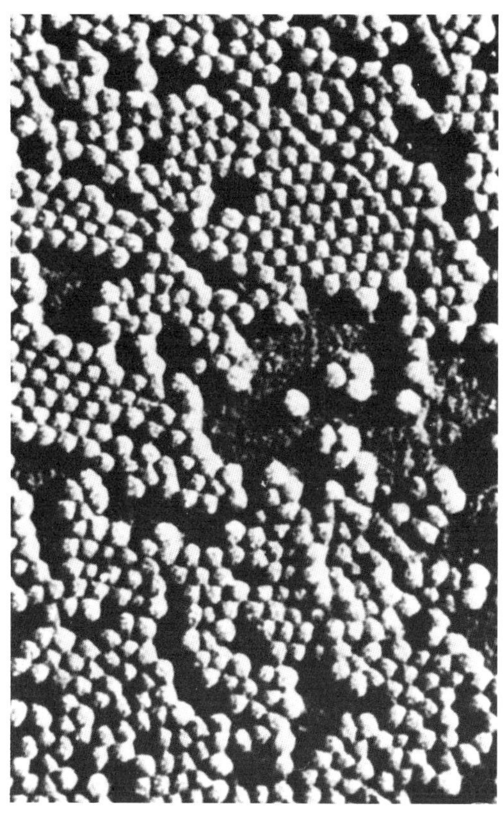

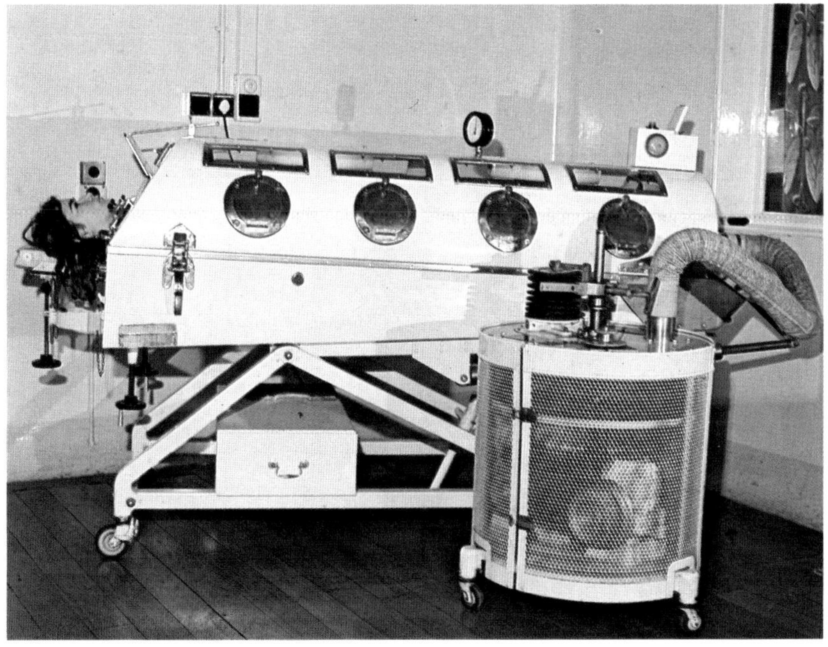

Charles Hard Townes
1915-

Townes naquit à Greenville, ville universitaire dans l'Etat américain de la Caroline du Sud. Dès sa jeunesse, ayant décidé de devenir physicien, il se rendit à l'Université de sa ville natale où il termina ses études en 1935. Au cours des quatre années suivantes, il se consacra à la recherche scientifique, ce qui lui permit d'obtenir son doctorat.

Au cours de la Seconde Guerre mondiale, Townes travailla au laboratoire de la Société des Téléphones Bell, où il s'occupa du développement d'un nouveau type de radar à usage militaire. A cette occasion, il acquit de nouvelles connaissances sur la technique des micro-ondes.

Les micro-ondes sont des ondes électromagnétiques de 0,1 mm à 1 cm de long. Elles ressemblent beaucoup aux ondes lumineuses, mais elles sont beaucoup plus longues. Par certains aspects, elles concordent même avec les ondes radio et les infrarouges. Elles étaient particulièrement utiles pour les systèmes de radar et de communication. Mais il était difficile de les produire artificiellement, et de nombreux physiciens s'étaient déjà penchés sur la question. Townes quitta la société Bell pour la faculté des sciences de l'Université de Columbia, où il se joignit à un groupe de chercheurs étudiant un nouveau type de générateur à micro-ondes. Il découvrira une façon de renforcer puissamment les radiations électromagnétiques. En produisant une espèce de chute d'énergie dans les molécules de certains corps, il mit au point le premier 'maser' *(microwave amplification by stimulated emission of radiation):* il s'agit d'un appareil qui émettait des faisceaux de micro-ondes intenses et non déviantes, sorte de rayons calorifiques. Ensuite, il étendit les possibilités d'amplification de la lumière visible et ouvrit ainsi la voie au 'laser' *(light amplification by stimulated emission of radiation).*

Alors que ses contemporains avaient tenté de s'intéresser à un nouveau type de circuit électronique, Townes put conclure, en 1951, que certains corps pourraient être convertis en générateurs à micro-ondes. Il savait que des rayons apparaissaient lorsque les molécules, soumises à une tension plus élevée, retrouvaient leur état initial.

Ci-dessus: Une expérience de communication à l'aide de micro-ondes par dessus la Manche en 1931. Cette photo de l'époque montre la station française à Calais. La haute fréquence des micro-ondes permet d'obtenir une large bande de modulations. Cette expérience signifie que plusieurs milliers de canaux téléphoniques peuvent être portés sur une seule micro-onde. La télévision en noir et blanc et la télévision en couleurs peuvent utiliser la même onde porteuse. Un autre avantage de l'utilisation de micro-ondes dans les systèmes de communication s'explique par le fait que leur longueur d'onde est tellement petite que les réflecteurs, qui doivent relier et diriger le signal, peuvent rester relativement petits. La nécessité d'un générateur à micro-ondes qui peut amplifier les signaux sans déformation, fut le point de départ de l'invention du maser.

S'il était possible de stocker les rayons de l'une ou l'autre manière, ils pourraient servir pour attirer d'autres molécules capables d'émettre des ondes de radiation de la même longueur. En conséquence, on assisterait à la formation d'une série d'ondes concordantes et successives qui constituent un faisceau de rayons très amplifié. En 1953, Townes termina le prototype de son générateur à micro-ondes. Il était constitué d'une cage cylindrique avec des barreaux métalliques. Un courant de molécules d'ammoniac chauffées traversait la cage pour se déplacer plus rapidement. Les barreaux métalliques avaient une charge électrique, et certains même une charge opposée. Il s'ensuivait la formation d'un champ électrique qui séparait des autres les molécules sous tension. Les dernières molécules se regroupaient dans un résonateur métallique.

Celui-ci amenait les molécules à émettre des rayons d'égale fréquence, ainsi que les molécules qui y entraient, à faire de même.

Le générateur de Townes procurait une micro-onde très renforcée. Le maser fut un succès immédiat. Par la suite, il fut utilisé pour la communication à longue distance, au cours de laquelle le faisceau de rayons, puissant et non déviant, pouvait être orienté sur le récepteur. Il joua également un rôle prépondérant dans le renforcement de signaux radio extrêmement faibles et servait plus particulièrement de détecteur ultra-sensible pour la recherche spatiale.

En 1957, Townes envisagea une autre possibilité. Si cette technique permettait d'amplifier des micro-ondes, elle pouvait également être utilisée pour la lumière visible. En suivant les indications de Townes, le physicien américain Theodore Maiman réussit, trois ans plus tard, à construire le premier maser optique, qui porta dorénavant le nom de laser.

Maiman se servit d'un rubis synthétique, enveloppé dans une lampe-éclair, sorte de tube en verre en forme de spirale. En allumant la lampe-éclair, Maiman amenait les molécules du cristal de rubis à émettre de la lumière, réfléchie dans le cristal au moyen de miroirs et renforcée en un rayon lumineux rouge très étroit.

Le faisceau lumineux n'était pas seulement le plus puissant obtenu artificiellement, mais de plus, ses rayons étaient parfaitement parallèles. Même à de grandes distances, le rayon laser ne déviait que d'une petite fraction.

Il était donc possible - tout comme avec le maser d'ailleurs - de diriger avec précision un rayon laser sur une distance de plusieurs milliers de kilomètres.

Depuis la construction par Maiman de son prototype, les lasers sont devenus des instruments très diversifiés et d'usage presque quotidien. Les recherches scientifiques sur le laser ont fourni aux experts de nouveaux éléments sur la nature de la lumière. Dans l'industrie, les lasers jouent un rôle très important dans le domaine des communications, des soudures de précision, du perçage de matériaux résistant à la chaleur et de mesurages extrêmement précis. En médecine, les lasers entraîneront une révolution dans le traitement du cancer. Ils sont déjà utilisés pour certaines opérations des yeux.

En 1964, Townes reçut le Prix Nobel de physique pour son importante contribution aux progrès de la science.

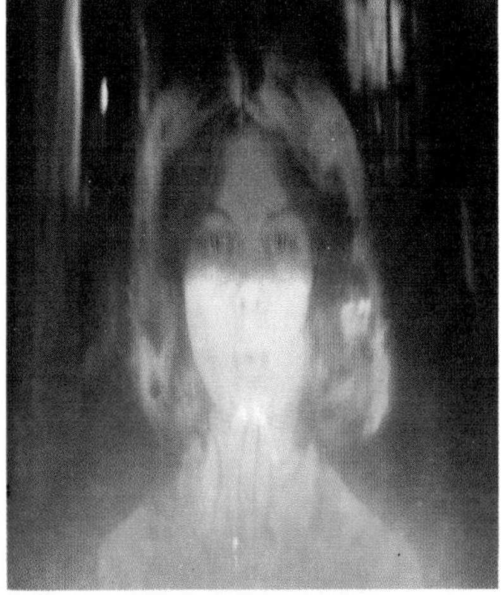

Ci-dessus: L'holographie, reproduction tridimensionnelle d'un objet, à partir d'un rayon laser. Une moitié de rayon (faisceau de référence) est dirigée directement par un miroir plan sur une plaque photographique. L'autre moitié (faisceau de signaux) est réfléchie par l'objet éclairé sur la même plaque (faisceau dispersé). Le résultat est un modèle d'interférence, appelé hologramme. Pour reconstituer l'image, l'hologramme est éclairé par un faisceau de laser, à partir de la même direction que le faisceau de référence initial. On peut alors voir une image de l'objet sur l'autre côté de la plaque. Cette image est entièrement tridimensionnelle - lorsque le spectateur tourne la tête d'un côté à l'autre, il peut voir les parties latérales et l'arrière de l'objet.

A droite: Un rayon laser remplace le scalpel du chirurgien lors de l'opération d'une tumeur cancéreuse. Le rayon laser permet d'appliquer une méthode beaucoup plus précise pour détruire les cellules malades et il est d'ailleurs déjà utilisé pour de nombreuses opérations délicates. Des rétines décollées peuvent être "soudées" grâce à l'énergie puissante du rayon laser.

A gauche: En 1962 (dans la zone éclairée, en bas, à droite), un rayon laser fut dirigé sur la Lune. Son faisceau n'éclairait qu'une partie de la surface lunaire et sur 3 km de diamètre seulement, mais la lumière réfléchie était suffisamment claire pour être observée de la Terre.

Francis Crick
1916-

James Watson
1928-

La découverte la plus importante du XXe siècle en biologie fut celle de la structure de l'acide désoxyribonucléique, en abrégé l'ADN. Francis Crick, biochimiste anglais, et James Watson, médecin et biologiste américain, trouvèrent la réponse à la question qui préoccupait de nombreux savants depuis longtemps.

Leur modèle ainsi appelé de la 'double hélice' montrait clairement comment une cellule se dédouble pour former deux éléments parfaitement identiques et comment les propriétés héréditaires - l'information génétique - étaient stockées. L'ADN se rencontre dans le noyau de chaque cellule.

Bien avant la découverte de Crick et Watson, on savait déjà que l'ADN jouait un rôle important dans l'hérédité. On admettait généralement qu'il constituait la base des gènes, porteurs des propriétés héréditaires.

Mais on savait très peu de choses de sa structure, sinon qu'il était composé de substances differenciées en purines: adénine et guanine, et en pyrimidines, thymine, cytosine et uranil, d'un sucre simple, le désoxyribose et de quelques phosphates. D'une manière ou d'une autre, ces composants chimiques formaient une molécule anormalement grande, une macromolécule.

James Watson s'intéressa pour la première fois à l'ADN lorsqu'il rencontra le biophysicien anglais Maurice Wilkins. Celui-ci lui montra une vue en diffraction de la molécule dont on pouvait déduire que l'ADN était en forme de spirale. En 1951, Watson rejoignit le laboratoire Cavendish à l'Université de Cambridge, où il s'occupa de la structure tridimensionnelle des protéines. Il y rencontra Francis Crick à qui il communiqua son enthousiasme pour les secrets de l'ADN.

Au moment où Watson et Crick décidèrent de collaborer pour les recherches ultérieures, Linus Pauling fit une communication selon laquelle l'ADN aurait une forme de spirale simple. Watson et Crick étaient, au contraire convaincus qu'il avait une double spirale. Ils tentèrent d'adapter des modèles à l'échelle des structures des différentes parties composantes, ce qui ne réussit guère.

En cherchant une solution, une indication importante leur apparut: dans chaque ADN, les quantités d'adénine et de thymine, ainsi que les quantités de cytosine et de guanine étaient toujours égales.

A droite: Le modèle historique de diffraction des rayons X d'une molécule d'acide désoxyribonucléique (ADN) construit en 1952. Cette image, représentant également la croix noire des réflexions, faisait nettement apparaître la structure en spirale et confirmait la découverte de la structure en double hélice de l'ADN.

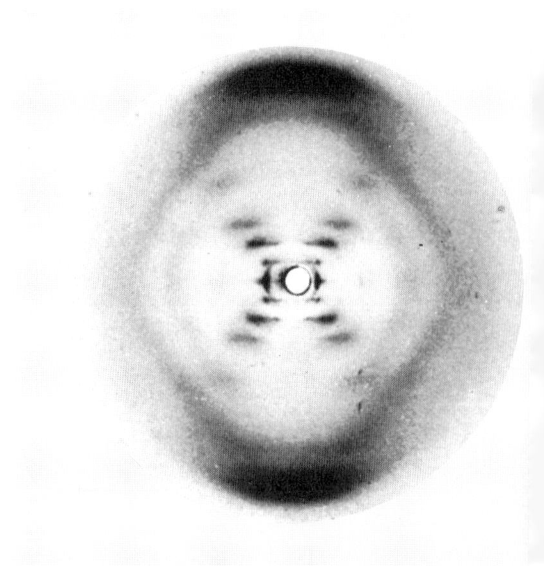

Ci-dessous: James Watson (à gauche) et Francis Crick (à droite) près de leur modèle de la molécule ADN au laboratoire Cavendish à l'Université de Cambridge en Angleterre.

Les recherches effectuées par Wilkins avaient également fait ressortir que la composante de phosphate et de sucre se trouvait toujours à l'extérieur de la molécule.

Au début de l'année 1953, toutes les pièces du puzzle s'assemblèrent brusquement. Watson découvrit que la structure de la liaison adénine-thymine était identique à celle de la liaison cytosine-guanine. Si l'adénine formait toujours une liaison avec la thymine dans la nature, et la guanine avec la cytosine, ce phénomène expliquerait pourquoi il y a formation de quantités identiques pour chaque moitié d'une paire. Les paires formées identiquement pouvaient s'emboîter sans se toucher dans la spirale. Cela signifierait également que les parties en forme de spirale étaient complémentaires, et que l'une pouvait servir de modèle pour la liaison de l'autre.

Crick et Watson réussirent ainsi à construire leur modèle, devenu célèbre depuis, en concordance avec les données cristallographiques et les lois stéréo-chimiques.

La base était constituée par les 'montants d'une échelle' de sucre et de phosphates en unités cycli-

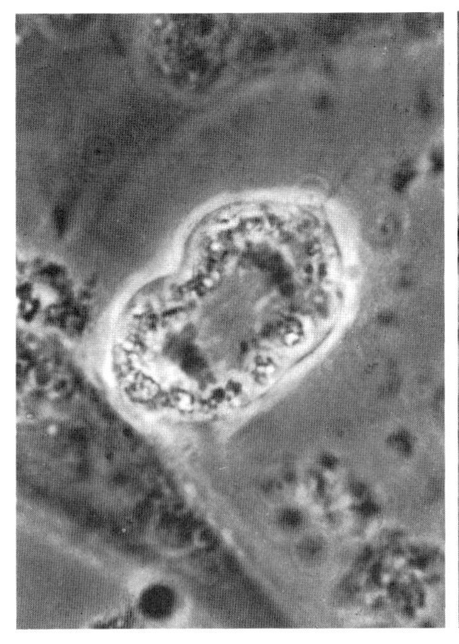

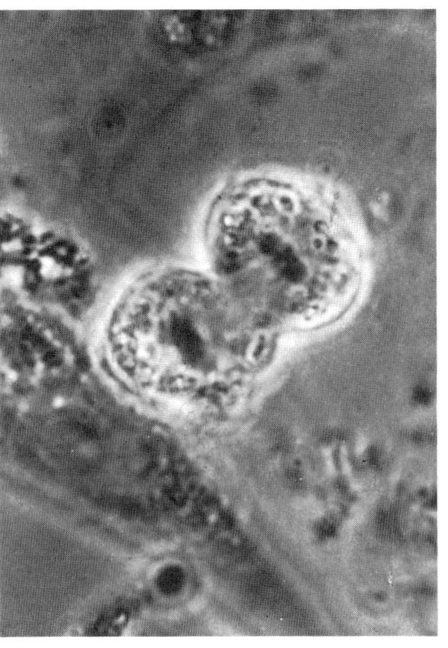

ques (revenant à chaque fois). Les paires plates de bases se trouvaient au milieu, tels les échelons de l'échelle.

La découverte de la structure de l'ADN fut considérée par beaucoup comme la plus importante du XXe siècle. La double spirale permettait non seulement d'expliquer comment une molécule se divisait, mais aussi la façon dont les informations génétiques étaient stockées. Chaque unité de trois bases sur une ligne formait le code d'un acide aminé, composante de base des protéines. Une telle série d'unités placées l'une derrière l'autre formait une chaîne d'acides aminés qui, réunis dans un ordre déterminé, formaient une protéine bien précise. Une telle série d'unités de base s'appelle le gène.

Crick et Watson reçurent en 1962 le Prix Nobel de médecine pour leurs travaux. Ils en partagèrent le montant avec Maurice Wilkins qui, grâce à ses découvertes en cristallographie, leur permit d'atteindre leur but.

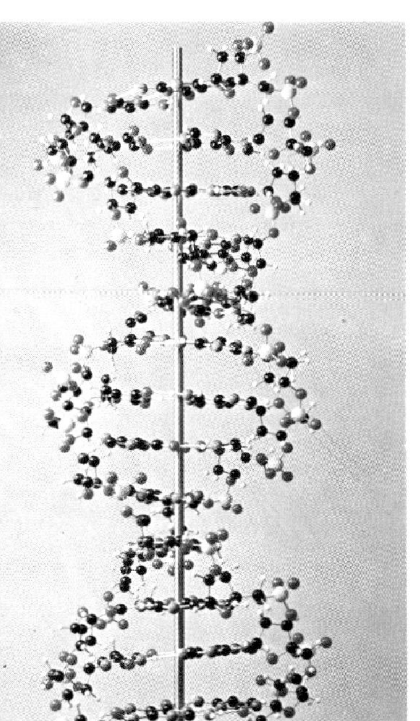

Ci-dessus: La division de la cellule cancérigène. Les chromosomes, qui ont déjà doublé, sont représentés par les masses plus foncées aux deux pôles de la cellule.

A l'extrême gauche: Lors de la division cellulaire, les chromosomes se scindent en longueur en deux chromosomes, qui vont former à leur tour un nouveau chromosome. Les bases ne pouvant se relier que d'une seule manière (jaune), l'ordre successif des différentes bases est préétabli. Il y a donc formation de deux chromosomes, qui sont tous deux parfaitement identiques au chromosome original.

A gauche, ci-contre: Chaque acide aminé est déterminé par un groupe de trois bases de la molécule ADN. En procédant à un calcul à partir d'une extrémité, on obtient un ordre chronologique bien précis d'acides aminés, et cet ordre détermine quel type de protéine est formé. Un tel groupe de trois bases, le code de la protéine, s'appelle le gène.

A droite: Les nucléotides (en haut, à gauche) à partir desquels sont construits les chromosomes, sont constitués d'un sucre (désoxyribose), d'un phosphate et d'une base organique. Le groupe sucre-phosphate reste toujours le même, mais il existe quatre bases possibles. Beaucoup de nucléotides forment ensemble une polynucléotide en forme de fil (à gauche, en bas). Deux de ces fils s'enchevêtrent et forment ensuite la molécule ADN. Les bases des deux fils sont reliées par des ponts d'hydrogène (en pointillé). La guanine se lie toujours à la cytosine et l'adénine à la thymine.

A gauche: Un modèle de l'ADN. Les boules colorées représentent différents atomes.

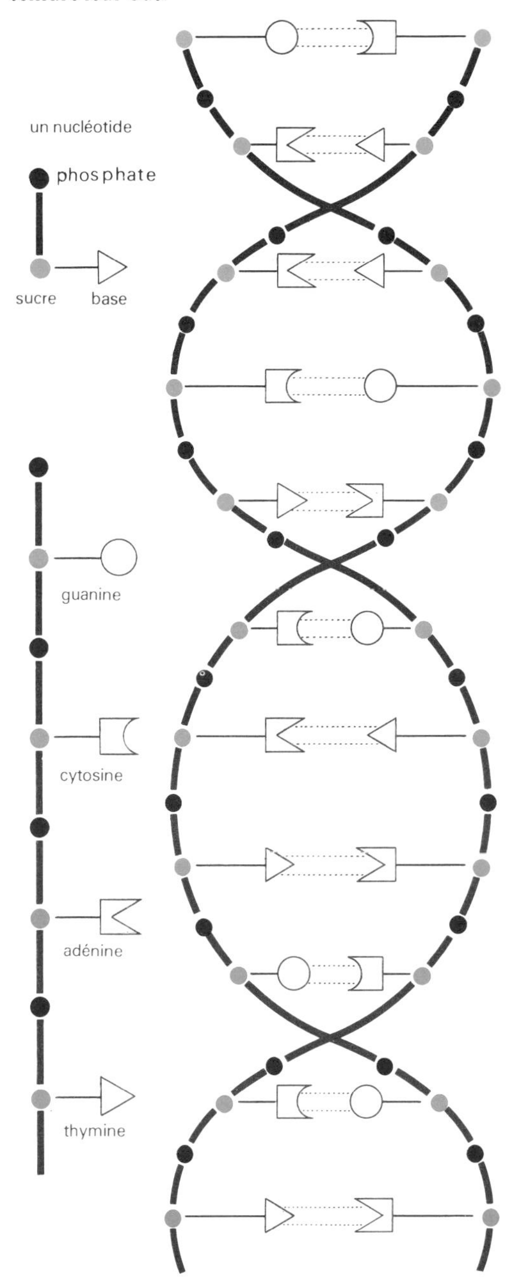

Christian Barnard

1922-

Décembre 1967: la première transplantation cardiaque réussie chez l'homme est devenue réalité, même quand le patient ne survit que dix-huit jours. Avec cette intervention compliquée, le médecin sud-africain Christian Barnard ouvrit la voie à une série d'autres opérations plus réussies et entreprises par lui-même et par d'autres. Il étendit également les connaissances médicales et permit une meilleure compréhension du phénomène de rejet dans le corps humain.

Deux grandes difficultés surgissent lors des transplantations. La première est de nature purement chirurgicale. Le chirurgien doit avoir une grande dextérité pour relier les vaisseaux sanguins de la greffe à ceux du patient. Cette opération, appelée anastomose, doit être exécutée rapidement, sans quoi l'organe à greffer meurt. La seconde difficulté, le rejet, est plus compliquée et plus sérieuse. Le mécanisme de rejet dans le corps humain est fondé sur le principe du refus de tout organisme étranger, tels que virus et bactéries. Ces organismes étrangers contiennent des protéines propres, qui constituent les antigènes.

Un transplant de tissu ou d'organe contient de nombreux antigènes. Ces facteurs individuels héréditaires sont d'une importance primordiale pour la continuation du fonctionnement du transplant. Plus proche est la parenté entre le donneur et le receveur, plus grandes sont les chances de fixation du transplant et son non-rejet. Les premières greffes de la peau furent une réussite, puisque les tissus à transplanter provenaient du patient même. Chez les vrais jumeaux, ayant des antigènes identiques, la question du rejet ne se pose pas. De même pour les jumeaux dont le sang s'est mélangé dans la matrice. Le chimérisme est la situation dans laquelle des tissus étrangers au corps et des tissus propres au corps continuent à coexister dans l'organisme.

Le rejet du transplant dépend également du type de tissu transplanté. Les greffes de la cornée réussissent toujours, car la cornée n'est pas alimentée en sang. Les globules blancs ou leucocytes fabriquent des anticorps contre les gènes étrangers et sont par conséquent responsables du rejet. Dans le cas de la transplantation de la cornée, le rejet n'est pas probable étant donné que les globules blancs ne rentrent pas en contact avec la cornée. Mais, lors d'une transfusion sanguine, qui est une sorte de greffe, les antigènes se trouvent dans les globules rouges du sang et les globules rouges étant moins nombreux, il est plus facile de trouver des donneurs ayant un sang du même groupe.

Mais il est plus difficile de trouver les donneurs qui conviennent pour les organes compliqués, tels que les reins, le foie et le coeur. A l'exception des vrais jumeaux et en cas de chimérisme, il n'existe pas de donneurs ni de receveurs ayant les mêmes antigènes. Les chirurgiens étudient plus particulièrement les groupes d'antigènes provoquant les réactions les plus vives et cherchent une correspondance dans ce domaine. Les patients qui reçoivent un nouvel organe sont soignés à la stéroïde et aux rayons radioactifs pour éviter le processus de rejet.

Le premier organe transplanté avec succès fut un rein. Au début des années soixante, il y eut des transplantations de foie, de poumons et de pancréas.

En décembre 1967, eut lieu la première transplantation cardiaque réussie. L'opération, qui dura cinq heures, fut faite par Christian Barnard. Il était à la tête du service de chirurgie cardiaque de l'hôpital *Grote Schuur* du Cap, en Afrique du Sud. Christian Barnard, chirurgien de renom, avait été formé aux Universités du Cap et de Min-

Ci-dessous: La greffe d'un rein vivant. L'image de droite montre le rein peu avant qu'il ne soit implanté chez l'homme. Des bandes de gaze sont utilisées afin d'éviter au maximum tout autre contact avec l'organe. Dès que le rein est prélevé sur le donneur ou sur une personne récemment décédée, il est immédiatement rincé avec un liquide stérile, de l'isoton mélangé à du sang (de même concentration que le sang) A gauche: Cette image montre l'aiguille pour rincer, piquée dans l'artère de la greffe. Les parties rincées du rein sont devenues plus claires. Le rinçage sert aussi à éliminer l'air de l'organe et à en augmenter la durée de vie. Le retour à la coloration normale après l'opération prouve instantanément que le système vasculaire du rein fonctionne encore.

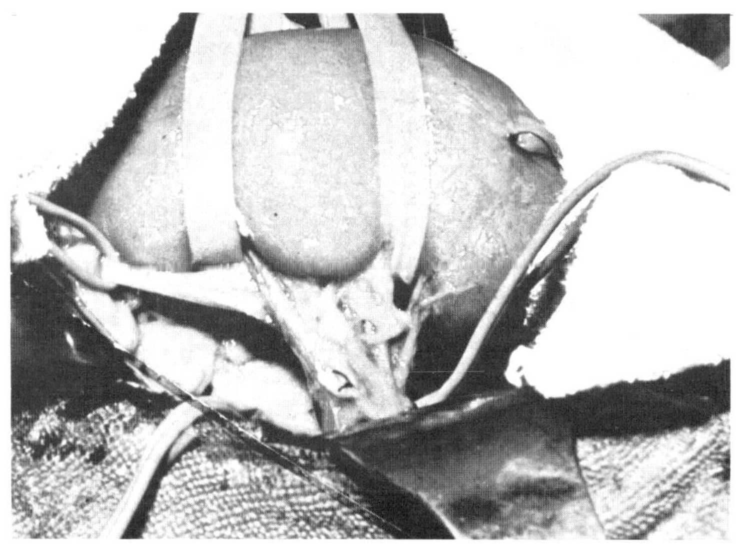

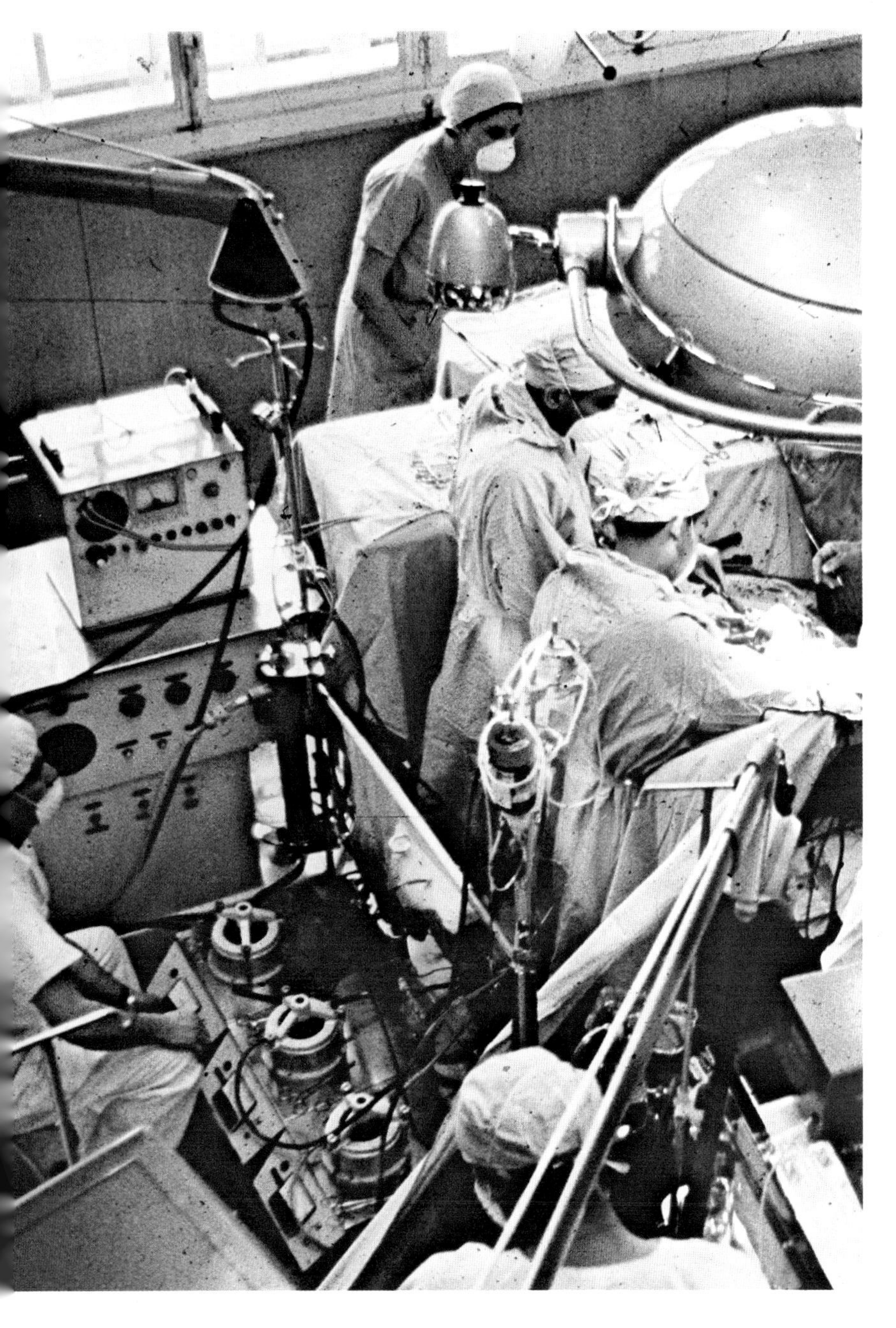

neapolis. A la tête du service cardiologique et de pneumologie de l'hôpital *Grote Schuur,* il avait déjà réalisé beaucoup d'innovations dans le domaine de la chirurgie. Il fut également le premier à pratiquer l'opération à coeur ouvert en Afrique du Sud. De plus, il était aussi le créateur d'un nouveau type de valvule artificielle.

De nombreuses années de recherches et d'expériences sur les transplantations cardiaques chez les chiens avaient précédé le grand succès de Barnard. Son patient était un homme souffrant d'une lésion incurable au coeur, un épicier sud-africain, Louis Washkansky. Le donneur était une jeune femme de vingt-quatre ans, mortellement blessée dans un accident de voiture. Le donneur et le receveur avaient le même groupe sanguin et les chances de compatibilité de leurs tissus étaient très grandes, d'après les estimations.

Avant l'opération, le coeur fut conservé durant trois heures dans un sang refroidi, riche en oxygène.

Le coeur étant deux fois plus petit que celui de Washkansky, des difficultés surgirent lorsqu'il fallut opérer la transfusion. Le patient fut maintenu en vie dans une machine cardio-pulmonaire (le poumon d'acier).

Lorsque Barnard plaça des électrodes sur le coeur fraîchement transplanté, et qui commençait à battre, il comprit que l'opération était une réussite du point de vue chirurgical.

Mais, dix-huit jours plus tard, Washkansky mourut des conséquences entraînées par les médicaments et les rayons radioactifs qu'il avait reçus pour empêcher le rejet du coeur transplanté. Il fut atteint d'une double pneumonie, maladie qui apparaissait souvent après une opération, mais contre laquelle son organisme n'était pas en mesure de se défendre.

Depuis, de nombreuses autres greffes ont été effectuées par Barnard et d'autres chirurgiens de renom aux Etats-Unis, en Europe et au Japon.

Bien que les chances de survie soient encore minces, il y a des patients qui ont vécu des années avec un coeur greffé, par exemple un Marseillais opéré en France, il y a plus de dix ans, et qui vit toujours.

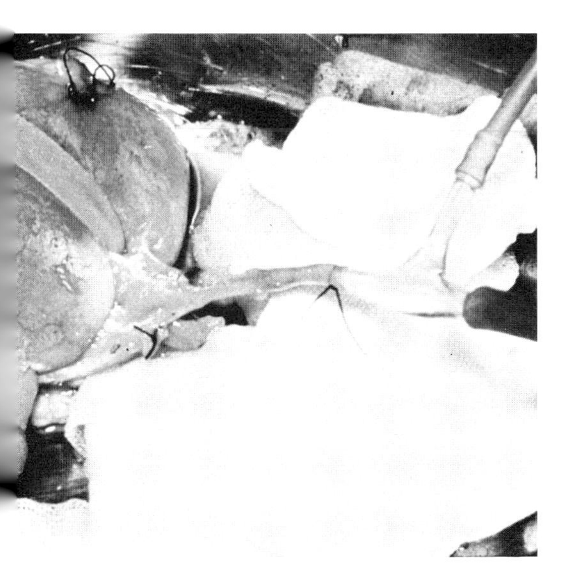

Ci-dessus: Chirurgie à coeur ouvert. Tandis que les chirurgiens (en haut, à droite) travaillent dans le coeur ouvert du patient, la machine cardio-pulmonaire (en bas, à gauche) relaye le travail du coeur et approvisionne ainsi le sang en oxygène. Avant l'existence de la machine cardio-pulmonaire, les chirurgiens ne pouvaient garder un coeur ouvert plus de dix minutes. Même dans ce cas, le corps du patient devait être refroidi pour réduire son métabolisme, (c'est-à-dire réduire le travail de toutes les fonctions organiques). Barnard réalisa, en Afrique du Sud, un travail de pionnier en chirurgie à coeur ouvert.

A droite: Barnard en train d'opérer.

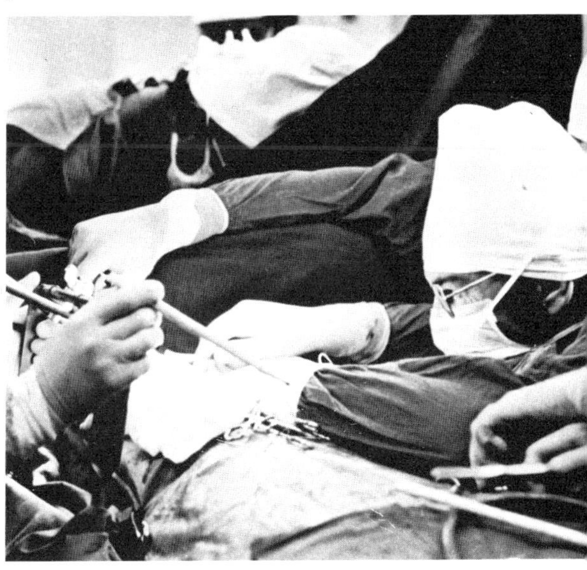

Contenu

INDEX

G

I

J

L

P

R

S

T

U

Origine des illustrations

2-3	Museum of the History of Science, Oxford
6(g)	Ovieto Cathedral/Scala
6(d)	Photo Dimitrios Harissiadis
7(h)	Universitätsbibliothek Heidelberg/ Photo Lossen
7(bd)	CIBA Pictorial Archives
8(g)	Museo Nazionale, Napoli/Alinari/ The Mansell Collection, London
8(hd)	Gene Cox, Micro Colour (International)
8(bd)	Photos Ken Coton © Aldus Books
9(h)	© Aldus Books
9(b)	Scala
10(g)	Bibliothèque Nationale, Paris
10(d)	Biblioteca Medicea Laurenziana, Firenze/Photo G.B. Pineider
11(h)	Vatican Library
11(b)	Musée du Louvre, Paris/Photo Réunion des Musées Nationaux
12(g)	Museo Nazionale, Napoli/Scala
12(d)	Imprimé avec autorisation du British Library Board
13(hg)	Imprimé avec autorisation du Trustees of the British Museum
13(hg)	© Aldus Books
13(bd)	The Mansell Collection, London
14(h)	Aldus Archives
14(bg)	The Mansell Collection, London
14(bd)	Fabrizio Parisio, Napoli
15(h)	British Crown Copyright. Science Museum, London
15(bg)	The Mansell Collection, London
15(bd)	Liebig Museum, Frankfurt
16(g)	Staatsbibliothek Bildarchiv (Handke), Deutschland
16(d)	The Mansell Collection, London
17(hg)	Imprimé avec autorisation du Trustees of the British Museum
17(hd)	© Aldus Books
17(bd)	Imprimé avec autorisation de Lady Cobbold
18(g)	Stanza della Segnatura, Vaticano/Scala
18(hd)	Institut de France/Robert Harding Associates
18(bd)	Leonardo Museum, Vinci/Robert Harding Associates
19(hg)	Imprimé avec autorisation de Her Majesty Queen Elizabeth II
19(hd)	Eugen Diederich Verlag, Jena
19(bd)	David Paramor Collection, Newmarket
20(g)	The Mansell Collection, London
20(d)	Erich Lessing/Magnum
21(hg)	*Radio Times* Hulton Picture Library
21(hd)(md)	Aldus Archives
21(b)	Ann Ronan Picture Library
22(g)	Musée du Louvre, Paris/Giraudon
22(d)	Aldus Archives
23	National Galleries of Scotland, Edinburgh/Photo Tom Scott © Aldus Books
24	Aldus Archives
25(hg)	Staatsbibliothek, Wien
25(d)	British Crown Copyright. Science Museum, London
26(bg)	Rijksprentenkabinet, Amsterdam
26(h)	Imprimé avec autorisation du Trustees of the British Museum
26-27(mb)	Royal Geographical Society
27(hd)	Germanisches Nationalmuseum, Nürenberg
27(bd)	Royal Geographical Society
28(g)	Collection Zelandia Illustrata, part. IV, no.597. Rijksarchief de Zélande, Middelburg: propriété de la Koninklijk Zeeuwsch Genootschap der Wetenschappen, Middelburg, Nederland
29(h)(bg)	British Crown Copyright. Science Museum, London
29(bd)	Aldus Archives
30(g)	Biblioteca Marucelliana, Firenze
30(m)(hd)	British Crown Copyright. Science Museum, London
30(bd)	David Paramor Collection, Newmarket
31(h)	Biblioteca Nazionale Centrale, Firenze
31(b)	De Unger Collection/Cooper-Bridgeman Library
32(g)	Fondation Saint-Thomas
32(d)	Erich Lessing/Magnum
33(hg)	Imprimé avec autorisation du Trustees of the British Museum
33(hd)	Erich Lessing/Magnum
33(bd)	d'après Richard Procter, *Old and New Astronomy*, Longmans Green et Co Limited, London
34(h)(bg)	Imprimé avec autorisation du British Library Board
34(b)	Zefa
35(d)	Picturepoint, London
36(g)	Hunterian Collection, University of Glasgow
36(d) 37(h)	Gordon Cramp © Aldus Books
37(bg)	Aldus Archives
37(bd)	Barber-Surgeon's Hall/Photo Eileen Tweedy © Aldus Books, courtesy The Worshipful Company of Barbers
38(g)	The Mansell Collection, London
38(d)	British Crown Copyright. Science Museum, London
39(hg)	Aldus Archives
39(m)	Meteorological Office, Bracknell
39(d)	Science Museum, London/Photo Eileen Tweedy © Aldus Books
40(g)	National Portrait Gallery, London
40(hd)	Photo Eileen Tweedy © Aldus Books
40(bd)	Science Museum, London/ Photo Michael Holford Library
41	Aldus Archives
42(g)	Collection Municipal Museum, Den Haag
42(d)	British Crown Copyright. Science Museum, London
43(g)	Aldus Archives
43(d)	British Crown Copyright. Science Museum, London
44(g)	Museum of the History of Science, Oxford
44(d)	Linnaean Society
45(h)	British Crown Copyright. Science Museum, London
45(mg)(bd)	Aldus Archives
46(bg)	National Portrait Gallery, London
46(d)	Science Museum, London/Photo David Swann © Aldus Books
47(h)	Woolsthorpe Manor, propriété du National Trust/Photo David Swann © Aldus Books
47(b)	The Mansell Collection, London
48(g)	Science Museum, London/Photo Newcomen Society
49(hg)	The Mansell Collection, London
49(hd)	British Crown Copyright. Science Museum, London
49(b)	Walker Art Gallery, Liverpool
50(g)	British Tourist Authority
50(d)	Ironbridge Gorge Museum
51	Telford Development Corporation
52(g)	National Portrait Gallery, London
52(d)	Aldus Archives
53(hg)	British Museum/Photo Eileen Tweedy © Aldus Books
53(hd)	Philadelphia Museum of Art. Don de Mr. and Mrs. Wharton Sinkler, reserving life interest
53(bd)	Aldus Archives
54(g)	Linnaean Society/Photo Todd-White © Aldus Books
54(d)	Robert Harding Associates
55(hg)	Linnaean Society/Photo Todd-White © Aldus Books
55(d)	British Museum (Natural History)
56(h)	British Crown Copyright. Science Museum, London
56-57(b)	Victoria et Albert Museum, London/Photo Eileen Tweedy © Aldus Books
57(h)	Victoria et Albert Museum, London/Photo John Freeman © Aldus Books
58-59	Medical Illustration Unit, Royal College of Surgeons
60(g)	British Museum/Photo Eileen Tweedy © Aldus Books
60(d)	British Crown Copyright. Science Museum, London
61(hg)	A.J. Berry, *Henry Cavendish: His Life and Works*, Hutchinson, London, 1960
61(bg)	British Crown Copyright. Science Museum, London
61(d)	Aldus Archives
62(g)	National Portrait Gallery, London
62(d)	British Crown Copyright. Science Museum, London
63	Local History Collection, Manchester Central Library
64(g)	National Portrait Gallery, London
64(d)	Royal Institution/Photo Michael Holford Library
65(h)	British Museum/Photo Eileen Tweedy © Aldus Books
65(b)	British Crown Copyright. Science Museum, London
66(g)	National Portrait Gallery, London
66(d), 67	British Crown Copyright. Science Museum, London
68(g)	National Portrait Gallery, London
68(hd)(m)(bd)	British Crown Copyright. Science Museum, London
69(hg)	Aldus Archives
69(hd)	Photo Gerald Howson © Aldus Books, courtesy of the Royal Astronomical Society
70(g)	The Mansell Collection, London
70(hd)	Bibliothèque des Arts Décoratifs, Paris/Photo J.-L. Charmet
70(bd)	British Museum/Photo Eileen Tweedy © Aldus Books
71(b)	Musée de Lille/Photo J.-L. Charmet
71(hd)	Bibliothèque des Arts Décoratifs Paris/Photo J.-L. Charmet
72(g)	Giraudon
72(d), 73	British Crown Copyright. Science Museum, London
74(g)	Aldus Archives
74(d)	Museo Nazionale Scienza e Tecnica, Milano
75(h)	Tribuna de Galileo, Firenze/Scala
75(bg)	Museo della Scienza e della Tecnica, Milano/Scala
75(bd)	Aldus Archives
76(g)	Institution of Mechanical Engineers/Photo Eileen Tweedy © Aldus Books
76(d)	Bramah Security/Photo Eileen Tweedy © Aldus Books
77(h)	Imprimé avec autorisation du British Library Board
77(d)	British Crown Copyright. Science Museum, London
78(g)	National Portrait Gallery, London
78(d)	British Museum/Photo Eileen Tweedy © Aldus Books
79(hd)	Wellcome Historical Medical Museum
79(bd)	Society of Apothecaries/Photo Eileen Tweedy © Aldus Books
80(g)	Musée Carnavalet, Paris/Photo J.-L. Charmet
80(d)	Bibliothèque du C.N.A.M., Paris/Photo J.-L. Charmet
81(h)	Bibliothèque Nationale, Paris/Photo J.-L. Charmet
81(mb)	Bibliothèque du C.N.A.M., Paris/Photo J.-L. Charmet
82(g)	British Crown Copyright. Science Museum, London
82(d)	Bibliothèque Nationale, Paris/Photo J.-L. Charmet
83(h)	Victoria and Albert Museum, London
83(bd)	International Wool Secretariat
84(g)	Science Museum Library, London/Photo Eileen Tweedy © Aldus Books
84(hd)	British Crown Copyright. Science Museum, London
84-85(mb)	Deutsches Museum, München
85(h)(mg)	British Museum/ Photos Eileen Tweedy © Aldus Books
85(m)	Aldus Archives
85(hd)	Royal Institution/Photo Michael Holford Library
85(bd)	Aldus Archives
86(bg)	British Gas
86(d)	British Museum/Photos Eileen Tweedy © Aldus Books
87	British Crown Copyright. Science Museum, London
88(g)	National Portrait Gallery, London
88(d)	British Museum/Photo Eileen Tweedy © Aldus Books
89(hg)	Rudolph Britto © Aldus Books
89(hd)	Ishitawajima-Horima, Heavy Industries Co., Ltd.
89(bg)	British Museum/Photo Eileen Tweedy Aldus Books
90(g)	American Antiquarian Society/Photo Marvin Richmond
90(hd)	Science Museum Library, London/Photo Eileen Tweedy © Aldus Books
90-91(mb)	New York Historical Society
91(h)	New York Historical Society
92(g)	Yale University Art Gallery. Don de George Hoadley
92(d)	The New Haven Colony Historical Society
93(h)	Aldus Archives
93(bd)	The New Haven Colony Historical Society
94(g)	Kodak Museum
94(hd)	Bibliothèque des Arts Décoratifs, Paris/Photo J.-L. Charmet
94(bd)	Bibliothèque du C.N.A.M., Paris/Photo J.-L. Charmet
95(hg)	Bibliothèque des Arts Décoratifs, Paris/Photo J.-L. Charmet
95(hd)	Archives de France/Photo J.-L. Charmet
95(b)	I.N.R.P. Collections Historiques/Photo J.-L. Charmet
96(g)	The Royal Society/Photo John Freeman © Aldus Books
96(h)	British Crown Copyright. Science Museum, London
96(bd)	Imprimé avec autorisation du Manchester City Council
97(h)	Dr. E.J. Holmyard, *Makers of Chemistry*, Clarendon Press, Oxford
97(bd)	© Aldus Books
98,99(h)	Linnaean Society/Photos Todd-White © Aldus Books
99(b)	Musée de l'Homme, Paris/Photo Thames and Hudson Ltd.
100(g)	Deutsches Museum, München
100(d)	The Tate Gallery, London/Photo John Webb © Aldus Books
101(h)	Deutsches Museum, München
101(b)	Photos Paul Brierley
102(g)	Deutsches Museum, München
102(hd)	© Aldus Books
102(bd), 103(h)	Victoria and Albert Museum, London/Photos Eileen Tweedy © Aldus Books
103(b)	Aldus Archives
104(g)	Science Museum Library, London/Photo Eileen Tweedy © Aldus Books
104(d), 105(h)	*The Times*, London
105(hd)	Science Museum Library, London/Photo Eileen Tweedy © Aldus Books
105(bd)	*The Times*, London
106(g)	British Crown Copyright. Science Museum, London
106(d)	Musée Carnavalet, Paris/ J.-L. Charmet

107(hg) Académie des Sciences, Paris/Photo J.-L. Charmet
107(hd) Photo Paul Brierley
108(g) National Portrait Gallery, London
108(hd) Museum of the History of Science, Oxford
108(bd) British Crown Copyright. Science Museum, London
109(hg) Aldus Archives
109(hd)(b) Royal Institution/Photos Michael Holford Library
110(g) National Portrait Gallery, London
111(h) Gillian Newing © Aldus Books
111(mg) British Crown Copyright. Science Museum, London
111(b) Mary Evans Picture Library
112(bg) Photo John Freeman © Aldus Books
112(h) Deutsches Museum, München
112(bd) Photo Michael Holford Library
113(h) Ann Ronan Picture Library
113(bg) Mary Evans Picture Library
113(md) Deutsches Museum, München
113(bd) Picturepoint, London
114(g) National Portrait Gallery, London
114(d) Deutsches Museum, München
115(h) Science Museum, London/Photo Michael Holford Library
115(d) Photo Paul Brierley
116(h) Royal Geographical Society/Photo John Webb © Aldus Books
116(bg) *Radio Times* Hulton Picture Library
116(bd) © Aldus Books
117(hg)(md) Mount Wilson and Palomar Observatories
117(b) Photo G.V. Black from the Diana Wyllie slide set, *Optical Phenomena*
118(h) Photo J.-L. Charmet
118(bg) *Radio Times* Hulton Picture Library
119(hg) Photo J.-L. Charmet
119(hd) *Radio Times* Hulton Picture Library
119(bg)(md) British Crown Copyright. Science Museum, London
119(bd) Photo J.-L. Charmet
120(g) National Portrait Gallery, London
120(d) Royal Institution/Photo Michael Holford Library
121(hg) Science Museum, London/Photo John Freeman © Aldus Books
121(mh)(hd) Royal Institution
122(bg) National Portrait Gallery, Smithsonian Institution, Washington, D.C.
122(d) © Aldus Books
123(hg) *Radio Times* Hulton Picture Library
123(hd) © Aldus Books
123(b) Science Museum, London/Photo Michael Holford Library
124(g) National Portrait Gallery, London
124(d) British Crown Copyright. Science Museum, London
125(h) British European Airways
125(b) Michael Freeman/Bruce Coleman Ltd.
126(g) National Portrait Gallery, Smithsonian Institution, Washington, D.C.
126(d) British Crown Copyright. Science Museum, London
127(h) © Aldus Books
127(md) The Bettmann Archive
128(h) The National Trust
128(b), 129(h) British Crown Copyright. Science Museum, London
129(mg)(md) British Crown Copyright. Science Museum, London
129(b) Aldus Archives
130(g) *Radio Times* Hulton Picture Library
130(d) Bildarchiv Preussischer Kulturbesitz
131(hg) Science Museum, London/Photo Michael Holford Library
131(hd) Deutsches Museum, München
131(bd) Photo Mike Busselle © Aldus Books
132(h) Mary Evans Picture Library
132(bg) I.B.A.
133(hg) Photo Ivan Massar, Black Star, New York
133(hd)(bd) Photos Paul Brierley
133(bg) Alan Holingbery © Aldus Books
134(g) *Radio Times* Hulton Picture Library
134(d), 135(h) Ann Ronan Picture Library
135(mg) Science Museum, London/Photo Michael Holford Library
135(bg) British Crown Copyright. Science Museum, London
135(bd) © Aldus Books
136(h) City Art Gallery, Bristol
136(bg) The Historical Pictures Service
137(h) City Art Gallery, Bristol/C. and E. Photography © Aldus Books
137(b) Mary Evans Picture Library
138(g) National Portrait Gallery, London
138(d) British Crown Copyright. Science Museum, London
139(h) Aldus Archives
139(mb) H.C. King, *History of the Telescope,* Charles Griffin and Co. Ltd., London
139(bd) Science Museum, London/Photo David Swann © Aldus Books
140(hd) Mary Evans Picture Library
140(mh)(md) Royal National Institute for the Blind
140(bg) I.B.A.
140(bd) Ann Ronan Picture Library
141(h) Mary Evans Picture Library
141(mg) Royal National Institute for the Blind
141(md) The Mansell Collection, London
141(bd) Picturepoint, London
142(h) National Maritime Museum, London/Photo © Aldus Books
142(bg) National Portrait Gallery, London
142(bd) Gerald Leigh Davies © Aldus Books
143(h) William Howells, *Mankind in the Making.* Secker and Warburg and Co. Ltd., London 1960, and Doubleday and Co. Inc., New York
143(b) Aldus Archives
144(bg) National Portrait Gallery, Smithsonian Institution, Washington, D.C.
144(bd), 144-145(mh) American History Picture Library
145(hd) Mary Evans Picture Library
145(bg) The Bettmann Archive
145(bd) Photri
146(hg) National Portrait Gallery, London
146(hd) Mary Evans Picture Library
146(b), 147(h) © Aldus Books
147(b) Mary Evans Picture Library
148(g) Ann Ronan Picture Library
148(d) The Bettmann Archive
149(h)(b) Aldus Archives
149(m) The Bettmann Archive
150(bd) © Aldus Books
150(hd) Bildarchiv Preussischer Kulturbesitz
151(hg) Ullstein Bilderdienst
151(hd)(bg) Bildarchiv Preussischer Kulturbesitz
151(bd) Photo Paul Brierley
152-153(h) British Museum/Photo John Webb © Aldus Books
152(bg) Elektrizitätswerke des Kantons, Zürich
152-153(mb) Science Museum, London/Photo Michael Holford Library
153(mb) Gillian Newing © Aldus Books d'après Blackwood Kelly Bell, *General Physics,* John Wiley and Co. Inc., New York
153(bd) Picturepoint, London
154(h) American History Picture Library
154(bg) The Bettmann Archive
154(bd) Science Museum, London/Photo Michael Holford Library
155(hg) Ann Ronan Picture Library
155(hd)(bg) *Radio Times* Hulton Picture Library
155(bd) The Bettmann Archive
156(h) Internationales Bildarchiv
156(bg) Photo J.-L. Charmet
156(bd) Mary Evans Picture Library
157(hg) Bildarchiv Preussischer Kulturbesitz
157(hd) P. Peral/Snark International
157(b) Archives E. Rousseau/Snark International
158(h)(bg) British Crown Copyright. Science Museum, London
158(bd) Bildarchiv Preussischer Kulturbesitz
159(h) *Radio Times* Hulton Picture Library
159(b) Picturepoint, London
160(g) The Mansell Collection, London
160(d) Design Practitioners © Aldus Books
161(h) Ann Ronan Picture Library
161(b) © Aldus Books
162(hg) Institut Pasteur, Paris
162(h) Photo Paul Brierley
162(b) Cliché Hachette
163(h) Musée Carnavalet, Paris/Photo J.-L. Charmet
163(b) Professor Pasteur Vallery-Radot
164(g) Ann Ronan Picture Library
164(d) American History Picture Library
165(h) © Aldus Books
165(b) Ann Ronan Picture Library
166(g) National Portrait Gallery, London
166(h) I.B.A.
167(h) Aldus Archives
167(bg) Bildarchiv Preussischer Kulturbesitz
167(bd) Ann Ronan Picture Library
168(g) Ullstein Bilderdienst
168(d) Ann Ronan Picture Library
169(h) Deutsches Museum, München
169(bg) Photo Paul Brierley
169(bd) Bildarchiv Preussischer Kulturbesitz
170(g) National Portrait Gallery, London
170(d), 171(h) Ann Ronan Picture Library
171(b) Black Star
172(hg) Wellcome Historical Medical Museum
172(hd) The Mansell Collection, London
172(b) The Bettmann Archive
173(h) Photo Michael Holford Library
174(g) Ann Ronan Picture Library
174(h) British Crown Copyright. Science Museum, London
174-175(mb) The Mansell Collection, London
175(h) *Radio Times* Hulton Picture Library
175(bd) Paul Almasy
176(h) The Mansell Collection, London
176(bg) Bildarchiv Preussischer Kulturbesitz
176(bd), 177(h) Imprimé avec autorisation du Trustees of the British Museum
177(b) Maurice L. Huggins, Research Laboratories, using X-ray diffraction data by Brockway and Robertson
178(h) Bildarchiv Preussischer Kulturbesitz
178(b) Aldus Archives
179(h) Paul Almasy
179(mg) British Crown Copyright. Science Museum, London
179(bd) Picturepoint, London
180(h) Bildarchiv Preussischer Kulturbesitz
180(bg) Ann Ronan Picture Library
180(bd) The Bettmann Archive
181(h) Sidney W. Wood © Aldus Books
182(hg) National Portrait Gallery, London
182(hd) British Crown Copyright. Science Museum, London
182(b) Science Museum, London/Photo Michael Holford Library
183(g) Photo J.-L. Charmet
183(hd) Science Museum, London/Photo Michael Holford Library
183(bd) Gillian Newing © Aldus Books
184(h) Daimler-Benz Aktiengesellschaft
184(b) Photri
185(hd) *Radio Times* Hulton Picture Library
185(md) Daimler-Benz Aktiengesellschaft
185(b) National Motor Museum/Robert Harding Associates
186(hg) The Mansell Collection, London
186(hd) © Aldus Books
186(b) Novosti Press Agency
187(h)(m) © Aldus Books
187(b) Photo Paul Brierley
188(g) Museum Boerhaave
189(hg) Mount Wilson and Palomar Observatories
189(hd)(bg) Photos Paul Brierley
189(bd) Space Frontiers Ltd.
190(hg) National Portrait Gallery, London
190(hd) Photo Michael Holford Library
191(h) British Broadcasting Corporation,/Photo Brompton Studio © Aldus Books
191(bg) Ann Ronan Picture Library
191(bd) Imperial Chemical Industries Limited
192(h) Holden-Day Incorporated
192(m)(b) Ernst Mach Institut
193(g) *Science Journal,* London
193(hd) John T. Blackmore, *Ernst Mach,* University of California Press, 1972
193(md)(bd) Photri
194(g) Photo J.-L. Charmet
194(d) *Radio Times* Hulton Picture Library
195(h) The Historical Pictures Service
195(hg) Imperial War Museum, London/Photo Derek Bayes
195(hd) Aldus Archives
195(bd) Picturepoint, London
196(g) Dunlop Ltd.
196(d) The Bettmann Archive
197(hd) Bodleian Library, Oxford (252.4, frame 5)
197(md) Dunlop Ltd.
197(b) *Radio Times* Hulton Picture Library
198(h)(bg) Bildarchiv Preussischer Kulturbesitz
198(bd) John Topham Ltd.
199(hd) Roger-Viollet
199(m) Gene Cox, Micro Colour (International)
199(bg) Aldus Archives
199(bd), 200(g) Süddeutscher Verlag
201(hg)(hd) Bildarchiv Preussischer Kulturbesitz
201(bg) Mary Evans Picture Library
201(bd) Bodleian Library, Oxford (Filmstrip 252.4)
202(g) Bildarchiv Preussischer Kulturbesitz
202(b) Photo J.-L. Charmet
202(hg)(md) *Radio Times* Hulton Picture Library
203(mh) The Mansell Collection, London
203(hd) Photri
203(b) Clive D. Woodley/Bruce Coleman Ltd.
204 Ann Ronan Picture Library
205(h) Science Museum, London/Photo Micael Holford Library
205(b) Ann Ronan Picture Library
206(h) British Crown Copyright. Science Museum, London
206(b) Gernsheim Collection, Humanities Research Center, The University of Texas at Austin
207(hg) The Mansell Collection, London
207(hd)(b) Mary Evans Picture Library
208(h) © Aldus Books
208(bg) The Mansell Collection, London
208(bd) The Bettmann Archive
209(hd) The National Association for Mental Health/Photo John Brooke © Aldus Books
209(b) The Mansell Collection, London
210(bg) The Bettmann Archive
210(hg) The Mansell Collection, London
210(mb) Photo Paul Brierley
210-211(mh) Science Museum, London/Photo Michael Holford Library
210-211(mb), 211(hd)(bd) The Mansell Collection, London
212(g) Brown Brothers
212(d) Archiv Gerstenberg
213(h) Snark International
213(md) © Aldus Books
213(bd) Leonard Whiteman © Aldus Books
214(g) *Radio Times* Hulton Picture Library
214(d) Photo J.-L. Charmet
215(hg) The Bettmann Archive
215(hd) Historical Pictures Service

215(b) Gard Sommer/Bavaria Verlag
216(g) Süddeutscher Verlag
216-217(mh) The Bettmann Archive
216-217(mb) © Aldus Books
217(hd) Photri
217(mb) Mary Evans Picture Library
218(g) *Radio Times* Hulton Picture Library
218(d), 219(h) Ken Moreman
219(bg) The Mansell Collection, London
219(bd) Boots Pure Drug Co. Ltd.
220(h) David Paramor Collection, Newmarket
220(bg) C.A. Parsons and Co. Ltd.
220-221(mb) Ann Ronan Picture Library
221(h) C.A. Parsons and Co. Ltd.
222(hg) Bildarchiv Preussischer Kulturbesitz
222(hd) International Museum of Photography
222(b) Cooper-Bridgeman Library
223(h) British Crown Copyright. Science Museum, London
223(b) Eastman Kodak Co.
224(hg) Ann Ronan Picture Library
224(b) Bildarchiv Preussischer Kulturbesitz
224-225(h) The Bettmann Archive
225(hd) British Crown Copyright. Science Museum, London
225(bd) Photo Paul Brierley
226(h) Courtesy Mullard Limited
226(bg) Cooper-Bridgeman Library
226-227(mb) Photo Paul Brierley
227(h) © Aldus Books
227(m) Courtesy of Teltron Ltd., London
227(bd) The Cavendish Laboratory, Cambridge
228(h)(bg) Bildarchiv Preussischer Kulturbesitz
228(bd) Walter Greaves and Michael Mellish © Aldus Books
229(h) The Mansell Collection, London
229(bg) Photo Paul Brierley
229(bd) Nuffield Radio Astronomy Laboratories, University of Manchester
230(g) British Crown Copyright. Science Museum, London
230-231(m) Bildarchiv Preussischer Kulturbesitz
231(hd) I.B.A.
231(bd) Robert Harding Associates
232(g) Max Planck Institute
232(hd) © Aldus Books
232(h) U.S. Naval Observatory
233(b) The Cavendish Laboratory, Cambridge
234(h) © Aldus Books
234(b) Universitetsbiblioteket Uppsala
235(h) Photo Paul Brierley
235(b) © Aldus Books
236-237(h) Ann Ronan Picture Library
236(bg) Museum Boerhaave
236(bd) The Mansell Collection, London
237(m)(bg) © Aldus Books
237(bd) Photo Donald B. Longmore
238-239(h) Repris de *Design and Work* and *Journal of the Röntgen Society*
238(bg) Bilderdienst Süddeutscher
238(md)(bd) © Aldus Books
239(md) Photo Ray Dean © Aldus Books
239(bg) Alistai Hay © Aldus Books
239(mb) Photo EMI
239(bd) John Cura
240(h) Aldus Archives
240(b) Universitetsbiblioteket Bergen
241(g) Sidney W. Woods © Aldus Books d'après S. Petterssen, *Introduction to Meteorology*, © McGraw-Hill Book Company, New York, 1958
241(d) Meteorological Office, Bracknell
242(h) Mary Evans Picture Library
242(bg) Historical Pictures Service Inc.
242(bd) Cooper-Bridgeman Library
243(hg) British Crown Copyright. Science Museum, London
243(hd) Roger-Viollet
243(b) Photo J.-L. Charmet
244(h) Ullstein Bilderdienst
244(b) Courtesy Aluminium Company of America
245(h) Photo Paul Brierley
245(b) Ann Ronan Picture Library
246 Brown Brothers
247(h) Picturepoint, London
247(md) *Radio Times* Hulton Picture Library
247(bg) Photo © Aldus Books, Courtesy of Sunbeam Electric Ltd.
247(bd) Lee Davies © Aldus Books
248(bg)(hd) Brown Brothers
248(bd) Bildarchiv Preussischer Kulturbesitz
249(hd) Brown Brothers
249(b) Bodleian Library, Oxford (Filmstrip 252.4)
250(h)(b) British Crown Copyright. Science Museum, London
250(m) Mary Evans Picture Library
251(h) British Crown Copyright. Science Museum, London
251(b) Mary Evans Picture Library
252(h) Ann Ronan Picture Library
252(bg) Archiv Gerstenberg
252(bd) The Mansell Collection, London
253(hg) Archiv Gerstenberg
253(hd) Photo Paul Brierley
253(mg) G. Motley/Photo Jarmain © Aldus Books
253(md) Aldus Archives
253(b) Archiv für Kunst und Geschichte
254(h) Spectrum Colour Library
254(bg) Aldus Archives
255(h) W.C. Sabine, *Collected Papers on Acoustics*, Dover Publishing Inc., New York. Imprimé avec l'autorisation de l'éditeur
255(m) Photo Paul Brierley
255(bg) Fogg Art Museum, Harvard University
255(bd) Photo Michael Holford Library
256(hg) Photo J.-L. Charmet
256(hd) Wellcome Historical Medical Museum
256(bg) Kunsthistorisches Museum, Wien Photo Meyer © Aldus Books
256(bd) Photo Archee, x 4.000
257(h) Ken Moreman, Chester Beatty Research Institute
257(bg) National Blood Transfusion Service
257(bd) Photo Donald B. Longmore
258(h) Deutsches Museum, München
258(bg) Ullstein Bilderdienst
258(md) Brian Lee © Aldus Books
258-259(b) Photo Saskatchewan Government
259(h) By Courtesy of The Anglo Chilean Society
259(m) Shirley Parfitt © Aldus Books
260(hg) Cooper-Bridgeman Library
260(hd) United Kingdom Atomic Energy Authority
260(md) © Aldus Books
260(b) The Cavendish Laboratory, Cambridge
261(h) United Kingdom Atomic Energy Authority
261(mg) The Cavendish Laboratory, Cambridge/Photo John Webb © Aldus Books
261(md) The Cavendish Laboratory, Cambridge
261(b) Photo Paul Brierley
262 The Marconi Company Ltd.
263(h) Bodleian Library, Oxford (Filmstrip 252.7)
263(mg)(bg) Mary Evans Picture Library
263(md) By Courtesy of the Director; Science Museum, London (lent by Thomas A. Edison)
263(bd) Photo Paul Brierley
264(g) Courtesy Methuen and Co. Ltd., London
264(d) Courtesy McDonnell Aircraft Corporation
265(g) © Aldus Books
265(hd) Ernst Hass/Magnum
265(bd) Space Frontiers
266(hd)(md) Photos Paul Brierley
266(bg) Bildarchiv Preussischer Kulturbesitz
266(m) © Aldus Books
266-267(mb) Bildarchiv Preussischer Kulturbesitz
267(hg) Casa Editrice G.C. Sansoni, Firenze
267(hd) British Crown Copyright. Science Museum, London
267(mg) X-ray diffraction pattern by R. Franklin and R.C. Gosling, *Nature*, 1953
267(bd) Bildarchiv Preussischer Kulturbesitz
268(hg) Roger-Viollet
268(mg) Bildarchiv Preussischer Kulturbesitz
268(hd) © Aldus Books
268(b) Ullstein Bilderdienst
269(h) United Kingdom Atomic Energy Authority
269(m) Courtesy Office of the Assistant Secretary of Defense, Washington
268(b) Bildarchiv Preussischer Kulturbesitz
270 *Radio Times* Hulton Picture Library
271(g) Photomicrograph Dr. Gordon F. Leedale, x 1800
271(mh)(hd) By Courtesy of Beecham Research Laboratories
271(bd) Photos WHO
272(g) National Air and Space Museum, Smithsomian Institution, Washington, D.C.
272(mb) Photo Mrs. H. Goddard
272(hd) Royal Artillery Institute Museum, Woolwich/Photo Michael Holford © Aldus Books
272-273(mb) Courtesy Mrs. H. Goddard
273(h) Courtesy Mrs. H. Goddard; Photo B. Anthony Stewart National Geographical Society
274(g) Bilderdienst Süddeutscher Verlag
274-275(mb) © Aldus Books
275(hg) Union Carbide Corporation
275(d) Bildarchiv Preussischer Kulturbesitz
276(hg) Photo Paul Brierley
276(bg)(d) *Radio Times* Hulton Picture Library
277(hd) © Aldus Books
277(bg) British Crown Copyright. Science Museum, London
277(hd) *Radio Times* Hulton Picture Library
278(hg) Historical Pictures Service
278(hd) The Bettmann Archive
278(b) Internationale Bilder-Agentur
279(b) Sikorsky Aircraft
280(g) Camera Press
280(d) © Aldus Books
281(h) The Cavendish Laboratory, Cambridge
281(bg) © Aldus Books
281(bd) United Kingdom Atomic Energy Authority
282(hg) British Crown Copyright. Science Museum, London
282(hd) © Aldus Books
282(bg) Bildarchiv Preussischer Kulturbesitz
282(mb) Brown Brothers
282(bd) Roger-Viollet
283(h) Leeds University/Photo Christopher Ridley © Aldus Books
283(b) General Electric Co.
284(g) Imperial War Museum, London
284(m) Decca Radar Ltd.
284-285(m),
284(bd) Imperial War Museum, London
285(h) Imperial War Museum, London
285(bd) © BICC Ltd.
286(hg) Brian Lee © Aldus Books
286(hd) Courtesy Du Pont Company
286(b) E.I. Du Pont De Nemours and Co.
287(hg) Courtaulds Ltd.
287(hd) Plastics Division, Imperial Chemicals Limited
287(b) Courtaulds Ltd.
288(bg) Camera Press
288(d) Photos United Kingdom Atomic Energy Authority
289(hg) © Aldus Books
289(mg)(hd),
289(b) Photos Paul Brierley
290(h)(bd) Roger-Viollet
290(bg) Internationale Bilderagentur
291(h) United Kingdom Atomic Energy Authority
291(bg) UPI Inc. (Compix)
291(md) Central Office of Information
291(bd) Los Alamos Scientific Laboratory
292(h) United Kingdom Atomic Energy Authority
292(bg) Brown Brothers
292(bd) Photo Paul Brierley
293(hg) © Aldus Books
293(mg) Photo Paul Brierley
293(hd) United Kingdom Atomic Energy Authority
293(b) Photo U.S. Navy
294(h) NSU Motorenwerke Aktiengesellschaft
294(bg) Bilderdienst Süddeutscher Verlag
294(bd) d'après Donald H. Marter, *Engines*, Thames and Hudson Ltd., London, 1965
295(g) © Aldus Books
295(hd) NSU (Great Britain) Ltd.
295(bd) Lee Davies Aldus Books
296(h) Keystone
296(bg) The Bettmann Archive
296(bd) U.S. Atomic Energy Commission/William H. Regan, Los Alamos Scientific Laboratory
297(g) © Aldus Books
297(d) Harold E. Edgerton
298,299(h)(bg) Courtesy Rank Xerox Ltd., London
299(bg) © Aldus Books
300(h) Imperial War Museum, London
300(b) *Radio Times* Hulton Picture Library
301(hg) Walter Greaves and Michael Mellish © Aldus Books, d'après G. Geoffrey Smith, *Gas Turbines and Jet Propulsion*, Lliffe and Sons Ltd.
301(hd)(md) Cooper-Bridgeman Library
301(bd) British Aerospace
302(h)(bg) Polaroid Corporation
302(bd) Harold King Aldus Books
303(hg) Photo Paul Brierley
303(hd) Photo by Courtesy of Rolls-Royce Limited
303(b) Polaroid (U.K.) Ltd.
304(g) Brown Brothers
304(d) Flip Schulke/Black Star, New York
305(hd)(b) © Les Requins Associés, Neuilly
306(h) National Research Development Corporation/Photo Ken Coton © Aldus Books
306(bg)(bd) Hovercraft Development Ltd.
306(md) © Aldus Books
307(hg) British Crown Copyright reserved
307(hd) Neil MacDonald
307(bg) Mears Construction Ltd.
307(bd) British Hovercraft Corporation
308(h) Stern Archiv, Hamburg
308(b) NASA
309(h) Photo U.S. Army
309(bd) NASA
310(g) The National Foundation-March of Dimes
310(d) Ny Carlsberg Glyptotek, Kopenhagen
311(hg)(bg) The National Foundation-March of Dimes
311(hd) Courtesy of Dr. R.C. Williams
311(bd) Ken Moreman
312(h) Imprimé avec autorisation de la International Telephone and Telegraph Corporation
312(b) Internationales Bilderagentur
313(h) Photos Paul Brierley
313(bg) Massachusetts Institute of Technology
313(bd) *World Medicine*
314(h) X-ray diffraction pattern by R. Franklin and R.G. Gosling, *Nature*, 1953
315(h) Institute of Cancer Research: Royal Cancer Hospital and Royal Marsden Hospital
315(bd)(mg) Sidney W. Woods Aldus Books
315(bg) Courtesy The Bio-Chemistry Department of University of London/Photo Michael Holford © Aldus Books
316(g) Karsh of Ottawa/Camera Press
316(b) Photo Dr. G. Alexandre, Transplantation Unit, Department of Surgery, Hôpital St. Pierre, Louvain, Belgique
317(h) Photo Donald B. Longmore
317(bg) Photo Dr. G. Alexandre, Transplantation Unit, Department of Surgery, Hôpital St. Pierre, Louvain, Belgique
317(bd) Camera Press